Victoria
HOLT

Dom Tysiąca Latarni

Przełożyła Xenia Wiśniewska

Prószyński i S-ka

Tytuł oryginału
THE HOUSE OF A THOUSAND LANTERNS

Copyright © 1974 by Victoria Holt

Projekt okładki
Agnieszka Spyrka

Ilustracja na okładce
Purcell Team/Alamy

Redaktor prowadzący serię
Ewa Witan

Redakcja
Ewa Witan

Redakcja techniczna
Jolanta Trzcińska-Wykrota

Korekta
Mariola Będkowska

Skład i łamanie
Małgorzata Wnuk

ISBN 83-7469-340-1

Biblioteczka pod Różą

Wydawca
Prószyński i S-ka SA
02-651 Warszawa, ul. Garażowa 7
www.proszynski.pl

Druk i oprawa
ABEDIK S.A.
61-311 Poznań, ul. Ługańska 1

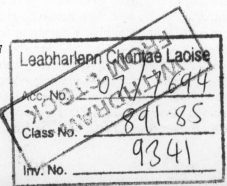

Rozdział pierwszy

Zagroda Rolanda

I

Kiedy pierwszy raz usłyszałam o Domu Tysiąca Latarni, natychmiast chciałam dowiedzieć się więcej o miejscu noszącym taką nazwę. Miała w sobie coś magicznego, tajemniczego. Dlaczego tak nazwano ten dom? Czy w jednym budynku może zmieścić się aż tysiąc latarni? Kto je tam umieścił? I w jakim celu? Nazwa wydawała się pochodzić wprost z Baśni Tysiąca i Jednej Nocy. Nie miałam wtedy pojęcia, że ja, Jane Lindsay, pewnego dnia zostanę wplątana w tajemnicę, niebezpieczeństwo i intrygę, której centrum będzie stanowił właśnie ten dom.

Tak naprawdę zostałam wplątana w to wszystko wiele lat wcześniej, zanim ujrzałam Dom Tysiąca Latarni. Wtedy już zdążyłam zaznać wielu cierpień miłosnych i przygód.

Miałam piętnaście lat, kiedy moja matka została ochmistrzynią w domu tego dziwnego człowieka, Sylwestra Milnera, który wywarł tak ogromny wpływ na moje życie. Gdyby nie on, nigdy nie usłyszałabym o Domu Tysiąca Latarni. Często myślałam, że gdyby mój ojciec nie umarł, nasze losy potoczyłyby się w bardziej konwencjonalny sposób. Wiodłabym życie dobrze wychowanej, choć raczej ubogiej młodej damy i zapewne wyszłabym za mąż i żyła długo i może nie tak ekscytująco, ale szczęśliwie.

Małżeństwo moich rodziców było w pewien sposób niekonwencjonalne, choć okoliczności jego zawarcia wcale nie wydawały się nadzwyczajne. Ojciec pochodził z bogatej rodziny właścicieli ziemskich z północy, którzy od około trzech stuleci mieszkali w rodowej posiadłości, Lindsay Manor. Tradycja nakazywała, by najstarszy syn odziedziczył majątek, młodszy został żołnierzem, a najmłodszy duchownym. Ojciec został przeznaczony do wojska i kiedy zbuntował się przeciwko obranej dla niego drodze kariery, popadł w niełaskę, a po ślubie z moją matką jego stosunki z rodziną zostały zupełnie zerwane.

Ojciec, entuzjasta wspinaczki, poznał moją matkę, kiedy chodził po górach w okręgu Peak. Matka była ładną i pełną życia córką właściciela zajazdu. Zakochał się i ożenił z nią prawie natychmiast pomimo sprzeciwu rodziny, która miała wobec niego inne plany, uwzględniające także córkę dziedzica z sąsiedniego majątku. Rodzina była tak wściekła, że go wydziedziczyła i przyznała jedynie rentę w wysokości dwustu funtów rocznie.

Mój ojciec, wspaniały czarujący człowiek, interesował się szeroko pojętą sztuką i wiedział coś na temat niemal każdej jej dziedziny. Jedyną rzeczą, która nie wychodziła mu zbyt dobrze, było zarabianie pieniędzy. Został wychowany w luksusie i nigdy tak naprawdę nie przyzwyczaił się do życia w warunkach innych niż te, do jakich przywykł w młodości. Malowane przezeń obrazy można by określić jako dość dobre, ale, jak wszyscy wiedzą, malować „dosyć dobrze" zwykle oznacza „niewystarczająco dobrze". Od czasu do czasu sprzedawał jakiś obraz, a w sezonie pracował jako górski przewodnik. W moich najwcześniejszych wspomnieniach wyrusza z grupą wędrowców na wyprawę, wyposażony w raki i sznury, z oczami błyszczącymi z podniecenia, bo wspinaczkę kochał ponad wszystko.

Ojciec był marzycielem i idealistą. Matka zwykła do mnie mawiać:

– To łaska boska, że ty i ja, Jane, stoimy twardo na ziemi, a nasze głowy, nawet jeżeli często błądzą w mgłach Derbyshire, przynajmniej nie błądzą w chmurach.

Ale kochałyśmy go bardzo, a on kochał nas i często mówił, że stanowimy idealne trio. Byłam ich jedynym dzieckiem i bardzo się starali, żebym otrzymała jak najlepszą edukację. Dla ojca nie podlegało dyskusji, że powinnam uczęszczać do szkoły, w której uczyły się wszystkie dziewczęta z jego rodziny, matka zaś uważała, że jako córka swojego ojca zasługuję tylko na to, co najlepsze, więc w wieku dziesięciu lat zostałam wysłana do Cluntons, bardzo wytwornej pensji dla córek bogatego ziemiaństwa. Uznano mnie tam za pannę z rodu Lindsay z Lindsay Manor. Okazało się, że chociaż nigdy nie widziałam tego domu i tak naprawdę zostałam z niego wygnana, nadal należałam do rodziny.

Niezabezpieczeni finansowo, ale pewni wzajemnej miłości, z rentą ojca i jego sporadycznymi zarobkami, stawialiśmy radośnie czoło codziennym troskom aż do owego tragicznego styczniowego dnia. Spędzałam wtedy w domu ferie świąteczne.

Tamtego roku pogoda była okropna. Nigdy wcześniej nie widziałam, żeby góry Derbyshire wyglądały tak złowrogo. Niebo miało ołowianoszary kolor, wiał lodowaty wiatr, a około pięciu godzin po wyjściu ojca i jego grupy rozpętała się burza śnieżna. Od tamtej pory widok śniegu zawsze przywodzi mi na myśl ów straszny dzień. Nie cierpię dziwnego białego światła, które przenika powietrze, nie znoszę białych płatków, padających gęsto i cicho. Byłyśmy zamknięte w dziwnym, białym świecie, a gdzieś tam, wysoko w górach, błąkał się mój ojciec.

– Zna dobrze góry – powiedziała matka. – Nic mu nie będzie.

I zajęła się pieczeniem chleba w ogromnym piecu stojącym przy kominku. Już zawsze zapach świeżo upieczonego chleba miał mi przypominać tamte straszliwe godziny, wypełnione czekaniem, tykaniem dziadkowego zegara, czekaniem... oczekiwaniem na wiadomości.

Kiedy zadymka ustała, zaspy śniegu leżały wszędzie, w górach i dolinach. Natychmiast wyruszyła grupa poszukiwaczy, ale minął cały tydzień, zanim ich znaleźli.

My wiedziałyśmy na długo przedtem. Pamiętam, jak siedziałam w kuchni, najcieplejszym miejscu domu, a matka opowiadała mi, jak się poznali, jak ojciec dzielnie przeciwstawił się całej rodzinie i dla narzeczonej porzucił swoje dostatnie życie.

– On nigdy się nie poddaje – powtarzała. – Może wrócić w każdej chwili. Będzie się z nas śmiał, że tak się martwiłyśmy.

Ale nawet jeżeli udało mu się stawić czoło całej rodzinie, nie był godnym przeciwnikiem dla żywiołów. Dzień, w którym zniesiono z gór jego ciało, był najsmutniejszym dniem w naszym życiu. Pochowałyśmy go razem z czterema innymi członkami wyprawy. Dwie osoby uszły z życiem i mogły opowiedzieć nam o próbie wytrzymałości i cierpieniu. Ich historia nie miała w sobie nic szczególnego, przydarzyła się już tak wiele razy.

– Dlaczego ludzie chodzą po górach? – zapytałam ze złością. – Dlaczego bez powodu narażają się na takie niebezpieczeństwo?

– Wspinają się, bo muszą – odpowiedziała matka ze smutkiem.

Wróciłam do szkoły. Zastanawiałam się, jak długo tam zostanę, bo bez renty ojca byłyśmy naprawdę biedne. Matka, z właściwym sobie optymizmem liczyła, że Lidndsayowie wypełnią ciążące na nich obowiązki. Jak bardzo się myliła! Mój ojciec złamał rodzinną tradycję i skoro dziadek raz powiedział, że syn zostaje wydziedziczony, nie było odwrotu. Rodzina uważała, że nie ma wobec nas żadnych zobowiązań.

Matka bardzo chciała, żebym nadal uczyła się w Cluntons. Nie była pewna, jak miałaby tego dokonać, ale nie lubiła czekać, aż rozwiązanie samo spadnie jej z nieba. Kiedy po skończonym semestrze wróciłam do domu, opowiedziała mi o swoich planach.

– Powinnam zacząć zarabiać pieniądze, Jane – powiedziała.

– Ja też. Muszę więc opuścić szkołę.

– Nawet o tym nie myśl! – zawołała. – Twój ojciec nie chciałby o tym słyszeć. – Mówiła o nim tak, jakby wciąż był wśród żywych.

– Poradzimy sobie, jeżeli uda mi się znaleźć odpowiednią posadę – dodała.

– To znaczy jaką?

– Mam pewne umiejętności – odrzekła. – Kiedy mój ojciec jeszcze żył, pomagałam mu w prowadzeniu zajazdu. Dobrze gotuję, potrafię świetnie prowadzić dom. Wydaje mi się, że mogłabym zatrudnić się w jakimś dworze jako ochmistrzyni.

– A są wolne takie posady?

– Moja droga Jane, jest ich mnóstwo, dobre gospodynie nie rosną na drzewach. Będę musiała jednak postawić pewien warunek.

– Czy w twojej sytuacji można stawiać warunki?

– Sama ustalę zasady, na jakich ma się opierać moja praca w domu, a jedną z nich będzie zastrzeżenie, że córka zamieszka ze mną.

– Podajesz wysoką cenę za swoje usługi.

– Jeżeli sama nie będę się ceniła, nikt inny też nie będzie.

Matka polegała wyłącznie na sobie. Musiała. Pomyślałam wtedy, że gdyby to ona niespodziewanie umarła, ojciec byłby bez niej zupełnie zagubiony. Ona przynajmniej umiała mocno stanąć na nogach i pociągnąć mnie za sobą. Ale i tak uważałam, że prosi o zbyt wiele.

Czekał mnie jeszcze jeden semestr, po którym miałyśmy stanąć wobec trudnej decyzji, czy nadal stać nas na zapłacenie czesnego i właśnie w czasie tego semestru po raz pierwszy usłyszałam nazwisko Sylwestra Milnera. Matka napisała do mnie list.

Najdroższa Jane,
jutro wybieram się w podróż do New Forest. Mam umówioną rozmowę w majątku, który nazywa się Zagroda Rolanda. Dżentelmen o nazwisku Sylwester Milner poszukuje ochmistrzyni. Z tego, co zrozumiałam, posiada duży dom i, pomimo że nie zaakceptował wprost moich warunków, po ich przedstawieniu wciąż jestem zaproszona na rozmowę. Powiadomię Cię o jej wyniku. Jeżeli zostanę przyjęta, moje wynagrodzenie powinno wystarczyć na Twoją dalszą naukę w Cluntons. Ja sama nie będę potrzebowała wiele, gdyż wikt

_i opierunek miałabym zapewniony, podobnie jak ty w czasie waka-
cji. To będzie doskonałe rozwiązanie. Wszystko, co muszę zrobić, to
przekonać ich, żeby mnie zatrudnili._

Wyobraziłam sobie, jak dziarsko wyrusza na rozmowę, gotowa
walczyć o swoje miejsce na ziemi – nie tyle dla siebie, ile dla mnie.
Była bardzo drobną kobietą. Ja zapowiadałam się na dużo wyższą –
odziedziczyłam wzrost po ojcu – i już przewyższałam matkę o dwadzieścia centymetrów. Miała rumiane policzki i grube włosy, prawie
czarne, z niebieskim połyskiem – kolor, który można zobaczyć na
skrzydłach ptaków. Ja odziedziczyłam ten sam kolor włosów, ale po
ojcu wzięłam bladą skórę, a zamiast małych, błyszczących brązowych oczu matki, miałam głęboko osadzone, duże, szare oczy ojca.
Nie byłyśmy wcale do siebie podobne, jedyne, co nas łączyło, to determinacja, z jaką usuwałyśmy z drogi wszelkie przeszkody, które
utrudniały nam dotarcie do wyznaczonego celu. W tym wypadku –
zwłaszcza że tak dużo zależało od wyniku tej rozmowy – byłam
przekonana, że matka ma duże szanse powodzenia.

Miałam rację. Parę dni później dowiedziałam się, że przygotowuje się do nowej pracy w Zagrodzie Rolanda, a kiedy rok szkolny
się skończył, sama tam wyruszyłam.

W towarzystwie dziewcząt z Cluntons dotarłam do Londynu,
gdzie przesiadłam się w pociąg, który miał mnie zawieźć do Hamp-
shire. W Lyndhurst miałam wsiąść do lokalnej kolejki. Matka
udzieliła mi bardzo szczegółowych instrukcji dotyczących podróży.
Na stacji w Rolandsmere „będę oczekiwana" i jeżeli obowiązki nie
pozwolą mamie przywitać mnie osobiście, miałyśmy zobaczyć się
zaraz po moim przybyciu do domu.

Ledwo mogłam się doczekać, kiedy tam dojadę. To bardzo dziwne uczucie, jechać w zupełnie nowe miejsce. Matka nie pisnęła ani
słówkiem na temat pana Sylwestra Milnera. Zastanawiałam się,
dlaczego. O domu też niewiele mówiła, poza tym, że jest duży i otacza go ośmiohektarowa posiadłość.

„Zobaczysz, jak bardzo się różni od naszego małego domku", napisała, zupełnie niepotrzebnie, bo i tak spodziewałam się zobaczyć
wiele nowości. Dziwne było tylko, że nie napisała nic więcej, co dawało ogromne pole mojej wyobraźni.

Zagroda Rolanda! Kim był Roland i dlaczego „zagroda"? Nazwy
zwykle miały jakieś znaczenie. I dlaczego matka nie pisała nic o panu Sylwestrze Milnerze, swoim pracodawcy?

Zaczęłam fantazjować na jego temat. Był młody i przystojny. Albo nie, w średnim wieku i miał dużą rodzinę. To kawaler, który unika towarzystwa. Jest zmęczony życiem i cyniczny, zamknął się w Zagrodzie Rolanda, żeby uciec od świata. Nie, to potwór, którego nikt nigdy nie widział na oczy. Mówiono o nim szeptem, a w nocy w korytarzach rozlegały się podejrzane hałasy.

– Nie zwracaj na nie uwagi – powiedziano by mi. – To tylko pan Sylwester Milner spaceruje po domu.

Ojciec często mawiał, że powinnam starać się panować nad swoją wyobraźnią, która czasami bywała zbyt bujna. Matka twierdziła, że mnie ponosi. Taka wyobraźnia, połączona z niezaspokojoną ciekawością świata, w którym żyłam, i ludzi zamieszkujących ten świat wokół mnie, stanowiła niebezpieczną mieszankę.

Trudno się zatem dziwić, że dotarłam do małej stacji Rolandsmere w stanie radosnego podniecenia. Był grudzień i w powietrzu unosiła się lekka mgła, która zasnuwała zimowe słońce, przydając skromnej stacyjce tajemniczości. Z pociągu wysiadło tylko kilka osób i od razu zostałam zauważona przez potężnego mężczyznę w cylindrze i płaszczu ozdobionym złotymi galonami.

Ruszył przez peron z taką pewnością siebie, że kiedy podszedł do mnie, zapytałam:

– Czy pan Sylwester Milner?

Zatrzymał się, jakby ze zdumienia, że komuś mógłby przyjść do głowy taki pomysł, a potem wybuchnął śmiechem.

– Nieee, panienko! – zawołał. – Jezdem woźnicom. – A potem wymamrotał pod nosem: – Pan Sylwester Milner. A to dobre. Ale, ale – mówił dalej głośno – to są panienki torby. Prosto ze szkoły, nie? Chodźmy do bryczki. – Obejrzał mnie od stóp do głów. – Niepodobna do matki – skomentował. – Nie powiedziałbym, żeście krewniaczki.

A potem odwrócił się gwałtownie i zawołał do człowieka, który opierał się o ścianę małego budynku kasy biletowej.

– Harry, chodź tu!

Harry wziął mój bagaż i ruszyliśmy w małej procesji, ja za woźnicą, który szedł buńczucznym krokiem, jakby chciał pokazać, że jest naprawdę ważnym dżentelmenem.

Doszliśmy do dwukółki i mój bagaż został umieszczony w środku. Wspięłam się na ławkę, a woźnica z pogardą ujął lejce.

– Zwykle nie powożę takimi maluchami, ale skoro obiecałem panienki matce...

– Dziękuję – powiedziałam – panie... yyy...

– Jeffers – wtrącił. – Nazywam się Jeffers. – I ruszyliśmy.

Jechaliśmy po usłanej liśćmi alei, obok lasu, którego drzewa wyglądały niepokojąco i tajemniczo. Okolica bardzo się różniła od moich górzystych stron rodzinnych. W tych lasach, przypomniałam sobie, polował Wilhelm Zdobywca*, a Wilhelm Rufus** zginął tajemniczą śmiercią.

– To dziwne, że nazywają ten las nowym – odezwałam się cicho.

– Co? – odpowiedział Jeffers. – Niby czemu?

– Ten „nowy las" jest tutaj od ośmiu setek lat.

– Pewnie kiedyś był nowy, jak wszystko – odparł.

– Podobno wyrósł na ludzkiej krwi.

– Dziwne panienka ma pomysły.

– To nie mój wymysł. Ludzie zostali pozbawieni swoich domów, żeby mógł wyrosnąć ten las, a jeżeli ktokolwiek upolował tu jelenia czy dzika, odcinano mu ręce, wyłupywano oczy lub po prostu wieszano na drzewie.

– Teraz nie ma tu żadnych dzików, panienko. I nigdy nie słyszałem takiego gadania o lesie.

– No cóż, ja słyszałam. W gruncie rzeczy właśnie uczymy się w szkole o okresie anglosaskim i inwazji normandzkiej.

Woźnica z powagą pokiwał głową.

– A panienka spędza z nami wakacje. Nie mogłem uwierzyć, kiedy usłyszałem, że pan się zgodził. Ale matka panienki uparła się i tak musiało być. Nie do wiary, ale pan Milner ustąpił.

– Dlaczego to pana tak zaskoczyło?

– On nie z tych, co to lubią dzieci w domu.

– Jaki on jest?

– To ci dopiero pytanie. Chyba nikt do końca nie wie, co za człowiek z tego pana Milnera.

– Czy jest młody?

Spojrzał na mnie.

– Gdyby go porównać ze mną... nie taki bardzo stary, ale w porównaniu z panienką to doprawdy bardzo stary dżentelmen.

* Wilhelm I Zdobywca – pierwszy król Anglii z dynastii normandzkiej, panował w latach 1066–1087. Zwyciężył Harolda II w bitwie pod Hastings, najechał Anglię i bezwzględnie tłumił wszelkie próby oporu, pustosząc przy tym i niszcząc znaczne obszary kraju, zwłaszcza na północy (wszystkie przypisy tłumaczki).

** Wilhelm Rufus – syn Wilhelma Zdobywcy, zmarł ugodzony strzałą w oko podczas polowania.

– A gdyby nie porównywać go do nikogo, to ile może mieć lat?

– Na Boga, ależ panienka zadaje dużo pytań. A skąd miałbym wiedzieć, ile lat ma pan Milner?

– Mógłby pan zgadywać.

– Jeżeli chodzi o niego, to nie próbowałbym zgadywanek. Sto przeciw jednemu, że wymyśli się złą odpowiedź.

Wyglądało na to, że od woźnicy nie dowiem się niczego o panu Milnerze, więc zajęłam się obserwowaniem krajobrazu.

Zmierzch grudniowego popołudnia i las, który, co wyraźnie podpowiadała mi wyobraźnia, musiał być nawiedzany przez duchy nieszczęśników, wysiedlonych i torturowanych przez normandzkich królów! Kiedy dojechaliśmy do Zagrody Rolanda, nie posiadałam się z podniecenia.

Skręciliśmy w alejkę z obu stron obrośniętą iglastymi drzewami. Podjazd musiał mieć co najmniej kilometr długości i wydawało mi się, że upłynęła wieczność, zanim dotarliśmy do rozciągającego się przed domem trawnika. Budynek był okazały i wytworny, zapewne pochodził z wczesnego okresu georgiańskiego. Od razu wydał mi się odległy i nieprzyjazny, może dlatego, że przez cały czas wyobrażałam sobie zamczysko otoczone blankami murów obronnych, z wieżyczkami strzelniczymi i wykuszowymi oknami. Okna budynku były rozmieszczone symetrycznie, niewielkie na parterze, wysokie na pierwszym piętrze, nieco mniejsze na drugim i kwadratowe na szczycie. Dawało to efekt charakterystycznej, osiemnastowiecznej elegancji, która starała się odsunąć jak najdalej od baroku i gotyku wcześniejszych pokoleń. Nad drzwiami wejściowymi umieszczono piękne, półkoliste okno, a portyk wspierały dwie kolumny. Później miałam podziwiać kunsztowny, grecki wzór z kapryfolium, którym były ozdobione, ale na razie moją uwagę przykuły dwa kamienne chińskie psy, ustawione obok kolumn. Zwierzęta wyglądały groźnie i obco przed domem o tak bardzo angielskim charakterze.

Drzwi otworzyły się i stanęła w nich pokojówka ubrana w czarną, alpakową suknię, biały czepek i fartuch ozdobiony sztywno krochmalonymi falbankami. Musiała usłyszeć stukot podjeżdżającej dwukółki.

– Ty na pewno jesteś tą młodą damą ze szkoły – powiedziała. – Wchodź do środka, a ja powiem madame, że już przyjechałaś.

Madame! A więc moja matka wywalczyła sobie ten tytuł. Roześmiałam się w duchu i poczułam, jak otula mnie przyjemne poczucie bezpieczeństwa.

Stałam w holu, rozglądając się wokoło. Z sufitu, ozdobionego dyskretnymi, gipsowymi płaskorzeźbami, zwieszał się żyrandol. Schody o pięknych proporcjach biegły koliście. Przy ścianie stał stary zegar i głośno tykał. Wsłuchiwałam się w odgłosy domu, ale poza tykaniem zegara panowała cisza. Dziwna, tajemnicza cisza, dodałam w duchu.

A potem na schodach ukazała się moja matka. Podbiegła do mnie i uściskałyśmy się serdecznie.

– Moje drogie dziecko, nareszcie jesteś! Odliczałam dni do twojego przyjazdu. Gdzie twój bagaż? Każę go zanieść do twojego pokoju. Ale najpierw chodź do mnie. Mam ci tak wiele do opowiedzenia.

Wyglądała inaczej. Ubrana była w suknię z czarnej krepy, która szeleściła przy każdym ruchu, na głowie miała czepek i zachowywała się bardzo dostojnie. Ochmistrzyni tego całkiem okazałego domostwa wyglądała inaczej niż matka w naszym małym domku.

Jest taka powściągliwa, pomyślałam, kiedy ramię w ramię wspinałyśmy się po schodach. Nic dziwnego, że nie słyszałam jej kroków, stopnie były wysłane grubym dywanem. Wchodziłyśmy i wchodziłyśmy bez końca po schodach, które zostały tak zaprojektowane, że z każdego piętra można było spojrzeć w dół na hol.

– Jaki wspaniały dom – wyszeptałam.

– Przyjemny – odrzekła.

Pokój matki znajdował się na drugim piętrze, było to przytulne pomieszczenie z ciężkimi zasłonami i eleganckim umeblowaniem – wtedy nie miałam jeszcze o tym pojęcia, ale później dowiedziałam się, że zarówno sekretarzyk, jak i pięknie rzeźbione krzesła oraz stół pochodziły od Hepplewhite'a.*

– Chciałabym wstawić tu trochę własnych drobiazgów – powiedziała matka, podążając spojrzeniem za moim wzrokiem i uśmiechnęła się smutno. – Pan Milner przeraziłby się, gdyby zobaczył moje stare graty, ale były takie przytulne.

Wyposażenie pokoju było eleganckie i idealnie dobrane, lecz zdałam sobie sprawę, że brakuje tu domowej atmosfery, która panowała w naszym małym domku. Chociaż i tutaj ogień płonął w kominku i śpiewał ustawiony na kracie czajnik.

---

* Hepplewhite – twórca klasycyzującego kierunku w meblarstwie angielskim. Jego meble – gł. mahoniowe – zdobione były często intarsją lub dekoracją malarską (ornamenty roślinne).

Matka zamknęła drzwi i wybuchnęła śmiechem. Ponownie chwyciła mnie w objęcia. Porzuciła rolę pełnej godności ochmistrzyni i znowu stała się moją matką.

– Opowiedz mi o tym wszystkim – poprosiłam.

– Za chwilkę zagotuje się woda – odpowiedziała. – Porozmawiamy przy herbacie. Już myślałam, że nigdy tu nie dotrzesz.

Filiżanki czekały na tacy. Matka odmierzyła trzy łyżeczki herbaty do imbryka i zalała je wrzątkiem.

– Niech postoi przez minutę albo dwie. Cóż – mówiła dalej – kto by pomyślał? Wszystko poszło zgodnie z planem, naprawdę, wyjątkowo gładko.

– A on?

– Kto?

– Pan Sylwester Milner.

– Wyjechał.

Mina mi zrzedła, a matka roześmiała się na ten widok.

– To dobrze, Janey, będziemy miały całe domostwo dla siebie.

– Chciałam go zobaczyć.

– A ja myślałam, że przyjechałaś zobaczyć się ze mną.

Wstałam i pocałowałam ją.

– Urządziłaś się więc tu i jesteś szczęśliwa? – zapytałam.

– Nie mogłabym lepiej sobie tego wymarzyć. Jestem przekonana, że twój ojciec zaaranżował to dla nas.

Od jego śmierci wierzyła, że tata nas strzeże i dlatego nie może nas spotkać żadne nieszczęście. Łączyła niezachwianą wiarę w siły nadprzyrodzone ze zdrowym rozsądkiem i chociaż była głęboko przekonana, że ojciec poprowadzi nas najlepszą drogą, jednocześnie sama wkładała mnóstwo wysiłku, by zapewnić nam spokojną przyszłość.

Było jasne, że jest bardzo zadowolona ze swojej posady w Zagrodzie Rolanda.

– Gdybym miała sama wymarzyć sobie miejsce pracy, nie wymyśliłabym nic lepszego – powiedziała. – Zyskałam tutaj wysoką pozycję. Pokojówki mnie szanują.

– Zauważyłam, że nazywają cię „madame".

– To drobna uprzejmość, przy której się upierałam. Zawsze pamiętaj, Janey, ludzie będą mieli dla ciebie tylko tyle szacunku, ile ty go masz sama dla siebie. Ja cenię się bardzo wysoko.

– Czy tutaj jest wielu służących?

– Trzech ogrodników, w tym dwóch żonatych, którzy mieszkają w domkach na terenie posiadłości. Woźnica Jeffers i jego żona mają mieszkanie nad stajniami. Obie żony ogrodników pracują w domu. Są jeszcze Jess i Amy, pokojówka i pomocnica kuchenna, pan Catterwick, kamerdyner i pani Couch, kucharka.

– A ty dyrygujesz nimi wszystkimi.

– Pan Catterwick i pani Couch nie byliby zadowoleni, gdyby usłyszeli, jak mówisz, że nimi rządzę. Pan Catterwick to w istocie prawdziwy dżentelmen. Powtarza mi przynajmniej raz dziennie, że pracował w dużo większych domach niż ten. Co do pani Couch, jest królową kuchni i biada każdemu, kto chciałby jej tam przeszkadzać.

Matka zawsze mówiła szybko i barwnie opowiadała. Myślę, że to jedna z cech, które zafascynowały mojego ojca. Sam był cichy i zamknięty w sobie, zupełne jej przeciwieństwo. Był bardzo wrażliwy, kiedyś powiedział, że matka jest jak mały wróbel gotowy walczyć o swoje prawa z największym orłem. Mogłam sobie wyobrazić, jak zarządza tutejszym gospodarstwem i służbą... oczywiście, poza kucharką i kamerdynerem.

– To piękny dom – powiedziałam – chociaż trochę tajemniczy.

– Ty i ta twoja fantazja! To dlatego, że lampy nie zostały jeszcze zapalone. Zaraz zapalimy moją.

Zdjęła klosz ze stojącej na stole lampy i przytknęła do knota zapaloną zapałkę.

Piłyśmy herbatę i jadłyśmy biszkopty, które mama wyjęła z puszki.

– Czy widziałaś pana Milnera, kiedy starałaś się o tę posadę? – zapytałam.

– A dlaczego miałam nie widzieć? Oczywiście.

– Opowiedz mi o nim.

Milczała przez parę sekund, a jej oczy pokryły się delikatną mgłą. Rzadko brakowało jej słów i od razu pomyślałam: a jednak jest w nim coś dziwnego.

– Jest... dżentelmenem – powiedziała.

– Gdzie teraz przebywa?

– Podróżuje w interesach. Często wyjeżdża za granicę.

– To dlaczego trzyma ten wielki dom pełen służby?

– Ludzie tak robią.

– Musi być bardzo bogaty.

– Jest kupcem.

– Kupcem! Jakiego rodzaju?

– Podróżuje po świecie, jeździ do wielu odległych miejsc... jak na przykład Chiny.

Przypomniały mi się chińskie psy przy wejściu.
- Powiedz mi, jak wygląda.
- Niełatwo go opisać.
- Dlaczego?
- Cóż, różni się od innych ludzi.
- Kiedy będę mogła go zobaczyć?
- Przypuszczam, że kiedyś.
- W te wakacje?
- Nie sądzę. Chociaż nigdy tak naprawdę nie wiadomo. Pojawia się nagle...
- Jak duch - dodałam.
Roześmiała się na moje słowa.
- Miałam na myśli raczej to, że nigdy nie uprzedza nas o przyjeździe. Po prostu się zjawia.
- Czy jest przystojny?
- Można by go za takiego uznać.
- Jakiego rodzaju rzeczy sprzedaje?
- Bardzo cenne przedmioty.
To było niepodobne do mojej matki, której nigdy nie trzeba było ciągnąć za język i moje pierwsze wrażenie, że z osobą pana Sylwestra Milnera jest związana jakaś tajemnica, zostało potwierdzone.
- Jeszcze jedna rzecz - powiedziała matka. - Czasem będziesz mogła zobaczyć tutaj dziwnie wyglądającego człowieka.
- Jak to „dziwnie"?
- Jest Chińczykiem. Nazywa się Ling Fu i nie jest podobny do reszty służby. Podróżuje z panem Milnerem i opiekuje się jego prywatnym Pokojem Skarbów. Nikt inny tam nie wchodzi.
Moje oczy rozbłysły. Z każdą minutą ten dom wydawał się coraz bardziej tajemniczy.
- Czy pan Milner ukrywa coś w owym pokoju? - spytałam.
Matka się roześmiała.
- Tylko nie wyobrażaj sobie nie wiadomo czego. Wyjaśnienie jest bardzo proste. Pan Milner zbiera rzadkie i drogie przedmioty: z jaspisu, różowego kwarcu, koralu, kości słoniowej. Kupuje je, a potem sprzedaje i niektóre przechowuje tutaj, zanim znajdzie kupca. Jest autorytetem w tej dziedzinie, a Ling Fu dogląda jego kolekcji. Pan Milner wyjaśnił mi, że uważa za wskazane, aby zajmował się tym tylko Ling Fu i nikt inny ze służby.
- Czy byłaś kiedykolwiek w tym pokoju, mamo?

– Nie ma żadnego powodu, dla którego miałabym tam wchodzić. Ja zajmuję się zarządzaniem domem, to jest mój obowiązek.

Spojrzałam w ogień i ujrzałam w nim obrazy. Zobaczyłam twarz, która w jednej chwili była dobrotliwa, a w miarę palenia się drewna zmieniała się i robiła groźna. Pan Milner!, pomyślałam.

Matka pokazała mi mój pokój. Był mały, sąsiadował z jej własnym i miał ogromne okno rozciągające się od podłogi do sufitu. Umeblowany został dyskretnie, lecz ze smakiem.

– Masz widok na ogrody – powiedziała. – Teraz nie można wiele zobaczyć, ale zapewniam cię, są bardzo ładnie utrzymane. Trawniki wyglądają jak z obrazka, a kwiaty wiosną i latem kwitną tak, że trzeba je widzieć, żeby uwierzyć. Możesz stąd zobaczyć, jak zbudowany jest dom, ze skrzydłami po obu stronach, niczym litera E pozbawiona środkowej kreski. Spójrz tam, na tamto skrzydło. Widzisz te dwa okna? To Pokój Skarbów pana Milnera.

Spojrzałam i poczułam, jak ogarnia mnie podniecenie.

– W dziennym świetle zobaczysz go lepiej – powiedziała matka.

Sprawiała wrażenie bardzo z siebie zadowolonej. Sposób, w jaki poradziła sobie z sytuacją, był naprawdę godny podziwu.

Wróciłyśmy do jej pokoju i rozmawiałyśmy – nie mogłyśmy się nagadać! Udzieliło mi się jej poczucie triumfu. Wszystko ułożyło się tak, jak to sobie wymarzyła.

Wieczór spędziłam w stanie euforii, ale moja pierwsza noc w Zagrodzie Rolanda nie była przyjemna. Szum wiatru w drzewach przypominał głosy, które bezustannie powtarzały imię i nazwisko „Sylwester Milner".

To były niezwykle ekscytujące wakacje. Wkrótce zaprzyjaźniłam się ze służącymi. Zdaniem matki dobrze się złożyło, że pani Couch mnie polubiła, a pan Catterwick nie miał nic przeciwko mojej obecności w domu. Byłam pierwsza na miejscu, gdy ogrodnicy ścinali jodłę i wciągali ją do domu, asystowałam przy zbieraniu ostrokrzewu i jemioły.

W kuchni unosiły się cudowne zapachy, a pani Couch, której krągła figura, rumiane policzki i dobroduszny wygląd doskonale pasowały do nazwiska*, piekła niezliczoną ilość pasztecików i mieszała świąteczne puddingi. Ponieważ stałam się jej ulubienicą, wolno mi było zjeść małą porcję czegoś, co pani Couch nazywała „smakusiem". To był najszczęśliwszy dzień, jaki przeżyłam od śmierci

---

* couch (ang.) – kanapa, łóżko

ojca, kiedy tak siedziałam blisko kuchennego pieca, wsłuchując się w bulgotanie puddingów, a potem patrzyłam, jak pani Couch wyciąga je za pomocą długiego widelca i ustawia w równym rządku. Na końcu pojawiło się niewielkie naczynie zawierające „smakusia". Potem siedziałam przy kuchennym stole i jadłam moją małą porcję, obserwując twarz pani Couch – najpierw pełną lękliwego oczekiwania, a potem rozświetloną zadowoleniem.

– Nie tak dobry jak w zeszłym roku, ale lepszy niż dwa lata temu.

A wszyscy, którzy dostąpili przywileju spróbowania „smakusia", zaprotestowali, że pudding nigdy nie był lepszy i że pani Couch nie potrafiłaby zrobić złego puddingu, nawet gdyby się starała.

Za te komplementy nagrodzono nas szklaneczką specjalnego wina pasternakowego domowej roboty, a pan Catterwick i moja matka zostali poczęstowani kieliszkiem dżinu śliwkowego, co, jak myślę, miało podkreślić ich wyższą pozycję wśród służby.

Pani Coach powiedziała mi, że w dawnych, dobrych czasach dwór zamieszkiwała Rodzina – i nikt jej nie przekona – nie, żeby ktokolwiek próbował – że to właściwe, aby ród utracił posiadłość i był zmuszony sprzedać ją ludziom, którzy nie mieli tu żadnych korzeni.

To była jasna aluzja do pana Sylwestra Milnera.

– Czy on przyjedzie do domu na święta? – spytała żona jednego z ogrodników.

– Mam nadzieję, że nie – odpowiedziała pokojówka Jess, która została natychmiast skarcona przez pana Catterwicka, a ja poczułam dreszcz czegoś pomiędzy lękiem i fascynacją, który zawsze ogarniał mnie na dźwięk imienia pana domu.

Moja matka, podobnie jak pan Catterwick, zachowywała pewien dystans wobec reszty służby. „Muszę zachowywać się odpowiednio do mojej pozycji", wyjaśniła mi i wszyscy ją za to szanowali. Wiedzieli, że „podupadła", a mimo to ja chodziłam do Cluntons, gdzie, według słów pani Couch, uczęszczała jedna z córek Rodziny.

– Rzecz jasna – powiedziała pani Couch – kiedy mieszkała tu Rodzina, było nie do pomyślenia, żeby córka ochmistrzyni chodziła do tej samej szkoły, co panienki. Ale wszystko jest teraz inaczej. On nastał... – Wzruszyła ramionami i z westchnieniem rezygnacji uniosła oczy ku górze.

Nigdy bym nie pomyślała, że święta bez mojego ojca mogą sprawić mi tyle radości. Nie tylko wszystko było dla mnie nowe, ale podniecała mnie też wszechobecna tajemnica związana z panem Milnerem.

Próbowałam dowiedzieć się na jego temat wszystkiego, czego tylko mogłam. Domyśliłam się, że nie był zbyt gadatliwy, ale dał służbie do zrozumienia, że życzy sobie, aby wszystko robiono ściśle według jego zaleceń. Zmienił wystrój domu, gdy przejął go po Rodzinie, nawet ustawił na ganku te pogańskie psy. Wyglądało na to, że Rodzina popadła w tarapaty finansowe i musiała sprzedać dom, a on pojawił się i go kupił. Skrada się po domu, mówiła pani Couch. Odwracasz się i nagle jest tuż za tobą. Rozmawia z tym Ling Fu jakimś szwargotem i często zamykają się razem w Pokoju Skarbów. A pani Couch myśli, że to pogański pomysł, żeby trzymać pokój zamknięty przed panem Catterwickiem, ale dać klucz cudzoziemcowi.

Myślę, że bardzo pomógł mi fakt, iż nasze pierwsze święta bez ojca tak bardzo różniły się od poprzednich. Mniej tęskniłyśmy za tym, co było kiedyś. Powiedziałam, że to wygląda prawie na cud, ale matka wyjaśniła mi, że to ojciec tak wszystko urządził: skierował nas tutaj, bo się nami opiekował. Wszystko układało się tak pomyślnie, że rzeczywiście wyglądało to na ingerencję z zaświatów.

Byliśmy w świetnych humorach, kiedy ozdabialiśmy jadalnię dla służby ostrokrzewem, bluszczem i jemiołą i nawet pan Catterwick uśmiechnął się krzywo na widok naszych błazeństw tylko delikatnie napominając pokojówki za ich hałaśliwość. W Wigilię przyszli kolędnicy i śpiewali przed gankiem kolędy, a matka w imieniu całego domu włożyła im do puszki szylinga.

– Oczywiście kiedy mieszkała tu Rodzina – powiedziała pani Couch – kolędnicy byli zapraszani do holu, a państwo częstowali ich gorącym ponczem i pasztecikami z mięsem. Robiono tak od pokoleń. Szkoda, że czasy musiały się zmienić.

W kuchni stał bujany fotel i pani Couch po długim staniu przy garnkach siadała w nim i kołysała się w przód i w tył. To ją uspokajało. Odkąd przyjechałam, lubiła do mnie mówić, bo byłam bardzo zainteresowana jej opowieściami i chętnie słuchałam. Spędziłam sporo czasu w towarzystwie pani Couch, a matka cieszyła się, że zostałyśmy przyjaciółkami, bo kucharka bez wątpienia miała dużo do powiedzenia w tym domu.

Mówiła dużo o Rodzinie i wspominała, jak to było za starych, dobrych czasów.

– To był prawdziwy dom – wzdychała, sugerując, że teraz w Zagrodzie Rolanda dzieje się coś niewłaściwego – kiedy mieszkali tutaj pan, pani i ich dwie córki. Zostały wychowane – mówiła dalej – jak przystało na młode damy i we właściwym czasie na pewno stanowiłyby wspaniałe partie. Ale pan był hazardzistą, ciągle grał... tak, jak przed nim jego ojciec. I przegrali całą fortunę.

– I sprzedali dom – wtrąciłam.

Pochyliła się w moją stronę.

– Za grosze – wysyczała. – Pan Milner to prawdziwy człowiek interesu. Kupił dom wtedy, kiedy Rodzina nie miała już innego wyjścia.

– A co się stało z Rodziną?

– Pan umarł. Szok, podobno. Pani zamieszkała u swoich krewnych. Jedna z panienek pojechała z nią, a druga, jak słyszałam, przyjęła posadę guwernantki. Okropna sprawa. Ona, która sama miała guwernantkę, kiedy była mała, i została wychowana w przekonaniu, że zatrudni nauczycielkę także do swoich dzieci.

Przez chwilę zastanawiałam się, co ja będę robiła, gdy dorosnę. Czy także powinnam zostać guwernantką? To była bardzo otrzeźwiająca myśl.

– Zapytał mnie, czy zostanę na posadzie i odpowiedziałam, że tak. Ten dom zawsze dobrze mi służył. Tak mało wiedziałam...

Pochyliłam się w jej stronę.

– O czym, pani Couch?

– Że tak wiele się zmieni.

– Życie bezustannie się zmienia – przypomniałam jej.

– Wszystko odbywało się tutaj tak, jak trzeba, w ustalonym od lat porządku. Mieliśmy małe różnice zdań, pan Catterwick i ja, nie zawsze mogliśmy się dogadać, tak samo jak teraz. Ale wtedy było inaczej.

– Co się dzieje, kiedy on jest tutaj? – zapytałam.

– Pan Milner? Cóż, zaprasza przyjaciół na obiady i razem chodzą do Pokoju Skarbów. Rozmawiają. Podejrzewam, że mówią o interesach, gdy tam siedzą. Cóż, nie tego oczekiwałam, pan Catterwick zresztą też nie. Jestem przyzwyczajona do szlachty i pan Catterwick też.

– Zawsze może pani się wyprowadzić i znaleźć pracę u rodziny, która nie przegrała majątku – zasugerowałam.

– Lubię siedzieć w jednym miejscu i zadomowiłam się tutaj. Jakoś wytrzymam, w końcu i tak prawie wcale go tu nie ma.

– Czy on kiedykolwiek z panią rozmawia?

Przechyliła głowę na jedną stronę, a potem powiedziała:

– Nigdy nie zszedł do kuchni, żeby podać mi menu, jak to robiła Rodzina.

– A kiedy jego przyjaciele przyjeżdżają na obiad...

– Wtedy idę do jego salonu i bezczelnie pukam do drzwi. „Więc co ma być na obiad, panie Milner?" pytam. A on odpowiada: „Decyzję pozostawiam pani, pani Couch". A skąd ja niby mam wiedzieć, czy ci jego przyjaciele coś lubią bardziej, a może czegoś nie jedzą wcale. On nie jest taki, jak Rodzina, mówię ci. Chociaż jest bogaty, musi być. W końcu kupił dom, prawda? I trzyma nas wszystkich tutaj.

– A sam prawie wcale tu nie mieszka.

– Och, zagląda tu na chwilę pomiędzy kolejnymi podróżami.

– Kiedy on wróci, pani Couch?

– On nie z tych, co to uprzedzają o swoim przyjeździe.

– Może lubi wpadać niespodziewanie, żeby sprawdzić, czym się zajmujecie.

– Można by się po nim tego spodziewać.

I tak sobie rozmawiałyśmy, a mnie zawsze udawało się w ten sposób pokierować panią Couch, by od opowieści o Rodzinie przeszła na temat obecnego właściciela Zagrody Rolanda.

Na świąteczny obiad podano kaczkę, a na deser pudding, uroczyście przyniesiony do stołu przez samego pana Catterwicka i otoczony mistycznym kręgiem płonącej brandy, w której płomienie z dumą wpatrywała się pani Couch. Moja matka siedziała u szczytu wielkiego stołu, pan Catterwick naprzeciwko niej, a pozostałe miejsca zajęła reszta służby z rodzinami.

Znalazłam w puddingu sześciopensówkę, więc mogłam wypowiedzieć trzy życzenia. Pomyślałam, że zanim wrócę do szkoły, chciałabym zobaczyć pana Sylwestra Milnera i Pokój Skarbów. Zażyczyłam też sobie, żebyśmy obie, matka i ja, mogły na zawsze pozostać w Zagrodzie Rolanda.

Pomyślałam, że gdyby tylko znajdował się tu z nami mój ojciec, byłyby to najlepsze święta Bożego Narodzenia w moim życiu, ale przecież gdyby on żył, wcale by nas tutaj nie było.

Po obiedzie każdy musiał przedstawić swój „numer", poza moją matką i panem Catterwickiem, których ocaliła znacząca pozycja wśród służby, i panią Couch, dla której wymówką była pokaźna tusza. Śpiewano piosenki, recytowano wiersze, ktoś nawet zatańczył jakiś taniec, a jeden z ogrodników zagrał razem z synem na skrzypcach. Ja deklamowałam „Hesperusa"*, co, jak wyszeptała pani Couch, zrobiłam tak pięknie, że wycisnęłam jej łzy z oczu.

---

* „The Wreck of Hesperus" – poemat dziewiętnastowiecznego poety amerykańskiego Henry'ego Wadswortha Longfellowa.

W pewnym momencie matka posłała mnie na górę po szal i kiedy wyszłam z jadalni dla służby i zamknęłam za drzwiami całą wrzawę i światło, nagle poczułam, jak osacza mnie cisza domu. To było prawie jak ostrzeżenie. Ciepła jadalnia wydała mi się odległa o całe światy. W nagłym ataku niewytłumaczalnej paniki wbiegłam po schodach, wpadłam do pokoju matki, schwyciłam szal i już byłam gotowa do zejścia na dół. Stanęłam jednak przy oknie i wyjrzałam na zewnątrz, ale słaby płomień świeczki nie pozwolił mi zobaczyć nic więcej poza odbiciem mojej twarzy w szybie. Słyszałam szumiący w drzewach wiatr i wiedziałam, że niedaleko znajduje się las, o którym ludzie od dawna mówili, że jest nawiedzony przez duchy tych, co przez niego cierpieli.

Z całej duszy pragnęłam wrócić do bezpiecznego ciepła jadalni, a jednocześnie czułam nieodpartą chęć, by zostać jeszcze chwilę na górze.

Wtedy pomyślałam o stale zamkniętym Pokoju Skarbów. We wszystkich zamkniętych pomieszczeniach jest coś intrygującego. Przypomniała mi się rozmowa, którą odbyłam kiedyś z panią Couch:

– Tam muszą być bardzo cenne rzeczy, skoro trzeba trzymać je pod kluczem – zauważyłam.

– Pewnie tak.

– To trochę jak u Sinobrodego. On miał żonę, która była zbyt wścibska. Czy pan Milner ma żonę?

– Och, to dziwny dżentelmen. Z niczym się nie zdradza. Tutaj w każdym razie nie ma żadnej żony.

– Chyba że jest zamknięta w tajemnym pokoju. Może to ona jest tym skarbem.

To rozśmieszyło panią Couch.

– Żony muszą jeść – zauważyła – a kto miałby wiedzieć, jak nie ja, że ktoś jeszcze w tym domu dostaje posiłki?

Ale moja nieopanowana ciekawość, którą ojciec zawsze radził mi poskromić, wzięła górę i bardzo zapragnęłam zajrzeć do Pokoju Skarbów.

Wiedziałam, gdzie się znajduje, matka mi powiedziała, że apartamenty pana Milnera zajmują całe trzecie piętro.

Pewnego popołudnia, kiedy w domu nikogo nie było, znalazłam wymówkę, żeby tam wejść. Naciskałam wszystkie klamki i zaglądałam do pokoi – sypialni, salonu, biblioteki, aż natrafiłam na drzwi, które były zamknięte.

Teraz, mocno ściskając szal mojej matki, w pełni świadoma ciemności i ciszy panującej w tej części domu, ponownie wdrapałam się na trzecie piętro.

Trzymałam świeczkę wysoko, a mój chwiejący się na ścianie cień wyglądał dziwacznie i złowrogo. Wracaj, mówił mi wewnętrzny głos, nie powinnaś tu wchodzić. Ale coś silniejszego kazało mi iść naprzód, więc poszłam prosto pod owe zamknięte drzwi i nacisnęłam klamkę. Serce biło mi jak oszalałe. Oczekiwałam, że drzwi się otworzą, a ja zostanę schwytana i wciągnięta do... sama nie wiedziałam, do czego. Ku mojej ogromnej uldze okazało się, że drzwi nadal są zamknięte. Ściskając mocno w dłoni świecę, zbiegłam pędem na dół.

Co za ulga, otworzyć drzwi do jadalni dla służby, usłyszeć, jak pan Jeffers lekko fałszywie śpiewa balladę pod tytułem „Tara" i zobaczyć, jak matka przykłada palec do ust, pokazując, bym poczekała do końca piosenki. Stałam tam zadowolona, że mam chwilę na uspokojenie szalonego bicia serca, śmiejąc się w duchu z moich fantazji i pytając samą siebie, co spodziewałam się znaleźć w zakazanym pokoju.

– Długo cię nie było, Jane – odezwała się matka. – Nie mogłaś znaleźć szala?

Drugiego dnia po Nowym Roku doszło do incydentu, który zostawił trwały ślad w mej pamięci. Pomocnica domowa, Amy, sięgała po coś na górną półkę spiżarki i niechcący oberwała trochę ostrokrzewu.

Byłam wtedy w kuchni – zostałyśmy tam tylko we dwie – i powiedziała do mnie:

– Odkąd tylko to powiesili, ciągle wchodzi mi w drogę, tak samo, jak te badyle na kredensie. Pora, żeby to ściągnąć. Pomóż mi, Jane.

Trzymałam więc krzesło, gdy Amy weszła na nie, i kiedy usunęła resztę gałązek, zaproponowałam:

– Skoro zdjęłyśmy ostrokrzew tutaj, to zdejmijmy go wszędzie.

Zaczęłyśmy więc ściągać pozostałe gałązki, a kiedy to robiłyśmy, weszła pani Couch i popatrzyła na nas z przerażeniem.

– Co wy robicie?! – zawołała.

– Te przeklęte badyle ciągle mi przeszkadzały – powiedziała Amy. – A Boże Narodzenie było i minęło, więc pora to ściągnąć.

– Pora to ściągnąć! Czy ty nie masz o niczym pojęcia, Amy Clint?! Nie wolno ruszać ostrokrzewu aż do Dwunastej Nocy! Nie wiesz, że to przynosi wielkie nieszczęście, jeżeli zdejmie się go wcześniej?

Amy zbladła jak ściana. Patrzyłam to na jedną, to na drugą. Okrągła pani Couch straciła swój jowialny, dobroduszny wygląd i przypominała proroka głoszącego nadejście zła. Jej oczy, które nigdy nie były duże, zupełnie zniknęły w ciastowatej twarzy.

– Szybko powieście to z powrotem – poleciła. – Może nikt nic nie zauważył.

– A kto miałby coś zauważyć? – zapytałam, ale była zbyt roztrzęsiona, by mi odpowiedzieć.

Później, kiedy bujała się w swoim fotelu, zapytałam ją, dlaczego nie wolno zdejmować dekoracji świątecznych przed Dwunastą Nocą. Oświadczyła, że tak po prostu jest i ta wiedza jest przekazywana z pokolenia na pokolenie i pamiętają o tym wszyscy oprócz takich ignorantek jak Amy Clint. Czarownice uważały to za obrazę.

– Dlaczego? Co czarownice mają wspólnego ze świętami Bożego Narodzenia?

– Są rzeczy, których nie da się wyjaśnić – powiedziała tajemniczo pani Couch. – Szwagierka mojego brata była niedowiarkiem, zdjęła dekoracje w Nowy Rok i proszę, co ją spotkało.

– Co?

– Nie minął rok, jak się zawinęła z tego świata. Jeżeli to nie jest dowód, to nie wiem, co nim jest.

Nie byłam do końca przekonana, że przedwczesna śmierć szwagierki brata pani Couch miała bezpośredni związek ze zdjęciem świątecznych dekoracji, ale zachowałam te wątpliwości dla siebie.

Owe pamiętne wakacje zakończyły się wydarzeniem, które wówczas wydało mi się niezwykle dramatyczne.

Miałam wrócić do szkoły dwudziestego stycznia, matka pracowicie haftowała moje imię na ubraniach i przygotowywała kufer. Ona i pan Jeffers mieli odwieźć mnie na stację. Pan Jeffers powiedział, że jest zupełnie tak, jak w starych, dobrych czasach, trzeba odwieźć panienkę do szkoły i do tego jadącą do Cluntons. Jasne, że wątpił, czy to stosowne, by akurat ta panienka uczęszczała do tak ekskluzywnej szkoły, skoro jest tylko córką ochmistrzyni, ale, podobnie jak pani Couch, gotów był zaakceptować fakt, że czasy się zmieniają.

Bardzo żałowałam, że mój pobyt w Zagrodzie Rolanda dobiega końca, zdążyłam już poczuć się tu jak domownik. Najbardziej żałowałam dwóch rzeczy i miałam nadzieję, że wydarzy się cud, który spełni moje marzenia: będę mogła zajrzeć do Pokoju Skarbów i upewnić się, że nie zawiera nic poza cennymi przedmiotami, oraz że dostanę szansę ujrzenia pana Milnera.

Moja matka twierdziła, że jeżeli pragniesz czegoś bardzo mocno i wierzysz, że to otrzymasz, to tak będzie, o ile zrobisz wszystko, co w twojej mocy, by tego dokonać. „Wiara i determinacja – mawiała. – Obie są tak samo ważne".

Miałam wrócić do Zagrody Rolanda dopiero na letnie wakacje, bo odległość była zbyt duża, bym mogła przyjechać na parę dni Wielkanocy. A nie zobaczyłam ani pana Sylwestra Milnera, ani wnętrza Pokoju Skarbów.

Około pięciu dni przed moim wyjazdem otrzymaliśmy wiadomość, że pan Milner wkrótce przybędzie, a przedtem w domu zjawi się Ling Fu. Wydawało mi się wyjątkowo pechowym zbiegiem okoliczności, że pan Milner wróci dwa dni po moim wyjeździe do szkoły. Ale przynajmniej będę mogła zobaczyć jego tajemniczego służącego.

Obserwowałam jego przyjazd z okna i byłam raczej zawiedziona, kiedy ujrzałam, jak z dwukółki wysiada niepozorny drobny mężczyzna. Podniósł spojrzenie na dom, jakby wiedział, że jest obserwowany, a ja odskoczyłam od okna. Oczywiście nie mógł mnie widzieć, ale ogarnęło mnie znane wszystkim podglądającym poczucie winy. Zdołałam tylko dostrzec jego orientalne rysy. Byłam rozczarowana, że nosił europejskie ubranie i włosów nie miał związanych w kucyk, jednak w domu zmienił ubiór na błyszczące alpakowe spodnie i luźną tunikę. Nosił ozdobione złotymi znakami kapcie z noskami lekko wywiniętymi ku górze. W tym stroju wyglądał bardziej orientalnie.

– Szur, szur, szur po domu – narzekała pani Couch. – Nigdy nie wiesz, gdzie on jest. Co jest nie tak z porządnym, angielskim służącym? No powiedz mi?

Ling Fu bardzo mnie interesował, choć rzadko patrzył w moją stronę. Na dwa dni przed moim wyjazdem zobaczyłam z okna mego pokoju, że zasłony w Pokoju Skarbów zostały odsłonięte, więc wiedziałam, że on tam jest.

Pokusa była nie do przezwyciężenia. Mogłabym pójść na trzecie piętro. Musiałabym wymyślić jakąś wymówkę, dlaczego tam jestem, na wypadek gdyby ktoś mnie znalazł. Chciałam obejrzeć widok rozciągający się z okien na trzecim piętrze? Czy to wystarczy? Byłam zbyt podekscytowana, by tracić czas na szukanie lepszej wymówki.

Po cichutku weszłam więc po schodach na górę. Dom wypełniony był ciszą, powyżej pierwszego piętra prawie namacalną. Skierowałam się w stronę pokoi pana Milnera. Matka kazała je dokładnie wysprzątać, tak, by czekały gotowe na przyjazd właściciela, i wszędzie unosił się zapach pasty do mebli jej własnego pomysłu, która, jak twierdziła, jest najlepsza i tylko jej należy zawsze używać – mieszanki wosku i terpentyny. I oto stanęłam przed Pokojem Skarbów – a drzwi były otwarte.

Serce zaczęło mi walić jak oszalałe. Zatrzymałam się w progu i zajrzałam do środka. W pokoju nikogo nie zastałam. Postąpiłam krok do przodu. Pokój rzeczywiście wypełniały piękne przedmioty. Niektóre były duże, inne małe. Dostrzegłam parę pięknie malowanych waz i kilka figurek Buddy wyrzeźbionych, jak przypuszczałam, z nefrytu. Patrzyłam zafascynowana na dziwaczne twarze posążków, niektóre łagodne, inne złowrogie. Weszłam dalej. Naprawdę byłam w Pokoju Skarbów pana Sylwestra Milnera!

Za pierwszym pomieszczeniem znajdowało się drugie, mniejsze, w którym dostrzegłam zlew i środki do czyszczenia. Akurat kiedy tam zaglądałam, usłyszałam kroki. Ktoś zbliżał się korytarzem! Gdybym próbowała wyjść, bez wątpienia zostałabym zauważona, weszłam więc do małego pokoju i czekałam.

Ku mojemu przerażeniu usłyszałam odgłos zamykanych drzwi i cichy zgrzyt klucza przekręcanego w zamku.

Wróciłam do Pokoju Skarbów i podeszłam szybko do drzwi. Zostałam zamknięta od zewnątrz!

Wpatrywałam się z przerażeniem w drzwi i powoli docierało do mnie, w jakiej znalazłam się sytuacji. Byłam przekonana, że będę musiała ponieść straszne konsekwencje. Znajdowałam się w pokoju pełnym cennych przedmiotów. Nikt, poza Ling Fu, nie miał prawa tu wchodzić. Ja, która byłam w tym domu jedynie gościem, odważyłam się złamać tę zasadę i za swoją zuchwałość zostałam zamknięta w środku na klucz.

Podeszłam do okna, ale było zakratowane. Żeby chronić skarby, pomyślałam. Może powinnam spróbować zwrócić czyjąś uwagę na dole. Rozpaczliwie pragnęłam, aby w polu widzenia pojawiła się moja matka, ale ogród był pusty. Podeszłam do drzwi i już miałam zacząć w nie stukać, gdy się zawahałam. Jedyną osobą, którą chciałabym zobaczyć po otwarciu drzwi, była moja matka. Czułabym się niezmiernie zawstydzona, gdybym musiała stanąć twarzą w twarz z Ling Fu i przyznać się, że myszkowałam w Pokoju Skarbów, kiedy jego tam nie było. Domyślałam się, że wyszedł tylko na parę chwil do innego pomieszczenia na tym piętrze, a ja, przez kaprys losu, pojawiłam się dokładnie w tym momencie.

Rozejrzałam się dookoła. A zatem to prawda, że pan Milner jest kupcem, a tutaj trzyma swoje nabytki. Nie było żadnej wielkiej tajemnicy, jak to sobie wyobrażałam. Nie miałam o tych sprawach pojęcia, ale nawet taka ignorantka jak ja nie mogła nie poddać się czarowi zgromadzonych tu przedmiotów. Byłam pewna, że są bardzo cenne, ale czułam się też trochę rozczarowana, że pokój nie kryje w sobie żadnego mrocznego sekretu, który dałby mi jakąś wskazówkę co do charakteru pana Milnera. Wszystko wyglądało dokładnie tak, jak mówili – ten pokój to magazyn skarbów, tak cennych, że właściciel postanowił zamknąć pomieszczenie przed służbą i powierzyć swoją kolekcję opiece Ling Fu, który, być może dlatego, że był Chińczykiem, lepiej rozumiał jej prawdziwą wartość.

Doznałam zawodu, a moja ciekawość postawiła mnie jedynie w bardzo trudnej sytuacji. Jak mogłabym wydostać się z tego pokoju bez ujawniania swojego wścibstwa? Gdyby zobaczyła mnie tu matka, byłaby przerażona, ale zrozumiałaby, że nigdy nie potrafiłam poskromić ciekawości. Wypchnęłaby mnie pośpiesznie z pokoju i ostrzegła, żebym nigdy więcej tego nie robiła. Ale jak mam zwrócić jej uwagę? Podeszłam do okna. Przez te kraty czułam się jak więźniarka. Ponownie przekręciłam gałkę u drzwi, a potem zlustrowałam pokój w poszukiwaniu inspiracji i prawie zapomniałam o moim położeniu na widok tych wszystkich pięknych rzeczy. Stała tam figura kobiety, wyrzeźbiona z kości słoniowej; była tak wysoka i pełna gracji, że poczułam się onieśmielona. Podeszłam, aby przyjrzeć się jej z bliska. Miała kunsztownie wyrzeźbione rysy, a twarz tak pełną życia, że wydawało się, jakby mnie obserwowała. Nie bardzo spodobały mi się figurki opasłego Buddy o smutnych oczach. Jedna z nich, chyba wykonana z brązu, była ogromna. Ten Budda nie był gruby, siedział na kwiecie lotosu i miał złośliwe spojrzenie, które czułam na sobie przy każdym kroku.

Muszę się stąd wydostać. Być może otaczały mnie tylko cenne kawałki kamienia, brązu i kości słoniowej, ale wśród nich unosiła się pewna aura, która potwierdzała wszystko to, co od początku czułam w tym domu.

Nie chciałabym zostać sama w tym pokoju po zapadnięciu zmroku. Miałam niemądre przeczucie, że te wszystkie na pozór nieożywione przedmioty ożyją; to właśnie one – i ich właściciel, pan Sylwester Milner – nadawały tę dziwną atmosferę całemu domowi.

Jak mam się stąd wydostać? Znowu stanęłam przy oknie. Może ktoś wyjdzie do ogrodu. Och, proszę, niech to będzie moja matka, modliłam się. Ale nawet jeżeli wyszłaby któraś ze służących, mogłabym zwrócić jej uwagę. Raczej nie miałam co liczyć na panią Couch, która rzadko opuszczała dom. Ktokolwiek pojawiłby się w zasięgu mojego wzroku, byłabym wdzięczna i ze skruchą przyznałabym się do swojego wścibstwa.

Podeszłam do drzwi, mijając po drodze brązowego Buddę o złym spojrzeniu. Jego oczy wydawały się ze mnie szydzić. Obróciłam klamkę i pchnęłam drzwi. Zaczęłam w nie walić, wołając w nagłym napadzie paniki:

– Jestem zamknięta w środku!

Nie było żadnej odpowiedzi.

Powróciły wspomnienia z dzieciństwa. Ile razy mi mówiono, że „ciekawość to pierwszy stopień do piekła"? Prawie słyszałam, jak matka deklamuje wiersz o Ciekawskiej Matyldzie*, która podniosła pokrywkę czajnika, żeby zobaczyć co jest w środku.

Źle zrobiłam, że tu przyszłam. Wiedziałam, że to zabronione. Dopuściłam się, jak z pewnością powie moja matka, nadużycia gościnności. Łaskawie pozwolono mi zamieszkać w tym domu, a ja okazałam zupełny brak wdzięczności. Byłam taka sama jak Matylda i ciekawy kot**. Oboje ucierpieli przez swoje wścibstwo i ja też powinnam ponieść karę.

Próbowałam się uspokoić. Jeszcze raz przyjrzałam się pięknym przedmiotom. Moją uwagę przykuły pałeczki w jaspisowym naczyniu. Wtedy wydawało mi się, że są zrobione z kości słoniowej. Naliczyłam ich czterdzieści dziewięć. Zastanawiałam się, do czego mogły służyć.

Poszłam do mniejszego pokoju i dokładnie go obejrzałam. Otworzyłam drzwi kredensu i w środku ujrzałam szczotki, ściereczki i długi fartuch, który zapewne Ling Fu nakładał do sprzątania. Stało tam również krzesło, więc usiadłam na nim i wpatrywałam się przygnębiona w swoje stopy.

Nagle usłyszałam dochodzący z zewnątrz stukot końskich kopyt, więc podbiegłam do okna. Jakaś kareta wyjechała zza rogu wozowni i Jeffers poprowadził konie przez podjazd.

Wróciłam na krzesło, wciąż się pytając w myślach, w jaki sposób mogę wyjść z tego pokoju.

---

* „Meddlesome Matty" – wiersz angielskiej poetki Ann Taylor (1782–1866), opowiadający o ciekawskiej dziewczynce, która wszędzie zaglądała, aż otworzyła tabakierkę babci i okropnie kichając przyrzekła, że już nigdy nie będzie wścibska.
** Stare przysłowie angielskie mówi, że „ciekawość zabiła kota".

Nie dbałam już o to, czy zostanę przyłapana, chciałam tylko wydostać się na wolność. Krzyknęłam, ale nikt nie odpowiedział. Ściany były grube, a służba rzadko wchodziła na trzecie piętro.

Powoli ogarniała mnie panika; wiedziałam, że zmrok zapada wcześnie w te krótkie, zimowe dni i wkrótce zrobi się ciemno. Kiedy wślizgnęłam się do tego pokoju, musiało być parę minut po trzeciej. Zapewne teraz minęła już czwarta.

Matka jeszcze nie będzie mnie szukać, ale później...

Zaczęłam sobie wyobrażać, co się ze mną stanie. Jak często Ling Fu odwiedza ten pokój? Nie codziennie. A zatem będę siedziała zamknięta jak panna młoda w „Gałązce jemioły"*. Znajdą jedynie mój szkielet. Ale zanim to się stanie, będę musiała spędzić tu noc sama, w towarzystwie tego łypiącego Buddy z brązu. Inne rzeźby też sprawiały, że czułam się nieswojo. Już teraz, gdy cienie się pogłębiały, posągi wydawały się subtelnie zmieniać. A kiedy zrobi się ciemno... Myśl o pozostaniu z tymi przedmiotami w ciemności popchnęła mnie w stronę drzwi i zaczęłam w nie walić jak oszalała.

Próbowałam się zastanowić, co powinnam zrobić. Widziałam przez okno, jak zimowe słońce schodzi coraz niżej na niebie. Za pół godziny zniknie.

Znowu zaczęłam walić w drzwi. Nie było żadnej odpowiedzi. Wkrótce zaczną mnie szukać, pocieszałam się. Matka będzie się niepokoić. Pani Couch usiądzie w swoim bujanym fotelu i zacznie opowiadać o strasznych rzeczach, które mogły się przydarzyć zaginionym dziewczętom.

Pokój wypełniły cienie. Cisza dzwoniła mi w uszach. Kształty figur wydawały się zmieniać i na próżno usiłowałam oderwać wzrok od brązowego Buddy. Przez chwilę wydawało mi się, że oczy mu rozbłysły. Wyglądało to zupełnie tak, jakby na chwilę poruszył powiekami. Przedtem jego twarz wydawała się szydercza, teraz wyglądała złowrogo.

Moja wyobraźnia szalała. Pan Milner był czarnoksiężnikiem. Potrafił tchnąć życie w te martwe przedmioty, które tak naprawdę nie były tym, czym się wydawały – kawałkami kamienia i brązu. W każdym drzemał duch – duch zła.

---

* „The Mistletoe Bough" – wiersz angielskiego pisarza Thomasa Haynesa Bayly'ego (1797–1839) opowiadający historię panny młodej, która w czasie zabawy w chowanego ukryła się przed ukochanym tak skutecznie, że dopiero po wielu latach odnaleziono w skrzyni jej szkielet.

Światło stawało się słabsze z minuty na minutę. Jakiś impuls kazał mi wyjąć pałeczki z jaspisowego naczynia. Patrzyłam na nie w skupieniu, zastanawiając się, jak mogłabym wydostać się z tego pokoju, zanim zrobi się zupełnie ciemno.

A potem usłyszałam jakiś dźwięk. Po raz pierwszy w życiu poczułam, że włosy jeżą mi się na głowie. Stałam kompletnie bez ruchu, ściskając pałeczki w dłoni.

Drzwi otwierały się powoli. Zobaczyłam migoczące światło. Na progu pokoju ukazała się jakaś postać. Przez chwilę myślałam, że to wstał brązowy Budda, ale potem dostrzegłam nieznajomego mężczyznę.

W dłoni trzymał lichtarz, w którym płonęła świeca. Trzymał ją wysoko, tak, że światło padało na jego twarz – dziwną, zupełnie pozbawioną emocji. Na głowie miał okrągłą, aksamitną czapeczkę w tym samym odcieniu fioletu, co bonżurka.

Patrzył wprost na mnie.

– Kim jesteś? – zapytał rozkazującym tonem.

– Nazywam się Jane Lindsay – odpowiedziałam, a mój głos zabrzmiał piskliwie. – Zostałam zamknięta w środku.

Mężczyzna zamknął za sobą drzwi i postąpił parę kroków w głąb pokoju, zbliżając się do mnie.

– Dlaczego trzymasz te pałeczki?

Spojrzałam na tajemnicze pręciki w mojej dłoni.

– Ja... ja nie wiem. – Ogarnęło mnie przerażenie, bo zdałam sobie sprawę, że oto spełnia się drugie marzenie. Stałam twarzą w twarz z panem Sylwestrem Milnerem.

Wyjął mi z ręki pałeczki i, ku mojemu zdumieniu, odłożył na mały stolik inkrustowany, jak się później miałam dowiedzieć, kością słoniową. Wydawał się tym w pełni zaabsorbowany, jakby bardziej interesowały go owe patyki niż moja osoba. Potem przyjrzał mi się uważnie.

– Hmmm – wymruczał.

Zaczęłam się jąkać.

– Przepraszam. Drzwi były otwarte i zajrzałam do środka... i zanim się zorientowałam, ktoś przyszedł i zamknął mnie w środku na klucz.

– Ten pokój jest zawsze zamykany na klucz – powiedział pan Milner. – Jak myślisz, dlaczego?

– Chyba dlatego, że te rzeczy są bardzo cenne.

– A ty umiesz docenić piękno dzieł sztuki?

Zawahałam się. Poczułam, że nie mogę powiedzieć mu nieprawdy, bo od razu pozna, że kłamię.

– Na pewno bym doceniała, gdybym coś o nich wiedziała.

Skinął głową.

– Ale jesteś ciekawa.

– Tak, wydaje mi się, że tak.

– Nie wolno ci tu wchodzić bez pozwolenia. To jest zabronione. A teraz idź.

Idąc w stronę drzwi, zerknęłam na leżące na stoliku z boku pałeczki. Miałam okropne przeczucie, że pan Milner złapie mnie za włosy, gdy będę go mijała i przemieni w posąg, który doda do swojej kolekcji. Zaginęłabym w dziwnych okolicznościach i nikt nigdy by się nie dowiedział, co się ze mną stało.

Nic takiego się nie wydarzyło. Wyszłam na korytarz, a potem pognałam do swego pokoju i zatrzasnęłam drzwi. Spojrzałam w lustro. Policzki miałam purpurowe, oczy błyszczące, a włosy w jeszcze większym nieładzie niż zwykle. Czułam się tak, jakbym właśnie przeżyła niesamowitą przygodę.

Do pokoju weszła moja matka.

– Gdzieś ty się podziewała, Jane? Wszędzie cię szukałam. Twój kufer jest już prawie gotowy.

Zawahałam się przez chwilę i doszłam do wniosku, że lepiej będzie wyznać prawdę.

– Mamo – powiedziałam – myślę, że właśnie poznałam pana Sylwestra Milnera.

– Dopiero przed chwilą przyjechał. Widziałaś go z okna swego pokoju?

– Spotkałam go w Pokoju Skarbów.

– Co?! – krzyknęła.

W miarę jak opowiadałam jej przebieg wydarzeń, robiła się coraz bledsza.

– Och, Jane – wyszeptała – jak mogłaś! Kiedy wszystko szło tak pomyślnie. To koniec. Każe mi opuścić dom.

Byłam pełna skruchy. Matka tak ciężko pracowała, a moja ciekawość zniweczyła wszystkie jej wysiłki.

– Nie chciałam zrobić nic złego. – Jak często powtarzałam w przeszłości te słowa! – Po prostu myślałam... że szybko rzucę okiem i zaraz wyjdę. Widzisz, wszyscy mówili o tym pokoju w taki sposób, że nie mogłam uwierzyć, że są tam tylko rzeczy, zwykłe przedmioty. Myślałam, że kryje się w nim jakaś tajemnica...

Ale matka nie słuchała. Wiedziałam, że myśli o pakowaniu i wyjeździe i o tym, że znowu czeka ją żmudne poszukiwanie posady. A gdzie uda jej się znaleźć coś tak odpowiedniego, jak stanowisko ochmistrzyni w Zagrodzie Rolanda?

Podróż na stację, którą odbyłam dwa dni później w towarzystwie matki i pana Jeffersa, nie była wesoła. Matka z godziny na godzinę oczekiwała wezwania przed oblicze pana Milnera. Obejrzałam się na fasadę domu i chińskie psy i pomyślałam, że nigdy więcej ich nie zobaczę. Letnie wakacje spędzę już w innym miejscu. -

Podzielałam smutek matki, mój żal był nawet głębszy niż jej, bo połączony z poczuciem winy.

Matka uściskała mnie mocno.

– Nic nie szkodzi, Janey – powiedziała. – Było, minęło. Nie wątpię, że twój ojciec znajdzie dla nas coś innego... może nawet lepszego.

Pokiwałam ponuro głową. Nie wyobrażałam sobie bardziej fascynującego miejsca niż Zagroda Rolanda, z jej przytulną kuchnią, jadalnią dla służby i intrygującym Pokojem Skarbów, a przede wszystkim, z tajemniczym właścicielem.

Z nadejściem każdego listu oczekiwałam wiadomości, że otrzymałyśmy odprawę, ale nic się nie działo.

Po jakimś czasie matka napisała:

Pan Sylwester Milner nigdy nie wspomniał o tym, że znalazł Cię w Pokoju Skarbów. Najwyraźniej wypadło mu to z pamięci. Mamy powody do wdzięczności. Jeżeli nie powie nic na ten temat aż do Twojego przyjazdu na letnie wakacje, będzie to oznaczało, że wszystko w porządku.

Pan Milner nic nie powiedział, więc rozpoczęłam przygotowania do wyjazdu do Zagrody Rolanda na letnie wakacje.

W ten sposób spełniło się ostatnie z trzech życzeń, które wypowiedziałam nad świąteczną sześciopensówką.

II

Spędziłam w Zagrodzie Rolanda zarówno te, jak i następne letnie wakacje i zaczęłam traktować to miejsce jak swój dom. Tam mieszkała moja rodzina – pani Couch odpoczywająca w swoim bujanym fotelu, pan Catterwick, sztywny i pełen godności król spiżarni, Amy i Jess, które zaczęły mi się zwierzać ze swych miłosnych kłopotów. Z nadejściem każdych wakacji czułam się tak samo podekscytowana perspektywą wyjazdu. Uwielbiałam całe otoczenie domu – las, który wciąż uważałam za nawiedzony, ogród o starannie przystrzyżonych trawnikach, zadbanych ścieżkach i rabatach pełnych kwiatów, oddzielony zagajnikiem jodeł od ściany lasu; uwielbiałam posiłki przy dużym stole, ploteczki i opowieści o świetności innych dworów i samej Zagrody Rolanda w starych, dobrych czasach, kiedy dom zamieszkiwała Rodzina.

Dla mnie dodatkową atrakcją zawsze było trzecie piętro, gdzie trzymano skarby i gdzie pan Sylwester Milner i jego sługa Ling Fu mieli swoje pokoje.

Gdy przyjeżdżał pan Milner, dom bardzo się zmieniał, panowała dużo bardziej ekscytująca atmosfera. Urządzano proszone obiady i w kuchni wrzało. W pokojach gościnnych nocowali goście – kupcy, którzy pochłaniali duże porcje jedzenia i pili sporo wina. Pani Couch i pan Catterwick uwielbiali te wizyty. Tak właśnie powinno być w domu. Przy gotowaniu obiadu pani Couch wpadała w stan gorączkowego podniecenia, a pan Catterwick czerpał ogromną przyjemność z popisywania się przed nami swoją doskonałą znajomością win.

Gdy obiad się skończył, siadywaliśmy wszyscy wokół dużego stołu i słuchaliśmy, jak Jess i pan Catterwick opowiadają, jacy byli goście. Pan Catterwick często narzekał, że prowadzono jakieś napuszone rozmowy i połowy nie mógł zrozumieć, a Jess żałowała, że nie mówiono, tak jak w innych domach, o żadnych skandalach, co było o wiele ciekawsze niż ciągłe gadanie o wazach i figurkach i o tym, co się dzieje w jakichś barbarzyńskich krajach.

Bardzo żałowałam, że nie mogę schować się pod stołem i posłuchać. Nie miałam żadnych wątpliwości, że najbardziej interesującą osobą w domu pozostawał nadal pan Milner.

Czasami, gdy spacerowałam po ogrodzie, podnosiłam wzrok na zakratowane okna i wyobrażałam sobie, że widzę majaczący w nich cień. Raz zobaczyłam go zupełnie wyraźnie. Spoglądał w dół, a ja stałam i patrzyłam w górę. Poczułam się tak, jakby mnie obserwował.

Ta myśl zaczęła mnie prześladować. Nigdy nie wspomniał mojej matce, że znalazł mnie w Pokoju Skarbów. Powiedziała, że to bardzo wspaniałomyślnie z jego strony, chociaż wolałaby, żeby wtedy od razu rozwiał jej obawy. Powoli nabierała pewności, że jesteśmy tu bezpieczne. Ale za rok lub dwa będę musiała opuścić szkołę i pojawi się problem, co powinnam robić dalej.

Na bogate dziewczęta z Cluntons czekał sezon balów w Londynie, gdzie, z biegiem czasu, miały poznać odpowiednich mężów. Moja przyszłość przedstawiała się zupełnie inaczej. Matka miała nadzieję, że być może rodzina ojca w końcu przypomni sobie o moim istnieniu i zaoferuje pomoc, ale mówiła to bez przekonania. Pomimo że z optymizmem patrzyła w przyszłość, zawsze lubiła mieć coś w zanadrzu.

– Będziesz doskonale wykształconą młodą kobietą – powiedziała. – Niewiele szkół może pochwalić się tak wysokim poziomem jak Cluntons i jeżeli uda się utrzymać cię tam do osiemnastych urodzin, zdobędziesz wykształcenie, którego nie powstydziłaby się żadna wysoko urodzona młoda dama.

Miałam wtedy prawie siedemnaście lat. Został nam rok na podjęcie decyzji co do mojej przyszłości.

– Mamy ogromny dług wdzięczności wobec pana Milnera – powiedziałam.

Matka zgodziła się ze mną i dodała, że to był szczęśliwy dzień, kiedy zdecydowała się odpowiedzieć na jego ogłoszenie. Istotnie, jej posada zupełnie odmieniła nasze życie i skoro już musiałyśmy zostać same, to był najlepszy sposób na życie. Czułyśmy się tak, jakbyśmy mieszkały z dużą rodziną, a wokół nas zawsze działo się coś interesującego.

Kiedy przyjechałam do domu na letnie wakacje, w czasie których miałam skończyć siedemnaście lat, matka wydawała się czymś bardzo podekscytowana. Sama wyjechała po mnie na stację kariolką zaprzężoną w kuca o imieniu Pan.

Zawsze czułam radosne podniecenie, kiedy pociąg wjeżdżał na maleńką stację Rolandsmere, której nazwa została starannie ułożona z kolorowych pelargonii, bratków, lobelii i żółtych kwiatów smagliczki. Na obrzeżach rabaty posadzono lawendę i pachnącą rezedę, a słodki zapach unosił się w powietrzu.

Zauważyłam, że matka usiłuje ukryć podekscytowanie i że to, co się wydarzyło, jest dobre. Przytuliła mnie mocno jak zawsze i usadowiłyśmy się w kariolce. Kiedy matka ujęła lejce, zapytałam, jak czują się wszyscy mieszkańcy Zagrody Rolanda. Odpowiedziała, że z okazji mego przyjazdu pani Couch upiekła tort i od paru dni o niczym innym nie mówi. Nawet pan Catterwick wyraził nadzieję, że będę miała ładną pogodę na wakacje. Amy i Jess czuły się dobrze, chociaż Jess stawała się stanowczo zbyt poufała w stosunkach z panem Jeffersem, co bardzo się nie podobało pani Jeffers. Ogrodnik-

-kawaler adorował Amy i wyglądało na to, że mogą stworzyć dobraną parę, co byłoby dobre, bo wtedy nie straciliby Amy po jej zamążpójściu.

– A pan Sylwester Milner?

– Jest w domu.

Zamilkła. Zatem jej podekscytowanie miało coś wspólnego z właścicielem Zagrody Rolanda.

– Czy dobrze się czuje? – zapytałam.

Matka nie odpowiedziała, a ja zawołałam w nagłym lęku:

– Mamo, wszystko w porządku, prawda? On nie chce nas odprawić?

Minęło wiele czasu od dnia, w którym przyłapał mnie w Pokoju Skarbów, ale być może lubił długo trzymać ludzi w niepewności. Uważałam go za dobrego człowieka, zawsze jednak wyczuwałam w nim coś tajemniczego. Może tylko udawał, że jest dobry.

– Nie – powiedziała. – Wręcz przeciwnie. Przeprowadził ze mną rozmowę.

– Na jaki temat?

– Na twój.

– Bo weszłam do Pokoju Skarbów...

– Jest tobą zainteresowany. To bardzo uprzejmy dżentelmen, Jane. Zapytał mnie, jak długo pozostaniesz jeszcze w szkole. Odpowiedziałam, że wszystkie młode damy z rodziny twojego ojca opuszczały szkołę, gdy skończyły osiemnaście lat i mam nadzieję, że z tobą będzie tak samo. A wtedy zapytał, co potem.

– I co mu powiedziałaś?

– Odrzekłam, że musimy poczekać i wtedy zobaczymy. Zapytał mnie, czy rodzina twojego ojca w jakikolwiek sposób zatroszczyła się o ciebie. Powiedziałam, że zlekceważyli swoje obowiązki, a on odrzekł, że na pewno rozważasz przyjęcie jakiejś posady po skończeniu szkoły. Oświadczył: „Pani córka uzyska wykształcenie, które pozwoli jej nauczać innych. Czy taką karierę planuje pani dla niej?".

Wzdrygnęłam się.

– Nie chcę o tym myśleć – odparłam. – Chcę, żeby zawsze było tak, jak teraz... chcę chodzić do szkoły i wracać do domu, do Zagrody Rolanda.

– Polubiłaś to miejsce, Janey.

– Pokochałam je w chwili, w której zobaczyłam je po raz pierwszy. I jest tu tyle ekscytujących rzeczy! I las, i Pokój Skarbów, i pani Couch, no i, przede wszystkim, pan Sylwester Milner.

- On chce z tobą pomówić, Jane.
- Dlaczego?
- Nie powiedział mi.
- Jakie to... dziwne! Co to może oznaczać?
- Nie wiem. Ale wierzę, że twój ojciec wie, jak martwię się o twoją przyszłość. Jestem przekonana, że uczyni coś w tej sprawie.
- Myślisz, że pan Milner wybaczy mi moje wtargnięcie?
- Byłaś mała. Myślę, że już ci wybaczył.
- Ale on jest taki... dziwny.
- To prawda – powiedziała matka powoli – jest dziwny. Nigdy nie wiesz, co myśli, może coś zupełnie odmiennego niż mówi. Ale myślę, że to dobry człowiek.
- Kiedy mam go zobaczyć?
- Chce, żebyś wypiła z nim jutro herbatę.
- A jeśli powie mi, iż nie życzy sobie wścibskich gości w swoim domu?
- Nie może chodzić o tamtą sprawę, upłynęło tak wiele czasu.
- Nie byłabym taka pewna. Może lubi trzymać ludzi w zawieszeniu. Taki rodzaj tortur.
- Nie byłyśmy trzymane w zawieszeniu. Od tamtych świąt w ogóle nie myślałam o tej sprawie.
- Nie wiem, często wydawało mi się, że pan Milner mnie obserwuje.
- Janey, znowu fantazjujesz.
- Nie, dwa razy, gdy byłam w ogrodzie, widziałam, jak stał przy oknie.
- Tylko nie zacznij tworzyć jednej z tych swoich historii. Bądź cierpliwa i spokojnie czekaj na jutrzejsze spotkanie.
- To trudne, bo jutro wydaje się takie odległe.

Młody Ted Jeffers wyszedł przed dom i zabrał kariolkę do stajni. Poszłam do kuchni, gdzie pani Couch wytarła umączone ręce w ściereczkę i uściskała mnie serdecznie.

- Amy! – zawołała. – Jess! Przyjechała!

I już po chwili dziewczęta były w kuchni. Zadowolone z mojego przyjazdu mówiły, jak bardzo urosłam i że powinnam nabrać trochę kolorów i że stałam się prawdziwą młodą damą.

- Skoro już przyjechała, zaraz będzie podwieczorek, więc nie traćcie czasu na gadanie – powiedziała pani Couch.

Czułam, że jestem wśród przyjaciół. Na stole pojawiła się duma pani Couch z napisem „Witaj w domu, Jane" wymalowanym różowymi literami na białym lukrze, a także ciasteczka kartoflane i słodkie bułeczki, czyli wszystko to, co lubiłam najbardziej.

– Mówią, że lato będzie gorące – powiedziała pani Couch. – Wszystko na to wskazuje. Mam nadzieję, że nie będzie zbyt dużo słońca. To niedobre dla owoców. Moje śliwki nie nabrałyby odpowiedniego smaku. W zeszłym roku dżin śliwkowy wyszedł tak dobry, jak nigdy, a nalewka z czarnego bzu też jest już gotowa.

Wszyscy odrobinę się zmienili – Amy była zarumieniona i promienna, bo, jak mi później powiedziała, ogrodnik zamierzał „uczynić ją swoją"; Jess miała szelmowski błysk w oku i wymieniała z panem Jeffersem tajemnicze spojrzenia, nawet pan Catterwick rozchmurzył się na chwilę i powiedział, że to prawie jak za starych, dobrych czasów, gdy ktoś przyjeżdża na wakacje z Cluntons. Czułam się taka szczęśliwa.

Po podwieczorku poszłam do stajni, żeby przywitać się z Grundelem, kucykiem, na którym pan Milner pozwolił mi jeździć w czasie mojej ostatniej wizyty.

– Czekał na panienkę, panienko Jane – powiedział młody chłopiec, przyuczany przez pana Jeffersa na stajennego i gdy kuc położył łeb na moim ramieniu, uwierzyłam, że rzeczywiście tak było.

Potem odbyłam mój zwykły spacer przez zagajnik do zaczarowanego lasu, myśląc, jakie wszystko jest piękne i że naprawdę pokochałam to miejsce. Ale w mojej głowie wciąż tkwiła myśl, że jutro go zobaczę. Może powie, co tak naprawdę o mnie myśli i dlaczego nie wyrzucił mnie z domu po tym, jak zachowałam się tak niegrzecznie i wtargnęłam do jego sekretnego pokoju; dlaczego mnie obserwował – byłam pewna, że to robił – z okien swoich apartamentów.

Następnego dnia byłam gotowa już na godzinę przed wyznaczoną porą spotkania. Wyszczotkowałam włosy i przewiązałam je błękitną wstążką. Włożyłam najlepszą sukienkę, jaką miałam. Ojciec wybrał ją dla mnie parę miesięcy przed śmiercią. To miał być prezent na moje urodziny i przypomniał mi się wrześniowy dzień, gdy pojechaliśmy ją kupić. Sukienka była jasnoniebieska, z przodu ozdobiona drobnymi guziczkami obciągniętymi szkarłatnym jedwabiem. To była moja ulubiona suknia, a ojciec zawsze mówił, że ślicznie w niej wyglądam. Na szczęście udało się ją podłużyć, kiedy urosłam.

Matka weszła do mojego pokoju, delikatna zmarszczka przecinała jej czoło.

– Och, już jesteś gotowa, Jane. Tak, tak jest dobrze. Wyglądasz schludnie.

– Co on może chcieć, mamo?

– Niedługo się dowiesz, Jane. Bądź ostrożna.

– Co masz na myśli?

– Nie zapominaj, że zawdzięczamy mu to wszystko.

– Ciężko tu pracujesz. Jestem przekonana, że pan Milner jest zadowolony, że ma cię w domu.

– Bez trudu mógłby znaleźć inną ochmistrzynię. Nie zapominaj, że pozwolił ci tu przyjeżdżać i mieszkać zupełnie tak, jakbyś była członkiem rodziny. Niewielu pracodawców zgodziłoby się na to i nie wiem, jak uda nam się kiedykolwiek mu odwdzięczyć.

– Będę o tym pamiętała – obiecałam.

– Jesteś gotowa? – Skinęłam głową i razem ruszyłyśmy po schodach do apartamentów pana Milnera.

Matka zapukała do drzwi. Dosyć wysoki głos zaprosił nas, żebyśmy weszły.

Pan Milner siedział na krześle, ubrany w aksamitną bonżurkę barwy jagód. Na głowie miał dobraną kolorem małą czapeczkę. Kiedy weszłyśmy, wstał.

– Proszę wejść, pani Lindsay – zachęcił.

– To moja córka – powiedziała matka, zupełnie niepotrzebnie, bo jego spojrzenie spoczywało już na mnie.

Pokiwał głową.

– Dziękuję pani Lindsay. – A potem zwrócił się do mnie: – Proszę, niech pani usiądzie, panno Lindsay.

Matka zawahała się przez chwilę, a potem wyszła. Usiadłam na krześle, które mi wskazał, a on wrócił na swoje miejsce.

– Przyglądałem się pani od chwili, w której zawitała pani do mojego domu – powiedział.

– Tak – odpowiedziałam.

– Zatem wiedziała pani o tym.

– Wydawało mi się, że widziałam, jak przygląda mi się pan z okien swojego pokoju.

Pan Milner uśmiechnął się. Moja bezpośredniość chyba go bawiła.

– Ile ma pani lat, panno Lindsay?

– We wrześniu skończę siedemnaście.

– To niezbyt dużo, prawda?

– Za rok będę już miała osiemnaście.

– I tu właśnie dochodzimy do sedna sprawy. Ale napijmy się najpierw herbaty. – Zaklaskał w dłonie i jak za sprawą sztuczki magicznej pojawił się Ling Fu.

Pan Milner powiedział do niego coś w języku, który, jak dowiedziałam się później, nazywał się kantońskim, Ling Fu zgiął się wpół w ukłonie i zniknął.

– Zapewne wydaje się pani dziwne, że trzymam chińskiego służącego, bo nigdy nie znała pani nikogo, kto miałby chińską służbę, prawda? – Mówił dalej, nie czekając na odpowiedź. – Tak naprawdę nie ma w tym nic dziwnego, to naturalne w moim wypadku. Większą część życia spędziłem w Chinach, głównie w Hongkongu, a tam bycie Chińczykiem nie budzi niczyjego zdziwienia. Mam tam dom. Zapewne słyszała pani, że nie ma mnie w Anglii całymi miesiącami. Właśnie wtedy mieszkam w moim drugim domu. Co pani wie o Hongkongu, panno Lindsay?

Zaczęłam nerwowo szukać w pamięci. Nie chciałam wyjść na ignorantkę, rozpaczliwie pragnęłam okazać się inteligentną młodą damą. Czułam, że to bardzo ważne dla mojej przyszłości.

– Wydaje mi się, że Hongkong jest wyspą leżącą u wybrzeży Chin. Chyba pozostaje pod brytyjskim protektoratem.

Pan Milner przytaknął.

– Flaga brytyjska – powiedział – została pierwszy raz wywieszona w Punkcie Własności w styczniu 1841 roku. Wtedy wyspa była jedynie pustkowiem z porozrzucanymi gdzieniegdzie pojedynczymi domami. Przez ostatnie czterdzieści pięć lat wszystko bardzo się zmieniło, a po Wojnach Opiumowych* staliśmy się pełnoprawnymi właścicielami tego terenu. Co pani wie o Wojnach Opiumowych?

Odpowiedziałam, że nic nie wiem.

– Będzie pani musiała się tego nauczyć. Myślę, że ten temat zainteresuje panią. Jesteśmy wielkim narodem kupców. Jak pani myśli, w jaki sposób doszliśmy do takiej potęgi? Przez handel. Proszę nigdy nie pogardzać tą profesją. Przynosi dostatnie życie wielu ludziom. Jestem pewien, że darzy pani naszą flagę ogromnym szacunkiem. Powiewa nad Kanadą, Indiami, Hongkongiem... i to napawa panią dumą. A kto ją tam zatknął? Kupcy, panno Lindsay. Zawsze musi pani o tym pamiętać. Chiny wypowiedziały nam wojnę w 1840 roku, czterdzieści sześć lat temu, ponieważ dostarczaliśmy tamtejszym mieszkańcom opium, które przywoziliśmy z Indii. Powie pani, że źle czyniliśmy, że przez nas wielu ludzi spróbowało tego narkotyku,

---

* Wojny Opiumowe – trzy wojny (w latach 1839–1860) Wielkiej Brytanii i Francji przeciwko Chinom. Bezpośrednią przyczyną starć było zniszczenie przez władze chińskie ładunku opium z angielskiej kontrabandy, stąd nazwa.

i będzie pani miała rację. To był niegodziwy handel, jednak nawet ten proceder przyniósł bogactwo wielu ludziom. Jednej rzeczy musi się pani nauczyć: każda sprawa ma zawsze więcej niż jedną stronę. Życie stałoby się bardzo proste, gdyby wszystko było jednowymiarowe. Wtedy wiedzielibyśmy dokładnie, co powinniśmy robić, bo istniałyby wyraźne granice między dobrem a złem. Ale nic na świecie nie jest ani skończenie dobre, ani skończenie złe. Dlatego popełniamy błędy. A oto i herbata.

Czajniczek był niebieski, ozdobiony złotym smokiem, filiżanki tak samo. Ling Fu zniknął bezszelestnie, a pan Milner zabrał się do nalewania napoju.

– To chińska herbata, panno Lindsay. Wiele rzeczy w tym domu pochodzi z Chin, co, jestem pewien, z pani żądzą wiedzy, zdążyła już pani odkryć.

Wręczył mi filiżankę herbaty i podał niebieską beczułkę ozdobioną takim samym złotym smokiem, pełną biszkoptowych paluszków o smaku miodu i orzechów. Byłam przekonana, że nie są one dziełem pani Couch.

– Mam nadzieję, że herbata pani smakuje.

Powiedziałam, że jest wyśmienita, chociaż bardzo się różniła od mocnego napoju, który serwowała w kuchni pani Couch.

– Podróżuję do Chin i z powrotem, odkąd skończyłem piętnaście lat, panno Lindsay, byłem wtedy niewiele młodszy od pani. To było trzydzieści lat temu. Całe życie... kiedy ktoś ma siedemnaście lat, prawda?

– Rzeczywiście wydaje się, że to bardzo długi czas.

– Przez trzydzieści lat można się wiele nauczyć. Jestem kupcem. Mój ojciec także nim był i gdy przyszedł czas, odziedziczyłem jego interesy. Nigdy się nie ożeniłem, więc nie mam syna, który mógłby pójść w moje ślady. Każdy mężczyzna marzy o synu, tak jak każdy król marzy o spadkobiercy. Umarł król, niech żyje król, prawda, panno Lindsay?

– Ma pan zupełną rację.

– Domyślam się, że obliczyła już pani, iż w obecnej chwili liczę sobie czterdzieści pięć lat. – Dostrzegłam w jego oczach słaby błysk. – Młoda dama tak złakniona wiedzy, jak pani, na pewno szybko do tego doszła. Proszę nie czuć się zakłopotaną. Nie mam cierpliwości do ludzi, którym brakuje ciekawości świata. Czego mogą się nauczyć o życiu? Co ktokolwiek może wiedzieć bez nauki? Zamierzam pani zaufać, bo jest pani ciekawa wszystkiego, co ją otacza. Nie potrafiła pani powstrzymać się przed zajrzeniem do zakazanego pokoju. Cóż, panno Lindsay, jest pani Ewą, spróbowała pani owocu z drzewa wiedzy i teraz musi pani ponieść konsekwencje.

Przez chwilę myślałam, że powie mi, iż zamierza nas odprawić, a cała ta rozmowa była tylko rodzajem powolnej tortury. Czytałam gdzieś, że robili tak Chińczycy, a on mówił tak wiele o Chinach, że może w ten sposób chciał mi coś przekazać.

Jednak jego następne słowa rozwiały moje obawy.

– Myślę, że pani i ja moglibyśmy sobie nawzajem bardzo pomóc.

– W jaki sposób, panie Milner? – zapytałam.

– Właśnie do tego zmierzam. Jestem kupcem, moje interesy polegają na kupowaniu i sprzedawaniu. Zarówno podczas moich wizyt w Chinach, jak w czasie podróży po świecie czy też po naszym kraju zajmuję się wyszukiwaniem rzadkich i cennych przedmiotów, które potem sprzedaję. Wielu kolekcjonerów na całym świecie czeka na moje znaleziska. Zajrzała pani do mego małego skarbca. Niektóre z tych przedmiotów są warte dużo pieniędzy. Jedne sprzedaję z ogromnym zyskiem, inne z mniejszym, a z niektórymi nie potrafię się rozstać. Moja kolekcja zmienia się bezustannie. Czasami jest bardziej cenna, czasami mniej, ale zawsze jest warta wiele pieniędzy i stanowi przedmiot interesów. Być może kiedyś pani zrozumie, jak ogromna przyjemność kryje się w obcowaniu z tak pięknymi rzeczami. Proszę mi pozwolić, abym napełnił pani filiżankę.

Zrobił to, a ja zjadłam jeszcze parę miodowo-orzechowych biszkoptów. Pan Milner uśmiechnął się do mnie, jak mi się wydawało, z aprobatą.

– Widzę, że potrafi pani... przystosować się do otoczenia – powiedział. – To bardzo dobrze. Teraz chciałbym przejść do celu naszego spotkania. Potrzebuję sekretarki. Kiedy mówię o sekretarce, nie mam na myśli osoby, która będzie jedynie pisać pod dyktando. Chodzi mi o coś więcej. Jest mi potrzebny ktoś, kto będzie gotowy uczyć się o przedmiotach, którymi handluję. Widzi pani, osoba, jakiej szukam, będzie musiała odznaczać się wyjątkowymi cechami. Czy rozumie pani, co mam na myśli? – zapytał.

– Chyba tak.

– I co pani myśli o tej propozycji?

Nie potrafiłam ukryć podekscytowania.

– Myśli pan, że mogłabym dowiedzieć się czegoś więcej o tych cennych przedmiotach i naprawdę mogłabym się panu na coś przydać?

Pan Milner skinął potakująco głową.

– Rozmawiałem o pani przyszłości z pani matką. Kiedy znalazłem panią wśród moich skarbów, trzymała pani w ręku pałeczki z suszonych łodyg nieśmiertelnika. Wie pani, do czego one służą?

– Nie. Ale dobrze je pamiętam.

– Domyślam się, że zafascynowały panią. Odsłaniają przyszłość tym, którzy potrafią zrozumieć ich język. Powiedziały mi, że pani życie wiąże się w jakiś sposób z moim.

– Te patyczki powiedziały to panu? Ale jak?

– Nie będzie pani taka sceptyczna, kiedy dowie się pani więcej o kulturze Wschodu. Potęga pałeczek z nieśmiertelnika* jest tam znana od tysięcy lat. Rozłożyłem je po pani wyjściu, aby zobaczyć, jakie znaczenie będzie miała dla mnie pani obecność w tym domu. Czy będzie dla mnie ważna? Odpowiedź brzmiała „tak".

– Coś w rodzaju przepowiadania przyszłości – powiedziałam.

Pan Milner uśmiechnął się do mnie.

– Myślę, że będzie pani pojętną uczennicą.

– Kiedy mam zacząć?

– Jak tylko zakończy pani swoją edukację. Czyli za rok. Chciałbym, żeby przez ten czas przestudiowała pani książki, które pani dam. Dowie się pani z nich, jak rozpoznawać wielkie dzieła sztuki.

– Będę przyjeżdżała tutaj na wakacje tak, jak dotychczas, prawda? I będę uczyła się tutaj?

– W tym domu – potwierdził. – Dostanie pani klucz do mego salonu wystawowego, będzie pani oglądała znajdujące się tam przedmioty i poznawała ich wartość. Nauczy się też pani, w jaki sposób prowadzę interesy. Pani matka powiedziała mi, że rodzina ojca odmówiła wam jakiejkolwiek pomocy, więc będzie pani musiała szukać posady, żeby zarobić na życie. Ale w jakim charakterze mogłaby pani pracować? Jako guwernantka? Dama do towarzystwa? Cóż innego może robić młoda dama w naszych czasach? Posada, którą pani oferuję, będzie inna. Daję pani szansę uczenia się i poznania fascynującego świata sztuki. Co pani na to powie?

– Powiem, że chcę to robić, naprawdę bardzo chcę. Czy mogłabym opuścić szkołę i zacząć już teraz?

Pan Milner się roześmiał.

---

* Do wróżenia, polegającego na rytualnym rozkładaniu pałeczek, wykonanych najlepiej z suszonych łodyg nieśmiertelnika, używa się księgi „I Ching", jednego z najstarszych chińskich tekstów.

– Niestety, teraz to niemożliwe. Najpierw musi pani ukończyć swoją edukację. Potem będzie pani musiała odbyć praktykę, co na szczęście można zorganizować, gdy będzie pani jeszcze w szkole. W wakacje może pani studiować książki, które pani dam i oglądać jedne z najpiękniejszych skarbów, jakie kiedykolwiek opuściły Chiny.

– Wiedziałam, że dzień, w którym tu przyjechałyśmy, był szczęśliwy. To będzie cudowne.

– Nie może pani przewidzieć odległej przyszłości – odrzekł. – Muszę pani powiedzieć, że kieruję przedsięwzięciem, które odnosi wielkie sukcesy i przynosi ogromne zyski. Wyjaśniłem pani charakter moich interesów. Kupuję i sprzedaję. Dzięki mojemu rozeznaniu w sztuce i wiedzy o kraju, z którego pochodzi dany przedmiot, potrafię kupować po odpowiednich cenach, a ludzie zainteresowani tworzeniem cennych kolekcji mogą mi zaufać. Mój ojciec był znakomitym kupcem, podróżował po całym świecie, ale najczęściej przebywał w Chinach. Zostawił swoje interesy synom, z których ja jestem najstarszy. Powinniśmy byli zgodnie razem pracować, ale wystąpiły pewne różnice zdań i rozdzieliliśmy się. Staliśmy się w pewnym stopniu rywalami, co było nie do uniknięcia między braćmi. Ja odnosiłem większe sukcesy i sytuacja zrobiła się dosyć niezręczna. Nie sądzę, żeby mój brat Redmond kiedykolwiek przeszedł do porządku dziennego nad faktem, że to ja odziedziczyłem po ojcu Dom Tysiąca Latarni.

– Dom Tysiąca Latarni! – powtórzyłam jak echo.

Gospodarz uśmiechnął się z satysfakcją.

– Ach, widzę, że ta nazwa wzbudziła pani ciekawość. Jest intrygująca, prawda? Tak nazywa się mój dom w Hongkongu.

– Czy naprawdę znajduje się w nim aż tysiąc latarni?

– W każdym pokoju jest jedna. Kiedyś musiało być ich tysiąc, skoro nadano domowi taką nazwę.

– To ogromna liczba. Dom musi być bardzo duży.

– Jest. Otrzymał go mój dziadek w zamian za jakąś ogromną przysługę, którą oddał wysoko postawionemu mandarynowi.

– Ta nazwa brzmi jak z Baśni Tysiąca i Jednej Nocy – zauważyłam.

– Poza tym – odpowiedział pan Milner – że jest chińska.

Zdawałam sobie sprawę, że moje oczy błyszczą z podniecenia. Czułam, że pan Milner otworzył dla mnie drzwi, przez które zobaczę dziwny, egzotyczny świat.

– Tak bardzo chciałabym już zacząć się uczyć – powiedziałam.

To mu się spodobało.

– Podoba mi się twoja niecierpliwość i ciekawość. Właśnie tego mi potrzeba. Ale, oczywiście, bardzo dużo będziesz musiała się nauczyć. Być może kiedy zobaczysz, jak wiele pracy przed tobą, nie zechcesz przyjąć tej posady. Masz jeszcze cały rok na podjęcie decyzji.

– Już zdecydowałam – oświadczyłam stanowczo.

Był zadowolony.

– Jeżeli skończyłaś herbatę, zabiorę cię do mojej galerii. Tak, jak powiedziałem, dostaniesz klucz i będziesz mogła tam wchodzić, kiedy tylko zechcesz. Będziesz mogła oglądać zgromadzone tam przedmioty. Porównywać z replikami i rysunkami w książkach, które ci dam. Poznawać ich piękno, nauczyć się rozpoznawania, z jakiego pochodzą okresu. Niektóre dzieła nie liczą sobie setek, ale tysiące lat. Chodź teraz ze mną, pójdziemy do galerii.

Poszłam za nim, a on otworzył zamknięte na klucz drzwi. Znowu znalazłam się w tajemniczym pokoju.

Moje spojrzenie natychmiast powędrowało do brązowego Buddy, którego twarz wydała mi się złowroga i tak bardzo mnie przestraszyła, gdy byłam tu zamknięta.

Wzrok pana Milnera podążył za moim.

– Zwróciłaś na niego uwagę? – zapytał. – To piękny okaz. Nie potrafię się z nim rozstać. Pochodzi z trzeciego lub czwartego wieku przed naszą erą, wtedy buddyjscy misjonarze z Indii przybyli do Chin. Będziesz o tym czytała w książce do historii. Przybyli, podróżując z karawanami albo samotnie, pieszo. Byli w drodze latami i kiedy przejeżdżali przez Azję, zatrzymywali się i rzeźbili ołtarzyki, przy których mogli się modlić w czasie krótkich przerw w podróży. Buddyzm osiągnął swój największy wpływ w Chinach za czasów dynastii Tang* i właśnie w tym czasie wykonano ten posąg.

– Ależ on musi być bardzo stary.

Pan Milner uśmiechnął się do mnie.

– Stary według standardów angielskich. Według chińskich... – Wzruszył ramionami.

– Ma w oczach coś złowrogiego – powiedziałam. – Wydaje mi się, że podąża za mną wzrokiem.

– Och, to dzięki kunsztowi artysty.

– Sprawia wrażenie, jakby był żywy.

– Jak każda wielka Sztuka. Spójrz na to. To figurka Kuan Yin, bogini łaski i współczucia. Nie sądzisz, że to piękna rzeźba?

* Dynastia Tang panowała w Chinach w latach 618–907.

Wskazał na posążek kobiety siedzącej na skale. Wyrzeźbiony z drewna, został pomalowany subtelnymi kolorami i ozdobiony złotymi liśćmi.

– Mówi się, że ona wysłuchuje wszystkich próśb o pomoc – powiedział. – Posążek pochodzi z czasów dynastii Yuan, która panowała w trzynastym i czternastym wieku.

– Jak bardzo cenne muszą być te przedmioty!

Pan Milner na moment położył dłoń na moim ramieniu.

– To prawda. Dlatego niektórych z nich nigdy nie sprzedam. Będziesz musiała nauczyć się dat panowania poszczególnych dynastii i dowiedzieć się, jaki rodzaj sztuki uprawiano za ich czasów. Czekają cię żmudne studia, zanim opuścisz szkołę, a gdy nadejdzie czas, będziesz w pełni przygotowana do podjęcia swoich obowiązków.

Pokazał mi zwoje ozdobione delikatnie malowanymi krajobrazami.

– Tę sztukę trzeba poznawać przez wiele lat – oświadczył. – Nie możesz nauczyć się wszystkiego naraz. Przyślę ci książkę, od której chciałbym, żebyś zaczęła i wkrótce znowu wypijemy razem herbatę. Wtedy będę mógł powiedzieć ci więcej.

Przy pożegnaniu zapewniłam go z ogromną szczerością:

– Tak bardzo pragnę zacząć się uczyć.

Pobiegłam prosto do matki, która czekała w moim pokoju.

Spojrzała na mnie z niepokojem, a ja rzuciłam się jej w ramiona.

– Wydarzyło się coś wspaniałego – powiedziałam. – Będę uczyła się o chińskiej sztuce i kolekcji pana Milnera. Będę z nim pracowała! Wszystkiego mnie nauczy.

Matka cofnęła się i odsunęła mnie na odległość ramienia.

– Co ty mówisz?

– To dlatego pan Milner chciał się ze mną spotkać. Spodobała mu się moja ciekawość. Nauczę się wszystkiego i zostanę jego sekretarką... nie, asystentką! Mam się uczyć, dopóki nie skończę szkoły, a kiedy będę już wiedziała wystarczająco dużo, mam tu wrócić i u niego pracować.

– Jane, proszę, opowiedz mi wszystko po kolei. I powściągnij swoją wyobraźnię.

– Ależ ja mówię prawdę. Będę się uczyć. Moja przyszłość jest zapewniona. Żadnej posady guwernantki! Nie będę musiała dotrzymywać towarzystwa żadnej okropnej starej damie! Będę uczyła się o Chinach i pracowała u pana Sylwestra Milnera.

Kiedy matka zdała sobie sprawę, że mówię prawdę, rzekła:

– Twój ojciec ułożył to dla nas. Wiedziałam, że czuwa nad nami.

Zabrałam się do nowego zadania z ogromnym entuzjazmem. Przez całe letnie wakacje pochłaniałam książki. Dużo czasu spędzałam w pomieszczeniu, którego nie nazywałam już Pokojem Skarbów, lecz salonem wystawowym lub galerią. Byłam bardzo dumna, że jestem jedyną osobą, która oprócz Ling Fu i pana Milnera posiada klucz do tego tajemniczego miejsca. Od czasu do czasu pan Milner zapraszał mnie na herbatę i powoli stawaliśmy się dobrymi przyjaciółmi.

Domownicy przyglądali mi się z odrobiną lęku. Pomimo że przyjęli mnie do swego grona z otwartymi ramionami, teraz musieli przyznać, że jednak nie jestem jedną z nich. Co prawda cały czas uczęszczałam do Cluntons, ale teraz sam pan Sylwester Milner wybrał mnie i obdarzył szczególnymi względami.

Mama pękała z dumy. Lubiła patrzeć na mnie z głową przechyloną na bok; wydymała wtedy usta, a czasem nimi poruszała, jak gdyby rozmawiała z moim ojcem. Wiedziałam, że rozmawia z nim, kiedy jest sama. Kiedyś podeszłam do niej niespodziewanie i usłyszałam, jak mówi:

– W sumie nieźle sobie poradziłyśmy bez wspaniałych i wszechmocnych Lindsayów.

Była przekonana, że ojciec dzielił z nią radość i dumę. A pan Sylwester Milner jawił się nam jako bajkowy ojciec chrzestny, który rozwiał nasze troski jednym machnięciem czarodziejskiej różdżki.

Cóż to były za wspaniałe dni! Godzinami leżałam w jodłowym zagajniku z otwartą książką i przenosiłam się w odległą przeszłość.

– Zacznij od tak wczesnych czasów, jak to tylko będzie możliwe – polecił mi pan Milner.

Czytałam o dynastiach Shang i Zhou i o Konfucjuszu, który wraz ze swoimi uczniami spisał księgi przedstawiające tradycje i zwyczaje tamtych czasów. Przejrzałam historię dynastii Tsin i Han, aż doszłam do okresu dynastii Yuan i Ming i poznałam cywilizację o wiele starszą niż moja.

Kiedy już trochę wiedziałam, łatwiej było mi ocenić naczynia i ozdoby i zrozumieć, co przedstawiają, a im więcej się uczyłam, tym bardziej stawałam się nimi zafascynowana. Zanim przeszło lato, poświęciłam się bez reszty moim studiom i z ogromnym żalem wracałam do szkoły na zimowy semestr.

Byłam zafascynowana dziedziną, w której mogłam się bezustannie doskonalić, i jedyne, czego pragnęłam, to opuścić szkołę i rozpocząć moją nową pracę. Przykładałam się do lekcji, ale świat koleżanek stał mi się zupełnie obcy. Ich małe komedie i dramaty wydawały mi się teraz bardzo dziecinne. Może nie byłam nielubiana, jednak trzymałam się na uboczu, a moje pragnienie opuszczenia szkoły z dnia na dzień rosło.

Postanowiłam, że kiedy wrócę do domu – bo tak zaczęłam nazywać Zagrodę Rolanda – poproszę, żebym mogła opuścić szkołę już, nie czekając na osiemnaste urodziny.

Ku memu wielkiemu rozczarowaniu w te święta pana Milnera nie było w domu. Boże Narodzenie upłynęło bardzo podobnie jak w zeszłym roku, ale już nie byłam tak podekscytowana dekorowaniem jadalni dla służby ani próbowaniem puddingu.

Wiele czasu spędzałam w salonie wystawowym i wydawało mi się, że wyraz twarzy brązowego Buddy zmienił się i teraz dostrzegałam w jego głębokich oczach aprobatę.

Czytałam więcej niż zwykle. Pan Milner pozwolił mi pożyczać książki ze zbioru, który nazywał Chińską Biblioteką. Mieściła się ona w małym pokoju połączonym z gabinetem gospodarza. Dobrze wykorzystałam to pozwolenie.

Podczas tamtego Bożego Narodzenia zdarzyło się coś niepokojącego, ale byłam tak zajęta swoimi sprawami, że nie przywiązywałam do tego zbyt wielkiej wagi. Spacerowałam po lesie z matką, która mówiła, jak bardzo się cieszy, że pan Milner tak mnie polubił. Nagle poprosiła:

– Poczekaj chwilkę, Janey. Idziesz zbyt szybko.

Usiadła na zwalonym pniu, a kiedy na nią spojrzałam, zauważyłam, że ma bardzo czerwone policzki. Zawsze miała rumianą twarz, ale nigdy aż tak bardzo i nagle dostrzegłam, że mama schudła.

Zdałam sobie sprawę, że w ogóle inaczej wygląda. Usiadłam obok niej i zapytałam:

– Dobrze się czujesz?

– Jestem tylko trochę przeziębiona – odrzekła beztroskim tonem. – Zaraz mi przejdzie.

Więcej nie myślałam o tym zdarzeniu, ale kiedy w świąteczny poranek weszłam do jej pokoju, by dać jej prezent, zobaczyłam, że wciąż leży w łóżku. To było niezwykłe, bo zawsze lubiła wcześnie wstawać.

– Wesołych świąt – powiedziałam. Obudziła się gwałtownie i uśmiechnęła do mnie, a potem położyła dłoń na poduszce, zupełnie jakby chciała coś przykryć.

Poczułam ukłucie niepokoju, ale już po chwili uśmiechnęła się, a ja byłam bardzo podekscytowana świątecznym porankiem i zaraz zapomniałam o tym drobnym incydencie.

Później, kiedy rozmawiałyśmy o mojej przyszłości, matka uznała, że wcześniejsze opuszczenie szkoły jest doskonałym pomysłem.
– Im szybciej rozpoczniesz pracę u pana Milnera, tym lepiej – powiedziała.

Jednak on uważał, że powinnam najpierw zakończyć edukację i dopiero gdy przyjechałam do domu w czerwcu, żeby spędzić tu letnie wakacje, pożegnałam się ze szkołą na zawsze. Wciąż miałam siedemnaście lat, ale we wrześniu ukończę osiemnaście. Moja praca dla pana Milnera wreszcie się rozpoczęła.

Byłam bezgranicznie oddana swoim obowiązkom. Każdego ranka spędzałam godzinę z moim pracodawcą, który dyktował mi listy. Specjalnie w tym celu pilnie uczyłam się kaligrafii. Byłam bardzo dumna ze swojej umiejętności bezbłędnego pisania nazw różnych dynastii bez pytania pana Milnera i im więcej się dowiadywałam, tym bardziej to wszystko mnie fascynowało.

Kiedyś pokazał mi piękną wazę, którą udało mu się zdobyć i poprosił o oszacowanie czasu jej powstania. Pomyliłam się o około trzysta lat, lecz i tak był bardzo ze mnie zadowolony.

– Wiele jeszcze musisz się nauczyć – powiedział – jednak udało ci się pokonać barierę niewiedzy.

Zaczęłam poznawać nie tylko sztukę Chin i ich historię, ale także samego pana Sylwestra Milnera. Był najstarszym z trzech braci. Wszyscy pomagali ojcu w interesach, chociaż najmłodszy, Magnus, nie miał serca do tego zajęcia.

– Sukcesy w tym zawodzie mogą odnosić tylko ci, którzy są mu absolutnie oddani – wyjaśnił pan Milner. – Mój brat, Redmond, poświęcił się interesom bez reszty, ale nasza współpraca nie układała się pomyślnie. Tak wiele nas różniło, że rozstaliśmy się zaraz po śmierci ojca. Redmond niedawno zmarł na atak serca, a jego przedsięwzięcia przejął syn, Adam, który stał się niejako moim rywalem – powiedział z żalem. – Adam jest dobrym kupcem, uchodzi za autorytet w tych sprawach. To poważny młody człowiek, bardzo różni się charakterem od swego ojca. Mam dwóch bratanków, Adama i Joliffe'a.

– Czy są braćmi?

– Nie. Joliffe jest synem najmłodszego brata, Magnusa, który ożenił się z młodą aktorką. Sam próbował swoich sił w tej profesji, bez powodzenia. Magnus nigdy nie odniósł sukcesu w żadnej dziedzinie. On i jego żona zginęli, gdy poniosły konie ciągnące powóz, w którym oboje jechali. Joliffe miał wtedy tylko osiem lat. Teraz jest kolejnym moim rywalem. – Westchnął. – Ach, Joliffe! – wyszeptał.

Czekałam, żeby usłyszeć więcej, ale najwyraźniej zdecydował, że już dosyć opowiedział mi o swojej rodzinie.

Pewnego dnia pani Couch także wspomniała o Joliffie. Usiadła w swoim bujanym fotelu i powiedziała:

– Ach ten Joliffe. To dopiero kawaler!

Jej oczy błyszczały, a twarz oblał prawie dziewczęcy rumieniec.

– „Mój Boże, paniczu Joliffe, powiedziałam do niego, chyba nie myśli panicz, że mnie podejdzie tak, jak to panicz robi z tymi młodymi dziewczętami, prawda?". A on wtedy odrzekł: „Ależ pani także jest młodą damą. W sercu". Zuchwalec! Zawsze ma gotową odpowiedź!

– Więc on tu przyjeżdża?

– Tak, od czasu do czasu. Bez uprzedzenia. Panu Milnerowi bardzo to się nie podoba, on sam jest, można powiedzieć, niezwykle akuratny. Oczywiście, jako syn jego brata, Joliffe traktuje ten dom niczym swój własny... jeden ze swoich, w każdym razie.

Jess uśmiechała się, pokazując urocze dołeczki na twarzy, kiedy mówiła o paniczu Joliffie.

– Poszłabym za nim na koniec świata – zwierzyła się mi. A pan Jeffers na dźwięk imienia panicza zrobił pogardliwą minę i wymamrotał coś pod nosem o kobietach, które nie potrafiłyby poznać hulaki, nawet gdyby się o niego potknęły.

Amy powiedziała, że nie można nazwać panicza Joliffe'a przystojnym, ale kiedy był w pokoju, nie dało się patrzeć na nikogo innego, nawet na tych, którzy do ciebie mówili. Ma coś w sobie, jednak trzeba na niego uważać.

Nawet wyraz twarzy mojej matki łagodniał, gdy o nim mówiła. Tak, odwiedził wuja parę razy. To czarujący młody człowiek i mamie sprawiało ogromną przyjemność dbanie o niego w czasie tych wizyt, które nigdy nie trwały zbyt długo. Panicz wydawał się niespokojny. Wiele jeździł konno i wiecznie był w ruchu. Uważała, że skoro pan Milner nie ma własnych dzieci, planuje uczynić bratanka swoim spadkobiercą.

Sam pan Milner wspomniał o Joliffie raz czy dwa po naszej pierwszej rozmowie na jego temat, ale wyczułam, że nie podziela opinii pań.

Wydawało się, że Joliffe miał wrodzony instynkt do odkrywania dzieł sztuki. Ale mówiąc to, pan Milner potrząsnął głową, więc wiedziałam, że bratanek nie cieszy się jego pełną aprobatą.

– Życzeniem mego ojca było, abyśmy ja i moi bracia pracowali razem, wtedy kontrolowalibyśmy większą część rynku. Teraz jednak, zamiast pracować wspólnie, rywalizujemy ze sobą jako trzy osobne przedsiębiorstwa. Chyba nie jestem osobą łatwą we współpracy.

– Nie odniosłam takiego wrażenia.

Uśmiechnął się do mnie bardzo zadowolony.

– Bo ty, moja droga Jane, masz inny charakter. Zarówno Adam, jak i Joliffe chcieli przejąć stery, a na to nie mogłem pozwolić.

Było mnóstwo rzeczy, których chciałam się dowiedzieć o krewnych pana Milnera, lecz gdy już poinformował mnie o istnieniu owych krewnych, stał się dosyć tajemniczy i zdałam sobie sprawę, że wyjawił mi o swojej rodzinie tylko to, co w pewien sposób łączyło się z jego interesami. Dużo więcej mówił o chińskiej sztuce i jakie przedmioty tworzono za których dynastii.

Często dostawał wiadomość, że ktoś chce sprzedać jakiś cenny okaz i jechał tam bez względu na odległość. Podróżował po całym świecie, oglądając te rzadkie dzieła.

Kiedyś wrócił bardzo podekscytowany. Był przekonany, że dokonał wielkiego odkrycia.

Posłał po herbatę i ja zajęłam się dzbankiem ozdobionym złotym smokiem, podczas gdy on opowiadał mi o przyczynach swego podniecenia.

– Znalazłem jeszcze jedną Kuan Yin. Pamiętasz boginię łaski i współczucia? Piękna figurka, niezbyt duża. Może to ta, której poszukiwał mój ojciec. Chociaż wydaje mi się, że akurat ten posążek nigdy nie opuścił terenu Chin. Ale... nie mam pewności.

– Pan ma już jedną jej figurkę w salonie wystawowym.

Skinął głową.

– Piękny posążek, tylko, niestety, to nie jest ta Kuan Yin. Wielki artysta wykonał tamtą rzeźbę bogini w czasach panowania dynastii Sung, które rozpoczęło się około dziewięciuset lat temu. To był czas wielkich konfliktów, Chiny były wówczas nękane wojnami domowymi, przelewano mnóstwo krwi. Cesarz Sung-kaou-tsoo był człowiekiem o wielu talentach, ale użył ich, by ujarzmić zbuntowanych Tatarów, w walkach z nimi zginęły miliony ludzi. Ponieważ nastały czasy pełne cierpienia, ludzie zwracali się do bogini Kuan Yin, która, jak mówiono, wysłuchuje każdego jęku żalu i nieszczęścia. Legenda głosi, że twórcę posążka natchnęła bogini i ona sama żyje w tej figurce. To nie tylko najpiękniejsze dzieło sztuki, jakie kiedykolwiek stworzono, ale ma też właściwości magiczne. Marzeniem każdego kolekcjonera jest znaleźć statuetkę Kuan Yin z czasów dynastii Sung.

– I myśli pan, że ją znalazł?

Uśmiechnął się na widok mojego entuzjazmu.

– Moja droga Jane, już cztery razy wydawało mi się, że ją znalazłem. Odkrywałem najpiękniejsze posążki Kuan Yin i za każdym razem, gdy trzymałem je w ręku, mówiłem do siebie: „To musi być ona. Nie może być innej tak pięknej figurki". I za każdym razem okazywało się, że nie miałem racji. Ta, którą widziałaś, jest rzeczywiście wyjątkowo piękna, dlatego ją zatrzymałem. Ale to nie jest, niestety, słynna Kuan Yin, której wszyscy szukamy.

– Skąd będzie pan wiedział, że to właśnie ta, kiedy ją pan znajdzie?

– Kiedy ją znajdę! Byłbym najszczęśliwszym handlarzem dzieł sztuki, gdyby kiedykolwiek mi się to udało.

– A ta nowa figurka...?

– Nie chcę wiązać z nią zbyt wielkich nadziei, żeby uniknąć ogromnego rozczarowania, dlatego próbuję się uspokoić.

– Jak ktokolwiek będzie umiał rozpoznać właściwy posążek, skoro pan, który tak dużo wie, ma wątpliwości?

– Twórca wyrył gdzieś na posążku słowo „Sung", chociaż to można skopiować, nieraz już tak robiono. Najpierw musimy ustalić ponad wszelką wątpliwość, że statuetka pochodzi z dynastii Sung, to już połowa sukcesu. Ale nawet w tamtych czasach wykonano kilka kopii. Artysta pomalował wyryte w drewnie litery farbą, którą tylko on potrafił przygotować. Farba ta odznacza się specyficzną cechą, lekką poświatą, która nigdy nie znika. Potrzeba wielu badań, żeby mieć absolutną pewność, że to właśnie ta figurka. Oczywiście, wszystkie statuetki pochodzące z czasów dynastii Sung są bardzo cenne. Tylko że kolekcjoner szuka właśnie tej jedynej.

– Skoro inne są tak samo piękne, dlaczego akurat ta jest tak cenna?

– Można powiedzieć, że zawdzięcza to wiążącej się z nią legendzie. Podobno człowiek, który znajdzie posążek i będzie go strzegł jak skarbu, uwolni boginię, a ta zaopiekuje się nim w nieszczęściu, zawsze wysłucha jego próśb, i, ponieważ sama ma nieograniczoną moc, będzie roztaczała nad nim opiekę tak długo, jak długo posążek pozostanie w jego rękach. Widzisz, temu człowiekowi będzie się doskonale wiodło i nie zazna nieszczęścia ani przez jeden dzień swego życia.

- Wydaje mi się, że to legenda nadała wartość owej figurce.
- To prawda, ale posążek jest dziełem wielkiego artysty.
- Naprawdę pan myśli, że znalazł tę figurkę?

Uśmiechnął się do mnie i potrząsnął głową.

- Głęboko w sercu uważam, że nie, ponieważ wydaje mi się, że nigdy by nie pozwolono, by figurka opuściła terytorium Chin, a ten posążek odkryłem na domowej aukcji niedaleko stąd. Nikt tam nie miał pojęcia, z czym mają do czynienia. Posążek widniał na liście jako „chińska figurka". Były tam też inne *chinoisiere*, w większości z osiemnastego i dziewiętnastego wieku. To zawsze jakaś szansa i muszę ją wykorzystać.

Krótko po tym, jak pan Sylwester Milner przywiózł Kuan Yin do domu i ustawił w salonie wystawowym, dowiedział się o dwóch ważnych aukcjach gdzieś w środkowych hrabstwach Anglii i postanowił w obu wziąć udział. Powiedział mi, że nie będzie go przez tydzień i dodał z uśmiechem:

- To właśnie jedna z tych okazji, kiedy cieszę się, że mam pomocnicę, która zajmie się wszystkimi sprawami podczas mojej nieobecności.

Ling Fu miał mu jak zwykle towarzyszyć, i słyszałam od paru kupców, którzy gościli w naszym domu, że chiński służący pana Milnera stawał się dobrze znany w kręgach związanych ze sztuką.

Byłam zachwycona tym, że powierzono mi opiekę nad kolekcją i tak bardzo się bałam, że zgubię klucz do salonu, że kilka razy dziennie zaglądałam do ukrytego głęboko w jednej z moich szuflad pudełka z drewna sandałowego, gdzie schowałam ów cenny przedmiot.

Moimi głównymi rozrywkami były spacery i jazda konna. Las nie przestawał mnie zachwycać. Zawsze kochałam drzewa – szelest liści w lecie, ruchome cienie gałęzi rzucane na ziemię przez zachodzące słońce, wyciągnięte do nieba konary, które zimą tworzyły koronkowy wzór na lodowatym błękicie. Ale chyba najbardziej fascynowała mnie historia tego lasu, posadzonego w jedenastym wieku przez Wilhelma Zdobywcę. Lubiłam siadywać pod drzewem albo na zwalonym pniu i puszczać wodze fantazji: widziałam myśliwych sprzed stuleci, uzbrojonych w łuki i strzały, jak polowali na jelenie i dziki. Miałam jedno szczególnie ulubione miejsce: starą zrujnowaną zagrodę, która musiała liczyć sobie parę setek lat. Bluszcz porastał antyczne kamienie. Zachowała się cała jedna ściana domu, z wystającym kawałkiem parapetu. Często szukałam tam schronienia, gdy złapał mnie nagły deszcz.

Tak też stało się tamtego dnia. Poszłam, jak zwykle, na popołudniowy spacer do lasu. Gałęzie drzew pokrywało listowie i miło spacerowało się w ich cieniu, gdyż dzień był gorący i parny. Uderzyła mnie absolutna cisza – tego dnia nie słyszałam żadnych zwykłych odgłosów lasu i panowała ciężka, martwa atmosfera. Zastanawiałam się, czy właśnie w taki dzień Wilhelm Rufus wyruszył na polowanie i czy miał jakiekolwiek przeczucie, że nie będzie mu dane z niego wrócić. Jedna z legend głosiła, że jego ciało znaleziono wśród zrujnowanych ścian domostwa, z którego jego ojciec wypędził mieszkańców, by zdobyć ziemię pod ten las. Inni utrzymywali, że ciało króla odkryto pod dębem, a zabójstwo miało charakter rytualny. Podobno leżał tam, ze strzałą wbitą w pierś – i taki był tajemniczy koniec człowieka, znanego jako Czerwony Król.*

Niestworzone myśli przychodziły mi do głowy podczas tych spacerów. Zastanawiałam się, czy nasze życie zostało z góry zaplanowane. Przypomniałam sobie, że nawet pan Milner wróżył z pałeczek z nieśmiertelnika. Czy to, co z nich wyczytał, pomogło mu podjąć decyzję, aby zaoferować mi pracę, którą pokochałam? Czy zastanawiałybyśmy się teraz z matką, w jaki sposób mam zarabiać na życie, gdybym w odpowiednim momencie nie podniosła tych patyczków? Czy taki człowiek jak pan Sylwester Milner naprawdę może wierzyć w takie rzeczy?

Dzisiaj myślałam o figurce Kuan Yin z dynastii Sung i o tym, jak by to było cudownie, gdybym to właśnie ja odkryła od tak dawna poszukiwany posążek.

Cisza panująca wokół była nieziemska. Niebo zaczęło gwałtownie ciemnieć. Nagle błyskawica rozświetliła las, a w oddali usłyszałam huk grzmotu.

Zbliżała się gwałtowna burza. Pani Couch zawsze bała się piorunów. Zwykle chowała się w schowku pod schodami wiodącymi z jadalni dla służby na parter. Mawiała często:

– Moja stara babcia mówiła, że to gniew Boga, który w ten sposób pokazuje nam, że zrobiliśmy coś złego.

Próbowałam podać jej naukowe wytłumaczenie gromu, ale nim wzgardziła.

– To czcza gadanina z książek – oświadczyła. – Wszystko pięknie, ale ja wolę wierzyć mojej babci. „Nigdy nie chowaj się pod drzewami, powiedziała mi kiedyś, bo w nie najczęściej uderza piorun".

* Wilhelm Rufus był rudy.

Moja matka przyłączyła się wtedy do pani Couch.

– Lepiej, żebyś zmokła – wtrąciła – niż gdybyś miała stać pod drzewem, gdy wokoło błyska i grzmi.

W lesie zrobiło się ciemno i niesamowicie. Zdawałam sobie sprawę, że burza jest coraz bliżej i wiedziałam, że za parę minut będzie nade mną i na pewno nie zdążę uciec z lasu. Byłam jednak blisko moich ruin, a wystający parapet zapewni mi pewną ochronę, dopóki deszcz nie minie.

Pobiegłam w tamtą stronę i dotarłam na miejsce w ostatniej chwili, nim ulewa rozpętała się na dobre. Gratulowałam sobie, że zdążyłam się schować przed deszczem, gdy nagle spostrzegłam biegnącego w moją stronę mężczyznę.

Usłyszałam jego głos:

– Ale burza! Czy udzieli mi pani schronienia? – Miał przemoczony surdut, a kiedy zdjął kapelusz, spłynęła z niego struga wody.

Od razu zauważyłam, że był bardzo przystojny. Gdy podniósł głowę do góry i roześmiał się, dostrzegłam mocne, białe zęby – lecz najbardziej uderzającą cechą były jego oczy w kolorze głębokiego granatu, podczas gdy brwi i krótkie, gęste rzęsy miał tak czarne, jak włosy. Ale to nie kontrast między granatem a czernią wydawał się tak niezwykły, coś fascynującego było w jego rysach. Przez te parę chwil nie udało mi się tego sprecyzować, jednak miałam tego pełną świadomość. Mężczyzna był wysoki i raczej szczupły.

– Wygląda na to, że zjawiłem się w samą porę. – Nie spuszczał ze mnie wzroku i cofnęłam się nieco pod jego spojrzeniem, które sprawiło, że zaczęłam się zastanawiać, czy moje włosy nie są potargane i przypomniałam sobie, że w porannej, wełnianej sukni, którą miałam na sobie, nie jest mi do twarzy.

– Czy mogę wejść pod parapet?

– Zmoknie pan, jeżeli pan tego nie zrobi.

Podszedł i stanął koło mnie. Odsunęłam się najdalej, jak mogłam, gdyż jego osoba bardzo mnie niepokoiła.

– Pani także była na spacerze? – zapytał.

– Tak – odpowiedziałam. – Często tu przychodzę. Uwielbiam ten las, jest taki piękny.

– W tej chwili również bardzo mokry. Często spaceruje pani tutaj... sama?

– Lubię samotność.

– Ale młoda dama, sama! Czyż nie jest narażona na spotkanie z... niebezpieczeństwami?

– Nigdy o tym nie myślałam.

W jego niebieskich oczach migotały wesołe iskierki.

– Więc powinna pani bezzwłocznie to uczynić.

– Powinnam?

– Skąd może pani wiedzieć, co panią tutaj spotka?

– Nie odeszłam daleko od domu.

– Mieszka pani w okolicy?

– Tak. Właściwie, gdy rozpętała się burza, zastanawiałam się, czy pobiec do domu, czy schronić się tutaj.

– I tak jestem zaskoczony, że wolno pani się tu błąkać.

– Och, potrafię zadbać o siebie. – Odsunęłam się od niego o kolejny krok czy dwa.

– Ani przez chwilę w to nie wątpiłem. A zatem pani dom znajduje się niedaleko?

– Tak... Zagroda Rolanda.

Skinął głową.

– Zna ją pan?

– Właścicielem jest pewien stary, ekscentryczny dżentelmen, prawda?

– Pan Sylwester Milner nie jest ani ekscentryczny, ani stary. To bardzo interesujący człowiek.

– Ależ oczywiście. Pani jest jego krewną?

– Pracuję u niego. Moja matka jest ochmistrzynią.

– Rozumiem.

– Myśli pan, że burza słabnie?

– Być może, ale chyba jeszcze za wcześnie, by opuścić to schronienie. Burze zwykle wracają. Człowiek musi mieć pewność, że ulewa naprawdę się skończyła, zanim opuści bezpieczne miejsce.

– A pan też mieszka w okolicy? – zapytałam.

Potrząsnął głową.

– Jestem tutaj na krótkich wakacjach. Spacerowałem, kiedy rozpętała się burza. Zobaczyłem panią pomiędzy drzewami, podążała pani tak zdecydowanie w tym kierunku, że byłem pewien, że zmierza pani do jakiejś kryjówki. Więc poszedłem za panią. – Jego oczy zabłysły skrywanym śmiechem. – Zastanawiam się, co tu mogło być – mówił. – Proszę popatrzeć na te ściany. Muszą mieć kilkaset lat.

– Jestem pewna, że tak.

– Jak pani sądzi, do czego służył ten budynek? Był zamieszkany?

– Tak myślę. Wydaje mi się, że stoi tu od dziewięciu stuleci.

– Może mieć pani rację.

- Być może ten dom został częściowo zburzony, żeby zrobić miejsce na las, w którym król mógłby dla przyjemności polować. Czy pan to sobie wyobraża? Król wydaje rozkaz: ta ziemia ma stać się lasem i do diabła z każdym, kto na niej mieszka. Nic dziwnego, że tamci władcy byli tak znienawidzeni. Czasami nawet można w lesie poczuć tę nienawiść.

Zamilkłam. Dlaczego mówiłam do niego w taki sposób? Widziałam, że był ubawiony, poznałam po tym, jak na mnie patrzył.

- Widzę, że nie tylko jest pani zuchwałą młodą damą, która sama chodzi po lesie, ale do tego ma pani jeszcze wspaniałą wyobraźnię. Wydaje mi się, że to bardzo intrygujące zestawienie – śmiałość i wyobraźnia. To powinno panią zaprowadzić daleko.

- Co ma pan na myśli, mówiąc, „zaprowadzi daleko"?

Pochylił się lekko w moją stronę.

- Tak daleko, jak zechce pani pójść. Widzę też, że ma pani w sobie dużo determinacji.

- Czy pan jest wróżbitą?

Znowu się roześmiał.

- Czasami – odparł – bywam jasnowidzem. Czy mogę pani coś powiedzieć? Jestem potomkiem Merlina, czarnoksiężnika. Czy czuje pani jego obecność w lesie?

- Nie czuję, bo nie mogło go tu być – o ile w ogóle istniał. Las został posadzony przez królów z dynastii Normanów długo po śmierci Merlina.

- Och, Merlin przemieszczał się między wiekami. Nie miał poczucia czasu.

- Widzę, że pana to bawi. Przykro mi, że wydałam się panu głupia.

- Wręcz przeciwnie. „Głupia" to ostatnie słowo, jakiego bym użył w stosunku do pani, a jeżeli jestem rozbawiony, to w najmilszy możliwy sposób. Rozbawienie to jedna z największych przyjemności tego życia.

- Kocham ten las – powiedziałam. – Bardzo dużo o nim czytałam i chyba dlatego tak wiele wyobrażam sobie na jego temat. – Pomyślałam, że to doprawdy niecodzienna rozmowa, którą prowadzę z nieznajomym mężczyzną, dlatego dodałam szybko: – Niebo już się rozjaśnia. Burza chyba przechodzi.

- Mam nadzieję, że nie. Ukrywanie się tutaj jest dużo ciekawsze od samotnego spaceru po lesie.

- Jestem pewna, że deszcz osłabł. – Wyszłam spod parapetu. Mężczyzna złapał mnie za rękę i wciągnął z powrotem.

Uderzyła mnie świadomość jego bliskości.

– Jeszcze niebezpiecznie jest wychodzić – powiedział.

– Mam naprawdę blisko do domu.

– Proszę zostać i upewnić się. Poza tym, chyba nie chcemy tak przerwać naszej intrygującej konwersacji. Pani interesuje się przeszłością, prawda?

– Tak.

– To bardzo rozsądnie. Przeszłość stanowi doskonałą przestrogę dla teraźniejszości i przyszłości. I wydaje się pani, że w tych ruinach jest coś niezwykłego?

– Interesują mnie każde ruiny. To musiał być kiedyś czyjś dom. W tych murach mieszkali ludzie. Nie mogę przestać zastanawiać się nad tym, jak żyli, kochali, cierpieli, bawili się...

Przyjrzał mi się uważnie.

– Ma pani rację – odrzekł. – Rzeczywiście coś tu jest, ja też to czuję. To historyczny punkt. Pewnego dnia obejrzymy się wstecz i powiemy: „Ach, oto właśnie miejsce, w którym ukryliśmy się przed burzą".

Wyciągnął rękę, tak, jakby chciał ująć moją dłoń, a ja, odsuwając się, powiedziałam:

– Proszę zobaczyć, rozjaśniło się. Spróbuję wrócić do domu. Do widzenia.

Zostawiłam go stojącego pod parapetem i pobiegłam przez las.

Deszcz powoli ustawał, ale mokre liście przyklejały się do moich butów, gdy brnęłam z chlupotem przez mokrą ziemię. Musiałam jednak uciec, gdyż nie byłam pewna, co ten mężczyzna zamierzał zrobić. Miał w sobie coś dziwnego, jakąś żywotność, która przytłoczyłaby mnie, gdybym tam została. Dobrze widziałam, że kpił sobie ze mnie i nie byłam go do końca pewna. Pomimo to czułam się bardzo podekscytowana. Jedna moja połowa nie mogła się doczekać, żeby pójść, druga zaś bardzo chciała zostać.

Cóż za niezwykłe spotkanie, chociaż to tylko dwoje ludzi ukryło się przed deszczem.

Kiedy dotarłam do domu, matka czekała na mnie w holu.

– Wielkie nieba, Jane! – zawołała – Gdzieś ty była? – Podeszła, żeby dotknąć mojej sukni. – Jesteś przemoczona do suchej nitki.

– Złapała mnie burza – wyjaśniłam.

– Jesteś zupełnie bez tchu! Chodź na górę. Musisz zdjąć to ubranie, a Amy przyniesie nam gorącą wodę. Powinnaś natychmiast wziąć gorącą kąpiel i włożyć suche rzeczy.

W sypialni wlała gorącą wodę do niewielkiej wanny i kazała mi się w niej zanurzyć. Dodała do wody trochę musztardy – lekarstwo według jej własnego przepisu – a potem poleciła mi wytrzeć się i włożyć ubranie, które dla mnie przygotowała.

Kiedy byłam już gotowa, usłyszałam jakiś hałas dobiegający z pomieszczeń dla służby i nie mogłam się powstrzymać przed zejściem na dół.

Pani Couch sapała z wielkim zadowoleniem. Jess i Amy miały różowe policzki.

– Dobry Boże – powiedziała pani Couch – co za dzień! Najpierw moje bułeczki utknęły w piecu, a teraz pan Joliffe przyjechał!

Rozciągnięty w fotelu, z lekko rozstawionymi nogami i piętami wspartymi na podłodze, siedział mój znajomy z lasu.

Obdarzył mnie uśmiechem, który miałam tak dobrze zapamiętać: na pół zadziornym, na pół czułym.

– My jesteśmy starymi przyjaciółmi – ogłosił.

W kuchni zapadła cisza. Po chwili wyjaśniłam najspokojniej, jak mogłam, zwracając się do pani Couch, która wpatrywała się we mnie:

– Schowaliśmy się przed deszczem... w lesie.

– Doprawdy? – zapytała pani Couch, przenosząc wzrok z jednego z nas na drugie.

– Przez około dziesięciu minut – dodałam.

– To wystarczająco długo, byśmy stali się przyjaciółmi – oznajmił przybysz, wciąż uśmiechając się w sposób, który bardzo mnie poruszał, choć wtedy nie potrafiłam powiedzieć dlaczego.

– Panicz Joliffe szybko zawiera przyjaźnie – zauważyła pani Couch.

– To oszczędza mnóstwo czasu w życiu – odpalił.

– Dlaczego nie powiedział mi pan, że jest bratankiem pana Milnera?

– Pomyślałem, że zrobię pani ogromną niespodziankę. Ale mogła pani zgadnąć.

– Powiedział pan, że jest w tych stronach gościem.

– Bo to prawda.

– I że spaceruje pan po lesie.

– Spacerowałem, szedłem do domu mego stryja. Jess, powiedz Jeffersowi, żeby posłał kogoś na stację po moje bagaże.

– Tak jest, paniczu Joliffe – odpowiedziała Jess rumieniąc się.

Poczułam się zakłopotana. Wszyscy zachowywali się, jakby był jakimś księciem. Trochę mnie to zirytowało.

Pani Couch mówiła z przejęciem:

– To zupełnie w pana stylu, paniczu Joliffe, przyjeżdżać bez żadnego uprzedzenia! W zeszłym tygodniu wypiliśmy resztę śliwkowego dżinu. Gdybym wiedziała, zostawiłabym trochę. Wiem, że ma pan słabość do mojego śliwkowego dżinu.

– Nigdzie na świecie nie ma śliwkowego dżinu, który mógłby się równać z tym od mojej najdroższej pani Couch.

Kucharka zakołysała się w swoim fotelu i powiedziała:

– Jest pan niemożliwy, paniczu Joliffe. Ale postaram się, żeby po kolacji dostał pan placek z czarną porzeczką.

Powiedziałam, że mam dużo pracy i wyszłam. Idąc do drzwi, czułam na sobie jego spojrzenie.

Zagroda Rolanda zmieniła się wraz z przybyciem Joliffe'a. Służba chodziła podekscytowana i wszystko było inaczej. Zniknęła cała powaga, którą nadawała domowi obecność pana Milnera. Zamiast w miejscu pełnym sekretów, w pewien sposób tajemniczym, a od czasu do czasu odrobinę złowrogim, mieszkałam teraz w domu pełnym radości. Joliffe miał zwyczaj melodyjnie gwizdać. Potrafił też naśladować odgłosy ptaków i z wielką werwą wykonywał co weselsze melodie z operetek. Było w nim coś radosnego. Wydawał się kochać życie i wszyscy, z którymi przebywał, przejmowali jego entuzjazm. Nigdy nie przeoczył okazji, żeby kogoś oczarować, a wkrótce doszłam do wniosku, że jeżeli chodziło o mnie, wyjątkowo się starał.

Jechał obok mnie, kiedy wyruszałam na konną przejażdżkę. Gdy wybrałam się na spacer do lasu, nie uszłam kilku kroków, a już słyszałam za sobą jego gwizdanie. Dużo rozmawialiśmy. Powiedziałam mu o przedwczesnej śmierci mego ojca w górach, a on opowiedział mi o wypadku swoich rodziców i jak wychowywali go wspólnie stryjowie Sylwester i Redmond.

– Mniej więcej w takiej atmosferze, jaka panuje w Zagrodzie Rolanda – wyjaśnił. – Wszystko zdaje się tonąć w chińskiej sztuce. Czuje to pani?

– Przecież na tym polegają interesy pana Milnera.

– Ale w każdym kącie widać chińskie wpływy. Wazy na schodach, wszędzie chińskie drobiazgi i bibeloty, i ten kręcący się stale służący stryja. Nie czuje pani tego?

– Owszem, i to mnie fascynuje.

– Dlatego, że nie została pani tak wychowana. Z całym szacunkiem, ale ja mam tego... powyżej uszu.

– Ma pan na myśli interesy?

– Tak. Mam do tego pełne prawo. Można powiedzieć, że nauczyłem się rozpoznawać wazę z epoki Ming, jeszcze jak siedziałem stryjowi na kolanach. Ale cenię sobie niezależność, panno Lindsay. Kiedy stryj Sylwester wysłał mnie do Chin, zrozumiałem, że chcę wykorzystywać swoje umiejętności dla siebie. Rozumie pani?

– Tak. Pan jest innym odgałęzieniem tego samego interesu.

– Trafnie to pani ujęła. Wszyscy pływamy po tym samym jeziorze, ale każdy wyciąga swoją własną sieć.

Joliffe mówił dużo o Hongkongu, który najwyraźniej go fascynował. Pan Milner też mi o tym miejscu opowiadał, tylko w inny sposób. Od niego słyszałam o różnych dynastiach, o czasach ich świetności i schyłku. Joliffe pokazał mi inny obraz: zielone wzgórza opadające na piaszczyste plaże wyspy; strome uliczki, na które ludzie wspinali się po stopniach; pisarze pomagający tym, którzy nie potrafili czytać, i piszący pod ich dyktando; chińscy wróżbici na chodnikach, potrząsający pojemnikami pełnymi pałeczek, aby, po rozłożeniu, wyczytać z nich przyszłość; sampany* niezbędne do poruszania się po pływających wioskach. Jego opowieści mnie fascynowały i pomimo że to, czego uczył mnie pan Milner, było bardzo interesujące, relacje Joliffe'a miały mnóstwo kolorów i życia i wzbudziły we mnie pragnienie ujrzenia tego wszystkiego na własne oczy.

Drugiego dnia pobytu zapytał, gdzie jadam posiłki.

– Czasami z matką w jej salonie, a czasami w jadalni dla służby.

– Ja jadam samotnie i bardzo mi się to nie podoba. Pani powinna jadać ze mną... tête-à-tête? Co pani o tym myśli?

Jego słowo było prawem. Bez trudu przejął rolę pana domu pod nieobecność pana Milnera. Pani Couch bez wahania przygotowała dla mnie miejsce w głównej jadalni, w której pan Milner przyjmował gości. Siedziałam przy jednym końcu długiego stołu, Joliffe przy drugim. Taka sytuacja najwyraźniej go bawiła, ale ja czułam się nieswojo, zastanawiając się, co by powiedział pan Milner, gdyby nagle wrócił i zastał mnie tutaj.

Wkrótce zapomniałam o swoich obawach w upajającej obecności Joliffe'a Milnera.

Pamiętam, jak trzeciego dnia po jego przyjeździe, matka przyszła do mego pokoju i powiedziała:

– Joliffe bardzo się tobą interesuje, Jane.

* sampan – mała łódź rzeczna, służąca też za mieszkanie

– Och, tak – odrzekłam. – To ze względu na pracę. Prowadzi takie same interesy jak jego wuj.

Popatrzyła na mnie dziwnie. Jeżeli odczuwanie radosnego uniesienia w obecności pewnej osoby i zupełnej apatii, gdy tej osoby obok nie ma, można nazwać miłością, to byłam zakochana w Joliffie Milnerze. Wydaje mi się, że wszyscy to widzieli. Nawet ja sama, patrząc w lustro, dostrzegałam w sobie zmianę.

– Myślisz, że to poważny młody człowiek? – zapytała.

– Poważny? Nigdy tak o nim nie myślałam. Śmieje się prawie ze wszystkiego, więc chyba trudno nazwać go poważnym.

Uderzył mnie wtedy wyraz jej twarzy i zauważyłam, że przez ostatni rok bardzo się zmieniła. Policzki miała rumiane jak zawsze, ale jej twarz nieco schudła, a oczy wydawały się bardziej błyszczące niż zwykle. Miała w sobie coś tajemniczego. Zmiana była prawie niedostrzegalna, ale ja, która znałam matkę tak dobrze, byłam prawdopodobnie jedną z nielicznych osób, które to dostrzegły. Zmieniła się bez wątpienia. Dlaczego?, pytałam samą siebie. O co chodzi? Ale zapomniałam o tym już po chwili, bo w moich myślach niepodzielnie panował wówczas Joliffe Milner.

– To nadzwyczaj czarujący mężczyzna – zauważyła matka. – Twój ojciec też był czarujący, ale...

Wzruszyła ramionami, a ja byłam myślami zbyt daleko, by poprosić ją o dokończenie tego, co miała zamiar powiedzieć.

Włożyłam strój do konnej jazdy – prezent od mamy – i wyruszyłam na przejażdżkę. Wkrótce, na co bardzo liczyłam, dołączył do mnie Joliffe.

I tak minął kolejny czarujący poranek.

Miałam swoje obowiązki i pomimo wszystkich ekscytujących wydarzeń w moim życiu nie wolno mi było o nich zapominać. Musiałam zająć się korespondencją. Zawsze lubiłam pracować w małym gabinecie, połączonym z Chińską Biblioteką pana Milnera. Czułam tam wagę spoczywającej na moich barkach odpowiedzialności, co napawało mnie dumą.

Lecz odkąd przyjechał Joliffe, wolałam spędzać czas w jego towarzystwie.

Miałam zwyczaj chodzić dwa lub trzy razy w tygodniu do pokoju, który wciąż nazywałam salonem wystawowym. Zawsze czułam się podekscytowana, gdy otwierałam kluczem drzwi i przekraczałam próg, by znaleźć się sam na sam z tymi wszystkimi cennymi przedmiotami, które stawały mi się coraz bliższe.

Lecz z uwagi na obecność Joliffe'a zaniedbałam swoich wizyt w salonie i kiedy zdałam sobie z tego sprawę, postanowiłam pójść tam od razu.

Weszłam do środka, zamknęłam za sobą drzwi i rozejrzałam się dookoła. Mój wzrok zawsze najpierw wędrował w stronę brązowego Buddy, który zrobił na mnie tak ogromne wrażenie, gdy pierwszy raz weszłam do tego pokoju, a z Buddy na Kuan Yin. Pomyślałam, że dobrym ćwiczeniem byłoby porównanie jej z nowym posążkiem, który wzbudził tyle nadziei w panu Milnerze, gdy przywiózł swój nabytek do domu.

Podeszłam do szklanej gabloty, w której umieścił figurkę, i spojrzałam. Posążka nie było.

To niemożliwe, stał tam przecież, kiedy ostatni raz odwiedzałam galerię.

Ale to było przed wyjazdem pana Milnera.

Istniało tylko jedno wytłumaczenie. Pan Milner musiał zabrać figurkę ze sobą. Nic mi o tym nie powiedział, co wydało mi się dziwne. Mógł być pewien, że zauważę jej brak. Bardzo osobliwe, że wziął ją i nic mi o tym nie wspomniał.

Tak byłam tym zaabsorbowana, że nie mogłam skupić myśli na niczym innym. Zamknęłam starannie drzwi na klucz i wróciłam do swojego pokoju. Byłam trochę roztrzęsiona. Nie mogłam zrozumieć, dlaczego, skoro mówił tak szczerze o znaczeniu i wartości statuetki, zabrał ją bez słowa.

Podeszłam do okna i popatrzyłam na zakratowane okna salonu wystawowego.

Nikt nie mógł się tam dostać. Byłam jedyną osobą w domu, która miała klucz. Odpowiedź wydawała się prosta, pan Milner musiał zabrać figurkę ze sobą. Może zamierzał poddać ją jakimś ekspertyzom.

Wybrałam się na konną przejażdżkę z Joliffe'em i to wystarczyło, bym zapomniała o całym bożym świecie. Cudownie było przedzierać się przez las i galopować po łąkach. Zatrzymaliśmy się w starym młynie na szklankę jabłecznika i kanapki i gdy tak siedziałam w izbie o kamiennej podłodze, gdzie szynki i bekony zwieszały się z krokwi, nad otwartym kominkiem błyszczały mosiężne garnki, czułam się szczęśliwsza niż kiedykolwiek w życiu i wiedziałam, że źródło mego szczęścia to Joliffe.

Kiedy sączyliśmy jabłecznik, który był dosyć mocny, i jedliśmy chleb domowego wypieku ze świeżo pieczoną szynką, zapytałam, jak często przyjeżdża do Zagrody Rolanda.

– Niezbyt często.

– Wszyscy zachowują się, jakby bywał pan tu codziennie. Wydaje mi się, że lubi pan te wizyty.

– Nigdy żadna nie podobała mi się tak bardzo, jak ta.

Spojrzał na mnie swymi niebieskimi oczami, które bez wątpienia mówiły, że ta wizyta była najlepsza ze względu na moją obecność.

W drodze powrotnej milczeliśmy. Myślałam, że Joliffe zaraz powie coś bardzo ważnego dla nas obojga, dlatego trwałam w nerwowym oczekiwaniu. To milczenie było u niego czymś niezwykłym. Zupełnie jakbym odkrywała jego drugą naturę, której istnienia nawet nie podejrzewałam.

Wróciliśmy wczesnym popołudniem i przez resztę dnia już go nie widziałam. Zostawił wiadomość, że jest umówiony na spotkanie i nie będzie na obiedzie. Matka i ja jadłyśmy same w salonie. Matka była w dziwnym nastroju, bez przerwy mówiła o czasach, gdy zabiegał o nią ojciec.

– Wiesz, Janey – powiedziała – kiedyś czułam wyrzuty sumienia. Widzisz, gdyby nie ożenił się ze mną, rodzina nie odwróciłaby się od niego, prawda? Zamiast skromnej renty otrzymałby przyzwoity dochód.

– On wolał mieć nas – zapewniłam ją.

– Powtarzał mi to tysiące razy. Tak bardzo bym chciała, żebyś miała zabezpieczoną przyszłość, Janey. Oczywiście masz tę pracę tutaj, u pana Milnera, który jest niezwykle łaskawym dżentelmenem, ale...

Spojrzała na mnie tak, jakby prosiła, bym coś jej powiedziała. Wiedziałam, że żyła nadzieją, iż Joliffe poprosi mnie o rękę. Chciała, żebym zaznała szczęścia, którym ona cieszyła się u boku mego ojca.

– Chociaż z drugiej strony – mówiła dalej, gdy ja milczałam – jesteś jeszcze młoda. Masz dopiero osiemnaście lat, ale ja w twoim wieku wyszłam już za mąż. Spotkaliśmy się i wiedzieliśmy od razu. Wszystko odbyło się błyskawicznie.

Czekała na zwierzenia, tylko że ja nie miałam się z czego zwierzać.

Tej nocy nie mogłam spać. Leżałam w pełni rozbudzona i myślałam o wizycie we młynie i o tym, jak Joliffe na mnie patrzył. Powtarzałam w myślach naszą rozmowę, gdy nagle przypomniałam sobie o zniknięciu Kuan Yin i osobliwość tej sytuacji uderzyła mnie na nowo.

Zapadałam w lekką drzemkę i śniłam, że jestem w tamtym pokoju, a oczy brązowego Buddy nagle poruszają się i patrzą na mnie oskarżycielsko.

Po godzinie wstałam i podeszłam do okna. Spojrzałam na widoczne po drugiej stronie zakratowane okna, tak jak to czyniłam, gdy pierwszy raz przyjechałam do tego domu. Jak inaczej wszystko wyglądało w świetle księżyca – tajemnicze i złowrogie miejsce, w którym wszystko może się zdarzyć.

Poczułam chłód, wiedziałam jednak, że nie zasnę, więc dalej siedziałam przy oknie, aż nagle dostrzegłam migoczące światło. Nie mogłam w to uwierzyć. Światło błyskało w zakratowanym oknie. Nie mogłam się mylić. Ktoś – lub coś – był w salonie wystawowym.

Zaczęłam drżeć i zapałka trzęsła się, gdy usiłowałam zapalić świeczkę. Wróciłam do okna. Było ciemno i... tak, widziałam je wyraźnie... migoczące światełko.

Złodzieje!, pomyślałam. A pana Milnera nie ma i to ja jestem odpowiedzialna za galerię!

Włożyłam szlafrok i wsunęłam stopy w kapcie. Musiałam pójść i zobaczyć, co się dzieje.

Szybko wbiegłam po schodach i stanęłam pod drzwiami. Powoli obróciłam gałkę. Drzwi były zamknięte. Wtedy poczułam na całym ciele gęsią skórkę i ogarnął mnie paraliżujący strach. Złodzieje nie wydawali się nawet w połowie tak przerażający jak to coś, co najwyraźniej było – a może wciąż jest – za tymi drzwiami.

Pędem pobiegłam do swojego pokoju, wzięłam klucz ze schowka i wróciłam na górę. Znowu poruszyłam klamką. Drzwi były nadal zamknięte. Przekręciłam klucz w zamku i weszłam do środka.

Pokój wyglądał niezwykle tajemniczo. Uniosłam świecę, a ponieważ dłoń mi drżała, mój cień zatańczył na ścianach. Światło padło na znajome przedmioty. Dostrzegłam Buddę – w blasku świecy robił przerażające wrażenie. Półprzymknięte oczy, wrogi wyraz twarzy, swobodna poza kwiatu lotosu, w której wyglądał na odległego i pełnego pogardy.

Serce biło mi jak oszalałe, w gardle zaschło i spodziewałam się wszystkiego. Pomimo to ruszyłam w głąb pokoju. Nie wolno mi było zapominać, że światło musiało zostać przyniesione tutaj przez ludzką istotę, która weszła do galerii w konkretnym celu i być może coś ukradła.

Cenna waza z epoki Ming stała na miejscu. Jaspisowa szkatułka nietknięta.

A potem to zauważyłam. Zza szkła uśmiechała się do mnie życzliwie bogini Kuan Yin, której tego poranka nie było w gablocie.

Wyobraźnia musiała płatać mi figle. Otworzyłam drzwiczki i dotknęłam figurki. Naprawdę tu stała. Ale tego ranka jej miejsce było puste.

Działo się tutaj coś bardzo dziwnego. Rozejrzałam się po pokoju. Wszystko wydawało się takie niesamowite. Te skarby miały setki lat, przeszły przez tyle rąk. Może to prawda, że pozbawione życia przedmioty przesiąkały tragediami i szczęściem osób, do których należały?

Postąpiłam parę kroków do przodu, by skryć się przed wzrokiem brązowego Buddy. W drzwiach dostrzegłam drgające światło. Stała tam jakaś ciemna postać.

Głośno zaczerpnęłam powietrza i usłyszałam męski głos:

– Kto tutaj jest?

Zalała mnie fala ulgi, gdy rozpoznałam głos Joliffe'a.

– To ty, Joliffie! – powiedziałam.

– Jane!

Wyszłam na środek pokoju i stanęliśmy twarzą w twarz, każde ze świecą w dłoni.

– Co tu robisz? – wyszeptałam.

– A ty?

– Wydawało mi się, że widziałam światło. Przyszłam zobaczyć, co się dzieje.

– A ja usłyszałem, że ktoś chodzi po pokoju i przyszedłem to sprawdzić.

– Kto to mógł być?

– To ciebie słyszałem.

– Ale ja widziałam tu światło.

– Myślisz, że w domu jest złodziej?

– Drzwi były zamknięte na klucz, więc jak mógłby się tutaj dostać?

– Gdyby stąd wyszedł, nie zamknąłby starannie drzwi za sobą. Musiałaś dostrzec jakieś załamanie światła.

– Na pewno nie.

– Ależ tak. Jak pięknie wyglądasz, Jane, z tymi rozpuszczonymi włosami.

Jego obecność zawsze mnie oszałamiała. Mogłam myśleć tylko o tym, że jesteśmy sami i żadne dziwne incydenty nie miały znaczenia.

Podszedł do mnie.

– Cóż za szczęśliwy zbieg okoliczności, takie spotkanie.

– To niemądre. Przecież spotykamy się w ciągu dnia.

- To takie ekscytujące. - Odstawił swoją świecę i wyjął mi lichtarz z ręki. A potem otoczył mnie ramionami i mocno przytulił.

- Kocham cię, Jane - szepnął.

Chciałam pozostać na zawsze w jego objęciach, też darzyłam go miłością i nigdy w życiu nie byłam tak szczęśliwa.

Ujął moją twarz w dłonie i powiedział:

- Jane, nigdy nie znałem nikogo takiego, jak ty.

- A ja nigdy nie spotkałam nikogo takiego, jak ty.

- Tego nie można było uniknąć. Czy poczułaś to już pierwszego dnia, gdy schroniliśmy się w ruinach przed deszczem?

- Chyba tak.

- Och, Jane! Życie będzie wspaniałe, prawda? Ty uczynisz je wspaniałym, dobrze?

- Pragnę jedynie być z tobą - odpowiedziałam.

Pocałowaliśmy się i nigdy nie wyobrażałam sobie, że istnieją takie pocałunki. Ogarnęła mnie euforia, przejście od przerażenia do błogości było zbyt gwałtowne i wszystko wydawało się takie nierealne. Kochałam mężczyznę, którego znałam tak krótko, i oto staliśmy razem, na pół ubrani, w pokoju, zawsze wydającym mi się krainą fantazji.

Oczekiwałam, że w każdej chwili mogę się obudzić i odkryć, że śniłam o migoczącym świetle i wciąż siedzę przy oknie, na krześle, na którym zapadłam w drzemkę.

Ale nie, byłam tutaj, w objęciach Joliffe'a, a on mówił, że mnie kocha i prosił, bym na zawsze odwzajemniła jego miłość.

Byłam bardzo młoda i niedoświadczona, miłość wydawała mi się czymś romantycznym i pięknym, bo tak zawsze przedstawiała ją moja matka. Ona i ojciec poznali się i zapałali do siebie gorącym uczuciem. Pobrali się w trzy tygodnie po pierwszym spotkaniu, a on poświęcił dla niej życie w luksusie. To była miłość.

Brązowy Budda zdawał się przyglądać mi zimnym, pogardliwym wzrokiem.

- Jakie dziwne miejsce na spotkanie kochanków - powiedział Joliffe. - Chodźmy stąd.

- Muszę wracać do mego pokoju - zaoponowałam.

- Jeszcze nie - wyszeptał.

Znowu wziął mnie w ramiona, ale nie mogłam pozbyć się myśli o uważnych oczach Buddy. To było takie niemądre. W końcu to tylko kawałek brązu, mimo to...

- Muszę wyjść z tego pokoju - powiedziałam i zdecydowanie ujęłam świeczkę.

Joliffe zabrał swoją i razem wyszliśmy na korytarz. Zamknęłam drzwi na klucz.

Stanęliśmy twarzami do siebie.

Mocno trzymał mnie za rękę.

– Nie mogę pozwolić ci odejść – szepnął.

– Możemy kogoś obudzić.

– Przyjdź do mojego pokoju... albo ja pójdę do twojego... Odsunęłam się.

– Nie, to absolutnie wykluczone.

– Wybacz, mi, Jane, poniosło mnie... jestem taki szczęśliwy.

– Porozmawiamy o tym wszystkim jutro – odrzekłam.

Znowu mnie przytulił, a ja wyrwałam się pośpiesznie z jego ramion i uciekłam do swojego pokoju.

Postawiłam świeczkę na toaletce i przyjrzałam się odbiciu w lustrze. Z trudem mogłam rozpoznać samą siebie. Włosy spływały mi na ramiona, oczy błyszczały, a na zwykle bladych policzkach wykwitł rumieniec. Patrzyłam na inną osobę. Patrzyłam na zakochaną Jane.

Jaka niezwykła noc! Dokonałam dwóch zadziwiających odkryć, z których jedno nieomal przyprawiło mnie o utratę zmysłów. Joliffe mnie kochał! Tylko to się liczyło. Fakt, że figurka Kuan Yin wróciła na miejsce, podczas gdy jeszcze rano jej tam nie było, a ja jedyna miałam klucz, wydawał się bez znaczenia w porównaniu z odkryciem, że kocham i jestem kochana. Bez trudu przekonałam samą siebie, że myliłam się co do zniknięcia posążka. Kuan Yin wróciła na miejsce i tylko to się liczyło. W głowie rozbrzmiewała mi tylko jedna myśl: Joliffe mnie kocha.

Siedziałam przy oknie i patrzyłam na dziedziniec. Potem spojrzałam na ciemne, zakratowane okno naprzeciwko i powtórzyłam w myślach każdy szczegół sceny, która rozegrała się w tamtym pokoju, poczynając od chwili, w której dostrzegłam płomień świeczki.

Czułam wokół siebie jego ramiona.

Rano zaczniemy robić plany dotyczące ślubu. Wiedziałam, że Joliffe będzie bardzo niecierpliwy.

Położyłam się do łóżka dopiero o czwartej nad ranem, ale i tak nie mogłam zasnąć. Zapadałam w krótkie drzemki i w każdej z nich widziałam Joliffe'a.

Spałam do późna, a kiedy się obudziłam, dostrzegłam stojącą przy moim łóżku matkę, która mówiła:

– Obudź się, Jane. Co się z tobą dzieje? Straszny z ciebie śpioch dziś rano.

Usiadłam i natychmiast powróciły do mnie wspomnienia poprzedniej nocy.

– Och, mamo – zawołałam – jestem taka szczęśliwa!

Usiadła obok mnie na łóżku.

– Chodzi o Joliffe'a, prawda?

– Skąd wiesz?

Roześmiała się bez słowa.

– Kochamy się, mamo.

– Chyba więc można powiedzieć, że czeka nas szybki ślub.

– Tak, tak, oczywiście.

– Kiedy ci się oświadczył?

– Wczoraj wieczorem. – Nie zdradziłam jej, gdzie i w jakich okolicznościach; wiedziałam, że nie spodobałaby jej się myśl o nas dwojgu włóczących się w szlafrokach w nocy po domu.

– Pewnie nie mogłaś spać do rana i dlatego teraz zaspałaś.

– Właśnie tak było.

Widziałam, że matka jest wniebowzięta.

– Niczego lepszego nie mogłam sobie dla ciebie wymarzyć – rzekła. – Tak bardzo chciałam, żebyś miała zapewnioną przyszłość. Posada u pana Milnera jest dobra, ale pragnęłam zobaczyć cię u boku męża, który będzie się tobą opiekował.

Wydawało się, że ta ledwo zauważalna zmiana, jaka w niej ostatnio nastąpiła, zniknęła. Znowu wyglądała jak dawniej, była podekscytowana, rumiana i pełna energii.

Przytuliła mnie mocno.

– Właśnie tego pragnęłam. Widziałam, co czujesz, od chwili, gdy pierwszy raz na niego spojrzałaś. Jest czarujący. Pełen życia. Dokładne przeciwieństwo twojego ojca, który zawsze był bardzo poważny, ale nie uznaję tego za wadę. Nie potrafię wyrazić, jak wiele to dla mnie znaczy. Czuję, że twój ojciec troszczy się o nas od chwili, w której odszedł. Moje modlitwy zostały wysłuchane. Ubierz się, Janey, kochanie. Zobaczymy się za chwilę.

Nie wiedziałam wtedy, że poszła do Joliffe'a. Nie miałam pojęcia, o czym z nim rozmawiała.

Myślę, że obie byłyśmy wówczas dosyć naiwne.

Kiedy ubrałam się i zeszłam na dół, matka rozmawiała z moim ukochanym.

Gdy weszłam, wstał i ujął moje dłonie, a potem czule mnie pocałował.

– Joliffe i ja sądzimy, że nie ma na co czekać – powiedziała matka.

– A zatem wszystko już ustaliliście – zauważyłam.

Matka się roześmiała, a oczy Joliffe'a płonęły.

To jest właśnie absolutne szczęście, pomyślałam.

Joliffe odjechał i obiecał, że wróci wkrótce. Musiał zająć się jedną czy dwiema sprawami.

Do domu wrócił pan Sylwester Milner.

Zastanawiałam się, czy powiedzieć mu o zniknięciu i pojawieniu się figurki Kuan Yin, ale już prawie przekonałam samą siebie, że jej zaginięcie musiało być wytworem mojej wyobraźni. Nie chciałam, żeby mój pracodawca uznał mnie za lekkomyślną.

Pokazał mi kilka ze swoich nowych nabytków.

– Nie są zbyt okazałe – powiedział – ale przydadzą się. Nie sądzę, żebym miał jakiekolwiek kłopoty z ich sprzedaniem.

I wtedy wyrzuciłam z siebie, że zaręczyłam się i zamierzam wyjść za mąż.

Nie byłam przygotowana na jego reakcję. Spodziewałam się, że nie będzie zadowolony, w końcu włożył wiele wysiłku w moje wykształcenie, ale, jak pocieszałam sama siebie, musiał brać pod uwagę taką ewentualność.

– Małżeństwo! – zawołał. – Przecież ty jesteś stanowczo za młoda!

– We wrześniu skończę dziewiętnaście lat.

– Dopiero zaczynasz poznawać chińską sztukę!

– Przykro mi. Wiem, że wydaje się to panu brakiem wdzięczności z mojej strony, ale Joliffe i ja...

– Joliffe, mój bratanek! – Twarz mu się zachmurzyła. – To niemożliwe – dodał.

– Przyjechał z wizytą podczas pana nieobecności.

Jego oczy zwęziły się, a dobroduszny uśmiech zniknął. Wyglądał teraz zupełnie jak brązowy Budda.

– Prawie go nie znasz...

– Miałam wystarczająco dużo czasu...

– Joliffe! – powtórzył. – Joliffe! Z tego nie wyjdzie nic dobrego.

Zapadła cisza.

– Czy mam teraz zająć się listami? – zapytałam.

- Nie, nie - odpowiedział. - To wszystko za bardzo mnie przygnębiło. Zostaw mnie samego.

Zaniepokojona, zdezorientowana i nieszczęśliwa wróciłam do salonu matki, która właśnie przygotowywała sobie herbatę.

- Co się stało, Jane?

- Powiedziałam panu Milnerowi o mnie i Joliffie. Jest bardzo niezadowolony.

- Trudno - powiedziała matka ze współczuciem - będzie musiał to przełknąć.

- Rozumiem go. Przecież sam mnie uczył.

- Co za nonsens! Jakie to ma znaczenie, jeżeli w grę wchodzi przyszłość dziewczyny! Domyślam się, że wolałby pannę z pieniędzmi dla swego cennego bratanka.

- Nigdy nie wydawał mi się taki.

- Ale teraz wszystko jest jasne.

- Tak mi przykro, że go zdenerwowałam. Lubię go. Był dla nas taki dobry.

- Cóż, nie chwaląc się, miał dobrą gospodynię i świetną sekretarkę. Teraz przyszła pora na zmiany, przecież musiał liczyć się z ewentualnością twojego zamążpójścia.

- A jeżeli on cię zwolni, gdy ja wyjdę za Joliffe'a?

- No to mnie zwolni.

- Ale jest ci tutaj tak dobrze, a on był taki miły, że pozwolił mi tu zamieszkać.

- To prawda, lecz to nie oznacza, że jesteśmy jego własnością. Był dla nas dobry, ty jednak musisz myśleć o swojej przyszłości. Pragnę, żebyś była szczęśliwa, Jane, miała piękny dom, dobrego męża, a z czasem dzieci. Nic nie może się z tym równać. Zawsze chciałam mieć pewność, że jesteś zabezpieczona, zanim odejdę.

- Odejdziesz... odejdziesz dokąd?

- Do twojego ojca.

- Cóż za głupia uwaga! Jesteś tu ze mną i zostaniesz przez długie, długie lata...

- Oczywiście, ale chcę być spokojna o twoją przyszłość. Przykro mi, jeżeli wielki i wszechmogący pan Milner uważa, że nie jesteś wystarczająco dobra dla jego bratanka, lecz ja mam inne zdanie na ten temat, które, na szczęście, podziela Joliffe.

Pan Sylwester Milner posłał po moją matkę. Siedziałam w jej pokoju i czekałam na jej powrót. Kiedy wróciła, policzki miała mocno zaczerwienione i była w naprawdę bojowym nastroju. Tak samo wyglądała, gdy mówiła o Lindsayach, rodzinie mojego ojca.

– I co powiedział?

– Och, był bardzo miły i uprzejmy, jednak jest przeciwny temu małżeństwu.

– Zatem on naprawdę myśli, że nie jestem wystarczająco dobra dla jego bratanka.

– Na to wychodzi, chociaż on oświadczył coś przeciwnego. Uważa, że to Joliffe nie jest wystarczająco dobry dla ciebie.

– Co to znaczy?

– Mówi, że to nicpoń. Nigdy się nie ustatkował i nie będzie dobrym mężem.

– Cóż za nonsens! Czy pan Milner zamierza zwolnić cię po moim ślubie?

– Nic takiego nie powiedział. Jego zachowanie było pełne godności. Na koniec oznajmił: „Nie mogę powstrzymać pani córki przed małżeństwem z moim bratankiem, pani Lindsay, wszakże z całego serca mam nadzieję, że nie dojdzie do tego ślubu. Darzę panią córkę ogromnym szacunkiem i jeżeli ma wyjść za mąż, wolałbym, żeby znalazła bardziej odpowiednią partię". Ja nie zmieniłam swego stanowiska i bardzo stanowczo odpowiedziałam: „Moja córka wyjdzie za mężczyznę, którego wybrało jej serce, panie Milner, tak, jak to kiedyś uczynił jej ojciec. Potrafimy być bardzo stanowcze, kiedy raz podejmiemy decyzję. I może dobrze wiemy, co dla nas najlepsze". Na tym nasza rozmowa się skończyła.

– Czy jest bardzo zły? – zapytałam.

– Powiedziałabym, że raczej smutny. Przynajmniej stara się sprawiać takie wrażenie. Potrząsa głową i wygląda przy tym jak jakiś stary prorok. Nie będziemy zwracały na niego uwagi.

Łatwo jej było mówić, ale moja radość została nieco zmącona.

Podniecenie w jadalni dla służby sięgało zenitu. Pani Couch kołysała się w bujanym fotelu i spoglądała na mnie życzliwym okiem.

– A więc to ty zostałaś jego wybranką! Zawsze wiedziałam, że jesteś w czepku urodzona. Córka ochmistrzyni, wykształcona w Cluntons, jak dama... a teraz pojawia się panicz Joliffe. Co za mężczyzna! Tylko będziesz musiała na niego uważać. Tacy czarusie, jak on, nie rosną na drzewach i zawsze znajdą się kobiety, które zechcą spróbować tego, co do nich nie należy. Mężczyźni tacy jak panicz Joliffe wymagają dużo troski.

– Będę się o niego troszczyła, pani Couch.

– Nie wątpię. Jak tylko cię zobaczyłam, powiedziałam do Jess: „To dopiero jest mała dama. Wie, czego chce i na pewno to dostanie". I miałam rację. Dostałaś pana Joliffe'a, a założę się, że miałaś nielichą konkurencję.

Amy powiedziała, że jej zdaniem trafił mi się narowisty koń, za to jaki! Jej Jake, za którego miała wyjść na Gwiazdkę, był raczej spokojny i w jej typie, natomiast panicz Joliffe to mężczyzna, w którym każda dziewczyna mogła się zakochać na jedno jego skinienie. Jess powiedziała, że to półtora mężczyzny i że jestem szczęściarą.

W tamtych dniach chodziłam jak w transie. Wszystko wyglądało inaczej: trawa była bardziej zielona, kwiaty w ogrodzie bardziej kolorowe, a świat stał się piękniejszy, bo Joliffe do niego należał.

Tylko pan Sylwester rzucał na wszystko ponury cień. Przyglądał mi się potajemnie, gdy myślał, że tego nie widzę. Domyślałam się, że żałował całego tego czasu, który na mnie zmarnował.

Pewnego dnia powiedział:

– Wiem, że nie ma sensu próbować odwieść cię od tej decyzji. Mogę mieć tylko nadzieję, że będziesz mniej nieszczęśliwa, niż przypuszczam. Mój bratanek zawsze był nieodpowiedzialny. Jest szalony i żądny przygód. Niektórym ludziom te cechy wydają się atrakcyjne, lecz ja nigdy tak nie uważałem. Mogę jedynie żywić nadzieję, że nie będziesz żałowała swojej decyzji. Kiedy spotkaliśmy się po raz pierwszy, rozsypałem pałeczki z nieśmiertelnika. Powróżmy z nich jeszcze raz, zanim odjedziesz.

Na stole stał pojemnik z pałeczkami. Pan Milner podał mi go i poprosił, abym wzięła kilka. Spełniłam jego prośbę. Kiedy wręczałam mu je z powrotem, powiedział:

– Najpierw zapytamy, czy to małżeństwo będzie szczęśliwe.

Rozrzucił patyczki, a potem przyjrzał się im błyszczącymi oczami.

– Popatrz na tę złamaną linię, tutaj. Oznacza definitywne „nie".

– Przykro mi – powiedziałam – ale ja nie wierzę w te wróżby.

– Szkoda – odparł ze smutkiem i zaczął wpatrywać się w rozłożone pałeczki.

W listopadzie Joliffe i ja pobraliśmy się w urzędzie stanu cywilnego. To był cichy ślub. Joliffe uzyskał specjalną zgodę, bo, jak powiedział, chciał uniknąć całego tego zamieszania.

Moja matka nie posiadała się z radości i sama wyglądała jak panna młoda.

Po ceremonii ucałowała mnie czule.

– To najszczęśliwszy dzień mojego życia – wyznała nam obojgu, a potem zwróciła się do Joliffe'a z powagą: – Będziesz się nią opiekował.

Przysiągł, że będzie, i wyruszyliśmy w podróż poślubną.

Mama zaś wróciła do Zagrody Rolanda.

Rozdział drugi

Kobieta w parku

I

Czułam się jak odkrywca nowego świata. Zaczęłam zdawać sobie sprawę, jak bardzo byłam młoda, jak niedoświadczona. Moje życie stało się oszałamiające, wcześniej tak niewiele wiedziałam o świecie. Okazało się zupełnie inne, niż zawsze mi się wydawało. Uważałam małżeństwo moich rodziców za idealne, wręcz sielankowe. Życie z Joliffe'em nigdy takie nie było.

Mój mąż okazał się najbardziej ekscytującym mężczyzną, jakiego poznałam w życiu, ale czy fascynowałby mnie tak bardzo, gdyby był tak przewidywalny, jak moi rodzice? Kiedy powoli otrząsałam się z upojnego snu, jakim stał się nasz miesiąc miodowy, zaczynałam dostrzegać, jak niewiele wiedziałam o świecie i jak bardzo byłam naiwna. Wcześniej wszystko wydawało się jasne: dobro, zło, uczynki prawe i grzeszne. Teraz granice zaczęły się zacierać. Odkryłam, że to, co niegdyś mogłam potępiać, jest w rzeczywistości nieco ryzykowne, ale zabawne. W tym świecie najwyższą wartość stanowiła dobra zabawa.

Joliffe był czuły i pełen zapału, zachwycony wprowadzaniem mnie w życie, którego istnienia nigdy wcześniej nawet nie podejrzewałam. Uważał moją niewinność za rozkoszną, nawet zabawną. Jednocześnie wiedziałam, że mój brak obycia wkrótce go znudzi – toteż musiałam z tego szybko wyrosnąć.

Pierwszą noc naszego miesiąca miodowego spędziliśmy w wiejskim zajeździe z czasów Tudorów – dębowe belki na sufitach, skrzypiące podłogi i atmosfera w rodzaju „tu-spała-Królowa-Elżbieta". Nieopodal były stare korty tenisowe, gdzie podobno grywał Henryk VIII, a wieczorem, po kolacji, spacerowaliśmy po ogrodzie, również z epoki Tudorów, pełnym zimowych wrzosów, jaśminów i żółtych chryzantem.

Czułam się wtedy jak we śnie. Oto Joliffe, mój nowy mąż, za którym, jak zdążyłam już zauważyć, kobiety odwracały głowy, a on wpatrywał się tylko we mnie, co napełniało mnie dumą i pokorą jednocześnie.

Naszą pierwszą wspólną noc spędziliśmy w starej sypialni o maleńkich, poprzecinanych ołowiem szybkach, przez które do pokoju wlewało się światło księżyca, nadające wnętrzu magiczną atmosferę, gdy Joliffe smakował rozkosz wprowadzenia mnie w świat zmysłów. Kiedy zasnął, ja wciąż nie mogłam spać i patrzyłam na jego uśpioną twarz, a światło księżyca tworzyło na niej cienie i wydawało mi się, że rysy mego męża się zmieniają, widać bruzdy tam, gdzie wcześniej ich nie było, zupełnie jakbym patrzyła na Joliffe'a starszego o dwadzieścia lat. Obiecałam sobie wtedy solennie, że zawsze będę go kochała tak, jak teraz.

Obudził się, a ja powiedziałam mu to i zaczęliśmy poważnie rozmawiać o naszej miłości. Wtedy, bez powodu – zupełnie, jakby przeczucie jakiegoś nieszczęścia rzuciło na nas nagły cień – przysięgłam sobie, że bez względu na to, co wydarzy się w przyszłości, ta noc na zawsze pozostanie dla mnie magiczna.

A to był dopiero początek naszego miodowego miesiąca, który musiał mieć odpowiedni styl, jak, co wkrótce odkryłam, wszystko, co dotyczyło Joliffe'a. Wybieraliśmy się do Paryża, ukochanego miasta mojego męża.

– Każdy powinien spędzić miesiąc miodowy w Paryżu – mówił.

Dojechaliśmy pociągiem do Dover, z łagodnym wiatrem przepłynęliśmy Kanał i promem dotarliśmy z Calais do stolicy Francji.

– Najpierw musimy sprawić ci nową garderobę – oświadczył Joliffe. – W Paryżu mam przyjaciół, nie mogę im przedstawić małej, wiejskiej myszki.

Wiejska myszka! Byłam oburzona, a on śmiał się ze mnie. Zdjął mi kapelusz – który uważałam za bardzo śmiały, z małym szmaragdowozielonym piórkiem na czarnej satynie i wiązanymi pod brodą zielonymi, aksamitnymi wstążkami.

– Bardzo odpowiedni do spacerów po lesie, kochanie, ale zupełnie nie pasuje na Champs-Élysées.

A moja suknia z ciemnozielonej wełny merynosowej, wykończona aksamitnym kołnierzem, którą uważałyśmy z matką za szczyt dobrego smaku, została określona jako „odrobinę zbyt domowa".

Czułam się smutna i urażona, jednak smutek zniknął, gdy udaliśmy się do niewielkich sklepów, gdzie została zakupiona dla mnie nowa garderoba. Teraz miałam suknię z dopasowaną, małą, czarno-białą pelerynką i czarny kapelusik, który właściwie wcale nie zasługiwał na tę nazwę, był to jedynie zwój czarnej siateczki ozdobiony ogromną, białą kokardą.

– Przecież z tego nie będzie żadnego pożytku – zauważyłam.

– Moja droga Jane wkrótce zrozumie, że pożyteczność to ostatnia rzecz, jakiej oczekuje się od kapelusza. Pikantny, elegancki, ozdobny – owszem, ale nigdy użyteczny.

– Skąd wiesz tak dużo o kobiecych strojach? – zapytałam.

– Tylko o strojach jednej kobiety. A wiem to, ponieważ jest moją żoną i ją uwielbiam.

Dostałam suknię wieczorową, którą uznałam za bardzo śmiałą, chociaż Joliffe uznał, że jest idealna. Uszyta była z białej satyny, podarował mi do niej broszkę z nefrytu otoczonego diamentami. Kiedy włożyłam tę suknię, nie mogłam uwierzyć swojemu odbiciu w lustrze. Naprawdę wydawałam się inną osobą.

W ciągu tych dwóch tygodni w Paryżu czułam się na przemian bezbrzeżnie szczęśliwa i dziwnie zalękniona. To magiczne miejsce mnie oczarowało. Najbardziej lubiłam je rankiem, gdy na ulicach unosił się zapach świeżo pieczonego chleba, a w powietrzu czułam podniecenie budzącego się do życia wielkiego miasta. Spacerowałam leniwie po targu kwiatów, rozciągającym się po obu stronach Madeleine, a Joliffe kroczył u mego boku. Kupowałam naręcza kwiatów do naszej sypialni, a ich zapach pozostał ze mną na zawsze. Chodziliśmy po bulwarach, wspięliśmy się do bazyliki Sacré Coeur i odkrywaliśmy Montmartre. Drżałam na widok okrutnych, spoglądających złowrogo gargulców z katedry Notre Dame. Śmiałam się z przekupniów w Les Halles. Rozkoszowałam się bogactwami Luwru i próbowałam wmieszać się w tłum artystów i studentów przesiadujących w kawiarniach na lewym brzegu. To było najcudowniejsze doświadczenie, jakie mnie kiedykolwiek spotkało. Właśnie tak wyobrażałam sobie idealny miesiąc miodowy. A wszystkie nowe i piękne widoki, które podziwiałam, ekscytujące doświadczenia, których doznawałam, wszystko to sprowadzało się do jednego: Joliffe był ze mną.

Mój mąż okazał się wymarzonym kompanem, tak dobrze znał miasto. Zaczęłam zauważać, że Joliffe z naszych porannych wycieczek i odkrywczych wypraw różnił się od mężczyzny, którym stawał się wieczorami. Przekonałam się, że ludzie są bardziej skomplikowani, niż mi się w mojej niewinności wydawali – w każdym razie pewni ludzie, w tym także Joliffe. Wielu z nich miało mnóstwo twarzy. Wtedy nie potrafiłam zrozumieć, jak mój mąż mógł w ciągu dnia rozkoszować się tymi wszystkimi prostymi przyjemnościami, a jednocześnie wieczorami stawać się tak wyrafinowanym. Zachodząca w nim zmiana lekko mnie niepokoiła i nie wiedziałam, co mam o tym myśleć.

Po południu zaciągaliśmy story i leżeliśmy na łóżku, rozmawiając albo kochając się.

– To stary francuski zwyczaj – mówił Joliffe. Te chwile wspominam jako najszczęśliwsze.

Natomiast wieczorami wypadało spotkać się z przyjaciółmi, których Joliffe wydawał się mieć bez liku. Musieliśmy iść do Marguery'ego, żeby spróbować doskonałego *filet de sole* w sosie autorstwa samego właściciela – takiego sosu nie można było znaleźć nigdzie indziej na świecie. Musieliśmy jeść kolację w Moulin Rouge i oglądać tańce w Bal Tabarin. Musieliśmy spotkać się z przyjaciółmi Joliffe'a w Café de la Paix. Zawsze miałam nadzieję, że zjemy kolację tylko we dwoje, jednak to zdarzało się bardzo rzadko, zawsze byli jacyś znajomi, do których musieliśmy się przyłączyć. Mówili ze swadą po francusku – nie zawsze nadążałam za konwersacją – pili, jak na mój gust, stanowczo za dużo i śmiali się z żartów, które rzadko udawało mi się zrozumieć. Przy takich okazjach wydawało mi się, że tracę kontakt z Joliffe'em i trudno było mi uwierzyć, że to ten sam mężczyzna, który dzieli ze mną frapujące poranki i pełne ekstazy popołudnia.

Poznałam malarzy Moneta i Touluse-Lautreca, obracaliśmy się wśród literatów i ludzi teatru, a wszyscy oni przerastali swoje czasy. Kobiety miały gładką cerę, którą w swojej naiwności brałam za ich własną i nosiły eleganckie, zapierające dech suknie, a ich wygląd sprawiał, że czułam się jak pasterka na salonach. Marzyłam wtedy o kojącej ciszy naszego hotelowego pokoju.

Ale Joliffe kochał towarzystwo i nigdy nie miał go dosyć. Czułam złość i upokorzenie widząc, w jaki sposób pewne kobiety go traktowały. Sytuacja była tym bardziej kłopotliwa, że wydawał się z tego zadowolony.

Pewnej nocy, gdy wracaliśmy do domu dorożką, powiedziałam:

– Dochodzę do wniosku, że będę musiała przywyknąć do tego, jak patrzą na ciebie kobiety.

– A jak patrzą? – zapytał, chociaż znał doskonale odpowiedź.

– Podobno kobiety lubią mężczyzn, którzy lubią kobiety. Czy to prawda?

– Czyż nie jest tak, że zawsze lubimy tego, kto nas lubi?

- Mam na myśli kobiety w ogóle. Podobno kobieta nie ma czasu, by się dowiedzieć, czy mężczyzna lubi akurat ją. To coś, co podpowiada instynkt. Kobiety cię lubią, Joliffie.

- Och, to dlatego, że jestem taki przystojny - odpowiedział figlarnie i obrócił twarz w moją stronę. - Ale nie obchodzi mnie, co one myślą. Ważna jest dla mnie opinia tylko jednej, jedynej kobiety.

Potrafił mówić takie rzeczy. W ułamku sekundy umiał rozproszyć godziny lęków i chociaż zaczynałam zdawać sobie sprawę, że jeszcze wiele muszę się dowiedzieć zarówno o nim, jak i o życiu, każdego dnia kochałam go bardziej.

Wielu ludzi, z którymi musieliśmy się spotykać, prowadziło z nim interesy.

- W takiej branży, jak moja - tłumaczył - trzeba stale podróżować. Gdy słyszę, że odkryto jakieś skarby tutaj, w Paryżu, w Londynie czy w Rzymie... jadę je obejrzeć. Zawsze poszukuję skarbów.

- Czy rzeczywiście można tu znaleźć cenne przedmioty pochodzące z Chin?

- Wszędzie można je znaleźć. Dawniej kolekcjonowanie *chinoisiere* było bardzo modne, ludzie w całej Europie zbierali chińskie drobiazgi i w ten sposób wiele dzieł sztuki znalazło się także tutaj.

Kiedyś Joliffe zabrał mnie do sklepiku znajdującego się na lewym brzegu. To był jeden z naszych najszczęśliwszych dni.

W małym, ciemnym pokoju zgromadzono przepiękne przedmioty. Westchnęłam z zachwytem i nagle zdałam sobie sprawę, jak bardzo tęsknię za salonem wystawowym w Zagrodzie Rolanda i pracą u pana Milnera.

Byłam zachwycona, gdy udało mi się wprawić w osłupienie Joliffe'a i sprzedawcę moją wiedzą: rozpoznałam wspaniałe zwoje z dynastii Tang i określiłam datę ich powstania na około dziesiątego wieku.

Byłam wdzięczna za wykształcenie, które otrzymałam.

Zaznałam nowego rodzaju bliskości. Piliśmy wino w małym pomieszczeniu na tyłach sklepu - ja, Joliffe i monsieur Ferrand, handlarz. Czułam, że zostałam przyjęta do magicznego kręgu i byłam niezwykle szczęśliwa. Wino i przepełniające mnie szczęście wywołały rumieniec na mych policzkach, oczy mi błyszczały. Już zawsze tak będzie, powiedziałam sobie.

Monsieur Ferrand chciał nam pokazać kilka pierścionków, które dostarczono mu niedawno. Ktoś przywiózł je z Pekinu. Kamienie były przepiękne - nefryty, kilka o wybornym, jabłkowozielonym odcieniu, inne podobne do przezroczystych szmaragdów. Bardziej podobały mi się te jasnozielone, chociaż wiedziałam, że ciemniejsze okazy mają większą wartość.

Jeden z owych, pięknych jasnych kamieni został pięknie wyrzeźbiony, a w środku błyszczało diamentowe oczko. Klejnot był niezwykły.

– Podobno to jest oko Kuan Yin – wyjaśnił monsieur Ferrand. – Muszę wyznaczyć za niego wysoką cenę ze względu na legendę. Chińczycy wierzą, że właściciel tego pierścienia zawsze będzie mógł patrzeć w oczy bogini, co bywa bardzo przydatne.

– Nigdy nie widziałam takiego klejnotu.

– Mam nadzieję. Ten podobno jest unikatowy.

Podniosłam pierścionek i wsunęłam na palec. Joliffe ujął moją dłoń i nasze spojrzenia skrzyżowały się nad stołem. Jego oczy były pełne miłości i pomyślałam wtedy – zupełnie niespodziewanie – że wszystko, co się wydarzy, będzie warte tej jednej chwili.

– Ładnie wygląda na twoim palcu, Jane.

– Proszę wyobrazić sobie, madame – wtrącił monsieur Ferrand – miałaby pani boginię szczęśliwego losu zawsze pod ręką.

Joliffe się roześmiał.

– Musisz go mieć, Jane. Jako moja małżonka będziesz potrzebowała dużo szczęścia.

– Jako twoja małżonka jestem ostatnią osobą, która go potrzebuje.

Przez jego twarz przemknął niespodziewany cień. Nigdy nie widziałam, żeby tak wyglądał – był smutny, w jego oczach malował się lęk. Jednak niemal w tej samej chwili uśmiechnął się i na powrót poweselał.

– Bez względu na wszystko, musisz go mieć. Ale nie powinienem tego mówić w obecności monsieur Ferranda, skoro chcę ubić z nim interes.

Mężczyźni zaczęli rozmawiać o pierścionku, a ja znowu go przymierzyłam. W końcu porozumieli się co do ceny i włożyłam klejnot na palec. Joliffe podniósł moją dłoń i pocałował diament.

– Oby zawsze towarzyszyło ci szczęście, ukochana – powiedział.

Siedziałam w powozie wsparta o ramię męża i obracałam pierścionek na palcu.

– Osiągnęłam stan najwyższego szczęścia – powiedziałam. – Nie można być już bardziej szczęśliwym.

Joliffe zapewnił mnie, że można.

Dni mijały niepostrzeżenie – godziny pełne szczęścia, z wyjątkiem wieczorów kiedy albo my przyjmowaliśmy gości, albo zapraszali nas przyjaciele i partnerzy od interesów Joliffe'a. Wtedy oczy piekły mnie od dymu i świateł, uszy męczyła muzyka i z wysiłkiem usiłowałam przetłumaczyć sobie wątpliwe żarty, opowiadane przez różne osoby, które przysiadały się do naszego stolika i piły z nami szampana.

Wydawało się, że wiele kobiet zna Joliffe'a i wszystkie okazywały mu specjalne względy.

Pewnego szczęśliwego wieczoru jedliśmy kolację tylko we dwoje przy małym stoliku otoczonym palmami. Pamiętam, że byłam ubrana w suknię z biało-zielonej tafty, którą wybrał dla mnie Joliffe. Wtedy już zdążyłam przyzwyczaić się do nowych strojów. Zastanawiałam się, czy moja osobowość także się zmieniła. Wiedziałam, że kiedy znowu zobaczę się z matką, ona natychmiast zauważy każdą zmianę, która we mnie zaszła.

Jedliśmy kolację, gdy nagle powiedziałam:

– Joliffie, tak naprawdę nie znam cię zbyt dobrze.

Uniósł brwi w udawanym zgorszeniu.

– Chcesz powiedzieć, że żyjesz z mężczyzną, o którym nic nie wiesz?

– Wiem, że cię kocham.

– Cóż, mnie to wystarczy.

– Joliffie, porozmawiajmy poważnie.

– Przy tobie zawsze jestem poważny, Jane.

– Chciałabym pomówić o sprawach praktycznych. Czy jesteś bogaty?

Roześmiał się.

– Muszę ci się przyznać, Jane, że nie wyszłaś za milionera. Czy chcesz z miejsca anulować małżeństwo?

Powiedział, że zawsze rozmawia ze mną serio, jednak to nie była prawda. Teraz także widziałam, że zrobi wszystko, by wymigać się od poważnej rozmowy.

– Tutaj żyjemy dosyć ekstrawagancko.

– Każdy człowiek ma prawo do ekstrawagancji podczas miodowego miesiąca.

– Czy to oznacza, że kiedy wrócimy do domu, będziemy musieli oszczędzać?

– Oszczędzać! Co za okropne słowo! Życie w naszym domu w Londynie nie będzie tak wystawne, jak tu, w paryskim hotelu, jeżeli o to się martwisz.

– Jak to będzie w Londynie? Nie robiliśmy żadnych planów.

– Mieliśmy tyle ekscytujących zajęć!

– Tak, ale pora się ustatkować.

– Najpierw chcesz oszczędzać, a teraz się ustatkować. Poślubiłem niezwykle praktyczną kobietę.

– Być może powinieneś być z tego zadowolony. Musimy pomyśleć o przyszłości.

Jego oczy rozbłysły, gdy na mnie spojrzał.

– Kiedy ja uważam teraźniejszość za fascynującą. Pozwólmy, aby przyszłość sama zatroszczyła się o siebie.

– Joliffie, myślę, że jesteś trochę beztroski.

– Przyznaję się, ale musisz udowodnić mi winę.

– Wydaje mi się, że unikasz myślenia o przyszłości.

– Jak to, przecież ty w niej jesteś!

– Czy bardzo mnie kochasz, Joliffie?

– Bezgranicznie.

– Zatem wszystko się ułoży. Czy masz dom w Londynie?

– Tak, w Kensington, naprzeciwko parku – wiesz, Ogrodów Kensingtońskich. To bardzo miła okolica, a dom jest wysoki i dosyć wąski. Dbają o niego sprawdzony służący i jego żona.

– Czy tam właśnie zamieszkamy?

– Kiedy będziemy w Londynie. W związku z interesami dużo podróżuję.

– Dokąd?

– Po całym świecie. Po Europie, na Wschód i do miejsca zwanego Zagrodą Rolanda. Tam właśnie dokonałem mojego największego odkrycia. Tam znalazłem szczęście.

Nie było sposobu, żeby go skłonić do poważnej rozmowy, skoro chciał jej uniknąć. To była noc miłości, więc jak mogłam postawić jej jakąkolwiek przeszkodę?

Później wytłumaczył mi, że odziedziczył dom w Londynie po rodzicach i od tego czasu używał go jako _pied-à-terre_. Albert i Annie służyli u jego rodziny od lat, Annie była nawet niańką Joliffe'a. Utrzymywali porządek, gdy wyjeżdżał, i dbali o niego, gdy wracał do Londynu.

Joliffe uprzedził ich o moim przyjeździe.

Jeżeli chodziło o interesy, od dawna wiedziałam, czym się zajmuje. Został wychowany do tego zawodu. Nie potrafiłby robić niczego innego, nawet gdyby chciał.

– Polowanie na przedmioty wyróżniające się pięknem, historią, legendą czy czymkolwiek... temu nie można się oprzeć, Jane. Niektórzy ludzie polują na jelenie czy dziki, bo mają wrodzony instynkt myśliwski. Ja nigdy nie pragnąłem polować, by zabijać zwierzynę, która wydaje mi się obiektem niewartym zachodu. Ale odkrywanie skarbów, ukrytych przed światem fascynowało mnie zawsze, od chwili, w której mieszkając ze stryjem Redmondem, usłyszałem jego rozmowę na ten temat z kuzynem Adamem. A kiedy przyłączał się do nich stryj Sylwester – wtedy pracowali wszyscy razem – słuchałem ich dyskusji z zapartym tchem. Dużo się od nich dowiedziałem i obiecałem sobie, że pewnego dnia zostanę największym kolekcjonerem z nich wszystkich.

– Doskonale cię rozumiem – powiedziałam. – Ja także to czuję. Joliffie, pomogę ci. Tak bardzo się cieszę, że zdążyłam się już czegoś nauczyć. Wiem, że to niewiele, bo taką wiedzę zdobywa się przez całe życie. Ale byłeś ze mnie zadowolony, gdy rozpoznałam ten zwój, prawda?

– Byłem z ciebie bardzo dumny.

– Zawdzięczam to twojemu stryjowi i myśl o tym trochę mnie zawstydza. On zrobił tak wiele dla mojej matki i dla mnie, a ja go opuściłam.

– Czyżbyś nie wiedziała, że kobieta powinna poświęcić wszystkich innych i pójść za swoim mężem?

– Tak, tak, ale myślę, że twój stryj Sylwester poczuł się trochę urażony.

– Dobry Boże, Jane, czy on myślał, że jesteś jego niewolnicą?

– Zawsze okazywał mi i mojej matce wielką dobroć, ale przecież uczył mnie, szkolił... a ja odeszłam, zanim mogłam mu się na cokolwiek przydać.

– Nie martw się o starego Sylwestra, jakoś to przeżyje. Czy mówił ci kiedykolwiek o Domu Tysiąca Latarni?

– Tak, wspominał o nim.

– Co ci powiedział?

– Że dom jest jego własnością i znajduje się w Hongkongu. Jaka dziwna nazwa dla domu. Tysiąc latarni to ogromnie dużo. Widziałeś go?

– Tak.

– Czy jest tak romantyczny, jak jego nazwa?

Joliffe się zawahał.

– To dziwne miejsce, raczej odpychające, a jednocześnie fascynujące. Pierwszy raz go widziałem, gdy miałem jakieś czternaście lat. Stryj Redmond jeszcze żył i zabrał tam mnie i kuzyna Adama. Wtedy myślałem, że będę z nimi pracował. Niektóre miejsca robią na człowieku wrażenie, którego nigdy nie można zapomnieć, a dom o takiej nazwie...

– Chciałabym go zobaczyć. Mogę to sobie wyobrazić. Czy tam naprawdę jest tysiąc latarni?

– Na pewno jest ich bardzo wiele. Wiszą na werandzie, razem z wietrznymi dzwonkami, które wydają dziwny, brzęczący dźwięk. Pamiętam, jak mnie zafascynowały podczas mojej pierwszej wizyty w Hongkongu. W domu było dosyć ciemno, a służba, poruszająca się bezszelestnie po pokojach, zrobiła na mnie ogromne wrażenie. Uważałem, że znalazłem się w najbardziej egzotycznym miejscu na świecie. Kiedy mój stryj tam mieszka, dostosowuje się w pewien sposób do chińskich obyczajów. Pamiętam, jak mi mówił, że zawsze trzeba szanować obyczaje innych ludzi. Kiedy jesteś w Rzymie, zachowuj się jak rzymianin, to samo dotyczy Chin.

– Czy to prawda, że ten dom był podarunkiem dla jednego z twoich przodków?

– Tak, dla mojego pradziadka. Był lekarzem, pojechał do Chin, by tam pracować. Pewien bogaty i wpływowy mandaryn okazał mu w ten sposób wdzięczność za uratowanie podczas porodu nie tylko żony, ale i syna. Chłopcy są dla Chińczyków bardzo cenni. Dziewczynki często porzuca się na ulicy, by zmarły śmiercią głodową, ale chłopców nigdy. Są bardzo nieżyczliwi dla przedstawicielek twojej płci, którą uważają za mało istotną.

– Zatem ten mandaryn podarował twemu pradziadkowi Dom Tysiąca Latarni.

– Tak, a parę lat później zmarł. W posiadaniu rodziny jest list, który napisał do mego dziadka. Powiedział w nim, że dom to marny podarek za życie jego syna, ale wśród tysiąca latarni spoczywa najcenniejszy skarb i mandaryn przekazuje go w ręce człowieka, któremu będzie wdzięczny na wieki.

– Jakie to tajemnicze.

– W tłumaczeniu mogą być pewne nieścisłości, wydaje się jednak, że dom jest podarkiem, który stanowi pewnego rodzaju opakowanie dla czegoś znacznie cenniejszego. To zagadka. Jak wiesz, Chińczycy uwielbiają zagadki.

– A jaki to skarb?

– Nigdy go nie odnaleziono.

– Masz na myśli, że już go szukano?

– Szukano go od chwili, w której mój pradziadek otrzymał ten dom. Nigdy nic nie znaleziono. Wydaje się, że stary mandaryn bardzo chciał okazać swoją wdzięczność, a dom był rzeczywiście dużo cenniejszym podarkiem, niż oczekiwałby mój dziadek za coś, co tak często robił w ramach swojego zawodu. Ale legenda przetrwała i Dom Tysiąca Latarni budzi pewnego rodzaju grozę.

– W ludziach, którzy mieszkają w okolicy?

– I wśród służby. Wszystko zawsze jest tam trzymane w pogotowiu, bo wuj nie ma zwyczaju uprzedzać o swoim przyjeździe. Lubi przyjeżdżać i odjeżdżać bez hałasu.

– Zastanawiam się, czy kiedykolwiek będę miała okazję zobaczyć Dom Tysiąca Latarni.

– Zabiorę cię tam. Pojedziemy razem.

– Tysiąc latarni. Ile tam musi być pokoi, by je pomieścić?

– Może nie ma ich aż tysiąc, w końcu to tylko poetycka nazwa, prawda? Chińczycy lubią takie określenia, a „tysiąc" brzmi lepiej niż „osiemset dziewięćdziesiąt pięć". Nigdy ich nie liczyłem, ale lampiony to znak rozpoznawczy tego domu, są w każdym w pokoju, na ganku i w ogrodzie... wszędzie. W środku palą się lampy olejne i wyglądają bardzo efektownie. Jeżeli to będzie kiedykolwiek ode mnie zależało, zarządzę wnikliwe poszukiwania, by się dowiedzieć, czy stary mandaryn fantazjował, gdy pisał o skarbie.

– Ten dom będzie należał do ciebie?

– Mój wuj nie ma żadnej rodziny. Jak wiesz, nigdy się nie ożenił. Dom odziedziczyłby stryj Redmond, gdyby żył. Oczywiście jest jeszcze Adam – dwa lata starszy ode mnie – ale stryj Redmond i Sylwester nigdy się nie lubili, a Adam jest synem Redmonda... cóż, rozumiesz, co mam na myśli. To nie jest niemożliwe.

– Chciałbyś dostać ten dom, Joliffie?

– Bardzo. Coś mi mówi, że mandaryni nie kłamią, gdy w bliskiej perspektywie mają dołączenie do grona swych przodków. Tak, pragnę tego domu... z całej siły. Jest tylko jedna rzecz, której pragnę bardziej – mojej Jane.

Nie mogłam wyrzucić z myśli tej rozmowy. Dom Tysiąca Latarni przemówił do mojej wyobraźni. W myślach widziałam lampy zwieszające się z sufitów, przytwierdzone do ścian, wszystkie z małymi płomykami w środku. A pewnego dnia miałam je zobaczyć. Nie mogłam się doczekać. To było ekscytujące uczucie, choć jednocześnie połączone z żalem, gdy przypominałam sobie, że obecne szczęście zawdzięczałam panu Sylwestrowi Milnerowi.

Spacerując po lewym brzegu, toczyliśmy niekończące się rozmowy i powoli zaczynałam stwarzać sobie obraz życia Joliffe'a i planować, jakie miejsce zajmę w nim ja.

Było jasne, że mój mąż uwielbia swoją pracę i wciąż na nowo dziękowałam losowi, iż mogę podzielać ten entuzjazm. Znowu dzięki panu Milnerowi. Joliffe rozmawiał ze mną swobodnie, a moje szczęście się pogłębiało. Czekało mnie cudowne życie.

A potem dokonałam odkrycia, które zakłóciło nieco moje zadowolenie. To było jak pierwsza, prawdziwa chmura na idealnie błękitnym horyzoncie.

Po kolacji, którą jedliśmy z przyjaciółmi Joliffe'a, wróciliśmy do hotelu, gdzie kochaliśmy się, a potem leżeliśmy senni obok siebie. Na palcu miałam nefrytowy pierścionek z okiem Kuan Yin i powiedziałam:

– Chyba wierzę w jego moc. Od chwili, w której mi go dałeś, życie było wyjątkowo cudowne.

– Co takiego? – zapytał Joliffe, na pół uśpiony.

– Kuan Yin – odpowiedziałam.

– Gdybym tylko mógł znaleźć oryginał...

– Poszukamy go, Joliffie. Co byś zrobił, gdybyś go odnalazł?

– Tutaj tkwi problem. Zatrzymać go, żeby bogini słuchała moich próśb i przychodziła z pomocą, czy sprzedać i zbić fortunę. Które wyjście ty byś wybrała, Jane?

– To zależy od tego, jak bardzo wierzysz w tę legendę.

– Łatwiej dotknąć fortuny niż legendy.

– Zastanawiam się, czy posążek, który znalazł twój stryj, okazał się w końcu oryginalny, a jeżeli tak, to co zamierza z nim zrobić.

– Tamta figurka... to tylko jedna z wielu.

– Skąd wiesz?

– Kazałem ją zbadać.

– Co?! – Usiadłam na łóżku, zupełnie rozbudzona.

Joliffe otworzył jedno oko i przyciągnął mnie do siebie.

– A kto zobaczył światło w pokoju? Kto, ubrany w koszulę, poszedł na górę, gdzie zamiast złodzieja znalazł... miłość?

– O czym ty mówisz, Joliffie?

– Teraz jesteś członkiem rodziny, Jane. To moją świecę widziałaś w pokoju. Masz bardzo dobry wzrok. Co robiłaś na nogach o tej porze, gdy cały dom powinien być pogrążony w głębokim śnie?

– Joliffie, nic z tego nie rozumiem.

– Widocznie zabrakło ci twojej zwykłej przenikliwości. Jak myślisz, dlaczego złożyłem wam wizytę akurat w tamtych dniach? Bo wiedziałem, że stryj znalazł posążek Kuan Yin.

– Ale jak wszedłeś do pokoju? Ja byłam jedyną osobą w domu, która miała klucz.

Roześmiał się.

– To nie do końca prawda, kochana Jane. Ja także miałem klucz.

– Ale w jaki sposób? Są tylko trzy klucze, jeden należy do Sylwestra, jeden do Ling Fu i jeden do mnie.

– O ile mi wiadomo, istnieją cztery klucze, a może i więcej. Widzisz, ja też mam jeden.

– Ale... skąd?

– Moja droga Jane, znam Zagrodę Rolanda od lat, jakiś czas mieszkałem tam ze stryjem. Kiedyś uczył mnie zawodu, żebym mógł z nim pracować.

– I dał ci klucz?

– Powiedzmy, że udało mi się jeden zdobyć.

– Jak?

– Wykorzystałem okazję, wykradłem klucz z sekretnego schowka i kazałem zrobić duplikat. Teraz mogę wejść do tego pokoju, kiedy tylko przyjdzie mi na to ochota, muszę tylko poczekać na odpowiedni moment.

– Och, Joliffie!

– Widzę, że cię zaszokowałem. Musisz dorosnąć, Jane, jeżeli zamierzasz zajmować się tą dziedziną. Jesteśmy rywalami... musimy wiedzieć, co dzieje się w obozie przeciwnika. W miłości i na wojnie wszystko jest dozwolone, a to jest rodzaj wojny.

– Och, nie.

Przyciągnął mnie do siebie i pocałował, ale nie odwzajemniłam pocałunku.

– Mam już dosyć bogini Kuan Yin, Jane.

– Chcę wiedzieć, co się wydarzyło.

– Och, kochanie, naprawdę nie możesz tego zrozumieć? Złożyłem wam wizytę pod nieobecność stryja. Nocą poszedłem ukradkiem do tamtego pokoju, zabrałem Kuan Yin w celu wykonania paru ekspertyz, a potem odstawiłem ją na miejsce. W momencie, gdy odniosłem figurkę, odkryła mnie moja niezwykle dociekliwa przyszła żona i spotkaliśmy się w świetle księżyca – och, nie, nie było księżyca. Szkoda, bardzo pasowałby do sytuacji. Trudno, światło gwiazd musiało nam wystarczyć i tam, w owym pokoju, nastąpiło czarujące, czułe interludium, którego musieli zazdrościć mi wszyscy bogowie. Jane, ja cię kocham.

– Ale to, co zrobiłeś, było złe – powiedziałam.

– Co masz na myśli, mówiąc „złe"?

– Wejść do tamtego pokoju w taki sposób. To prawie jak kradzież.

– Nonsens. Nie zostało zabrane nic, co potem nie zostało zwrócone.

– Dlaczego nie przyjechałeś, kiedy twój stryj był w domu? Dlaczego go nie zapytałeś...?

– Istnieje coś takiego jak tajemnica zawodowa, musisz to zrozumieć. Z tego, co wiemy, prawdziwa Kuan Yin może spoczywać bezpiecznie w zbiorach któregoś z naszych rywali, który być może trzyma ją, wyczekując chwili odpowiedniej do sprzedaży. To interesy, Jane.

– Ale przyjechać tam, wejść do prywatnego pokoju pana Milnera i zabrać figurkę...

– Wiedziałem, że nic mi nie grozi. Stryj wyjechał, a ja wiedziałem dokąd i byłem pewien, że mam wystarczająco dużo czasu, by zabrać posążek, poddać ekspertyzom i odstawić na miejsce. Och, już wystarczy, jestem zmęczony tym tematem.

Ja jednak nie mogłam przestać o tym myśleć. Czułam się w jakiś sposób oszukana, chociaż tak naprawdę to pan Sylwester Milner padł ofiarą oszustwa.

Nie podobały mi się takie metody prowadzenia interesów.

To wydarzenie sprawiło, że zaczęłam widzieć Joliffe'a w innym świetle. Nadal kochałam go tak mocno, jak zawsze, ale nic nie było już takie samo. W moje beztroskie życie wkradła się niepewność. To był lęk przed tym, czego jeszcze mogę się dowiedzieć.

II

Parę dni później przepłynęliśmy Kanał.

Dom Joliffe'a w Kensington wprawił mnie w zachwyt. Był wysoki, dosyć wąski i stał w rzędzie budynków odznaczających się pełną gracji elegancją. Miał cztery piętra, na każdym znajdowały się dwa duże pokoje, a Annie i Albert, którzy wyczekiwali naszego przyjazdu, mieszkali w izbach nad stajniami, znajdującymi się na tyłach rzędu budynków stojących przy naszej ulicy. Annie, typowa dawna niańka, nie widziała świata poza Joliffe'em i czasem zapominała, że to już dorosły mężczyzna. Nazywała go Paniczem Joe i łajała w sposób, który uwielbiał, bo było jasne, że go podziwia, a Joliffe, jak powoli zaczynałam dostrzegać, uważał, że kobiecy podziw bezsprzecznie mu się należy. Blady i żylasty Albert, człowiek do wszystkiego, zajmował się także powozem i końmi i nie miał zbyt wiele do powiedzenia.

Od razu zakochałam się w moim nowym domu. Nasz pokój znajdował się na trzecim piętrze, a okna otwierały się na balkon z widokiem na mały ogród i stajnie. W porównaniu ze standardami Zagrody Rolanda ogród nie zasługiwał nawet na taką nazwę, był to jedynie spłachetek ziemi pocięty nieregularnymi ścieżkami, na którym rosły zawsze zielone krzewy i stała samotna grusza, niechętnie wydająca owoce – małe, zielone twarde gruszki, nadające się jedynie na kompot, jak mówiła Annie.

Z salonu na pierwszym piętrze mogłam przyglądać się jadącym dorożkom i patrzeć na drzewa Ogrodów Kensingtońskich po drugiej stronie ulicy. Wkrótce zakochałam się także w tych ogrodach i często odbywałam tam poranne spacery.

Teraz, kiedy zamieszkaliśmy w Londynie, a nasz miesiąc miodowy dobiegł końca, rzadziej widywałam Joliffe'a, który miał biuro w City i często w nim przebywał. Byłam więc pozostawiona sama sobie. Spacerowałam po ukwieconych alejkach, gdzie na ławkach odpoczywały nianie ze swymi podopiecznymi i czasami przysiadałam się do nich, by posłuchać, jak opowiadają o dzieciach i swoich pracodawcach. Snułam się wzdłuż Serpentyny i odkrywałam oranżerię o fasadzie z czasów Wilhelma i Marii. Mijałam okna, za którymi kiedyś nasza królowa bawiła się lalkami, chociaż trudno było sobie wyobrazić tę na czarno ubraną wdowę jako małą dziewczynkę. Obserwowałam, jak ciemne kwiaty jesieni zastępują letnie pąki w ogrodzie przy stawie, a grube liście drzew stopniowo żółkną i opadają. Lubiłam siadywać przy sadzawce i patrzeć na bawiące się łódkami dzieci, a czasem przynosiłam ze sobą chleb, którym karmiłam łabędzie i ptaki.

To właśnie tam pierwszy raz dostrzegłam tę kobietę. W pewien sposób trudno było jej nie zauważyć. Wysoka i niemal hoża, miała burzę rudych włosów, które wymykały się w lokach spod kapelusza. Z tą klepsydrową figurą wydawała się piękna w dojrzały, dosyć surowy sposób.

Zwykle zmierzałam prosto nad wodę, żeby nakarmić łabędzie, i tam zobaczyłam ją po raz drugi. Przy trzecim spotkaniu zauważyłam, że ona również zwróciła na mnie uwagę. Pochyliłam się, by rzucić łabędziom kawałek chleba i kiedy obróciłam głowę, dostrzegłam, że kobieta stoi bardzo blisko mnie. Miała duże, wyjątkowo jasnobłękitne oczy. I nie mogło być wątpliwości, że wpatrywała się we mnie.

Ruszyłam szybko w stronę pałacu i weszłam do parku, który był repliką ogrodu założonego w Hampton Court* przez Henryka VIII. Dookoła biegło ogrodzenie, a cieniste alejki obsadzono drzewami przyciętymi tak, by ich gałęzie spotykały się nad głowami spacerowiczów – gęste i ciężkie od liści latem, nagie zimą. Po obu stronach ogrodu pozostawiono prześwity między drzewami, aby umożliwić ludziom spoglądanie ponad niskimi barierkami na kwietne rabaty i sadzawkę.

Weszłam w jedną z alejek i po chwili zatrzymałam się, by spojrzeć na ogród przez jeden z prześwitów. Naprzeciwko mnie ujrzałam rudowłosą kobietę.

Cofnęłam się szybko i wykonałam ruch, jakbym zamierzała skręcić w lewo, a gdy zasłoniły mnie porastające alejkę drzewa, błyskawicznie obróciłam się w prawo i ruszyłam energicznie ścieżką do wyjścia prowadzącego w aleję wiązów. Potem wróciłam do domu.

Powtarzałam sobie, że to tylko moja wyobraźnia, że ruda kobieta wcale za mną nie szła. Nie mogłam zrozumieć, dlaczego poczułam się aż tak nieswojo, tłumaczyłam sobie, że to jedynie nieprzyjemne wrażenie wywołane podejrzeniem, że ktoś mnie śledził.

Kiedy dotarłam do domu, w holu znalazłam list od matki. Przyjeżdżała do Londynu, żeby się ze mną zobaczyć. Pragnęła ujrzeć mnie w moim nowym domu.

Byłam zachwycona i gdy Joliffe wrócił z biura, podzieliłam się z nim swoją radością.

– Będę musiał jej pokazać, jakiego masz dobrego męża – powiedział.

Wypełniłam cały dom kwiatami: chryzantemami, astrami i michałkami. Porozumiałam się z Annie. Chciałam, żeby tego dnia podała naprawdę wyjątkowy obiad, a Annie przysięgła, że przygotuje posiłek, którego moja matka nigdy nie zapomni.

Joliffe obiecał, że zrobi wszystko, by tego dnia być w domu.

Parę minut po dwunastej pod dom podjechała dorożka, a ja stanęłam przy drzwiach, by powitać matkę.

Padłyśmy sobie w ramiona, a potem odsunęła mnie na odległość ramienia, żeby dokładnie mi się przyjrzeć. Widziałam, że była zadowolona z tego, co zobaczyła.

– Wejdź do środka, mamo – zaprosiłam. – Chodź, pokażę ci dom. Jest bardzo ładny.

* Hampton Court – dawna rezydencja królewska pod Londynem.

– To ciebie przyjechałam zobaczyć, Janey, kochanie – odpowiedziała. – A więc jesteś szczęśliwa?

– Bezgranicznie! – zawołałam.

– Dzięki Bogu.

Zaprowadziłam ją do sypialni i pomogłam zdjąć czepek i pelerynę.

– Schudłaś – zauważyłam.

– Och, nic mi nie jest, kochanie, to wyszło mi tylko na dobre. Kiedyś było mnie nieco za dużo.

Miała zaczerwienione policzki i błyszczące oczy, co złożyłam na karb radości z naszego spotkania.

Przywiozła butelkę śliwkowego dżinu od pani Coach, która była przekonana, że to ulubiony napój Joliffe'a.

– Będzie chciała wiedzieć wszystko o was obojgu – powiedziała matka. – Jestem taka szczęśliwa widząc, że masz zapewnioną przyszłość.

Przyszedł Joliffe i przywitał się z nią ciepło, a wkrótce Annie ogłosiła, że podano do stołu.

Obiad upłynął w radosnej atmosferze, chociaż matka jadła bardzo niewiele, co było dziwne, bo kiedyś ojciec zawsze śmiał się z jej nieposkromionego apetytu.

Opowiedziałam jej o naszym miodowym miesiącu w Paryżu i wypytywałam, jak czują się mieszkańcy Zagrody Rolanda. Pan Sylwester był w podróży. Wszyscy służący mieli się dobrze, Amy i młodszy ogrodnik rozpoczęli przygotowania do ślubu, który zaplanowano na święta. Matka martwiła się o Jess, wciąż pozostającą na zbyt zażyłej stopie z Jeffersem, co wprawiało panią Jeffers w coraz bardziej wojowniczy nastrój.

– Oczywiście – powiedziała – Jeffers już taki jest i gdyby to nie była Jess, znalazłaby się jakaś inna.

– Biedna pani Jeffers! – westchnęłam. – Nie zniosłabym, gdyby Joliffe poświęcał uwagę jakiejś innej kobiecie.

– Nic takiego ci nie grozi – zapewnił mnie – z dwóch powodów. Po pierwsze, jaka kobieta mogłaby równać się z tobą? A po drugie, jestem stanowczo zbyt cnotliwy, by angażować się w takie historie.

Oczy mojej matki wypełniły się łzami. Wiedziałam, że myślała o ojcu.

Siedzieliśmy przy stole jeszcze długo po posiłku, a potem wróciliśmy do salonu, gdzie dalej gawędziliśmy.

O czwartej matka musiała wyjść, by zdążyć na pociąg, ponieważ obiecała, że wróci do Zagrody Rolanda tego samego dnia. Albert przyprowadził powóz i razem pojechaliśmy na stację, by ulokować naszego gościa bezpiecznie w wagonie. Na stacji uściskałyśmy się mocno, a ona ukradkiem ocierała chusteczką łzy.

– Jestem taka szczęśliwa, że masz zapewniony byt – wyszeptała.

– Zawsze tego pragnęłam. Niech Bóg cię błogosławi, Janey. Obyś zawsze była tak szczęśliwa jak teraz.

Pomachaliśmy jej na pożegnanie i wróciliśmy do domu.

To był uroczy dzień. Joliffe powiedział, że należy nam się spokojny wieczór tylko we dwoje, więc siedzieliśmy objęci przy kominku, obserwując ukazujące się w płomieniach obrazy, a w pokoju powoli zapadał zmrok.

– Jaki tu spokój – powiedziałam. – Joliffie, życie jest cudowne, prawda?

Pogłaskał mnie po włosach i odrzekł:

– Tak, Jane, tak długo, jak mamy siebie.

Parę dni po wizycie mojej matki wybrałam się nad sadzawkę i znowu dostrzegłam rudą kobietę. Siedziała na ławce, zupełnie tak, jakby na kogoś czekała.

Gdy ją ujrzałam, poczułam, jak dziwny dreszcz przebiegł mi wzdłuż kręgosłupa, a do głowy przyszła mi nagła myśl: ona czeka na mnie.

Ogarnęła mnie niemądra chęć, by odwrócić się na pięcie i uciec. To było absurdalne. Dlaczego miałabym uciekać? Czego mogłabym się obawiać ze strony nieznajomej, siedzącej na ławce w parku?

Ale przecież wydaje się, że ona mnie śledzi, pomyślałam.

Przeszłam obok niej i ruszyłam prosto w wysadzaną drzewami alejkę. Po chwili się zatrzymałam i oto po drugiej stronie ogrodu stała rudowłosa kobieta i bez wątpienia wpatrywała się we mnie. Musiała wstać z ławki, gdy tylko mnie zobaczyła, i ruszyć za mną.

Zastanawiałam się, czy na nią poczekać i, gdyby podeszła, zapytać, czego ode mnie chce. Serce zaczęło mi walić jak młotem. Jak mogłabym oskarżyć ją o coś takiego, skoro nie byłam pewna? Ależ ja byłam pewna, że ona mnie śledziła.

Nie widziałam jej już w prześwicie. Wiedziałam, że obchodzi alejkę i za chwilę będzie po mojej stronie. Jeżelibym zawróciła, poszłaby za mną.

Czego mogła ode mnie chcieć?

Przygotowałam się na wypadek, gdyby doszło do rozmowy. Stałyśmy teraz prawie twarzą w twarz, nieznajoma patrzyła wprost na mnie. Poczułam narastającą odrazę i zapragnęłam uciec najdalej jak to tylko możliwe.

Nie padły żadne słowa. Minęłam ją, podświadomie przyśpieszając kroku, i wyszłam z alejki. Jeżeli nie ruszyła za mną, minie kilka minut, zanim obejdzie drzewa dookoła.

Zaczęłam biec w stronę otwartej przestrzeni, w kierunku sadzawki. Gdy tam dotarłam, zatrzymałam się i znowu ją zobaczyłam. Szła powoli w tym samym kierunku, który ja obrałam.

Przeszłam przez ulicę i otworzyłam kluczem drzwi domu.

Gdy odwróciłam się, żeby je zamknąć, dostrzegłam, że rudowłosa kobieta przechodzi przez ulicę.

Byłam w salonie, gdy weszła Annie i powiedziała, że na dole jest „osoba", która chce się ze mną widzieć.

– Osoba jakiego rodzaju, Annie?

Annie powtórzyła „osoba" z lekkim prychnięciem, co oznaczało, że gość nie zyskał jej aprobaty.

– Czego sobie życzy?

– Oświadczyła, że chce z panią mówić.

– A zatem to dama.

– Osoba – upierała się Annie z naciskiem.

– Czy podała jakieś imię?

– Powiedziała, że rozpozna ją pani, kiedy ją pani zobaczy.

– To dziwne – zauważyłam. – Może lepiej przyślij ją na górę.

Słyszałam, jak wchodzą po schodach. Potem Annie zapukała do drzwi i otworzyła je szeroko.

Stałam osłupiała, gdy rudowłosa kobieta weszła do pokoju.

– Widziałyśmy się wcześniej – powiedziałam, a Annie, która cały czas przyglądała się podejrzliwie gościowi, wzięła moją uwagę za dobrą monetę i zamknęła za sobą drzwi.

– W ogrodach – odrzekła kobieta z leniwym uśmiechem.

– Ja... ja widziałam panią kilka razy.

– Tak, zawsze byłam w pobliżu, prawda?

– Czego pani sobie życzy?

– Chyba lepiej, żebyśmy usiadły – zaproponowała, tak jakbym to ja była gościem.

– Kim pani jest? – spytałam.

Uśmiechnęła się ponuro i odpowiedziała:

– O to samo mogłabym panią zapytać.

– To dosyć niezrozumiałe – odparłam chłodno. – Jestem panią Joliffe'ową Milner. Jeżeli przyszła tu pani zobaczyć się ze mną...

Przerwała mi.

– Wcale pani nie jest Joliffe'ową Milner – powiedziała powoli. – Istnieje tylko jedna osoba o tym nazwisku i zapewne zaskoczę panią stwierdzeniem, że tą osobą nie jest pani. Ja jestem panią Joliffe'ową Milner.

– Nie rozumiem.

– Zaraz pani zrozumie. Może pani nazywać siebie Joliffe'ową Milner, jeśli tak się pani podoba, ale nie zmieni to faktu, że nią pani nie jest. Jak mogłaby pani nią być, skoro Joliffe ożenił się ze mną sześć lat temu?

– Nie wierzę w to.

– Przypuszczałam, że pani nie uwierzy. Pomówiłabym z panią wcześniej, ale pomyślałam, że będzie się pani domagała dowodu. A jakiż może być lepszy dowód niż akt ślubu?

Poczułam, że zaraz zemdleję.

– Pani kłamie. To niemożliwe – powiedziałam.

– Wiedziałam, że pani tak powie. Ale nie można zaprzeczyć słowom spisanym czarno na białym, prawda? Proszę na to spojrzeć. Pobraliśmy się sześć lat temu w Oksfordzie.

Popatrzyłam na papier, który wcisnęła mi do ręki i odczytałam to, co było na nim napisane.

Jeżeli ten dokument był prawdziwy, ta kobieta rzeczywiście wyszła za Joliffe'a Milnera sześć lat temu.

To był jakiś koszmar. Kobieta założyła nogę na nogę, pokazując ukryte pod spódnicą falbany różowej halki i czarne pończochy ozdobione finezyjnymi ażurowymi wzorami.

– Wygląda pani, jakby doznała szoku – powiedziała i cicho zachichotała. – No cóż, bo doznała pani, prawda? Nie każdego dnia dowiadujemy się, że mąż, którego uważałyśmy za swojego własnego, tak naprawdę należy do kogoś innego.

Zaczęłam mówić dosyć niepewnie:

– Nie mam pojęcia, kim pani jest ani jakie motywy panią kierują...

– Moje motywy – przerwała – to wyjawić pani to, o czym ma pani prawo wiedzieć. Jest pani damą, dobrze to widzę. Otrzymała pani staranne wykształcenie i bez wątpienia była z siebie bardzo zadowolona... aż do tej chwili. Przyglądałam się pani w ogrodach. Zastanawiałam się, czy pomówić tam z panią. Musiałam trochę po-

bawić się w detektywa, żeby odnaleźć Joliffe'a. Ale potem pomyślałam, że tak będzie lepiej. Odwiedzę panią i opowiem o wszystkim.
Jeżeli pani chce, mogę tu poczekać i spotkać się z nim. To będzie
dla niego miła niespodzianka! A może coś odświeżającego do picia?
Mam ochotę na kieliszek wina.

– Nie wierzę w ani jedno pani słowo – powiedziałam.

– Nawet po przeczytaniu aktu ślubu?

– To niemożliwe. Jeżeli wziął ślub z panią, jakże mógł ożenić się
ze mną?

– Nie mógł. I o to chodzi. Nie jest mężem pani, tylko moim.

– Joliffe nigdy nie zrobiłby czegoś takiego.

– Myślał, że nie żyję. Jakiś rok temu jechałam pociągiem z Oks-
fordu do Londynu. Zaraz za Reading zdarzył się wypadek. Musiała
pani o nim słyszeć, to była jedna z największych kraks w historii.
Zginęło mnóstwo ludzi, ja też byłam bliska śmierci. Na nieszczęście
dla niego, nie aż tak bliska. Przez trzy miesiące leżałam w szpitalu
i przez pewien czas nikt nie wiedział, kim jestem. Nie miałam przy
sobie żadnych dokumentów, a sama niewiele pamiętałam. Co do
mojego oddanego męża, nie zrobił wiele, by mnie odnaleźć. Baba
z wozu, koniom lżej, powiedział sobie zapewne. Już dużo wcześniej
zdał sobie sprawę, jaki błąd popełnił. Udowodnione jest, że młodzi
dżentelmeni studiujący w Oksfordzie nie powinni zadawać się
z barmankami, a przynajmniej nie powinni posuwać się do żeniacz-
ki z nimi. Joliffe był zawsze w gorącej wodzie kąpany. Zdążyłam powiedzieć: „Niech pan mnie puści, sir, nic z tego, dopóki nie zobaczę
przysięgi małżeńskiej", a on już kładzie mi papier na stole, ten sam,
który widzi pani przed sobą! Ale małżeństwo jest na zawsze. To
fakt, o którym zapomniał. No i ma pani w tych paru zdaniach historię mego życia. Nic w niej niezwykłego. Joliffe nie jest pierwszym
młodym dżentelmenem, który działał pod wpływem impulsu i żałował tego przez resztę życia.

– Gdyby tak się stało, powiedziałby mi...

– Joliffe by pani powiedział! Nie ma pani pojęcia o połowie tego
wszystkiego, co dzieje się za tą jego przystojną twarzyczką. Zawsze
mu powtarzałam: ten twój czar będzie twoją zgubą. Mogę pani powiedzieć, uganiało się za mną wielu chłopców, ale to musiał być on,
no i wpadł. Przecież nie mógł mnie przedstawić swojej rodzinie,
prawda? Dobrze to rozumiał. Ależ rozpętałoby się piekło! Więc wynajął dla mnie pokoje w Oksfordzie i mieszkaliśmy tam przez prawie rok. Małżeńskie szczęście! Nie potrwało długo, on szybko zro-

zumiał swój błąd. Zawsze wynajdywał jakieś wykręty, żeby wyjechać. Jeździłam, żeby się z nim zobaczyć, do Londynu i wtedy byłam właśnie w jednej z tych podróży. Zawsze mawiał, że jest szczęściarzem. Myślę, że dzień, w którym ten pociąg wypadł z szyn, był najszczęśliwszym dniem jego życia. Ale nie przewidział wszystkiego, prawda?

– To fantazja, historia wyssana z palca – powiedziałam.

– Życie z Joliffe'em Milnerem zawsze takie jest. Fantastyczne, to dobre określenie.

– Lepiej, żeby pani wróciła, kiedy mój mąż... kiedy pan Milner będzie w domu.

Potrząsnęła głową.

– Nic z tego, zostaję. Chcę spotkać się z nim twarzą w twarz i chcę, żeby pani przy tym była. Inaczej wysmaży dla pani jakąś historyjkę. On świetnie to potrafi, ten nasz Joliffe. Nie, wolę go zaskoczyć, bez uprzedzenia, zanim będzie miał czas, żeby coś wymyślić.

– Zobaczy pani, że to wszystko okaże się jedną wielką pomyłką. Musi istnieć jakiś inny Joliffe Milner, który jest pani mężem.

Kobieta potrząsnęła głową.

– Och, nie, upewniłam się co do tego.

Nie wiedziałam, co mam robić. Już w pierwszej chwili, w której moje oczy spoczęły na tej kobiecie, owładnęło mną przeczucie nadchodzącego nieszczęścia. Jej postać przytłaczała mnie w jakiś sposób i napełniała lękiem.

Nie mogłam znieść przebywania z nią w jednym pokoju. Powiedziałam:

– Proszę mi wybaczyć...

Z przyklejonym do twarzy uśmieszkiem skinęła głową, jakby była tu gospodynią i pozwalała mi odejść.

Pobiegłam na górę do sypialni. To jakiś koszmar. Cała ta sytuacja wydawała się nierealna. To na pewno okropny żart w złym guście, którego można było oczekiwać po osobie takiego pokroju. Myślałam o niej słowami Annie. Osoba!

Jak straszliwe pół godziny spędziłam! Zastanawiałam się, co ona robi w salonie. Wyobrażałam sobie te wielkie oczy, jak oceniają wszystko w pokoju. Przecież Joliffe powiedziałby mi, gdyby się ożenił! A może nie? Wiedziałam o nim tak niewiele i im więcej się dowiadywałam, tym bardziej zaczynałam zdawać sobie sprawę, jak wiele tajemnic ma przede mną mój mąż.

Wydawało mi się, że upłynęła cała wieczność, zanim usłyszałam zgrzyt jego klucza w zamku. Pobiegłam na szczyt schodów. Joliffe stał w holu i uśmiechał się na mój widok.

– Dzień dobry, kochanie.

– Joliffie! – zawołałam. – W salonie jest kobieta... Ona tu jest! Wbiegł po schodach, przeskakując dwa stopnie naraz. Nie czekałam, aż do mnie dotrze. Ruszyłam w stronę salonu i otworzyłam drzwi na oścież.

Nieznajoma siedziała na sofie, z nogą na nodze i różową halką wystającą spod spódnicy. Uśmiechała się fałszywie.

Wiedziałam, że następne sekundy będą najważniejszymi chwilami w moim życiu.

W tym krótkim czasie zapewniałam siebie, że Joliffe spojrzy na tę kobietę, udowodni jej rzucanie fałszywych oskarżeń i pokaże zarówno jej, jak i mnie, że nie jest tym Joliffe'em Milnerem, którego imię widnieje obok imienia kobiety na akcie małżeństwa.

Weszłam do pokoju, on za mną. Stanął jak wryty. Kobieta uśmiechnęła się do niego zuchwale. I w tej chwili poczułam, że świat wali mi się na głowę.

– Dobry Boże! – zawołał. – Bella!

Kobieta odpowiedziała:

– Twoja mała, kochana żonka, nikt inny.

– Bella... nie!

– Duch powrócił zza grobu. Chociaż niezupełnie, bo nigdy nie leżałam w grobie. Niewielki szok dla tak oddanego męża.

– Bella – powtórzył. – Co... co to wszystko znaczy?

– To znaczy, że jestem tutaj, pani Joliffe'owa Milner we własnej osobie i zamierzam domagać się moich małżeńskich praw i wszystkiego, co jest z tym związane.

Joliffe milczał. Widziałam, że kompletnie osłupiał.

– Niełatwo było cię znaleźć – dodała.

– Ale ja myślałem...

– Myślałeś to, co chciałeś myśleć.

– Zginęłaś. Był na to dowód. Znaleziono płaszcz z twoim imieniem.

Kobieta roześmiała się z przesadną wesołością.

– To była Fanny. Pamiętasz Fanny? Miała czapkę z foki, więc pożyczyłam jej mój futrzany płaszcz. Och, to było piękne futro, jeden z twoich prezentów. Pamiętasz? Tak bardzo mi się spodobało, że kazałam wyszyć moje imię na podszewce. Razem jechałyśmy do Londynu – ona w moim futrze z fok, a ja w jej piżmakach. Biedna Fanny zginęła i oczywiście wszyscy myśleli, że to ja. Zresztą ja też byłam bliska śmierci. Przez trzy miesiące nie wiedziałam, kim jestem... a potem pamięć powoli wróciła. Odnalezienie ciebie zabrało mi wiele czasu, Joey, ale oto jestem.

– A więc to prawda... co mówi ta kobieta... – odezwałam się z wysiłkiem.

Joliffe popatrzył na mnie pustym wzrokiem.

Obróciłam się na pięcie i wyszłam z pokoju.

Potykając się, poszłam na górę do sypialni. W duchu zadawałam sobie pytanie, co mam dalej robić. Byłam oszołomiona, moje szczęście rozpadło się tak gwałtownie, że nie mogłam zebrać myśli. Jedyne zdanie, które krążyło w mojej głowie, brzmiało: Joliffe jest mężem tej kobiety. Nie twoim. W tym domu nie ma dla ciebie miejsca. Ten dom należy do niej.

Co mogłam zrobić? Powinnam wyjechać i zostawić ich samych.

Musiałam to zrobić. Wyjęłam walizkę i zaczęłam wkładać do niej jakieś rzeczy, ale nagle usiadłam i ukryłam twarz w dłoniach. Chciałam odciąć się od widoku tego pokoju, gdzie byłam tak szczęśliwa. Teraz wiedziałam, że to szczęście zostało zbudowane na chwiejnej podstawie. Rozpadło się tak szybko, jak domki z kart, które matka budowała dla mnie, gdy byłam dzieckiem.

Do sypialni wszedł Joliffe. Wyglądał na pokonanego, uszła z niego cała pewność siebie. Nigdy nie uwierzyłabym, że kiedykolwiek mógłby tak wyglądać.

Zrobił krok w moją stronę i porwał mnie w ramiona.

Przytuliłam się do niego na kilka sekund, próbując wymazać z pamięci odrażającą scenę, do jakiej doszło na dole w salonie. Ale wiedziałam, że będę musiała stawić czoło prawdzie.

Odsunęłam się od niego i powiedziałam:

– Joliffie, to nie jest prawda. Nie może być.

Skinął żałośnie głową.

– Dlaczego nic mi nie powiedziałeś?

– Byłem przekonany, że ona nie żyje. Należała do zamierzchłej przeszłości. Chciałem o tym wszystkim zapomnieć, zapomnieć, że to się kiedykolwiek wydarzyło.

– Ale ty wziąłeś z nią ślub! Ta kobieta jest twoją żoną! Och, Joliffie, dłużej tego nie zniosę.

– Myślałem, że nie żyje. Jej imię widniało na liście osób, które zginęły w katastrofie. Nie było mnie wtedy w kraju, a kiedy wróciłem, usłyszałem o jej śmierci i przyjąłem to za prawdę. Skąd mogłem wiedzieć, że ktoś inny miał na sobie jej płaszcz?

- A zatem ona jest twoją żoną.
- Podejmę odpowiednie kroki, Jane. Znajdziemy jakiś sposób.
- Ona tutaj jest, Joliffie, jest w tym domu. Siedzi w salonie. Powiedziała, że chce tu zostać.
- Będzie musiała odejść.
- Ale ona jest twoją żoną!
- To nie znaczy, że muszę z nią mieszkać.
- W tej sytuacji widzę tylko jedno wyjście – oświadczyłam.

Spojrzał na mnie z bezgranicznym smutkiem.

- Wyjeżdżam – mówiłam dalej. – Pojadę do Zagrody Rolanda i zamieszkam z matką. Będziemy musieli się zastanowić, co dalej robić.
- Jesteś moją żoną, Jane.
- Nieprawda. Ona nią jest.
- Nie odchodź, Jane. Wyjedźmy stąd. Pojedziemy za granicę, jak najdalej.
- Ale ona wciąż pozostanie twoją żoną, Joliffie, i nigdy nie pozwoli ci o tym zapomnieć. Nie mogę tu zostać. Pozwól mi pojechać do matki. Zamieszkam z nią przez jakiś czas, zanim... czegoś nie wymyślimy.
- Nie mogę pozwolić ci odejść, Jane.
- Nie masz innego wyjścia. Muszę wyjechać już, zaraz. W ten sposób będzie nam łatwiej.

Błagał mnie. Nigdy przedtem nie widziałam go w takim stanie. Jego małżeństwo z Bellą było pomyłką głupiej młodości. Obiecał mi, że znajdzie jakieś wyjście. Ja jestem jego żoną, a nie ta kobieta w salonie.

Wiedziałam, że to nieprawda. Wiedziałam, że muszę wyjechać.

Wszystko wokół mnie wydawało się nierealne i trudno było mi uwierzyć, że nie tkwię w środku jakiegoś sennego koszmaru. Spakowałam dwie walizki, co pomogło mi odzyskać trochę równowagi. Zdałam sobie sprawę, że właśnie tak wyglądałoby życie z Joliffe'em. Nigdy nie wiedziałabym, co albo kto powróci nagle z jego przeszłości. Joliffe był najbardziej fascynującym człowiekiem na świecie, a zawdzięczał to między innymi swojej nieprzewidywalności. Ja wiodłam ciche, spokojne życie i nie byłam przygotowana na to, co może mnie spotkać u boku takiego poszukiwacza przygód. Dotarło wtedy do mnie, że nigdy tak naprawdę nie znałam mojego męża. To prawda, kochałam go – jego wygląd, inteligencję, wesołe usposobienie, niezaspokojone pragnienie przygód – ale nigdy nie dowiedziałam się, jakim człowiekiem jest naprawdę. Stopniowo ów człowiek zaczął się ukazywać moim oczom, zupełnie tak, jakby maska powoli opadała, a ja zaczynałam dostrzegać twarz, której istnienia nawet nie podejrzewałam.

Byłam niewinna i niedoświadczona, lecz tamtego dnia zaczęłam dorastać.

Albert odwiózł mnie na stację. Nic nie mówił, minę miał posępną. Szwajcar wniósł mój bagaż i umieścił mnie w wagonie pierwszej klasy, a potem wyruszyłam w podróż do Zagrody Rolanda.

Gdy wjechaliśmy na małą stację, zapadał zmrok. Tym razem nikt na mnie nie czekał, ale zawiadowca stacji, który mnie znał, powiedział, że bryczka powinna wrócić za piętnaście minut, jeżeli zechciałabym poczekać.

– Nieoczekiwana wizyta, pani Milner – powiedział. – Chyba w domu nie wiedzą, że pani przyjechała.

– Nie, nie wiedzą – odrzekłam.

– Cóż, nie powinna pani czekać dłużej jak kwadrans.

Domyśliłam się, że piętnaście minut tak naprawdę będzie oznaczało trzydzieści i miałam rację, ale w końcu znalazłam się w bryczce na drodze prowadzącej do domu.

Słysząc stukot kół na podjeździe, z domu wybiegł Jeffers i popatrzył na mnie tępo.

– A niech mnie diabli – zawołał – jeśli to nie młoda pani Milner! Czy była pani oczekiwana? Nikt nie kazał mi po panią wyjechać.

– Nie byłam oczekiwana – zapewniłam go. – Czy mógłby pan wnieść moje walizki do środka?

Wyglądał na lekko zbitego z tropu.

W drzwiach stała Amy, na jej twarzy malowało się zdumienie.

– Dzień dobry, Amy – powiedziałam. – Czy mogłabyś zawiadomić moją matkę, że przyjechałam?

– Ale, panienko Jane, jej tutaj nie ma.

– Nie ma jej! A gdzie jest?

– Lepiej niech panienka wejdzie – powiedziała.

Działo się tu coś dziwnego. Nie takiego powitania oczekiwałam. Amy odwróciła się na pięcie i pobiegła do jadalni dla służby, wołając po drodze panią Couch.

Gdy pojawiła się kucharka, podbiegłam do niej. Wzięła mnie w ramiona i ucałowała.

– Och, Jane – przywitała mnie. – To ci dopiero niespodzianka.

– Gdzie jest moja matka, pani Couch? Amy powiedziała, że nie ma jej w domu.

– To prawda. Została zabrana trzy dni temu.

– Dokąd?

– Do szpitala.

– Miała wypadek?

– Niezupełnie, moja droga. To przez tę jej dolegliwość.

– Dolegliwość?

– Ten kaszel i w ogóle. Miała to już od jakiegoś czasu.

– Nic mi nie mówiła.

– Nie, nie chciała, żebyś się martwiła.

– Ale co się z nią dzieje?

Pani Couch wyglądała na zakłopotaną.

– Pan Milner jest w domu – odrzekła. – Myślę, że dobrze by było, gdybyś do niego zajrzała. Sama zaraz pójdę i powiem mu, że przyjechałaś, dobrze? Gdzie jest pan Joliffe? Nie przyjechał z tobą?

– Nie. Został w Londynie.

– Pójdę powiedzieć panu. Ty idź do swojego dawnego pokoju, a ja uprzedzę pana.

Pełna lęku poszłam na górę. Wyglądało na to, że coś strasznego przytrafiało się wszystkim, których kochałam. Po co ta cała tajemnica wokół choroby mojej matki? W wypadku Joliffe'a nie mogło być mowy o żadnej tajemnicy. Prawda okazała się okrutnie jasna. Joliffe był żonaty, lecz to nie ja jestem jego żoną. Ale moja matka... w szpitalu! Dlaczego nikt mi nic nie powiedział?

Znalazłam się w dobrze znanym pokoju. Podeszłam do okna, spojrzałam na zakratowane okna salonu wystawowego naprzeciwko i ogarnęły mnie jak żywe wspomnienia nocy, gdy byłam tam z Joliffe'em. Joliffe'em, który mnie wtedy okłamał i przez cały ten czas był żonaty, przez co ja nie mogłam stać się jego małżonką!

Co się dzieje?, pytałam sama siebie. Cały mój świat się wali.

W drzwiach stanęła pani Couch.

– Pan chce się teraz z tobą zobaczyć – powiedziała.

Poszłam za nią do pokoju, w którym często razem siadywaliśmy i piliśmy herbatę parzoną w ozdobionym smokiem imbryku.

Gdy weszłam, pan Milner wstał i ujął moją dłoń.

– Usiądź, proszę – powiedział.

Usiadłam.

– Obawiam się, że mam dla ciebie złe wieści – zaczął – i nie ma sensu dłużej tego przed tobą ukrywać. Twoja matka od pewne-

go czasu była bardzo chora. Nękały ją suchoty. Nie chciała, żebyś o tym wiedziała, dlatego nikt ci nic nie mówił. Bała się, że
będziesz się martwiła w pierwszych miesiącach małżeństwa.
W końcu jej stan pogorszył się tak bardzo, że musiała pójść do
szpitala, gdzie ma najlepszą możliwą opiekę. Tam właśnie teraz
przebywa.

– Ale... – zaczęłam.

Uciszył mnie ruchem ręki.

– Wiem, że to dla ciebie ogromny szok. Być może czułabyś się lepiej, gdybyś została wcześniej zawiadomiona. Twoja matka cierpiała
na tę dolegliwość od paru lat. W ostatnich miesiącach jej stan się pogorszył. Powinnaś przygotować się na to, że nie będzie już długo żyła.

Nie mogłam mówić. Ból opanował mnie całkowicie. Pan Milner
patrzył na mnie z autentycznym współczuciem i to dodało mi
otuchy.

– Nie mogę wprost uwierzyć – powiedziałam.

– Wiem, to bardzo trudne. Myśleliśmy, że jeden ostry cios będzie
dla ciebie lepszy niż ciągnące się miesiącami obawy. Matka miała jedynie na uwadze twoje dobro.

– Wiem o tym. Czy mogłabym ją zobaczyć?

– Tak – odpowiedział.

– Teraz?

– Musisz poczekać do jutra, kiedy Jeffers będzie mógł zawieźć
cię do szpitala.

– Ale ja chcę ją zobaczyć natychmiast.

– Nie możesz widzieć się z matką o tej porze, ona jest bardzo
chora. Może w ogóle cię nie poznać. Daj sobie czas na przyzwyczaje-
nie się do tej smutnej myśli.

Wyglądał na mędrca, gdy tak siedział w jagodowym tużurku
i małej, aksamitnej czapeczce na głowie, i spoglądając na niego, poczułam pewną ulgę.

– To zbyt wiele – powiedziałam nagle. – To... i Joliffe...

– Joliffe? – zapytał szybko.

Uznałam, że i tak będę musiała o wszystkim mu powiedzieć,
więc zrobiłam to teraz.

Pan Milner milczał.

– Wiedział pan, że on już jest żonaty? – zapytałam.

– Gdybym wiedział, uprzedziłbym cię wcześniej. Ale to mnie nie
zaskakuje. Co masz zamiar zrobić?

– Nie wiem. Chciałam pomówić o tym wszystkim z matką.

- Ona nie może się o niczym dowiedzieć. Świadomość, że ułoży-
łaś sobie życie, była dla niej źródłem nieustającego szczęścia.
- Nie, ona nie może się dowiedzieć.
- Sama będziesz musiała zdecydować, co powinnaś zrobić.
- Wiem.
- Możesz, oczywiście, zostać tutaj i na nowo podjąć pracę
u mnie. To byłoby jakieś wyjście.
Po raz pierwszy, odkąd żona Joliffe'a powiedziała mi prawdę,
dostrzegłam maleńki płomyk nadziei.

Pan Sylwester Milner pojechał ze mną do szpitala i czekał w po-
wozie, gdy weszłam do środka.
Zaprowadzono mnie do pokoju, w którym leżała moja matka.
Ledwo ją rozpoznałam, tak bardzo schudła. Brakowało jej sił, by
usiąść czy wykonywać gwałtowniejsze ruchy, ale rozpoznała mnie
i w jej oczach odmalowała się ogromna radość. Uklękłam przy łóż-
ku i ponieważ nie potrafiłam znieść jej widoku, ujęłam jej dłoń
i przycisnęłam do policzka.
Jej usta poruszyły się lekko:
- Janey...
- Jestem tu, najdroższa mamo – powiedziałam.
Jej usta poruszały się, ale głos był tak słaby, że musiałam przy-
sunąć ucho do jej warg, by coś usłyszeć.
- Bądź szczęśliwa, Janey. Ja jestem... bo wszystko tak dobrze się
ułożyło. Masz Joliffe'a...
Nie mogła więcej mówić. Siedziałam przy łóżku, ściskając jej
dłoń w swojej.
Spędziłam tam prawie godzinę, zanim przyszła pielęgniarka
i powiedziała, że muszę już iść.
Pan Sylwester Milner i ja wróciliśmy do Zagrody Rolanda w mil-
czeniu.

Zmarła, zanim minął tydzień. W ciągu niespełna dwunastu dni
spadły na mnie dwa potworne ciosy. Myślę, że jeden oderwał moje
myśli od drugiego. Jeszcze kilka dni temu nie wierzyłabym, że coś
takiego mogłoby mnie spotkać. Przyjechałam do matki, by opowiedzieć jej o moich strapieniach, a jej już nie było. To wydawało się
jeszcze trudniejsze do zrozumienia niż fakt, że nie byłam żoną Joliffe'a. W głębi serca, gdy dowiedziałam się, że zabrał figurkę Kuan
Yin z gabloty, byłam przygotowana na wszystko, czego jeszcze mógł

się dopuścić. Gdzieś w mojej podświadomości tkwiło nieprzyjemne przekonanie, że w naszym romantycznym spotkaniu i pośpiesznym ślubie, jest coś nierealnego. Nie potrafiłam jednak pogodzić się z tym, że matka, która była ze mną zawsze, po prostu umarła. A myśl, że ona umierała, podczas gdy ja spędzałam wesoło czas w Paryżu, raniła mnie do żywego.

Pan Sylwester wspaniale podnosił mnie na duchu. Zajął się pogrzebem matki, którą pochowano na cmentarzu przy małym, wiejskim kościele. W cichej ceremonii uczestniczyli wszyscy mieszkańcy domu, a pan Milner szedł obok mnie za trumną.

Gdy mama umarła, pani Couch opuściła wszystkie story w oknach. Powiedziała, że to oznacza śmierć w domu. Kiedy wróciliśmy z pogrzebu, podała kanapki z szynką, co także wypadało zrobić, jak mi powiedziała, bo w ten sposób okazywało się należyty szacunek zmarłej. A potem podniosła story, gdy przyszedł na to odpowiedni czas. W tych sprawach można było na niej polegać, wyszeptała do mnie uspokajająco, ponieważ jej własna matka miała czternaścioro dzieci, a ośmioro z nich pochowała.

Siedziałam razem ze wszystkimi w jadalni dla służby, a pani Couch i pan Jeffers prześcigali się w opowieściach o pogrzebach, w których uczestniczyli i każdego innego dnia na pewno dostrzegłabym komizm sytuacji, ale wtedy przed oczami stał mi jedynie obraz mojej żywej, wesołej mamy, a myśl o niej, leżącej cicho w grobie, wydawała się nie do zniesienia.

Poszłam do swojego pokoju. Nie upłynęło wiele czasu, gdy usłyszałam pukanie do drzwi. To był pan Sylwester Milner.

W dłoni trzymał kopertę.

– Twoja matka zostawiła to dla ciebie. Prosiła, żebym dał ci ją w dniu, w którym zostanie pochowana. – Jego pełne życzliwości oczy rozświetlił ciepły uśmiech. – Dosięgłaś dna rozpaczy – powiedział – i teraz zaczniesz się podnosić. Takie tragedie to także część życia, pamiętaj, że przeciwności wzmacniają charakter. Nie ma nic na ziemi, co byłoby skończenie dobre, ani nic, co byłoby dogłębnie złe.

I włożył kopertę w moją dłoń.

Gdy odszedł, otworzyłam list i na widok niewyraźnego, dosyć niestarannego pisma matki, łzy napłynęły mi do oczu.

Moja najdroższa Janey,
jestem bardzo chora, ta dolegliwość nęka mnie już od dawna. To
przeklęta choroba, zguba mojej rodziny. Zabrała mego ojca, gdy był

niewiele starszy ode mnie. Kochanie, nie chciałam, żebyś o tym wiedziała, ponieważ przewidywałam, jak bardzo ta wiadomość Cię zasmuci. Zawsze byłyśmy sobie bardzo bliskie, prawda? Zwłaszcza odkąd zmarł Twój ojciec. Ukrywałam przed Tobą chorobę. Czasami kaszlałam tak bardzo, że na poduszce były plamy krwi i obawiałam się, że je dostrzeżesz, jeśli niespodziewanie wejdziesz do mojego pokoju. Nie chciałam, żebyś domyśliła się czegokolwiek i chyba mi się to udało. Nigdy niczego nie podejrzewałaś. Kiedyś bardzo martwiłam się o Ciebie, o Twoją przyszłość. Ale miałyśmy dużo szczęścia, Twój ojciec troszczył się o nas, a dobry pan Sylwester zachowywał się jak ojciec chrzestny z bajki. Najpierw dał mi posadę (zresztą byłam bardzo dobrym nabytkiem dla jego domu), a potem pozwolił Tobie tu przyjeżdżać (nie przyjęłabym tej posady, gdyby się nie zgodził). Poznałyśmy panią Couch i resztę służby, którzy byli dla nas jak rodzina. Wszystko doskonale się ułożyło. A potem pan Milner zaproponował Ci posadę. Cieszyłam się, ale nie do końca tego pragnęłam dla Ciebie. Chciałam, żebyś miała zapewnioną przyszłość. Chciałam, żebyś była tak szczęśliwa, jak ja z Twoim ojcem i kiedy pojawił się Joliffe i zakochał w Tobie od pierwszego wejrzenia – a Ty w nim – nie posiadałam się z radości. Teraz masz męża, który będzie się o Ciebie troszczył tak, jak Twój ojciec troszczył się o mnie. W dniu, kiedy Cię odwiedziłam, przyjechałam na konsultację do specjalisty. Stwierdził, że nie zostało mi wiele czasu i że muszę iść do szpitala. Pomyślałam wtedy: Dobry Boże, pozwól swojej służebnicy odejść w pokoju, ponieważ wiedziałam, że mogę odejść szczęśliwa. Ty i Joliffe tak bardzo się kochacie. Teraz on będzie opiekował się Tobą. Twój ojciec zwykł recytować taki wiersz, zupełnie jakby wiedział, że odejdzie pierwszy i mnie zostawi. To był cytat z Szekspira, brzmiał mniej więcej tak:

„Gdy umrę, płacz, nade mną, lecz tylko dopóty,
dopóki ci dzwon głuchy żałoby nie przerwie..."
a dalej:
„Nie wspominaj: gdyż kocham cię sercem tak szczerem,
że wolę być w twych miłych myślach białą plamą,
*niż w bolesnym wspomnieniu – głównym bohaterem".**

---

* Sonet LXXI, przeł. Stanisław Barańczak, William Shakespeare „Sonety", Wydawnictwo a5, Kraków 2003.

Jane, kochanie, będę bardzo cierpiała, jeżeli spojrzę w dół i zobaczę, że jesteś smutna. Nie mogłabym tego znieść. Dlatego chcę, żebyś powiedziała sobie tak: Ona miała dobre życie. Miała męża i dziecko, ci dwoje byli dla niej całym światem. Teraz odchodzi, by spotkać się z jednym z nich, a drugie pozostawia pod opieką kochającego męża.

Żegnaj, moje najdroższe dziecko. Proszę Cię tylko o jedno: bądź szczęśliwa.

Twoja Matka.

Zwinęłam list i schowałam do pudełka z drewna sandałowego, gdzie przechowywałam cenne dla mnie przedmioty. Już dłużej nie potrafiłam opanować smutku.

Dzień po pogrzebie otrzymałam list od Joliffe'a.

Najdroższa Jane,
stryj napisał mi o śmierci Twojej matki. Pragnę być przy Tobie i móc Cię pocieszyć. Stryj zabronił mi widywać się z Tobą i zagroził, że wykreśli mnie z testamentu. Tak, jak by to mogło utrzymać mnie z dala od Ciebie! Twierdzi, że potrzebujesz czasu, by przyjść do siebie po obu tych potwornych ciosach, a najlepszym na to sposobem będzie praca u niego.

Jane, muszę Cię zobaczyć. Musimy porozmawiać. Gdy żeniłem się z Bellą, byłem szalonym, młodym głupcem, a potem naprawdę myślałem, że zginęła w katastrofie. Ona przysięga, że nie pozwoli mi odejść, wprowadziła się do domu. Szukam porady u prawników. To niezwykła sprawa. Nie wiem, co uda się zrobić.

Przyślij mi choć jedno słówko, a przybędę do każdego miejsca, w którym zechcesz się ze mną spotkać.

Kocham Cię. Joliffe.

Czytałam ten list wciąż na nowo, a potem złożyłam go i schowałam w pudełku z sandałowego drzewa, obok listu matki.

Gdy piliśmy herbatę w salonie, pan Milner pokazał mi naczynia, które ostatnio zdobył.

– Spójrz na ten kunsztowny wzór – powiedział. – Las i wzgórza skąpane we mgle. Czyż nie jest delikatny i piękny? Jak myślisz, czy te naczynia mogą pochodzić z czasów dynastii Song?

Odpowiedziałam, że tak właśnie mi się wydaje.

Pokiwał głową.

– Bez wątpienia. Ten wzór odznacza się cudowną, nierealną atmosferą. – Przyjrzał mi się uważnie. – Wydaje mi się, że twoje zainteresowanie sztuką chińską powoli wraca.

– Nigdy go nie straciłam.

– To właśnie tak działa. Zauroczenie nie mija nigdy. Powoli otrząsasz się ze smutku. To najlepszy sposób. Czy Joliffe kontaktował się z tobą?

– Tak, napisał do mnie.

– I prosił, żebyś przyjechała do niego?

Nie odpowiedziałam, a on potrząsnął głową.

– To nie jest sposób – powiedział. – Joliffe w niczym nie różni się od swego ojca. Umiał być czarujący i czasami nie można mu się było oprzeć. Zupełnie inny niż jego bracia. Redmond i ja byliśmy ludźmi interesu, a ojciec Joliffe'a – czarodziejem. Żył w świecie, który sam sobie stworzył, wierzył w to, w co chciał wierzyć. Ale to dochodzi do pewnego punktu i nagle pojawia się zrozumienie. Nie pojedziesz do niego.

– Jakżebym mogła? On ma żonę.

– Tak, ma żonę, ale prosił cię, żebyś do niego wróciła. To zupełnie w stylu jego ojca. Wierzy, że wszystko w końcu się ułoży. Dlaczego? Bo jest Joliffe'em, który umie sobie zjednać wszystkich – albo prawie wszystkich. Nie potrafi uwierzyć, że nie można sobie zjednać Losu. Ale Los nie da się nabrać na ten jego czar.

Ruchomy Palec pisze, a napisawszy,
nigdy nie pozostaje w bezruchu. Ani twoja pobożność, ani mądrość
nie skłoni go, by wymazał choćby pół linijki,
ani najsłodszy czar – jeśli wolno mi sparafrazować –
*nie usunie ani jednego słowa**

Takie są nagie fakty. Myślałaś, że jesteś żoną, a nie jesteś. To było dla ciebie tragiczne doświadczenie, ale pozostaw je za sobą. Zacznij od nowa. Z czasem rana będzie bolała coraz mniej.

– Będę próbowała.

---

*Rubajat, czterowierszowy poemat perskiego poety Omara Chajjama (ok. 1023–1123). W oryginale przedostatni wers brzmi: ani żadna twa łza.

- Uda ci się, tylko musisz naprawdę się postarać. A teraz zamierzam zlecić ci mnóstwo pracy, gdyż praca jest najlepszym lekarstwem. Nie mam ochmistrzyni. Chciałbym, żebyś w pewnej mierze przejęła obowiązki, które wykonywała twoja matka. Pani Couch ci pomoże. Oświadczyła, że nie chce tu żadnych obcych. Będziesz układała menu, gdy zaproszę gości, często będziesz nam towarzyszyła, gdyż nasze rozmowy dotyczą głównie spraw, o których ty dopiero się uczysz. Nadal będziesz czytała książki ode mnie i być może zaczniesz jeździć ze mną na aukcje. Twoje dni okażą się tak zajęte, że nie pozostanie ci wiele czasu na smutek. Tego właśnie pragnęłaby twoja matka. Nie widuj się z Joliffe'em. Napisałem do niego i uprzedziłem, że nie życzę sobie jego wizyt w tym domu, dopóki nie uporządkuje swoich spraw. Czy spróbujesz zastosować się do moich rad?

- Jestem przekonana - odrzekłam - że pana rady są dobre i zrobię, co w mojej mocy, by się do nich zastosować.

- A zatem dobiliśmy targu.

Rozdział trzeci

Małżeństwo z rozsądku

Próbowałam dotrzymać mojej części umowy. Joliffe nie napisał już więcej. Często spacerowałam po lesie, a nogi same prowadziły mnie do ruin, w których schroniliśmy się przed deszczem i ujrzeliśmy po raz pierwszy. Jestem pewna, że gdyby przyjechał wtedy do mnie, zapomniałabym o wszystkim poza tym, jak bardzo go kocham. Każdego dnia czekałam na list, a gdy przechodziłam koło stacji i pociąg akurat nadjeżdżał, obserwowałam wysiadających pasażerów z nadzieją, że jednym z nich będzie Joliffe.

Jednak nie przyjechał ani nie napisał. Zastanawiałam się, co dzieje się w Kensington, skoro Bella z nim mieszka. W jednej chwili myślałam o nim jak najgorzej: nie przyjechał, bo wuj zagroził, że go wydziedziczy. Innym razem obawiałam się, że wróci, a ja odrzucę wszystkie zasady na bok i pojadę za nim.

Ciężko pracowałam. Studiowałam książki i dzieła sztuki, które pojawiały się w salonie wystawowym. Uczyłam się tak szybko, jak mogłam. Starałam się zdobyć akceptację pana Sylwestra. Myślałam: On ma rację. Praca jest opoką, na której mogę się oprzeć, dopóki nie odzyskam sił.

Pan Milner stał się bardziej towarzyski niż kiedyś i nie wszyscy nasi goście byli związani z jego profesją. Nawiązał kontakty z sąsiadami, składał wizyty i przyjmował ludzi, którzy mieszkali w okolicy. Naszym najbliższym sąsiadem był dziedzic Merrit, właściciel dużej posiadłości. Stał się on ulubieńcem pani Couch, ponieważ cieszył się doskonałym apetytem i nigdy nie omieszkał wyrazić uznania dla jej kuchni. Podczas sezonu przysyłał przez służącego dwie lub trzy wiązki bażantów i mawiał, że nikt nie potrafi tak przyrządzić ptaków jak pani Couch i że liczy na zaproszenie na degustację.

Pani Couch sapała i mruczała, kołysząc się w tył i w przód w swoim fotelu; mówiła, że znowu jest tak, jak za dawnych czasów, gdy dżentelmeni byli dżentelmenami. Wolała naszego sąsiada od gości, którzy przychodzili, by rozmawiać o sztuce. Miałam odmienne zdanie, chociaż dziedzic Merrit był bardzo wesołym człowiekiem. Dużo więcej satysfakcji dawały mi zaproszenia do udziału w obiadach – co zdarzało się bardzo często – podczas których mogłam włączyć się w konwersację. Czasami podczas spacerów widywałam w lasach sąsiada piękne ptaki i czułam smutek na myśl, że są starannie hodowane, tylko po to, by pewnego dnia ktoś je zastrzelił.

Po rozpoczęciu sezonu łowieckiego często słyszeliśmy odgłosy wystrzałów. Cieszyłam się, gdy okres ten dobiegał końca, chociaż pani Couch, kołysząc się w tył i w przód, uwielbiała rozwodzić się nad sposobami przyrządzania bażantów.

Bardzo mi pomagała od mojego powrotu. Darzyła mnie ciepłym i szczerym uczuciem. Często potrząsała głową nad „tym paniczem Joliffe'em", ale widziałam, że nadal jest mu przychylna i nie pochwala surowej postawy, którą przyjął wobec bratanka pan Sylwester. Byłam jej za to wdzięczna.

Pani Couch zawsze była ciekawa, co przyniesie los i często przy podwieczorku kazała nam odwracać filiżanki do góry dnem, by móc odczytać przyszłość z herbacianych liści. Czasami wróżyła też z kart; rozkładała je na kuchennym stole i cmokała pochylona nad pikami i kierami.

Kochana pani Couch, lubiła moją matkę i wzięła na siebie obowiązek dbania o mnie najlepiej, jak potrafiła.

Powoli rodziło się we mnie poczucie, że mimo ogromnego ciosu, jaki na mnie spadł, miałam szczęście, zyskawszy dom, do którego mogłam wrócić, miejsce, gdzie mogłam lizać rany i przygotowywać się na to wszystko, co jeszcze szykowało dla mnie życie.

Był weekend i dziedzic Merrit zorganizował przyjęcie z polowaniem. Pan Sylwester także otrzymał zaproszenie, jednak go nie przyjął. Zwierzył mi się, że dużo bardziej woli oglądać rysunek pięknego ptaka na wazie czy w manuskrypcie niż patrzeć na zastrzelonego, leżącego na trawie, dopóki pies nie przyniesie go panu do stóp.

Siedziałam w kuchni i układałyśmy z panią Couch menu na jutrzejszy obiad, ponieważ pan Sylwester zaprosił kilku gości.

– Jeżeli to ten pan Lavers – mówiła pani Couch – to on najbardziej ceni dobrą, starą pieczeń. Lubi proste jedzenie, żadnych wymysłów. Sądzę, że najlepiej podpasuje mu porcja pieczonych żeberek wołowych, i sama zetrę do nich chrzan. Będę musiała zbesztać tę Amy, zrobiła się okropnie roztrzepana. Nie zdziwiłabym się, gdyby okazało się, że jest przy nadziei...

Amy wyszła za ogrodnika, a pan Jeffers wodził teraz tęsknymi oczami za jedną z dziewcząt z wioski.

– On ma rozbiegane oczy, gdyby mnie kto pytał – oceniła pani Couch. – A rozbiegane oczy nigdy nie zatrzymują się długo w jednym miejscu. – Wyjrzała przez okno. – Wielkie nieba! A to co?!

Jej zwykle rumiana twarz zbladła, podbródek zatrząsł się lekko pod szeroko otwartymi ustami.

Zerwałam się z miejsca i podbiegłam do okna.

Dwaj ogrodnicy nieśli coś, co wyglądało na prowizoryczne nosze, a na nich leżał pan Sylwester Milner.

W domu panowała cisza. Wydawało się, że los postanowił wymierzać mi jeden cios za drugim. Życie zaczęło przypominać koszmar. Odnosiłam wrażenie, że po kolei opuszczają mnie wszyscy, których znałam.

Rannego wniesiono do domu i natychmiast wezwano doktora. Na szczęście przybył bezzwłocznie. Powiedział, że natychmiast trzeba przeprowadzić operację i zabrał pacjenta ze sobą.

Nie mogliśmy nic zrobić, pozostało nam tylko siedzieć i czekać. Wiedzieliśmy jedynie, że w kręgosłupie pana Milnera utknęła kula, którą trzeba było usunąć.

Pani Couch parzyła herbatę za herbatą w wielkim, brązowym, glinianym czajniku kuchennym i wszyscy siedzieliśmy wokół wielkiego stołu, rozmawiając o tym, co się stało. Amy, wystarczająco zaokrąglona pod fartuchem, by potwierdzić podejrzenia pani Couch, nareszcie znalazła się w centrum uwagi, ponieważ jej mąż, Jakub, był jednym z mężczyzn, którzy pomagali wnieść nosze do domu.

– Wszędzie było słychać strzały – mówiła – więc nikt nic nie zauważył. Nie wiadomo, jak długo biedak tam leżał. Zaczęli polowanie, kiedy skończyli lunch, a znaleźli go o czwartej, więc to mogło być pół godziny albo dłużej. To broń któregoś z nich, prawda, Jake?

Jakub przytaknął.

– Jedna ze strzelb – potwierdził.

– Jake w ogóle nie wiedział, co się dzieje, prawda, Jake?

– Tak, nie miałem pojęcia – oświadczył ogrodnik.

– Wracał z trucizną na chwasty, którą kupił, żeby zniszczyć zielsko.

– Chwasty to coś okropnego – powiedział Jakub. Wydawał się zakłopotany tym, że wziął udział w rozmowie.

– Kiedy nagle się potknął, a tam leży pan Milner... krwawił, prawda, Jake?

– Coś okropnego – potwierdził.

– Więc wszczął alarm, a potem zrobili nosze i przynieśli pana tutaj.

Pani Couch poruszyła się nerwowo.

– Nie wiem – powiedziała. – To jakieś fatum. Śmierć nigdy nie chadza w pojedynkę. Śmierć rodzi śmierć, jak mówi Biblia. Kiedy zaciągałam story po biednej pani Lindsay, powiedziałam sobie: ciekawe, kto będzie następny.

– Pan Milner jeszcze nie umarł – przypomniałam jej.

– Ale jest jedną nogą w grobie – odparła. – W tym domu szykują się zmiany. Czułam to w kościach przez te ostatnie tygodnie. Ciekawe, jaki będzie nowy właściciel i kogo z nas zatrzyma. Może dom wreszcie będzie przypominał porządną rezydencję. To by było na tyle. Chociaż pan Milner był dobrym człowiekiem, na swój sposób.

– Proszę nie mówić o nim tak, jakby był już martwy! On żyje! – zawołałam.

– Jeszcze – dodała proroczo pani Couch.

Dłużej nie mogłam tego znieść. Obróciłam się na pięcie i wybiegłam z jadalni. Gdy wchodziłam po schodach, usłyszałam, jak pani Couch mówi:

– Biedna Jane. To dlatego, że jej matka odeszła tak nagle. Każdy z nas byłby wytrącony z równowagi.

Jednak pan Sylwester nie umarł. Trudna operacja się udała i uratowano mu życie, ale nigdy miał nie odzyskać pełnej władzy w nogach, był do połowy sparaliżowany. Lekarze uznali to za cud, że zdołano usunąć kulę z kręgosłupa. Okazało się, że pochodziła ze strzelby należącej do kolekcji dziedzica Merrita, ale nie można było ustalić, który z uczestników polowania oddał ów fatalny strzał. Najprostszym wytłumaczeniem było, że pan Sylwester znalazł się zbyt blisko polujących i trafił go nabój przeznaczony dla jednego z ptaków.

Trzy tygodnie po wypadku poczuł się na tyle dobrze, by móc przyjmować gości, więc pojechałam go odwiedzić.

Bez swej nieodłącznej czapeczki wydał mi się mniejszy i młodszy. Miał bujne, brązowe włosy, poprzetykane kilkoma pasmami siwizny.

Bardzo ucieszył się na mój widok.

– No cóż, Jane – powiedział. – To przerwie na jakiś czas moje podróże.

– Może nie do końca.

– Lekarze wytłumaczyli mi dokładnie, co się wydarzyło. Muszę być przygotowany na życie półinwalidy.

– Nawet, gdyby tak było, ma pan przecież mnóstwo zainteresowań.

– I tutaj masz rację. Nadal będę mógł kupować i sprzedawać, ale teraz chętni będą musieli przyjeżdżać do mnie. Cieszę się, że tak dobrze cię wyszkoliłem.

– Będę szczęśliwa, jeżeli będę mogła w czymkolwiek pomóc – powiedziałam.

– Będziesz mogła. Wyglądasz, jakby było ci mnie żal. To znaczy, że masz dobre serce, a to ważna cecha. Współczucie dla innych i mężne znoszenie własnych trosk to jeden z największych darów, jakie może posiąść istota ludzka. Los jest dla ciebie dobry, Jane, daje ci szansę nauczenia się kolejnej lekcji.

– Wolałabym, żeby los był odrobinę mniej szczodry.

– Nigdy nie złorzecz losowi, Jane. Co ma być, to będzie. Tak uważają Chińczycy. Przyjmij swój los z pokorą, poddaj się mu i potraktuj to, co ci zgotuje, jako nowe doświadczenie. Nigdy nie buntuj się przeciw niemu. A wtedy ze wszystkich walk wyjdziesz zwycięsko.

– Dołożę wszelkich starań.

– Przyjdź do mnie jutro i przynieś wszystkie listy i papiery. Będziemy razem nad nimi pracować.

– Czy doktorzy pozwolą panu na to?

– Lekarze wiedzą, że los postanowił unieruchomić mnie do pewnego stopnia. Muszę nauczyć się z tym żyć i użalanie się nad tym, co utraciłem, nie przyniesie mi nic dobrego. Nie wolno nam o tym zapomnieć. Jak dobry generał, muszę przeformować szyki i na nowo stanąć do walki. Pomożesz mi, Jane.

– Zrobię wszystko, co w mojej mocy.

– A zatem przyjdź jutro, to pomówimy o interesach. Zobaczysz, że szybko odzyskam siły.

I tak długo, jak przebywał w szpitalu, jeździłam tam każdego dnia, zabierając z sobą wszystkie przychodzące listy, książki i katalogi, które razem przeglądaliśmy.

Te wizyty były ocaleniem dla nas obojga.

A potem potwierdziły się podejrzenia, które towarzyszyły mi już od jakiegoś czasu.

Spodziewałam się dziecka.

Po jakimś czasie pan Sylwester wrócił do domu. Odzyskał pewną władzę w nogach i mógł bardzo powoli kuśtykać o lasce. To był ogromny postęp. Wciąż trwało śledztwo, w jaki sposób został postrzelony i z czyjej strzelby pochodziła fatalna kula, ale na razie nie przyniosło żadnych wyników. Wniosek był taki, że pan Milner padł ofiarą przypadkowego strzału, co zdarzało się dosyć często podczas polowań.

Wszyscy powoli przyzwyczajali się do nowej sytuacji. Pan Milner zaprzestał podróży, teraz klienci przyjeżdżali do niego. Często gościli na kolacji, a czasami zostawali na noc lub dwie. Ja pełniłam funkcję ochmistrzyni, gospodyni i sekretarki i te zajęcia wypełniały mój czas bez reszty. Byłam za to wdzięczna losowi.

Joliffe napisał jeszcze dwukrotnie. W pierwszym liście błagał, bym przyjechała do niego. W drugim, który nadszedł dwa tygodnie później, ton jego próśb nie był już tak błagalny. Pisał, że poruszy niebo i ziemię, by się uwolnić, a wtedy wszystko się ułoży.

Wciąż był obecny w moich myślach, ale czułam, że teraz widzę go inaczej. Kiedy kochałam go bez pamięci, jawił się moim niedoświadczonym oczom jako mężczyzna idealny, a teraz ujrzałam nowego Joliffe'a, zuchwałego poszukiwacza przygód, lekkomyślnego, pewnego siebie, lubiącego ryzyko, nie do końca honorowego... zobaczyłam Joliffe'a-grzesznika. Zupełnie tak, jakbym kiedyś patrzyła na obraz przez woal, dzięki któremu portret wydawał się tajemniczy i piękny, a kiedy zasłona opadła, zaczęłam dostrzegać skazy. Nie sądzę, żebym kochała go mniej. Wiedziałam, że wciąż potrafiłby mnie oczarować, jednak postrzegałam go inaczej i pragnęłam zajrzeć jeszcze głębiej w to, co ukrywał.

Wydaje się to dziwne, ale byłam zadowolona z rozłąki. Może to moje ciało zaczęło się zmieniać, a ja wiedziałam, że muszę się zmieniać wraz z nim. Rosło we mnie nowe życie, co zawsze jest cudem dla kobiety, chociaż całemu światu może wydawać się całkiem zwyczajnym zjawiskiem.

Przez parę pierwszych dni po uzyskaniu pewności, radość tego, co mi się przydarzyło, przesłoniła wszystko inne. Cieszyłam się, że jestem w ciąży i mogę rozmyślać, co to dla mnie oznacza. Na tym etapie jeszcze nie potrafiłam myśleć o praktycznej stronie, rozkoszowałam się cudowną perspektywą posiadania dziecka.

Potem zaczęłam zadawać sobie pytanie, jak właściwie mam urodzić to dziecko? Nie byłam żoną, więc jak mogłam zostać dumną matką?

Pan Milner zawsze miał w sobie coś tajemniczego. Z nieodgadnionym uśmiechem na twarzy siedział w fotelu i często wydawało mi się, że gdy na mnie patrzy, zagląda wprost w moje myśli.

I chyba rzeczywiście tak było, bo jednego dnia powiedział:

– Czy mam rację, przypuszczając, że spodziewasz się dziecka?

Rumieniec zalał moją twarz od szyi aż po korzonki włosów.

– Czy to takie... widoczne? – zapytałam.

Potrząsnął głową.

– Nie, po prostu zgadłem.

– Sama zyskałam pewność dopiero kilka dni temu. Nigdy bym nie pomyślała...

Uniósł dłoń.

– W twoim zachowaniu zauważyłem pewną łagodność, spokój, rodzaj zadowolenia... nie potrafię tego opisać. Widać je na twarzach kobiet na niektórych z późniejszych chińskich obrazów. Cecha trudna do zdefiniowania, ale tym artystom udało się ją uchwycić. Być może dlatego, że tak często przyglądałem się tym portretom, potrafiłem ją teraz rozpoznać u ciebie.

– Tak – powiedziałam – spodziewam się dziecka.

W milczeniu pokiwał głową.

To zdarzyło się parę dni później. Jadłam obiad w jadalni dla służby, ponieważ nie mieliśmy żadnych gości, a w takiej sytuacji pan Sylwester spożywał posiłki w swoim pokoju.

Pani Couch mówiła, jak bardzo wszystko się zmieniło. Wiedziała już o małżeństwie Joliffe'a. Niemożliwością było utrzymanie tego w tajemnicy, cała sprawa stała się głównym tematem dyskusji służby, chociaż nigdy nie rozmawiano o tym w mojej obecności. Zdążyłam przyzwyczaić się do pełnej zakłopotania ciszy, która zapadała, gdy czasami wchodziłam do jadalni.

Pani Couch potrząsała głową i niekiedy mówiła o Joliffie jak o umarłym, a oczy jej błyszczały na wspomnienie ulubieńca.

– To był dopiero ktoś – mówiła – i wierzcie mi na słowo, jak on uwielbiał mój śliwkowy dżin!

Siadała przy stole ze splecionymi dłońmi i mruczała nad kartami, a wyraz jej twarzy ulegał zmianie, w zależności od tego, co z nich wyczytała.

– Ach, serca, zawsze je lubiłam. Powodzenie i dzwony weselne. Przystojny, ciemny mężczyzna... ha, tutaj jest... patrzy prosto na ciebie. – Ale gdy pojawiały się piki, kuchnię omiatał zimny powiew. Pani Couch była dumna ze swej umiejętności spoglądania w przyszłość. Widziała śmierć mojej matki. – Była tutaj, w kartach, już na rok zanim umarła. – Widziała też, choć nie chciała wówczas tego mówić, że mój związek z Joliffe'em zakończy się łzami. – Tutaj to było, tak samo prawdziwe, jak fakt, że siedzisz teraz przede mną. Mogłam ci powiedzieć. – A teraz wypadek pana Sylwestra. – Jasne jak słońce. Widziałam to jako śmierć... cóż, w końcu niewiele brakowało, to ta kierowa karta go uratowała.

Zawsze wtedy uśmiechałam się do niej myśląc, co też dostrzeże w swoich kartach, gdy dowie się o moim odmiennym stanie.

Właśnie przygotowywała się do rozłożenia kart, jak to nazywała, dla mnie, gdy Ling Fu wsunął się bezszelestnie do kuchni.

Pan Sylwester pytał, czy mogłabym przyjść do jego pokoju.

Bezzwłocznie poszłam na górę.

– Posłuchaj, Jane – powiedział – jest coś, o czym chciałbym z tobą porozmawiać. Myślałem o tym od pewnego czasu i postanowiłem przedstawić ci mój pomysł. Oczywiście możesz uznać moją propozycję za niedorzeczną, absurdalną, ale myślę, że w twoim położeniu powinnaś ją przynajmniej rozważyć.

Czekałam zaciekawiona.

– Jestem pewien, że zastanawiałaś się nad swoim położeniem. Będziesz miała dziecko, ale jesteś kobietą niezamężną. Wiem, że zostałaś oszukana i nie ma w tym żadnej twojej winy, lecz fakt pozostaje faktem. Wraz z upływem lat sytuacja może stać się krępująca nie tylko dla ciebie, ale i dla dziecka. To właśnie z tego powodu postanowiłem przedstawić ci mój plan.

Zapadła cisza, a mój pracodawca patrzył na mnie tak, jakby się zastanawiał, w jaki sposób najlepiej przedstawić mi propozycję, którą mogłam uznać za niedorzeczną.

– Gdy urodzi się dziecko, nie będziesz mogła mówić o sobie „panna Lindsay", taka sytuacja byłaby niemożliwa do przyjęcia. Oczywiście mogłabyś przedstawiać się jako pani Milner, tylko że tak naprawdę nie masz prawa do tego nazwiska. Znalazłaś się w trudnym położeniu. Ale dla dobra dziecka mogłabyś pozostawić to doświadczenie za sobą i rozpocząć nowe życie. Gdy dziecko przyjdzie już na świat, to nie będzie możliwe.

Wydawało się, że krąży wokół tematu, co nie było do niego podobne. Nie okazywał wyraźnego zakłopotania, wyczuwałam jednak skrępowanie w jego zachowaniu.

Przerwał na chwilę i przyglądał mi się z powagą.

– Mogłabyś oczywiście stać się naprawdę panią Milner... wychodząc za mnie.

Osłupiałam. To była ostatnia rzecz, jakiej oczekiwałam. Naprawdę nie mogłam uwierzyć, że dobrze go usłyszałam.

Milczałam, a on powiedział ze smutkiem:

– Widzę, że ta propozycja jest ci niemiła.

Wciąż nie mogłam mówić.

– Wydawało mi się, że jest to... jakieś wyjście – kontynuował.

Mój głos zabrzmiał nienaturalnie wysoko, gdy zapytałam:

– Czy brałby pan pod uwagę małżeństwo, gdyby chodziło o rozwiązanie problemów kogoś innego?

– To nie do końca tak. Zostałaś oszukana przez członka mojej rodziny. Wierzyłaś, że jesteś mężatką i teraz przyjdzie na świat dziecko. Gdybyś za mnie wyszła, nosiłoby nazwisko Milner. Dołożyłbym starań, aby on lub ona został wychowany jak mój własny syn lub córka. Nie miałabyś żadnych trosk finansowych. Z kolei ja zawsze pragnąłem mieć syna albo córkę. Nigdy się nie ożeniłem. Być może kiedyś czułem, że to byłoby możliwe... ale nigdy do tego nie doszło. Teraz wypadek pozostawił mnie niezdolnym do spłodzenia dziecka. Lekarze powiedzieli mi o tym. Gdybyśmy wzięli ślub, uznałbym twoje dziecko za swoje. Miałbym towarzystwo... pomagałabyś mi w pracy. Widzisz, że korzyści nie leżą tylko po twojej stronie. Co o tym myślisz?

– Ja... obawiam się, że w tej chwili nie potrafię jasno myśleć. Doceniam pańską dobroć, okazaną mnie... i mojej matce. Od chwili, kiedy tu przybyłyśmy, czułyśmy się w tym domu bezpiecznie. Matka była panu bardzo wdzięczna.

Skinął głową.

– Masz wątpliwości. Nie widzisz we mnie męża. Musisz zrozumieć, że nie będę małżonkiem w dosłownym sensie tego słowa. Wiesz o mojej ułomności. To byłoby małżeństwo oparte na przyjaźni i wspólnych zainteresowaniach, rozumiesz?

– Tak, rozumiem.

– Pomyśl o tym. Byłabyś panią tego domu, a twoje dziecko miałoby zapewnioną przyszłość. Otrzymałoby najlepszą edukację i bezpieczny dom. Ja zyskałbym kogoś, kto roztoczyłby opiekę nad moim gospodarstwem, dotrzymywał mi towarzystwa, kogoś, kto podziela moje zainteresowania i pomagałby mi w prowadzeniu interesów. Teraz potrzebuję takiej pomocy, Jane, a jesteś jedyną osobą, która mogłaby mi jej udzielić. Jak widzisz, dla nas obojga to małżeństwo byłoby niezwykle korzystne.

– Tak – odpowiedziałam – rozumiem to.

– A twoja odpowiedź brzmi?

– Nie byłam na to przygotowana.

– Rozumiem. Potrzebujesz trochę czasu, by rozważyć moją propozycję. Oczywiście. Nie ma pośpiechu... poza, rzecz jasna... dzieckiem.

Poszłam do swego pokoju. Ostatnie miesiące były tak pełne wydarzeń, że zastanawiałam się, co jeszcze może mnie spotkać.

Och, Joliffie, myślałam, gdzie teraz jesteś?

Czy miałam na niego czekać? Czy mogłam do niego wrócić? A co z moim dzieckiem? Musiałam myśleć przede wszystkim o dziecku. Rzeczywiście, wypełniało bez reszty moją uwagę, usuwając w cień nawet Joliffe'a. Myślenie o nim było zbyt bolesne. Czy kiedykolwiek do mnie wróci? A jeżeli tak, a ja wyjdę za jego stryja? Wyobraziłam sobie powrót Joliffe'a i pana Sylwestra, który stoi przy mnie i tłumaczy, że to rozwiązanie wydaje się takie korzystne.

Zaczęłam zastanawiać się, jak wyglądałoby moje życie, gdybym za niego wyszła. To był znak, że rzeczywiście dopuszczałam taką możliwość.

Małżeństwo z rozsądku! Dlaczego ludzie mówili o takich związkach z lekką nutką współczucia? Dlaczego małżeństwo z rozsądku nie miałoby być szczęśliwsze niż związek zrodzony z nagłej namiętności, który tak naprawdę wcale nie był małżeństwem?

Chciałam zapomnieć o Joliffie. Gdzieś głęboko w mojej świadomości zrodziło się przekonanie, że muszę o nim zapomnieć, wynikłe ze świeżo zdobytej wiedzy o życiu. Wiedziałam, że Joliffe nie jest wolny. Nie wierzyłam, żeby Bella kiedykolwiek pozwoliła mu odejść, ani nie byłam do końca pewna, czego mogę się po nim spodziewać. Był zbyt czarujący i beztroski, za wiele dostał od życia. Oczekiwał, że dary losu będą spływały na niego jak deszcz, a on będzie je brał, nie pytając, jakie ma do tego prawo.

Joliffe to cudowny towarzysz dla romantycznej, młodej dziewczyny, ale czy także dla poważnej kobiety, która musi troszczyć się o dziecko?

Poza tym nie byłam już tą samą dziewczyną, która schroniła się przed burzą w zaczarowanym lesie, gdy jeden z bogów zszedł do niej z Olimpu. O nie. Stałam się kobietą w trudnej sytuacji. Wkrótce zostanę niezamężną matką i muszę myśleć o swoim dziecku.

W tym domu mogłabym dbać o nie tak, jak moja matka dbała o mnie. Pan Sylwester Milner był dla nas niczym ojciec chrzestny z bajki. A teraz proponował mi wyjście, które rozwiązałoby wszystkie moje kłopoty.

A jeżeli nie wyjdę za niego? Czy będę mogła nadal pozostać w tym domu? Być może, ale moje dziecko nie zyska ojca. Pan Sylwester zaproponował, że przyjmie na siebie tę rolę. Przy takim ojcu przyszłość dziecka rysowała się w jasnych barwach.

Nie byłam już romantyczną dziewczyną. Miałam zostać matką i musiałam się troszczyć przede wszystkim o moje dziecko.

Wiedziałam już, że przyjmę propozycję Sylwestra Milnera.

Pani Couch była wniebowzięta, a pan Jeffers powiedział, że to największa niespodzianka, jaka go spotkała w życiu. Kucharka oczywiście nie była zaskoczona, miała przecież swoje karty i fusy. Nasze małżeństwo ujrzała na dnie filiżanki.

– Nowa pani domu – powiedziała. – Widziałam to jak na dłoni.

– Ciekawe czyjej – szydził pan Jeffers.

Ostatnio pozostawali na wojennej ścieżce przez te jego „sprawki" z młodymi dziewczętami.

– O tutaj był, malutki listek obok drugiego. Powiedziałam do siebie „to jakaś kobieta u boku pana", a w rogu widziałam symbol małżeństwa.

Była naprawdę zachwycona. Tak jak wszyscy.

– I kto by się tego spodziewał! – odezwała się Amy.

– Mężczyźni – wtrąciła Jess, która zdobyła sporą wiedzę na ten temat. – Nigdy nie wiadomo, czego się po nich spodziewać.

– Daję słowo – powiedziała pani Couch. – Nie będzie nam z tobą źle, mała Jane. Chyba teraz powinnam nazywać cię madame. Pani domu, co?

– Wydaje mi się, że panu by się to spodobało – odrzekłam.

Pani Couch skinęła głową, później jednak dodała:

– Przed służbą wszystko musi wyglądać, tak, jak trzeba, ale dla mnie zawsze będziesz małą Jane. – Na każdym kroku okazywała swe zadowolenie. – Wreszcie będziemy mieli prawdziwy dom. Cała służba bardzo się cieszy. I maleństwo też. Dobrze, że zdążyłaś mieć dziecko. Biedny pan Sylwester nigdy nie mógłby stanąć na wysokości zadania... jeżeli wiesz, co mam na myśli. Ale domyślam się, że, skoro maleństwo jest w drodze, ślub będzie wkrótce. Musi być szybko.

I tak rozpoczęłam przygotowania do mego małżeństwa z rozsądku.

Czasami byłam już prawie gotowa wszystko odwołać.

Co ja robiłam? Nie minął rok, odkąd z radością szłam do ślubu z Joliffe'em. Wtedy nie miałam żadnych wątpliwości, żadnych skrupułów.

Ale co właściwie wiedziałam o Joliffie? I co wiedziałam o Sylwestrze?

Próbowałam myśleć o nim bez emocji. Lubiłam go. Można było powiedzieć, że nawet bardzo. Zafascynował mnie od chwili, w której znalazł mnie w Pokoju Skarbów. Nigdy nie nudziłam się w jego towarzystwie, łączyła nas wspólna pasja. Lubiłam uczyć się tak bardzo, jak, byłam tego pewna, on lubił uczyć mnie. To małżeństwo mogło okazać się szczęśliwe, myślałam.

Sylwester dał mi bardzo wyraźnie do zrozumienia, że nasz związek nie może mieć intymnego charakteru. Pozostaniemy w osobnych pokojach. Moje życie po ślubie będzie różnić się bardzo niewiele od tego, jakie wiodłam teraz. Dbałabym o dom i pomagała panu Milnerowi w interesach, tak samo, jak czyniłam to teraz. Jedyną różnicę stanowiłby fakt, że byłabym jego żoną, a moje dziecko miałoby od urodzenia zapewniony komfort i bezpieczeństwo. Nie musiałabym się martwić o jego przyszłość tak, jak moja matka martwiła się o moją.

Prawie słyszałam, jak matka mówi:

– Widzieliśmy, co się stało, Jane, i zaaranżowaliśmy to dla ciebie. Twój ojciec i ja zajęliśmy się wszystkim.

Ceremonia ślubna miała się odbyć w małym kościółku odległym niecały kilometr od domu. Oczywiście, planowaliśmy cichy ślub.

Na tydzień przed uroczystością przeglądałam, jak co rano, pocztę z Sylwestrem, który czytał adresowane do siebie listy i, jeżeli dotyczyły interesów, przekazywał je mnie. W odpowiednim czasie miałam zacząć jeździć na aukcje, tak, jak on to niegdyś czynił, ale jeszcze nie zdobyłam wystarczającej wiedzy. Kiedyś, w przyszłości, będę sama sprzedawać i kupować, ale czas mego terminowania jeszcze nie dobiegł końca.

Nagle Sylwester przerwał lekturę i podniósł na mnie wzrok.

– Czytam list od mego bratanka. Proponuje, że przyjedzie na ślub.

– Joliffe – zaczęłam, a serce we mnie zamarło.

– Nie, nie, to Adam, syn mego brata Redmonda. Wrócił do domu do Anglii po dwóch latach spędzonych w Hongkongu.

– A zatem przyjeżdża.

– Nie oczekiwałem nikogo z mojej rodziny na ślubie – powiedział.

Moje serce podskoczyło, wywinęło fikołka i przestało na chwilę bić, gdy ujrzałam Adama. Stał w salonie, zwrócony do mnie plecami, w rękach trzymał posążek i z tyłu do złudzenia przypominał Joliffe'a.

Gdy się odwrócił, podobieństwo stało się ledwo dostrzegalne. Adam był wysoki – choć parę centymetrów niższy od Joliffe'a – a szerokie ramiona sprawiały, że wydawał się jeszcze niższy. Rysy miał podobne do rysów tamtego, ale zupełnie inne oczy; Joliffe'a były błękitne, a Adama szare, o dosyć chłodnym odcieniu, przypominającym morze w pochmurny dzień. Brakowało mu też owych czarnych rzęs, które stanowiły tak uderzającą cechę Joliffe'a. I oczywiście, nie miał tego uroku.

Iluzja nie trwała długo. Obu kuzynów łączyło jedynie niewielkie rodzinne podobieństwo.

Sylwester siedział w swoim fotelu.

Powiedział:

– Jane, to mój bratanek, Adam Milner. Adam, oto dama, która zostanie moją żoną.

Gość skłonił się sztywno. Z każdą minutą coraz mniej przypominał mi Joliffe'a.

– Szczęśliwie się złożyło, że przybyłem do Anglii akurat teraz, przed ślubem – oznajmił.

Obserwował mnie uważnie i wydawało mi się, że dostrzegam w jego spojrzeniu jakąś wrogość.

– Chodź tu i usiądź, Jane – powiedział Sylwester. – Poprosiłem Ling Fu, by przyniósł nam herbatę. Co myślisz o tym posążku, Adamie?

– Bardzo ładny – odrzekł.

Sylwester uniósł brwi i zrobił do mnie minę.

– To wszystko, co ma do powiedzenia o naszym pięknym dziele sztuki, Jane. To oryginalny Song.

– Wątpię w to – odparł Adam. – Jest późniejsza.

– Mógłbym przysiąc, że to Song – zaprotestował Sylwester. – Jane, spójrz na nią.

Gdy brałam posążek z rąk Adama, poczułam na sobie jego wzrok, w którym dostrzegłam cynizm. Powiedziałam:

– Obawiam się, że nie mam wystarczających kompetencji, by dokonywać takich sądów.

– Jane jest niezwykle ostrożna – zauważył Sylwester – i, moim zdaniem, zbyt skromna. Nauczyła się bardzo wiele, odkąd tu przybyła.

– Pani przyjechała tutaj z matką, prawda, gdy ona objęła posadę ochmistrzyni? – zapytał Adam.

– Tak.

– A teraz staje się pani koneserką sztuki.

Głos miał uprzejmy, patrzył na mnie impertynencko. Doszłam do wniosku, że uznał mnie za awanturnicę i poczułam złość. Znielubiłam go nie za jego zachowanie wobec mnie, tylko za to, że okazał się wystarczająco podobny do Joliffe'a, by przywołać gorzkie wspomnienie dni, gdy byłam na tyle niewinna, żeby wierzyć w szczęśliwe zakończenia.

– Z pewnością nie jestem koneserką. Sylwester – wciąż wypowiadałam jego imię z trudnością i pewnym zakłopotaniem – był tak dobry, że nauczył mnie wszystkiego, co wiem.

– Nie wątpię, że wiele się pani nauczyła – oświadczył i w jego słowach wyczułam insynuację. Czytałam w jego myślach. Uważał moją matkę i mnie za awanturnice, które przyjechały do Zagrody Rolanda, uwiły sobie ciepłe gniazdko, potem ja wyszłam za Joliffe'a, a gdy popadłam w tarapaty, wróciłam i złapałam w swoje sieci Sylwestra.

Naprawdę zaczynałam czuć głęboką antypatię do Adama.

Ling Fu przyniósł herbatę. Zajęłam się napełnianiem filiżanek i milczałam, podczas gdy panowie rozmawiali.

Adam wydawał się celowo kierować konwersację na tematy, które mnie wykluczały.

Chciał wiedzieć wszystko o wypadku. Był „bardzo zatroskany", powiedział.

– Pochlebiasz mi – odrzekł Sylwester.

– Och, nasza rywalizacja jest przecież przyjazna – wyjaśnił. – Uczucia rodzinne stoją ponad interesami.

Siedziałam, słuchając jego słów i czułam bijącą odeń wrogość. Byłam przekonana, że Adam przyjechał, by odwieść stryja od tego małżeństwa.

Później spytałam Sylwestra, czy rzeczywiście takie były intencje jego bratanka.

Sylwester się roześmiał.

– Bardzo go zdziwiła wiadomość o moim ślubie – przyznał. – Najwyraźniej jest przekonany, że zdziecinniałem. To zabawne, że nagle tak bardzo zaczął się o mnie troszczyć. Zapewniłem go jednak, że jestem w pełni władz umysłowych i uważam to małżeństwo za jedno z mądrzejszych posunięć, jakie wykonałem w życiu.

– Wydaje się raczej surowym młodym człowiekiem.

– Jest bardzo poważny i wiem, że w naszym kręgu cenią go za bystre oko. Podobno jego wiedza o Drugim Imperium Chińskim cieszy się dużym poważaniem. Jeżeli chodzi o dynastie Song i Tang, stał się ekspertem. Redmond był z niego bardzo dumny. Myślę, że jest naprawdę oddany firmie i zdeterminowany, by odnieść sukces. Zawsze wydawał się dużo poważniejszy niż... yyy...

– Niż Joliffe – dokończyłam szybko. – Odniosłam wrażenie, że mnie nie lubi.

Sylwester z uśmiechem pokręcił głową.

– Nie chodzi konkretnie o ciebie. Wydaje mi się, że Adam chciałby, żebyśmy teraz prowadzili wspólnie interesy. Jest mądry, ale samemu może mu być ciężko. Pewnie uznał, że z powodu mojego wypadku będę zadowolony ze współpracy... na jego warunkach. Ale ja mam ciebie do pomocy i zawsze chciałem mocno trzymać stery w rękach. Żaden z moich bratanków nie lubi grać drugich skrzypiec. Tylko że ja nie zamierzam z nikim współpracować, a teraz, gdy mam ciebie, nie widzę żadnego powodu, dla którego miałbym to robić. I to właśnie nie podoba się Adamowi.

– To dosyć niepochlebna opinia.

– To interesy – odrzekł Sylwester. – Co nie zmienia faktu, że Adam to bardzo wartościowy młody człowiek. Jest poważny, czujny i ma ogromną wiedzę. Jednak odkąd ja i jego ojciec poszliśmy każdy swoją drogą, wolę prowadzić interesy sam.

– Przypuszczam, że przyjechał zobaczyć, jaka jestem.

– Musiał uznać cię za interesującą, jestem tego pewien. Dostrzegłem to w jego zachowaniu.

– I tak nie wydaje mi się, żeby to, co zobaczył, przypadło mu do gustu.

Sylwester roześmiał się znowu.

Ślub odbył się w typowy, kwietniowy dzień – w jednej chwili świeciło słońce, w drugiej lało jak z cebra. Kościół udekorowano żonkilami, narcyzami i maleńkimi bukiecikami fiołków. W powietrzu czuło się świeżość wiosny.

Sylwester podszedł do ołtarza o lasce. Musieliśmy być bardzo nietypową parą. Ja miałam na sobie błękitną suknię o luźnym kroju, skrywającym moją ciążę, i kapelusz w tym samym odcieniu błękitu, ozdobiony skręconym strusim piórem.

Dziedzic Merrit, który uważał się za odpowiedzialnego w pewnym stopniu za wypadek Sylwestra i bezustannie oferował zadośćuczynienie, poprowadził mnie do ołtarza. Gdy padło pytanie, czy ktoś zna jakiekolwiek przyczyny lub okoliczności, dla których to małżeństwo nie może zostać zawarte, ogarnęło mnie dziwne uczucie. Wstrzymałam oddech, jakby w oczekiwaniu na głos z głębi kościoła, mówiący:

– Tak, jesteś moją żoną. Wiesz, że jesteś... i zawsze nią będziesz.

Och, Joliffie, myślałam w panice, gdzie jesteś?

Ale Joliffe'a nie było i nikt nie przerwał ceremonii.

W ławkach siedzieli służący, z panią Couch na czele, która bez ustanku ocierała oczy i oświadczyła później, że ślub był piękny i czuła się tak, jakby wydawała za mąż swoją własną córkę.

– To takie dramatyczne – powiedziała – gdy pomyśli się o panu Joliffie, jego dziecku i panu Sylwestrze, który się z tobą ożenił. To dopiero prawdziwie romantyczna historia.

Adam Milner także tam był, trzymał się z boku, chłodny i pełen dezaprobaty. I tak zostałam panią Sylwestrową Milner.

Po ślubie moje życie toczyło się takim samym trybem, jak dotychczas i po kilku tygodniach przestałam się nad nim zastanawiać.

Sama ceremonia małżeństwa wytworzyła między nami nowe poczucie bliskości. Zaczęłam myśleć o Sylwestrze jako o moim mężu, co ułatwiło mi zwracanie się do niego po imieniu.

On także się zmienił. Wydawał się zadowolony, pogodzony ze swoim kalectwem.

Oczekiwałam teraz przyjścia na świat dziecka i nic innego nie miało dla mnie znaczenia. Sylwester bardzo troszczył się o moje zdrowie, miałam wrażenie, że pragnął tego dziecka prawie tak samo, jak ja. Wiedziałam, że wyznaje chińską filozofię życia. Trzeba przyjmować to, co przynosi los, i być mu wdzięcznym, bo jeżeli nie uda nam się z jego darów wyciągnąć nic dobrego, będzie to tylko i wyłącznie nasza wina.

Byłam wdzięczna za jego dobroć i komfort, jaki zapewnił mi w swoim domu.

Często myślałam o Joliffie, ale powoli dziecko zaczęło zaprzątać moją uwagę bez reszty. Z dnia na dzień stawałam się coraz bardziej świadoma fizycznej obecności maleństwa i lubiłam leżeć i myśleć o nim, oczekując jego narodzin. Pani Couch była wniebowzięta.

– Dzieci w domu. Zawsze tego pragnęłam. Żaden dom nie jest taki, jak trzeba, bez tych małych psotników... wszędzie ich pełno. Ale to dzięki nim budynek staje się domem.

Amy, która urodziła córeczkę, przybrała pozę ważnej osobistości. Uważała siebie za wyrocznię. Uwielbiała radzić mi, co powinnam, a czego nie powinnam robić.

Jess powiedziała, że chyba sama zacznie myśleć o założeniu rodziny.

No i był jeszcze Sylwester, który zachowywał się tak, jakby dziecko było jego i nie pozostawiał żadnych wątpliwości, że po urodzeniu tak właśnie będzie traktowane. Robił już pewne plany i kiedy o nich mówił, wydawał się bardziej przejęty niż kiedykolwiek dotąd.

– Zostanie wychowany tutaj, w tym domu. Nauczy się kochać piękne przedmioty. Razem będziemy go uczyć.

– A jeżeli urodzi się dziewczynka?

– Nie sądzę, żeby płeć stanowiła jakąś przeszkodę. Jeżeli urodzi się dziewczynka, będzie miała takie same prawa, jakie miałby chłopiec.

Byłam wzruszona, gdy wyraził chęć pomocy przy urządzaniu pokoju dziecinnego, na który przeznaczyliśmy pomieszczenie sąsiadujące z moją sypialnią. Kazałam wytapetować ściany na niebiesko i ozdobić biegnącym wokół malowanym szlakiem ze zwierząt. Cały dom nie posiadał się z podniecenia, gdy przywieziono łóżeczko z białego drewna, okryte niebieską zasłonką.

Często chodziłam do tego pokoju i przyglądałam się mu w zachwycie. Inni też tak robili. Wciąż znajdowałam tam kogoś, jakbyśmy wszyscy oddawali cichy hołd długo oczekiwanemu maleństwu, które wkrótce miało przyjść na świat.

Bez przerwy mówiliśmy o dziecku. Sylwester i ja bardzo się do siebie zbliżyliśmy. Próbowałam podziękować mu za dobroć okazaną mojej matce i mnie, ale tylko potrząsnął głową i powiedział, że nasz pobyt w tym domu przyniósł mu wygodę i przyjemność.

Bardzo go lubiłam i szanowałam. Próbowałam przekonać samą siebie, że miałam w życiu szczęście. Ale natychmiast wracały wspomnienia o Joliffie, przenosiłam się do domu w Kensington i myślałam o naszych wspólnie spędzonych tam chwilach – i życie stawało się ciężkie nie do zniesienia, dopóki wyczekiwanie na dziecko nie wyparło wszystkich innych emocji.

Sylwester nalegał, żebym pojechała do lekarza do Londynu i pani Couch odbyła ze mną tę podróż. Byłam głęboko wzruszona radością mego męża, gdy okazało się, że wszystko w porządku. Jednak i tak uparł się, żeby akuszerka zamieszkała w domu ponad tydzień wcześniej, zanim okazała się potrzebna.

W wyznaczonym czasie urodziłam dziecko. Ku mojej wielkiej radości, synek był idealny pod każdym względem. Na cześć mego ojca dałam mu imię Jason.

Jason opanował cały dom – pełen życia mały chłopaczek z najsilniejszymi płucami, jakie można sobie wyobrazić.

Czasami wydawało mi się, że wyrośnie na okropnie zepsutego młodzieńca, bo nie było w domu osoby, która nie kochałaby go do szaleństwa.

Pani Couch wciąż chciała przygotowywać dla niego specjalne potrawy i musiałam bardzo uważać, żeby go nie przekarmiała. Ona i Amy bardzo się o to kłóciły, a Amy po raz pierwszy przeciwstawiła się wszechwładnej kucharce.

– Biedne maleństwo! – protestowała pani Couch. – Niektórzy chcieliby go zagłodzić. Ale ja na to nie pozwolę.

– System trawienny niemowląt jest inny, niż nasz – stwierdzała autorytarnie Amy.

I zaczynały się kłócić.

– Tylko dlatego, że urodziłaś dziecko...

– Czego nie można powiedzieć o pani.

– Co za impertynencja! Lepiej uważaj, panno Amy...

Z trudem udawało mi się przywrócić spokój.

Nawet Jeffers, który dotychczas rzadko wyrażał swoją aprobatę dla kogokolwiek poza młodymi kobietami, przechylił głowę na jedną stronę i powiedział:

- Słodkości.

Oczywiście mój syn był najinteligentniejszym niemowlakiem, jaki się kiedykolwiek urodził. Gdy wyrżnął mu się pierwszy ząbek, pani Couch upiekła ciasto, by uczcić to wielkopomne wydarzenie. Gdy wygulgotał coś, co brzmiało jak „brrh" wszyscy orzekliśmy, że powiedział „mama".

- Mówi, bez dwóch zdań - oświadczyła pani Couch i muszę się przyznać, że uważaliśmy to jedynie za lekką przesadę. Zabierałam synka do salonu, gdzie piliśmy herbatę, a Sylwester wbijał w niego pełen uwielbienia wzrok.

W pierwsze urodziny Jasona urządziliśmy przyjęcie w jadalni dla służby. Bystre oczka malca z aprobatą przyglądały się tortowi z jedną świeczką, a tłuściutką łapkę trzeba było powstrzymywać przed wylądowaniem w płomieniu.

- Och, on nigdy by tego nie zrobił - powiedziała pani Couch. - On dobrze wie, o co w tym wszystkim chodzi, prawda, Panie Urwisie?

Mała córeczka Amy, która była na przyjęciu, zeskrobała trochę lukru z ciasta, gdy myślała, że nikt nie patrzy i została przyłapana przez panią Couch, co oznaczało nowe kłopoty dla Amy.

Jess kołysała Jasona w ramionach z nieobecnym wyrazem oczu, który mówił, że dobra zabawa tu i teraz nie była zła, ale tak naprawdę w życiu liczą się tylko dzieci.

Ale kiedy zabrałam malca do pokoju dziecinnego, żeby go wykąpać - nigdy nie pozwoliłabym niańce opiekować się moim dzieckiem - i położyłam go w biało-niebieskim łóżeczku, oddałam się memu ulubionemu snu na jawie, że oto Joliffe stoi u mego boku i razem spoglądamy na naszego syna. Czułam wtedy wszechogarniającą samotność, gorzką tęsknotę, która czasami była tak wielka, że wiedziałam, iż nic - nawet Jason - nie zdoła w pełni wynagrodzić mi straty ukochanego.

Gdy dziecko już zasnęło, a ja leżałam sama w moim wielkim łóżku, wspominałam w myślach każdą minutę spędzonego z Joliffe'em miodowego miesiąca.

Mówiłam wtedy sobie, że gdybym nigdy nie doświadczyła miłości i namiętności, nie wiedziałabym, co tracę. Ale bez tego jakże mogłabym mieć Jasona?

Synek stał się całym moim życiem. Przynosił mi ulgę, wypełniał pustkę, którą czułam po stracie Joliffe'a, chociaż nigdy nie udało mu się zapełnić jej do końca.

Pragnęłam Joliffe'a. Nie mogłam ukrywać tego przed sobą. I coraz bardziej zdawałam sobie sprawę z jałowości mego życia.

Myślałam o latach, które rozciągały się przede mną, latach, które Sylwester tak starannie zaplanował dla Jasona – to miały być ja-
łowe lata, ponieważ, aby zabezpieczyć przyszłość synowi, wyszłam
za mężczyznę, do którego żywiłam uczucia, jakimi uczennica mogła
darzyć szanowanego nauczyciela. A przecież byłam młoda, poznałam wielką namiętność, kochałam. Musiałam być wobec siebie
szczera: wciąż darzyłam głęboką miłością człowieka, który był mężem innej kobiety.

Gdy teraz spoglądam w przeszłość, myślę o wielkiej wyrozumiałości i pokorze Sylwestra. Wiem, że był dużo delikatniejszy wobec
moich uczuć, niż ja wobec jego.

Rozumiał, że kochałam Joliffe'a, który mnie zdradził – choć może nie zrobił tego celowo. Jednak wiedziałam, że Sylwester obarczał
winą bratanka. Uważał go za nieodpowiedzialnego, nie chciał, żebym za niego wyszła, bo sądził, że Joliffe nie będzie dobrym mężem. Znał go od małego. Oczywiście, bardzo się między sobą różnili,
więc jak mogli darzyć się nawzajem sympatią?

Sylwester robił wszystko, co w jego mocy, by uczynić moje życie
ciekawym – i udawało mu się to. Tylko że brakowało mu sił wital-
nych. Byłam młoda, a mojej natury w żadnym wypadku nie można
by określić jako oziębłą. Skosztowałam słodyczy bliskości z ukochanym i nigdy nie potrafiłam tego zapomnieć.

Stałym tematem naszych rozmów był oczywiście Jason, ale poza
tym Sylwester coraz częściej zwierzał mi się ze swoich tajemnic. Po
położeniu syna do łóżka bardzo dużo czytałam i wkrótce stałam się
już całkiem niezłym ekspertem w dziedzinie chińskiej kultury. Poznawałam też religię i obyczaje tego kraju. Raz czy dwa odwiedziłam londyńskie biuro Sylwestra w Cheapside, gdzie poznałam pra-
cowników i dokonałam w jego imieniu kilku transakcji. Byłam
zachwycona odniesionym przeze mnie sukcesem, podobnie jak mój
mąż.

– To cudowne – powiedział. – Naprawdę stajesz się moją prawą
ręką.

Wydawało się to niewielką zapłatą za wszystko, co on zrobił dla
mnie.

Myślałam wtedy, że może pewnego dnia Jason przejmie jego interesy, a ja będę stać u boku syna, by pomagać mu i radzić. Ta perspektywa była dla mnie dodatkową podnietą do nauki.

Sylwester wyczuwał to i stale mnie zachęcał. Powiedział mi, że biuro w Londynie jest niewielkie w porównaniu z tym, które znajdowało się w Koulunie*.

– Tam dokonujemy większości transakcji, mamy magazyn i kancelistów. Pewnego dnia pojedziesz tam, Jane.

– Będę musiała poczekać, aż Jason trochę podrośnie.

Skinął głową.

– Bardzo bym chciał pojechać z tobą. Tak bardzo pragnę znowu zobaczyć mój Dom Tysiąca Latarni.

Z niewiadomego powodu, za każdym razem gdy padała ta nazwa, po plecach przebiegał mi dreszcz.

Sylwester często mówił o tym domu. Próbował mi go opisać, ale Dom Tysiąca Latarni wykraczał poza granice mojej wyobraźni i nie potrafiłam stworzyć w myślach jego obrazu. Dom zbudowano wiele lat temu na miejscu świątyni. Czułam się podekscytowana samą myślą, że kiedyś będę mogła go zobaczyć.

– Może dałbym radę odbyć taką podróż – powiedział kiedyś Sylwester.

– To chyba nie jest możliwe?

– Czyż filozofowie nie mówią, że nie ma nic niemożliwego?

– Ale jakże mógłbyś pojechać?

– Mogę przejść o lasce przez pokój. Może gdybym podjął taką decyzję, zdołałbym przezwyciężyć swoje kalectwo na tyle, by udać się w taką podróż.

Oczy mu zabłysły na samą tę myśl i pomimo że projekt wydawał mi się niemożliwy do zrealizowania, pozwalałam, by Sylwester dalej snuł swoje plany.

Za każdym razem, gdy mówił o Domu Tysiąca Latarni, zmieniał się nie do poznania: wydawał się młodszy, bardziej pełen życia. W takich chwilach prawie wierzyłam, że będziemy mogli razem tam popłynąć.

Pewnego dnia, gdy Jason miał osiemnaście miesięcy, wybrałam się w jedną z moich zwykłych podróży do Londynu. Z niecierpliwością wyczekiwałam tych dni. Coraz większą przyjemność sprawiało mi angażowanie się w interesy, a perspektywa ujrzenia po powrocie mego synka stanowiła szczęśliwe zakończenie każdej nieobecności.

* Koulun – największe miasto Hongkongu

Jeffers odwoził mnie na stację, gdzie wsiadałam do pociągu, a po przybyciu do Londynu brałam dorożkę, która wiozła mnie do biura w Cheapside. Gdy uporałam się z tym, co miałam do załatwienia, wracałam dorożką na stację, a Jeffers czekał na mnie u kresu podróży. Takie postępowanie stało się rutyną. Nie byłam już młodą dziewczyną. Stałam się matroną.

Także tym razem wszystko szło zgodnie z planem.

Przyjechałam do biura, gdzie już mnie oczekiwano. Spotkałam się z Johnem Heylandem, głównym kancelistą Sylwestra, jego dwoma asystentami i młodym człowiekiem, odpowiadającym za magazyn. Potem obejrzałam nefrytowe ozdoby, które miały zostać wysłane do klientów. Z pobliskiej restauracji przyniesiono lunch i zjadłam go razem z panem Heylandem. Ten nie przestawał mówić o dawnych, dobrych czasach, zanim rodzina się podzieliła. Uważał, że to wielka szkoda. Teraz, w miejsce jednej firmy powstały trzy: pana Sylwestra, pana Adama i młodego panicza Joliffe'a, a każdy z nich pracował na własną rękę. Pan Heyland pomagał ojcu Sylwestra w biurze w Hongkongu i był przekonany, że starszy pan przewróciłby się w grobie, gdyby wiedział o takim rozłamie w rodzinie.

Postanowiłam zrobić kilka sprawunków, zanim pojadę na stację, więc opuściłam biuro wcześniej i wyszłam na ulicę, gdzie prawie wpadłam w ramiona Joliffe'a.

– Och, Jane! – zawołał, a jego oczy rozświetliła taka radość, że ogarnęła mnie fala wzruszających wspomnień i przez chwilę byłam szczęśliwa tylko dlatego, że stał przy mnie.

Ale po chwili wyjąkałam:

– Skąd wiedziałeś, że jestem tutaj?

Jego uśmiech wciąż był tak samo uroczy, a w oczach błyskały figlarne ogniki. Kiedyś Joliffe mówił często: „Nie rozumiesz, że jestem wszechwiedzący?".

– Prosta robota detektywistyczna – odrzekł teraz. – Skinienie głową tu, mrugnięcie tam, słowo rzucone w odpowiednim kierunku.

– Dowiedziałeś się od kogoś z biura – odgadłam skonsternowana. – Och, Joliffie, nie miałeś prawa...

Złapał mnie za ramię i przytrzymał mocno.

– Miałem wszelkie prawo.

– Muszę zdążyć na pociąg.

– Masz jeszcze czas – odrzekł.

Serce podskoczyło mi radośnie w piersi, gdy przypomniałam sobie, że pozostały jeszcze dwie godziny, które przeznaczyłam na sprawunki.

– Muszę z tobą pomówić, Jane.

– O czym tu jeszcze mówić? Przecież wszystko jest jasne.

– Tak wiele muszę ci opowiedzieć, tak wiele wyjaśnić.

– Nie mogę spóźnić się na pociąg. Jeffers będzie na mnie czekał.

– Niech czeka. I tak twój pociąg odjeżdża dopiero za dwie godziny. Weźmiemy dorożkę. Znam pewne miejsce, w którym będziemy mogli napić się herbaty. Nikt nie będzie nam przeszkadzał...

– Nie, Joliffie – powiedziałam stanowczo.

– No dobrze, w takim razie pojedziemy na stację. Zostanę z tobą aż do odjazdu pociągu, w ten sposób będziemy mieli trochę czasu, żeby porozmawiać.

Zanim zdążyłam cokolwiek powiedzieć, Joliffe zatrzymał dorożkę. Usiedliśmy w środku obok siebie, a gdy ujął moją dłoń i spojrzał mi w oczy, musiałam odwrócić twarz w obawie przed uczuciami, które mógł we mnie wzbudzić.

– A zatem mamy syna – powiedział.

– Proszę, Joliffie...

– On jest moim synem – nalegał. – Powinienem go zobaczyć.

– Nie możesz mi go zabrać – odrzekłam ze strachem.

– Nigdy bym tego nie zrobił. Chcę i jego, i ciebie... ale przede wszystkim ciebie, Jane.

– To nie ma sensu.

– Dlaczego? Bo zawarłaś to nieprzemyślane małżeństwo?

– Nie było nieprzemyślane. Tak właśnie należało postąpić. Mój syn ma cudowny dom. Będzie dorastał w poczuciu bezpieczeństwa, którego potrzebuje.

– A którego ja nie mógłbym mu zapewnić?

– Jakże byś mógł, skoro masz żonę?

– Jane, przysięgam ci, myślałem, że Bella umarła. Musisz mi uwierzyć.

– Nieważne, w co wierzę, nie zmienia to faktu, że ona żyje i na zawsze pozostanie między nami. Jak w takiej sytuacji można wychować szczęśliwe dziecko?

– Opuściłaś mnie, zanim się dowiedziałaś, że spodziewasz się dziecka. Nigdy mnie nie kochałaś, Jane.

Dorożka zatrzymała się przed dworcem. Wysiedliśmy i Joliffe ujął mnie mocno pod ramię, jakby w obawie, że będę próbowała uciec. Poszliśmy do kolejowego bufetu, gdzie panował zwykły w takich miejscach hałas. Co chwilę dobiegały nas odgłosy przetaczania wagonów, rozlegały się gwizdy pociągów i okrzyki bagażowych. Nie było to najlepsze miejsce do dyskusji o tak ważnych sprawach.

Zamówiliśmy dwie filiżanki herbaty, na którą żadne z nas nie miało ochoty, bo jedyne, czego pragnęliśmy, to znaleźć się nawzajem w swoich ramionach i zostawić wszelkie tłumaczenia na później.

– I co my teraz zrobimy? – zapytał z desperacją w głosie.

– Ja wrócę do Zagrody Rolanda, a ty do swojej żony.

– Nie możesz mi tego zrobić.

– Więc co, według ciebie, powinnam zrobić?

Joliffe wyciągnął rękę przez stół i ujął moją dłoń.

– Nie wracaj – powiedział żarliwie. – Nie jedź tym pociągiem. Uciekniemy razem, ty i ja.

– Chyba oszalałeś, Joliffie. A co z moim synem?

– Mogłabyś zabrać naszego syna ze sobą. Pojedź teraz i zabierz chłopca. Ty, ja i on uciekniemy razem. Wyjedziemy z kraju. Zabiorę cię do Hongkongu. Rozpoczniemy nowe życie...

Przez chwilę pozwoliłam sobie na luksus uwierzenia, że to możliwe. Ale potem cofnęłam dłoń.

– Nie, Joliffie – odparłam. – Tobie to może się wydawać możliwe, ale mnie nie. Po pierwsze, masz żonę. Bella mieszka teraz z tobą, prawda?

Milczał i poczułam, jak ogarnia mnie panika, bo wiedziałam, że tak jest. Wyobraziłam ją sobie w domu, w którym byłam tak szczęśliwa. A zatem to fakt, mieszkają razem, Annie i Albert dbają o nią tak, jak niegdyś dbali o mnie. To było więcej, niż potrafiłam znieść.

– Wiesz, jak to się stało – powiedział. – Byłem młody i lekkomyślny. Ponownie mogę ci przysiąc, byłem przekonany, że ona umarła.

– Wydaje mi się, że dosyć łatwo zaakceptowałeś takie rozwiązanie...

– Będę z tobą szczery – oświadczył Joliffe poważnie. – Czułem ulgę. Nie zrozumiesz tego, Jane, nie jesteś tak impulsywna, jak ja. Zostałem złapany w sidła... jak wielu innych młodych mężczyzn. Ożeniłem się z Bellą i niemal natychmiast pożałowałem tego kroku. Przyznaję, kiedy dowiedziałem się, że ona nie żyje, poczułem, jak kamień spada mi z serca. Było tak, jakby sam los chciał wymazać mój błąd, bym mógł ruszyć dalej z czystą kartoteką.

– Biedna Bella! Więc myślałeś o jej śmierci jako o darze łaskawego losu, który postanowił ci ulżyć! A co z nią?

- Och, przestań, Jane, mówię ci prawdę. Nie jestem święty. Popełniłem chyba największy błąd, jaki może popełnić mężczyzna. Na resztę życia związałem się z Bellą. Oczywiście, że poczułem ulgę, gdy wydawało mi się, że ten epizod został wymazany na zawsze.

- Jej powrót musiał być dla ciebie ogromnym szokiem.

- Największym w moim życiu.

- Byłoby lepiej, gdybyś nigdy nie doznał tej złudnej ulgi... lepiej dla ciebie... być może dla Belli, a już na pewno dla mnie.

- Zmieniłaś się. Stwardniałaś.

- Nauczyłam się czegoś o świecie i chyba już nie tak łatwo mnie oszukać. Teraz mam dziecko, dla którego muszę walczyć.

- Które jest także moje.

- Tak, Joliffie. Lecz teraz uważa Sylwestra za swojego ojca.

Uderzył pięścią w stół.

- Jak możesz, Jane! Jak mogłaś za niego wyjść... za starego kalekę, mojego własnego stryja!

- To dobry człowiek i nigdy nie spotkało mnie z jego strony nic prócz dobroci. Kocha moje dziecko i zapewni mu wszystko, czego chłopiec potrzebuje.

- A jego prawdziwy ojciec?

- Ty masz żonę. Widzę niekończące się problemy. Nie pozwoliłabym, by mój syn dorastał w jakimś miejscu, gdzie za każdym rogiem czyhają kłopoty. Teraz ma wspaniały dom, bezpieczeństwo i spokój. Jak ty mógłbyś mu to zapewnić, skoro masz żonę, która może pojawić się w każdym momencie? Mój syn nazywa się Jason Milner i ma do tego nazwiska pełne prawo. Wydaje mi się, że w tych okolicznościach zrobiłam dla mojego dziecka to, co najlepsze, a jego dobro jest moją największą troską.

- A co ze mną?

- To koniec, Joliffie. Spróbujmy o sobie zapomnieć.

- Równie dobrze mogłabyś prosić słońce, żeby przestało świecić lub wiatr, by przestał wiać. Jak mógłbym zapomnieć? Jak ty byś mogła?

Zamieszałam herbatę, która zupełnie już ostygła, po czym zapytałam:

- Joliffie, czym się teraz zajmujesz? Opowiedz mi.

Wzruszył ramionami.

- Bezustannie pragnę ciebie – oświadczył. – Musiałem cię zobaczyć. Mam przyjaciela w biurze twojego męża. Powiedział mi, kiedy przyjedziesz... więc czekałem.

– Nie miał prawa, to nielojalność wobec Sylwestra. Kto to?
Uśmiechnął się i potrząsnął głową.

– Zrobiło mu się mnie żal – powiedział.

– A zatem Bella wprowadziła się do ciebie? – zapytałam.
Przytaknął.

– Na początku wyprowadziłem się do hotelu, ale nie chciała opuścić domu. Uciekała się do najpodlejszych gróźb, gdy próbowałem odejść.

– Zatem wróciłeś do niej.

– Nie, nie wróciłem do niej. Mieszkamy w tym samym domu i na tym koniec. Za parę tygodni zamierzam wyjechać, mam parę spraw w Chinach. Pojadę na trochę do Kantonu, a potem do Koulunu. Zostanę za granicą. Równie dobrze mogę stamtąd prowadzić interesy.

– Ona pojedzie z tobą.

– Wyjeżdżam po to, żeby od niej uciec.

– A więc zostawisz ją w tym domu...

Myślałam o nim jako o naszym domu. Wyobraziłam sobie Bellę, idącą do ogrodów, by przy sadzawce karmić łabędzie i poczułam dojmującą tęsknotę za dniami, gdy byłam tak bezgranicznie szczęśliwa.

Uznałam, że zegar wiszący w bufecie ma złośliwą twarz, a jego wskazówki obracają się stanowczo zbyt szybko. Cenne minuty mijały.

Wzrok Joliffe'a podążył za moim.

– Zostało nam tak mało czasu – powiedział. – Jane, pojedź ze mną.

– Jakże bym mogła?

– Tak naprawdę jesteś moją żoną.

– Nie, jestem żoną Sylwestra.

– To małżeństwo to farsa. Na czym opiera się małżeństwo? Na miłości? Na wspólnocie? Na byciu tak bliskim sobie, że jedno staje się częścią drugiego? Czy na podpisie pod kontraktem? Jesteś moją żoną, Jane. Jesteś częścią mnie i mojego życia, a gdy mnie opuściłaś, gdy próbowałaś zerwać tę bliskość, która jest między nami... zniszczyłaś nasze małżeństwo. Należymy do siebie. Nie wiesz o tym?

– Ty jesteś mężem Belli, a ja żoną Sylwestra. I tak musi pozostać – odrzekłam.

– Co ty wiesz o miłości? Najwyraźniej nic.

– Gdybyś wiedział, jak cierpiałam... gdybyś potrafił zrozumieć... – odparłam z gniewem.

Wziął mnie za rękę.

– Jane, Jane, wyjedź ze mną. Zabierz dziecko i jedźmy.

Spojrzałam na zegar.

– Muszę iść.

Joliffe wstał razem ze mną i chwycił mnie za łokieć.

Potrząsnęłam głową. Musiałam oddalić się od niego. Bałam się, że w każdej chwili mogę powiedzieć to, co tak bardzo pragnął usłyszeć. Targnął mną dziki impuls, by odrzucić wszystko poza życiem z Joliffe'em. Pragnęłam tego bardziej niż czegokolwiek na świecie: jego i mojego syna. Nasza trójka należała do siebie.

Lecz nawet w takiej chwili zdrowy rozsądek podpowiedział mi, że to, czego pragnę, jest niemożliwe.

Pociąg wjeżdżał na stację – zostało nam już tylko parę sekund.

Joliffe ujął moje dłonie. W jego oczach malowało się błaganie.

– Chodź, Jane.

Potrząsnęłam głową. Wargi mi drżały, nie potrafiłam wydobyć z siebie żadnego słowa.

– Wkrótce wyjadę – oznajmił. – Nie będzie mnie przez długi czas.

Wciąż nie mogłam nic powiedzieć.

– Należymy do siebie, Jane... cała trójka – dodał.

Pociąg wjechał na stację. Wyrwałam dłonie. Joliffe otworzył przede mną drzwi wagonu. Weszłam do przedziału i stanęłam przy oknie. Joliffe stał na peronie, w jego oczach odbijała się cała moja tęsknota.

Pociąg ruszył. Tkwiłam przy oknie jeszcze długo po tym, jak Joliffe zniknął mi z oczu. Pomyślałam sobie, że to właśnie ludzie mają na myśli, gdy mówią, iż ktoś ma złamane serce.

Przez dłuższy czas po tym zdarzeniu nie jeździłam do Londynu. Wynajdywałam różne wymówki, by ograniczyć wizyty w stolicy. Gdy w końcu tam pojechałam, byłam już pewna, że Joliffe wyruszył do Chin.

Jedynym pocieszeniem był dla mnie mój synek. Nigdy żadne dziecko nie dorastało w tak szczęśliwym domu. Jason miał poczucie absolutnego bezpieczeństwa, które daje gwarancję beztroskiego dzieciństwa. Był ciekawskim małym chłopcem, jak mówiła z czułością pani Couch „wtykał nosek do wszystkiego". Żadne dziecko nie mogło być bardziej kochane. Dla mnie stał się całym światem. Wiedziałam, że Sylwester go uwielbiał. Nie sądzę, żeby kiedykolwiek sobie wyobrażał, że może być tak szczęśliwy. Cieszyłam się, że nasze małżeństwo nie okazało się dla niego porażką. Co do pani Couch, to największą przyjemność sprawiała jej obecność Jasona w kuchni, a gdy mały siedział na podłodze i walił co sił w pokrywki, wydawała się wprost wniebowzięta. Dopóki Jason nie skończył dwóch lat, nic bardziej nie przyciągało jego uwagi niż owe pokrywki i kucharka była uszczęśliwiona, że upragnione zabawki pochodziły z jej królestwa.

Jego drugie urodziny uczciliśmy tortem ozdobionym dwiema świeczkami i nie sądzę, żeby pani Couch włożyła więcej serca w jakiekolwiek ciasto, które upiekła w życiu. Dla niej Jason zawsze był „Panem Szelmą", „Paniczem Mądralińskim" albo „Wielkie nieba, wszędzie cię pełno".

– Pod moimi stopami, rano, w południe i w nocy – mawiała cmokając z zachwytem.

Oczywiście malec kochał ją bezgranicznie. Podkradał ze stołu rodzynki i orzechy, kiedy nie patrzyła, po czym ona udawała, że goni go z wałkiem, a gdy się zmęczył, brała go na pulchne kolana i śpiewała mu do snu.

Przyjście na świat Jasona zmieniło cały dom, ale chyba największy wpływ wywarło na Sylwestra.

Wiele dowiedziałam się o moim mężu. Zawsze pozostawał w cieniu braci, ojca Joliffe'a i Redmonda. Był odludkiem i nie potrafił zabłysnąć w towarzystwie, ale nadrabiał te braki wyjątkową żyłką do interesów. Na tym polu posiadał wyjątkowe zdolności, w których żaden z braci nie mógł mu dorównać. Zastanawiałam się, dlaczego wcześniej się nie ożenił – zresztą często myślałam, że nasze małżeństwo było tak niezwykłe, iż z trudem zasługiwało na taką nazwę.

Kiedyś powiedział mi, że wiele lat temu myślał o małżeństwie. Ona była młodą aktorką, piękną, czarującą i pełną życia – powinien był wiedzieć, że nigdy nie potraktuje jego kandydatury poważnie. Wyszła za ojca Joliffe'a.

O tak, uczyłam się.

Poznawałam też jego uczucia do mnie. Zainteresowałam go w chwili, w której przybyłam do jego domu. Byłam pełna życia, ciekawości i chęci do nauki, co zyskało jego ogromne uznanie.

Moja matka stworzyła w Zagrodzie Rolanda ciepłą atmosferę, a gdy przyjeżdżałam na wakacje, Sylwester czuł, że stary dwór naprawdę staje się domem. Zawsze pragnął mieć rodzinę. A potem zdarzył się ten wypadek i całe jego życie uległo zmianie.

Małżeństwo okazało się dobrym rozwiązaniem dla nas obojga. Ja uzyskałam dom dla dziecka, nazwisko i poczucie stabilizacji, Sylwester zaś miał rodzinę, o której zawsze marzył. Od chwili urodzin uważał Jasona za swojego syna.

– Wszystko dobrze się ułożyło, prawda? – powtarzał przy każdej okazji.

A ja zapewniałam go, że tak.

Trzecie i czwarte urodziny Jasona były obchodzone jako najważniejsze wydarzenia roku. Dużego znaczenia nabrała teraz także Gwiazdka. W kuchni stawialiśmy wielką choinkę i byłam bardzo zaskoczona, gdy Sylwester poprosił o ustawienie drzewka także w swoim salonie. Ubierałam choinki razem z Jasonem, który pomagał pani Couch wieszać na gałązkach tej w kuchni cukrowe myszy i karmelki.

– I nie spuszczaj mi oczu z myszy, kiedy się odwrócę. Ani żadnego wrzucania karmelków do buzi – przestrzegała pani Couch. – Miejsce myszy i karmelków jest na drzewku.

Ale sama była pierwsza do wrzucania małemu słodyczy do buzi i nawet jeżeli czasami go przekarmiała, miłość, którą go darzyła, była wystarczającym zadośćuczynieniem za te drobne grzeszki.

Czasami zastanawiałam się, co myśli Sylwester, gdy wysłuchuje okrzyków radości czy fanfar blaszanych trąbek, bo Jason kochał hałas każdego rodzaju.

Nie musiałam pytać go o to. Uwielbiał ten harmider tak samo, jak ja, gdyż całe nasze życie obracało się wokół naszego syna – mojego i Joliffe'a.

Właśnie w czwarte urodziny Jasona ten pomysł nabrał realnych kształtów.

Przystroiliśmy pokoje i wśród papierowych dekoracji znalazło się parę małych, chińskich lampionów, które w środku miały kawałki świec i, zapalone, wyglądały naprawdę ładnie.

Gdy je powiesiliśmy, Sylwester wpatrywał się w nie bez słowa.

Kiedy Jason poszedł już do łóżka, mąż powiedział do mnie:

– Przypominają mi dom w Hongkongu.

– Dom Tysiąca Latarni – dodałam. – A zatem tamte lampiony wyglądają tak, jak te?

– Nie, są zupełnie inne. Muszę tam pojechać, Jane. Pojadę do Chin.

– Naprawdę myślisz, że mógłbyś odbyć taką podróż?

– Gdybyś ty pojechała ze mną.

– Mam zostawić Jasona!

– Nigdy bym cię o to nie prosił.

– Masz na myśli, że zabralibyśmy go ze sobą?

– Chcę, żeby nauczył się prowadzenia interesów, które przejmie, kiedy dorośnie. Nigdy nie jest za wcześnie na naukę. Jeżeli przesiąkniesz tym tematem od dzieciństwa, staje się on częścią twojego życia.

– Ale zabierać dziecko w taką drogę!

– Nie on pierwszy będzie ją odbywał. Sama zaczniesz go uczyć, będzie miał lekcje w czasie podróży i potem, w Hongkongu. Nie byłem tam od sześciu lat. Regularnie otrzymuję raporty na temat tego, co się dzieje w biurze, ale to mi nie wystarcza. Muszę tam pojechać. I chcę, Jane, żebyś mi towarzyszyła.

Im więcej o tym myślałam, tym bardziej ten pomysł wydawał się możliwy do zrealizowania. Poprosiłam Sylwestra, by opowiedział mi więcej o owym domu pełnym latarni. Próbował mi go opisać, ale obraz wymykał się mojej wyobraźni.

Wiedziałam, że budynek był stary, że został zbudowany na miejscu dawnej świątyni i znajdował się w centrum otoczonych murami ogrodów, które rozciągały się wokół.

– To przypomina trochę chińską układankę – powiedział Sylwester. – Wchodzisz przez bramę do pierwszego ogrodu, a potem przez następną do następnego i jeszcze następnego, a gdy przejdziesz cztery takie ogrody, dochodzisz do samego domu.

Marzyłam, by go zobaczyć. Przez ostatnich parę lat usilnie starałam się zapomnieć o Joliffie i nigdy tak naprawdę mi się to nie udało. Często myślałam o Belli, wyobrażałam sobie, jak mieszka w miejscu, które przez chwilę uważałam za swój dom. Czy to prawda, że żyją każde swoim życiem? Jak bardzo Joliffe oddalił się ode mnie? Nigdy tak naprawdę go nie poznałam. Właśnie, mówiłam do siebie z pasją, dlatego tak bardzo mnie pociągał. Zawsze pozostałby jakiś sekret do odkrycia.

Zaabsorbowanie dzieckiem ocaliło mnie przed ucieczką z Joliffe'em, bo jestem przekonana, że nigdy nie przetrwałabym tych jałowych lat, gdybym nie miała ukochanego synka.

Teraz myśl o podróży do obcego kraju i zobaczenia domu, który od tak dawna pobudzał moją wyobraźnię, napełniała mnie pełnym eksytacji oczekiwaniem.

Świętowaliśmy piąte urodziny Jasona, a wkrótce po nich decyzja została podjęta. Lekarze orzekli, że podróż jest możliwa i nie powinna spowodować żadnego uszczerbku na zdrowiu Sylwestra. Jeden z nich uznał nawet, że taka stymulacja może okazać się korzystna.

Pani Couch była przerażona. Myśl o zabieraniu małych dzieci do pogan przekraczała jej możliwości pojmowania. Bez ustanku ocierała oczy i wiedziałam, że przyczyną tych łez jest fakt, że, jak sama wyznała, jej kuchnia nie będzie już jej kuchnią bez Pana Szelmy, którego wszędzie pełno.

Przez pewien czas była niepocieszona. Zapewniłam ją, że nie sądzę, by nasza wizyta się przedłużyła, ale pani Couch nie przestawała potrząsać głową. Rozłożyła karty i dostrzegła w nich nadciągającą katastrofę, z uporem pojawiał się nawet as pik. Liście herbaty biły na alarm. Ostrzegały o wyprawie statkiem, z której nie wyniknie nic dobrego.

Pomimo tych czarnych proroctw nie przestawaliśmy snuć naszych planów.

I tak pewnego jesiennego dnia, na krótko przed szóstymi urodzinami Jasona, wyruszyliśmy statkiem z Southampton na Daleki Wschód.

Rozdział czwarty

Kwiat Lotosu

I

Hongkong wywarł na mnie piorunujące wrażenie. Oczekiwałam, że ujrzę coś egzotycznego, zupełnie odmiennego od wszystkiego, co dotychczas widziałam, ale ponieważ już od dłuższego czasu obcowałam z chińską historią, obyczajami, tradycjami i sztuką, uważałam, że w pewnej mierze jestem na to przygotowana. Nigdy jednak nie wyobrażałam sobie tak fascynującego, kolorowego i tajemniczego miejsca.

Życie koncentrowało się w zatoce, chyba najpiękniejszej, jaką było dane oglądać ludzkim oczom. Zawijały tu statki z całego świata, a na nabrzeżu panował nieustanny ruch. Wyspę Hongkong oddzielał od stałego lądu pas morza szerokości około dwóch kilometrów, po którym bezustannie kursowały promy w obu kierunkach. Z Koulunu można było zobaczyć strome grzbiety gór i główne miasto wyspy – Wiktorię. Na wodzie aż roiło się od dżonek i sampanów, będących domami tysięcy rodzin, z których wiele rzadko schodziło na ląd. Ci ludzie mnie fascynowali. Widywałam kobiety siedzące na łódkach, z niemowlętami w nosidełkach na plecach, jak przygotowywały sieci dla mężczyzn na połów. Wydawało się niemożliwe, by te maleńkie łódki, zadaszone bambusowymi matami, były ich jedynym domem.

Chyba jeszcze bardziej niż zatoka zachwyciły mnie tętniące życiem ulice, które przypominały kolorowe obrazy. Nazwy sklepów, wypisane na podobnych do chorągwi transparentach, dzięki ozdobnym literom wyglądały przepięknie: czerwień, zieleń i błękit mieszały się ze złotem, łopocząc na wietrze. Byłam oczarowana stromymi uliczkami, które nazywano tutaj drabiniastymi. Po obu ich stronach ciągnęły się rzędy straganów pełne różnorakiego jedzenia:

warzyw, owoców i suszonych ryb. Sprzedawcy oferowali rozmaite artykuły, można tu było kupić nawet ptaki w klatkach czy przepięknie malowane papierowe latawce.

Najbardziej interesowali mnie pisarze. Zwykle siedzieli za niewielkimi stołami, na których leżały przybory do pisania. Często patrzyłam ze współczuciem na ludzi, gdy przynosili listy do przeczytania, po czym dyktowali odpowiedź. Byli tacy wzruszający, obserwowali usta pisarza, kiedy czytał, a potem z uwagą śledzili ruchy jego pióra, gdy stawiał znaki na papierze.

Nigdzie nie mogło zabraknąć wróżbitów, potrząsających pojemnikami pełnymi patyczków; odpowiednio ułożone, miały przepowiedzieć przyszłość. Bawili mnie też inni, którzy kazali tresowanemu ptakowi wyciągać kartę z talii, a potem długo ją studiowali i mówili, co wydarzy się w przyszłości.

Wszędzie tętniło życie pełne skrajnych kontrastów. Na ulicach siedzieli nad swymi miseczkami żebracy, a ich zagubione, pozbawione nadziei spojrzenia prześladowały mnie jeszcze długo po tym, jak wrzuciłam monetę do miseczki. Zaniemówiłam ze zdumienia, ujrzawszy pierwszy raz możnego mandaryna niesionego w lektyce przez sześciu służących, podczas gdy reszta świty szła w dwóch rzędach po obu stronach swego pana. Dwóch ludzi trzymało w dłoniach gongi, w które uderzali co pewien czas, aby wszyscy wokół wiedzieli, jaki majestat znalazł się wśród nich. Niesiono także umieszczoną na długim drzewcu tablicę, z wypisanymi wszystkimi tytułami dostojnego pana. Z zaciekawieniem obserwowałam lęk, z jakim sprzedawcy i przechodnie wpatrywali się w tę procesję. Pokorni w obliczu takiej chwały, stali ze spuszczonymi oczami, a gdy jakiś chłopiec, zapomniawszy skłonić głowę, gapił się jak urzeczony wprost na dostojnika, został uderzony jedną z trzcinowych lasek, niesionych przez dwóch służących, których jedynym obowiązkiem wydawało się karanie zuchwalców, co nie okazali mandarynowi odpowiedniego szacunku.

Uderzający kontrast do tego pełnego przepychu przedstawienia stanowił widok rikszarzy, zwykle niewyobrażalnie chudych i zasuszonych, którzy czekali pełni nadziei przy swych pojazdach albo pędzili bez tchu po ulicach z pasażerami lub ładunkiem.

Każdego dnia odkrywałam coś nowego, co pochłaniało moją uwagę, ale nic nie wywarło na mnie większego wrażenia niż Dom Tysiąca Latarni.

Odkąd opuściliśmy Anglię, każdy dzień był pełen nowych wrażeń. Najpierw morska podróż, trwająca wiele tygodni, kiedy to opłynęliśmy połowę świata. Pozostali pasażerowie musieli uznać nas za niezwykłą grupkę: ja, mój starszy mąż, nasze małe dziecko i służący Sylwestra, Ling Fu. Jason był w wieku, w którym traktował jak przygodę wszystko, co go spotykało, i przyjmował nowe wydarzenia bez zbędnych pytań. Oczywiście cierpieliśmy zwykłe niewygody towarzyszące takim wyprawom, ale byłam zachwycona, gdy okazało się, że wszyscy jesteśmy całkiem dobrymi żeglarzami. Sylwester płynął tą trasą już wiele razy i dobrze znał zarówno kapitana, jak i załogę. Bardzo nam to pomogło, bo inaczej, przy jego kalectwie, ten rejs mógł się okazać dla nas ciężkim doświadczeniem. Na szczęście mój mąż był tak zachwycony powrotem do Hongkongu, że każdego dnia wydawał się zyskiwać nowe siły.

Często jadaliśmy obiady z kapitanem, który bawił nas opowieściami o swych morskich przygodach. Nie spuszczałam oczu z Jasona, bo nieustannie obawiałam się, że jego żądna przygód natura doprowadzi do jakiejś katastrofy. Podróż była może długa, ale miałam tak wiele spraw na głowie, że na pewno nie uznałam jej za nudną.

Po drodze zawijaliśmy do wielu portów i dla kogoś takiego jak ja, kto poza miesiącem miodowym w Paryżu nigdy nie opuszczał Anglii, te przystanki okazały się emocjonującym przeżyciem. Sylwestrowi trudno było schodzić na ląd, ale bardzo dbał, by nic nie zepsuło mojej przyjemności i często, w towarzystwie kapitana lub któregoś z oficerów, odbywaliśmy z Jasonem przejażdżki po egzotycznych miastach.

Zanim dotarliśmy do celu podróży, statek stał się moim drugim domem i ogarnął mnie prawdziwy smutek, gdy w Hongkongu schodziliśmy na ląd. Ale żal szybko zniknął, wyparty przez nowe wrażenia, których mi nie brakowało.

Gdy przybiliśmy do brzegu, okazało się, że czeka na nas Adam Milner, a razem z nim mocno zbudowany, miły mężczyzna, liczący sobie około trzydziestu pięciu lat. Miał szczerą, sympatyczną twarz i od razu go polubiłam. Domyśliłam się, że to dyrektor biura Sylwestra w Hongkongu, Tobiasz Grantham, o którym mój mąż wiele mi opowiadał.

– To bystry Szkot – powiedział. – Pracował kiedyś w naszym biurze w Szkocji. Jego siostra Elspeth prowadzi mu dom. Uznała, że musi tu przyjechać, by chronić brata przed niebezpieczeństwami Wschodu. To dobra, uczciwa kobieta, ale, jak wiele jej podobnych, czasami trochę męcząca.

Radość Sylwestra z powrotu do Hongkongu i spotkania z Tobiaszem Granthamem była ogromna. Ucieszył się też, że Adam wyszedł nam na spotkanie. Wiedziałam, że mój mąż zawsze ubolewał nad rozpadem rodziny i radował go każdy sygnał mogący zwiastować pojednanie.

Adam był w stosunku do mnie dosyć chłodny, ale Tobiasz okazał mi wiele szacunku. Zapewnił, że Sylwester znajdzie wszystko w domu w absolutnym porządku. Jak miałam się wkrótce dowiedzieć, wszyscy mówili o Domu Tysiąca Latarni tak, jakby pisali słowo „dom" wielką literą.

Dwóch mężczyzn w czarnych spodniach i tunikach, z włosami związanymi w kucyk i w stożkowatych kapeluszach ze słomy czekało z szacunkiem w pewnej odległości. Na znak Tobiasza zabrali podręczne torby – większość bagażu wciąż była na statku i miała zostać przywieziona później – i umieścili je na rikszach.

Jason nie puszczał mojej ręki i wpatrywał się we wszystko szeroko otwartymi ze zdumienia oczami.

To właśnie Tobiasz Grantham odezwał się do niego pierwszy.

– A zatem to jest nasz młody panicz.

– Nie jestem młodym paniczem. Jestem chłopcem. Na imię mi Jason – odpowiedział rezolutnie malec.

– Co nie oznacza, że nie możesz być także młodym paniczem – odrzekł Tobiasz.

Ten pomysł wyraźnie spodobał się mojemu synowi. Tobiasz ukląkł, tak by ich oczy znalazły się na jednym poziomie.

– Witaj w Hongkongu, młody paniczu.

– Czy ty jesteś Chińczykiem? – zapytał Jason.

– Nie. Jestem tak angielski, jak ty.

– Dlaczego nie jesteś Chińczykiem?

– Bo nie urodziłem się w Chinach. – Tobiasz wstał i uśmiechnął się do mnie. – Mam nadzieję, że będzie pani tu szczęśliwa, pani Milner.

– To miejsce bardzo różni się od Anglii – dodał Adam.

– Jestem na to przygotowana – odpowiedziałam.

Adam pomógł wsiąść do czekającej rikszy najpierw mnie, potem Sylwestrowi, a na koniec umieściliśmy między sobą Jasona.

– Pojedziemy za wami, gdy skończymy z bagażem – powiedział Tobiasz Grantham.

Rikszarz ujął dyszel i ruszyliśmy. Jason miał ze zdumienia oczy okrągłe jak spodki, ja też nie mogłam przestać wszystkiemu się dziwić.

Sylwester uśmiechnął się do mnie.
– A więc jesteśmy w Hongkongu, Jane.
– Tu jest fantastycznie – odpowiedziałam.

I tak było. Wszędzie pędziły riksze, ciągnięte przez drobnych, bosych mężczyzn, ubranych w cienkie, bawełniane spodnie i tuniki, a związane w kucyki włosy powiewały na wietrze, gdy biegli.

Jechaliśmy przez tętniące życiem ulice, a sklepowe transparenty poruszały się przy delikatnym wietrze. Powietrze było wypełnione dziwnymi zapachami, których głównym źródłem wydawały się ryby. Świat migał mi przed oczami jak kolorowe obrazy, ale gdy wracam myślą do tego pierwszego dnia w Hongkongu, wiem, że największe wrażenie zrobił na mnie Dom Tysiąca Latarni.

Znajdował się na obrzeżach Koulunu, w otoczeniu ogrodów, przez co wydawał się bardziej odizolowany niż w rzeczywistości. Najpierw stanęliśmy przed bramą, strzeżoną przez dwa kamienne smoki. Stary odźwierny, ubrany w spodnie i tunikę, siedział w kucki po naszej stronie muru i gdy podjechaliśmy, wstał szybko, otworzył bramę i nisko się skłonił.

Sylwester wykrzyknął jakieś pozdrowienie, które zabrzmiało prawie jak piosenka. Widać było wyraźnie, jak bardzo jest podekscytowany powrotem do Hongkongu.

Rikszarz przewiózł nas przez bramę i znaleźliśmy się na czymś w rodzaju dziedzińca. Ścieżka wyłożona kamieniami o delikatnych kolorach prowadziła do następnego muru i kolejnej bramy. Przejechaliśmy także przez nią i znaleźliśmy się na podobnym dziedzińcu. Później odkryłam, że te tereny przypominały komplet pasujących do siebie pudełek bez pokrywek. A w samym centrum układanki stał dom.

Dotarliśmy do środkowego placu i wreszcie go ujrzałam: Dom Tysiąca Latarni. Przed budynkiem rozciągał się trawnik, na którym rosły miniaturowe krzewy, a nad maleńkim strumykiem przerzucono niewielki mostek. Ogród wyglądał jak przeznaczony dla lalek. Obok domu rosło drzewo normalnej wielkości, rozsiewające wokół płatki purpurowych kwiatów. W porównaniu z miniaturkami roślin wydawało się ogromne. Nigdy wcześniej nie widziałam takiego drzewa i dopiero później dowiedziałam się, że to bauhinia*.

* bauhinia – drzewo o pięknych kwiatach, przypominających storczyki

Dostrzegłam to wszystko w ułamku sekundy, bo moją uwagę przykuł sam budynek. Był imponujący i przypominał domy, jakie widywałam na rysunkach na zwojach. Stał na niewielkim podwyższeniu, wyłożonym białymi i różowymi płytkami marmuru, miał cztery piętra, z których każde następne wystawało nad poprzednim, a zbudowany został z jakiegoś złotawego kamienia, błyszczącego w promieniach słońca. Budowla miała niezaprzeczalnie chiński charakter, z tą pozłotą i rzeźbami, a całości dopełniała pergola, na której rósł mirt.

Na pergoli umieszczono w niewielkich odstępach latarnie, dwie zwieszały się po obu stronach ganku, a jedna, bardzo duża, wisiała na środku. Od razu pomyślałam: w tym domu rzeczywiście musi być tysiąc takich lampionów.

– Mamo, spójrz! – zapiszczał Jason, gdy dostrzegł siedzące po obu stronach ganku smoki. – Zupełnie takie, jak u nas w domu, tylko większe!

Powiedziałam mu, że teraz będzie zapewne widywał wiele smoków. Włożył palec do pyska kamiennej bestii i podniósł na mnie wzrok, żeby sprawdzić, czy patrzę. Gdy upewnił się, że tak, aż zadrżał z radości.

Weszliśmy po trzech stopniach na marmurową platformę, a przed nami, zupełnie jak dżin z butelki, pojawił się niespodziewanie chiński służący i otworzył nam drzwi.

Znaleźliśmy się w wyłożonym marmurem holu. Na środku stały dwie kolumny, na których, jak mi się wydawało, wspierał się dach, gdyż ginęły w otworach w delikatnie malowanym suficie. Drewniane filary pomalowano na czerwono i ozdobiono delikatnym, złotym ornamentem. Gdy przyjrzałam się im dokładniej, zauważyłam, że wzór układał się we wszechobecny wizerunek smoka.

Uderzyła mnie dziwna atmosfera tego domu. Nie byłam pewna, czy rzeczywiście wyczuwam w niej pewną wrogość, czy też niezwykłość wszystkiego, co tu widziałam, podziałała w ten sposób na moją wyobraźnię.

W holu wisiało sześć latarni. Złapałam się na tym, że je liczę. Tysiąc to ogromna liczba, mówiłam do siebie. Gdzie mogliby zmieścić je wszystkie?

W powietrzu unosił się dziwny, kadzidlany zapach i gdy tak staliśmy w holu, nagle pojawiły się bezszelestnie postacie. Było ich dwanaście – służący Sylwestra, którzy zajmowali się wszystkim podczas jego nieobecności.

Ustawili się w równej linii i jeden po drugim skłonili się najpierw w stronę Sylwestra, a potem w moją, po czym uklękli i pochylili głowy tak nisko, że czołami dotknęli podłogi.

Sylwester stał przez chwilę obserwując ich, a potem zaklaskał w dłonie i służący wstali. Powiedział:

– _Haou, tsing, tsing!_ – co znaczyło: „Czy dobrze się macie? Witajcie, witajcie" i było zwyczajowym chińskim powitaniem. Potem odezwał się po angielsku: – Cieszę się, że tu jestem. Pokój z wami. – Wziął mnie za rękę, zupełnie tak, jakby chciał przedstawić mnie służbie.

Skłonili się i skinęli głowami, przyjmując do wiadomości moją obecność.

Pokoje Sylwestra, ze względu na jego kalectwo, utrudniające chodzenie po schodach, znajdowały się na parterze. Zostawiłam go tam i ściskając mocno dłoń Jasona, ruszyłam za jednym ze służących po schodach. Doszliśmy do korytarza, z którego sufitu zwieszały się latarnie. Czekała nas jednak dalsza wspinaczka po schodach, zanim doszliśmy do pokojów dla mnie przeznaczonych. Z przyjemnością odkryłam, że z moim pokojem było połączone niewielkie pomieszczenie, które miało służyć za tymczasową sypialnię Jasona.

Nasze pokoje zostały urządzone w europejskim stylu, ale tu i ówdzie dodano orientalne elementy, żebym nie zapomniała, gdzie jestem – na przykład draperie z błękitnej satyny wyszywanej białym jedwabiem. Łóżko było europejskie, z jedwabnymi poduszkami i dopasowaną do nich narzutą. Zamiast krzeseł stały niskie stołki, a ściany zdobiły delikatnie malowane jedwabie. Na toaletce ujrzałam piękne, oprawione w drewnianą, pozłacaną ramę lustro, wyglądające dziwnie nie na miejscu w tym pokoju. Tak naprawdę sprzęty, które, jak się później dowiedziałam, umieszczono tu dla mojej wygody, zupełnie nie pasowały do wystroju. Gruby, chiński dywan z podobizną zionącego ogniem smoka. Jason natychmiast go zobaczył i uklęknął, by przyjrzeć mu się z bliska.

Pokój mający przynajmniej przez pewien czas służyć za sypialnię chłopca został przerobiony z garderoby. Umeblowanie było tu proste i później dowiedziałam się, że Tobiasz przygotował oba specjalnie dla nas, gdy dowiedział się o naszym przyjeździe.

– Mam nadzieję, że nie jesteś zbyt zmęczona, by zjeść ze mną kolację – powiedział wcześniej Sylwester.

Rzeczywiście, nie czułam się zmęczona. Mój umysł był bezustannie stymulowany nowymi odkryciami i chciałam wchłonąć tak wiele z nowego otoczenia, jak tylko mogłam i to jak najszybciej.

Przyniesiono kilka moich kufrów i zabrałam się do rozpakowywania rzeczy, a Jason zasypywał mnie pytaniami. Ten dom jest śmieszny, powiedział, ale wolał Zagrodę Rolanda. Był ciekaw, co robi pani Couch. Czy ona tu przyjedzie? Zasmucił się bardzo, gdy powiedziałam, że to raczej niemożliwe, ale jego zły nastrój szybko minął. Tak, jak mnie, otaczało go zbyt wiele nowości, które przykuwały jego uwagę.

Jeden ze służących przyniósł jedzenie dla Jasona, które wyraźnie mu się nie spodobało. Nie przypominało ani potraw jadalnych w domu, ani posiłków na statku, ale musiał być bardzo głodny, bo wszystko zjadł. Na posiłek składały się gotowana ryba, ryż i owoce.

Zastanawiałam się, jak Jason będzie się czuł, pozostawiony sam w pokoju, gdy ja zejdę na kolację z Sylwestrem. Chłopca zaintrygował wiszący u sufitu lampion, który można było pociągnąć do dołu, a gdy się go puszczało, podskakiwał z powrotem do góry. Powiedziałam, że zostawimy tę lampę zapaloną przez całą noc i przy otwartych drzwiach między naszymi pokojami Jason będzie absolutnie bezpieczny.

Ta świadomość uspokoiła go i prawie zasnął, zanim zdążyłam go rozebrać.

Zostawiłam drzwi otwarte, zmieniłam suknię i zeszłam na dół do Sylwestra.

Gdy zamknęłam za sobą drzwi sypialni, dziwna atmosfera domu jak gdyby zamknęła się wokół mnie.

Spojrzałam na wiszący wzdłuż korytarza rząd lampionów i nie byłam pewna, w którą stronę powinnam pójść. Z sufitu opadało z dziesięć latarni, każda zapalona. Gdy tak stałam, nagle wydało mi się, że na końcu korytarza widzę jakąś postać.

Ogarnęło mnie lodowate uczucie lęku i w ciągu sekundy zrozumiałam, co ludzie mają na myśli, mówiąc, że stali sparaliżowani strachem, bo gdybym chciała się wtedy poruszyć, przez parę chwil nie byłabym do tego zdolna. Latarnia rzucała skąpe światło, ale bez wątpienia z mroku patrzyła na mnie jakaś twarz. Gdy odzyskałam władzę w nogach, w pierwszym odruchu chciałam się rzucić do ucieczki w przeciwnym kierunku. Postać nie ruszyła się z miejsca, zdawała się po prostu czekać tam na mnie. Zmusiłam się do zrobienia kroku w przód. Postać wciąż tkwiła bez ruchu. Gdy się zbliżałam, figura zaczęła nabierać ludzkich kształtów i teraz mogłam już dostrzec, że był to posąg wielkości człowieka.

Rzeźba z drewna i kamienia. Nic więcej. Jak mogłam być taka głupia? Ten dom tkwił tak długo w mojej wyobraźni, że zaczęłam tworzyć historie na jego temat i teraz, kiedy go zobaczyłam, odniosłam wrażenie, że jest jeszcze bardziej tajemniczy, bardziej niezwykły, może nawet złowrogi, niż to sobie wyobrażałam.

Podeszłam bliżej do posągu. Przedstawiał boginię Kuan Yin. Ta wyglądała odrobinę mniej dobrotliwie niż inne, które oglądałam. Jej nieprzeniknione oczy zdawały się patrzeć wprost w moje. Prawie słyszałam, jak każe mi odejść, gdyż to właśnie nakazałaby miłosierna bogini komuś, komu groziło niebezpieczeństwo.

Niebezpieczeństwo! A skąd przyszło mi to do głowy? Pomyślałam o Jasonie śpiącym w swoim pokoju.

To jakiś absurd. Mam pełne prawo przebywać w tym domu.

Pobiegłam z powrotem do pokoju i cicho otworzyłam drzwi. Zajrzałam do sypialni Jasona. Leżał na plecach, oczy miał zamknięte, palce zaciśnięte na brzegu kołdry. Dostrzegłam szczęśliwy uśmiech na jego twarzyczce. Najwyraźniej śnił o czymś miłym. Chciałam podnieść go i przytulić, ale nie odważyłam się z obawy, że go obudzę. Wyszłam na palcach z pokoju, odwróciłam się plecami do Kuan Yin i odnalazłam schody, po których tu weszłam.

Sylwester czekał już w holu. Stał wsparty o laskę i patrzył, jak idę.

– Och, jesteś, Jane – powiedział. – Za chwilę podadzą kolację.

Ujął mnie pod ramię i ciężko się o mnie oparł, gdy ruszyliśmy w stronę jadalni. Panował tu półmrok, bo żaluzje zostały opuszczone, a jedynym źródłem światła była wisząca u sufitu lampa.

W wystroju tego pomieszczenia było coś dziwnego i dopiero po chwili zdałam sobie sprawę, co to: dziwaczne przemieszanie kultury Wschodu i Zachodu. Stół i krzesła wyglądały, jakby pochodziły z francuskiego zamku, podobnie ciężki marmurowy stół o złoconych nogach. Wyglądało to tak, jakby ktoś usiłował jedną kulturą zagłuszyć drugą.

Sylwester czytał w moich myślach. Zawsze robił to bezbłędnie, co często mnie niepokoiło. Nie wiedziałam, czy mój mąż odznaczał się wyjątkową przenikliwością, czy też moje myśli były aż tak łatwe do odczytania.

– Tak – powiedział, jak gdyby kontynuując konwersację. – Wszystko tu nie bardzo do siebie pasuje, prawda? Zauważysz to w całym domu. Zachodnie meble zostały sprowadzone dla większej wygody. Pokoje na parterze są wykładane boazerią, dlatego wyglądają jeszcze dziwniej.

Zajęliśmy miejsca przy stole.

Służący natychmiast przyniósł nam miseczki z zupą, która wyglądała bardzo apetycznie. Musiałam być bardziej głodna, niż mi się wydawało. Jedliśmy w ciszy, a służący krążyli bezszelestnie wokół nas. Po zupie podano solone mięso, a potem rybę z ryżem i herbatę. Piliśmy też jakiś podobny do whisky alkohol, który, jak wyjaśnił mi Sylwester, robiono z ryżu.

Posiłek okazał się pewnego rodzaju ceremonią. Czułam na sobie uważny wzrok służby i podejrzewałam, że Sylwester był równie zadowolony jak ja, gdy kolacja dobiegła końca. Przeszliśmy do małego pomieszczenia urządzonego jak gabinet, słabo oświetlonego przez wiszącą u sufitu lampę.

– A zatem, Jane – powiedział – wreszcie tu jesteśmy.

– Trudno w to uwierzyć.

Usiadł w rzeźbionym fotelu, a ja przycupnęłam na pufie z wytłaczanej skóry.

– I co o tym wszystkim sądzisz?

– Jeszcze nie wiem.

– Jeszcze zbyt wcześnie na wyrażanie opinii – przyznał. – Ale będziesz zafascynowana. Każdy jest. Wszyscy ulegają przemianie po przyjeździe do tego domu. Służba... wszyscy. Nawet mój niewzruszony bratanek Adam nie jest tak nieczuły na jego wpływ, jak mu się wydaje.

– To wyjątkowo milczący człowiek.

– Och, jest bardzo poważny. Wydaje się bardziej podobny do mnie niż którykolwiek z członków mojej rodziny. To naprawdę niezwykłe, że jest synem Redmonda. Z pewnością niewiele odziedziczył po ojcu. Tobiasz miał ochotę zostać i zjeść z nami kolację, ale pomyślałem, że to nie jest najodpowiedniejsza pora. Jutro pomówimy o interesach.

– Musi mieć ci wiele do opowiedzenia.

– Dał mi to do zrozumienia. Chcę, żebyś była obecna przy naszej rozmowie, Jane. Pragnę, byś nauczyła się tak dużo o moich interesach, jak to tylko możliwe. Tutaj będziesz mogła dużo lepiej pojąć zasady, na jakich wszystko działa, niż w Londynie. Poprosimy Tobiasza, żeby pokazał ci magazyny w zatoce. Tak wiele rzeczy musisz zobaczyć.

Sylwester był naprawdę bardzo podekscytowany, zachwycony nie tylko wizytą w Hongkongu, ale i tym, że jestem obok niego. Zawsze wiedziałam, że lubi moje towarzystwo, teraz jednak chodziło o coś więcej. Chciał, żebym poznała jego profesję i wiedziałam, że myśli o dniu, w którym Jason przejmie firmę, a wtedy ja będę przy synu, by mu pomagać.

– A dom? – zapytał. – Co myślisz o domu?

Zerknęłam przez ramię, bo ogarnęło mnie dziwne uczucie, że ściany czekają na moją odpowiedź.

– Prawie go nie widziałam. Było już niemal ciemno, gdy przyjechaliśmy.

– To najdziwniejszy dom, jaki w życiu widziałem – powiedział powoli. – Niektórzy mówią, że nigdy nie powinien zostać zbudowany.

– Kto tak mówi?

– Przesądni. Widzisz, dom powstał na miejscu starej świątyni, są na to dowody. Pagoda tak naprawdę była jej częścią.

– Jaka pagoda?

– Jeszcze jej nie widziałaś. Stoi w ogrodzie, zaraz za zewnętrznym murem. Rano będziesz mogła zobaczyć ją z okna swojej sypialni. Jest bardzo piękna, zbudowano ją z kamienia, a w ściany wmurowano kolorowe klejnoty, które migoczą w słońcu... Są tam ametysty i topazy. Cudowny widok. Służba uważa to miejsce za święte. Tutejsi ludzie boją się go.

– Czy ta świątynia nie była poświęcona Kuan Yin? Przecież to łaskawa bogini.

– Tak, bogini miłosierdzia – potwierdził. – Ale myślą, że nawet jej mógłby się nie spodobać pomysł wybudowania domu w miejscu, w którym niegdyś znajdowała się świątynia, i to domu, należącego do barbarzyńców! Och, tak, dla nich wszyscy jesteśmy barbarzyńcami. Nazywają nas *fân-kuei*, co znaczy „obcy duch". Jesteśmy demonami. Mówią na nas „zagraniczne diabły".

– Niezbyt miłe określenie.

– Przykro powiedzieć, że wskazuje na pewien szacunek, gdyż Chińczycy poważają tylko to, czego się boją.

– Ale przecież jeden z nich podarował ten dom twojemu dziadkowi.

– Może to nie był najbardziej odpowiedni prezent... chociaż ja bardzo się z niego cieszę. Mój ojciec kochał to miejsce. Mówił o nim bez przerwy i zostawił mi je w spadku nie tylko dlatego, że byłem najstarszym synem. Wiedział, że darzę ten dom głębszym uczuciem niż którykolwiek z braci. Sama z czasem zobaczysz, Jane. Poczujesz magię tego miejsca. A teraz na pewno jesteś już zmęczona, tak, jak ja.

Wziął do ręki dzwonek, na którego głośny dźwięk w drzwiach pojawił się Ling Fu.

Nie trzeba było mu mówić, że pan chce się udać do swoich pokoi. Ja także poszłam do sypialni. Byłam znużona i czułam się niespokojna. Rozebrałam się i położyłam do łóżka, uprzednio zajrzawszy do Jasona, który spał.

Chociaż byłam zmęczona, nie mogłam zasnąć. Naprawdę znajdowałam się w Domu Tysiąca Latarni! Nie przestawałam myśleć o pierwszym wrażeniu, jakie na mnie wywarł widok murów, ogrodów i budynku o złotym odcieniu, z dwoma smokami strzegącymi wejścia, przemykający ukradkiem służący, panująca wszędzie cisza, dywany, z których tak wiele przedstawiało zionące ogniem smoki – całe to niepokojące wymieszanie kultury Wschodu i Zachodu. I oczywiście latarnie.

Nie mogłam doczekać się poranka, aby obejrzeć dom w świetle dnia. Chciałam też pojechać z Sylwestrem do zatoki i rozeznać się w interesach, które tam prowadzono. Tak wielu rzeczy pragnęłam się dowiedzieć i nie byłam pewna, co przyniosą moje odkrycia.

Zapadłam w drzemkę i śniłam, że wyszłam z pokoju na półpiętro, a stojąca tam bogini skinęła na mnie w tajemniczy sposób, wcale się nie poruszając, i nie mogłam się powstrzymać, żeby do niej nie podejść. Gdy byłam już blisko, usłyszałam, jak mówi:

– Wracaj do swojego domu, obcy duchu. Nie spotka cię tutaj nic dobrego. Nie należysz do tego miejsca, zagraniczny diable, odejdź, kiedy jeszcze jest na to czas.

– Nie mogę odejść – odpowiedziałam. – Nie mogę. Muszę tu zostać...

Jej oczy zmieniły się, nie były już pełne dobroci. Poczułam się zamknięta jak w potrzasku.

– Puść mnie! – zawołałam i obudziłam się... ale koszmar wcale się nie skończył. Ktoś ściskał moją rękę... ktoś był w pokoju!

– Mamo, mamo, boję się! – To dłoń Jasona wbijała się w moje ramię. – Krzyczałaś.

Poczułam ogromną ulgę i przyciągnęłam synka do siebie.

Był cały napięty i mocno się we mnie wczepił.

– W moim pokoju jest smok – powiedział.

– To tylko zły sen – uspokajałam go.

– Kiedy otwieram oczy, znika. A z pyska leci mu ogień.

– To tylko sen – powtórzyłam.

– Czy ty też o nim śniłaś?

- Nie, śniło mi się coś innego.
- Czy mam z tobą zostać, na wypadek, gdybyś miała jeszcze jakiś zły sen?
- Tak – odrzekłam. – Będziemy spali razem.
Poczułam, jak mięśnie Jasona się rozluźniają.
- To był tylko sen – powiedział, próbując mnie uspokoić.
- Nic więcej, Jasonie, tylko sen.
Po paru minutach już spał, a ja zasnęłam niedługo po nim. Ciepłe ciałko mojego synka dało mi poczucie bezpieczeństwa w tym obcym domu.

W świetle dnia dom stracił prawie całą złowieszczą atmosferę, nadal jednak był fascynujący i bardzo chciałam dokładnie go obejrzeć.

Sylwester był wyczerpany i spędził cały ranek w łóżku. Umówiliśmy się, że po południu pojedziemy do magazynów, gdzie będę mogła się rozejrzeć, podczas gdy on spotka się z Tobiaszem Granthamem i kancelistami. Pomyślałam, że wybiorę się na małą wyprawę odkrywczą i postanowiłam wziąć Jasona ze sobą, bo nie chciałam, żeby na razie zostawał sam w domu ze służącymi, których nie rozumiał. Będzie inaczej, gdy już zadomowi się tutaj i przyzwyczai do otoczenia.

W domu musiało być około dwudziestu pokoi. Wszystkie były podobne do siebie i łączyła je jedna identyczna cecha: zwieszające się z sufitu latarnie z kutego żelaza, ozdobione misternie rzeźbionymi postaciami mężczyzn i kobiet. Znowu zastanowiłam się, czy rzeczywiście może tu być aż tysiąc takich lampionów. Obiecałam sobie, że pewnego dnia je policzę. Podczas spaceru po domu co jakiś czas spotykałam służących, którzy kłaniali się nisko i odwracali wzrok, gdy ich mijałam.

Wyszliśmy do ogrodu i przeszliśmy przez wszystkie trzy bramy. Jason był zachwycony miniaturowymi roślinami i musiałam mu wytłumaczyć, w jaki sposób powstrzymywano wzrost drzew. Wykrzywił buzię, bo zrobiło mu się żal karłowatych roślin.

- Myślę, że są nieszczęśliwe – powiedział. – Chcą być takie jak duże drzewa.

A potem znaleźliśmy pagodę. Była wspaniała ze swymi migoczącymi ścianami i wietrznymi dzwonkami, które grały cichutko w podmuchach wiatru.

- Spójrz, mamo! – zawołał Jason. – To zamek... Nie, nie zamek, tylko wieża.

– To pagoda – powiedziałam i wiedziałam, że właśnie o tej budowli mówił Sylwester.

– Co to jest pagoda?

– Właśnie to – odpowiedziałam.

– Kto tam mieszka?

– Teraz już nikt. To część świątyni.

Jason wydawał się bardzo przejęty. Przeszliśmy przez łuk, zapewne niegdyś zamykany drzwiami. W środku unosił się dziwny zapach, przypominający kadzidło, a okrągłe wnętrze było zdominowane przez dobrze mi znany posąg bogini. Po jej obu stronach płonęły laseczki kadzidła, wydzielające tę ostrą woń.

– Po co one tu są? – wyszeptał Jason.

– Ktoś zapalił je dla bogini w nadziei, że będzie się za niego modlić.

– A będzie?

– Podobno modli się za każdego, kto ją o to poprosi.

– Ale skoro jest boginią, to czemu musi się modlić? Dlaczego nie może dać ludziom tego, o co proszą?

– Ci...

– Czy tu jest jak w kościele?

– Tak, jak w kościele.

Podniosłam wzrok na ściany. Przez otwór w dachu widać było niebo. Ta pagoda musiała mieć setki lat, dom zbudowano dokładnie na miejscu świątyni. A kruchy posąg bogini wciąż tu stał, wyrzeźbiony w kamieniu, a ludzie (musiał to być ktoś ze służby) nadal palili na jej cześć kadzidła.

Wyszliśmy na słońce i poprowadziłam Jasona z powrotem do miniaturowego ogrodu. Ukląkł i przyglądał się uważnie karłowatym drzewkom i maleńkiemu mostkowi, rozciągniętemu nad imitacją strumienia. Był tak oczarowany tym wszystkim, że zupełnie zapomniał o świątyni.

Powiedziałam, że może tu zostać przez chwilę, jeżeli obieca, że nie wyjdzie poza mury i poszłam do domu. Niespodziewanie pojawił się przede mną Ling Fu z wiadomością, że przybył jakiś gość i pan prosi mnie, bym im towarzyszyła.

Ling Fu zaprowadził mnie do pokoju obok sypialni, urządzonego tak, że mógł służyć jako salon. Ujrzałam tam Adama.

– Przyjechałem zobaczyć, czy mógłbym w czymkolwiek wam pomóc – powiedział.

– To bardzo miłe z twojej strony.

– Martwiłem się, rzecz jasna, o zdrowie stryja. – Zwrócił się do Sylwestra: – Nigdy nie myślałem, że uda ci się odbyć tę podróż.

– Och, nie przesadzaj, nie jestem aż takim kaleką.

Adam usiadł, zakładając długie nogi jedna na drugą. Wyglądał bardzo elegancko i nie dało się odmówić mu pewnej godności. Miał na sobie ciemnogranatową kamizelkę i dopasowany, obcisły surdut, śnieżnobiałą koszulę z plisowanym gorsem oraz błękitny, dobrany do koloru surduta krawat. Błękit sprawiał, że jego oczy wydawały się mieć nieco cieplejszy odcień. Na stoliku leżały cylinder i laska z hebanową gałką.

– Domyślam się, że wybieracie się do magazynów dziś po południu – zagaił.

– Mam taką nadzieję. – Sylwester obrócił się w moją stronę. – Wspominałem ci o magazynach. Nie mogłem wczoraj pomówić z Tobym o niczym ważnym, dlatego chciałbym pojechać do niego jak najszybciej.

– Darzysz Tobiasza dużym zaufaniem – zauważył Adam.

– Nigdy nie dał mi żadnego powodu, bym tego żałował.

– Nie obawiasz się czasem, że pewnego dnia może zechcieć zacząć działać na własną rękę?

– Nie każdy myśli takimi kategoriami. – Sylwester uśmiechnął się tajemniczo. – To mogłoby być ryzykowne – dodał.

Wydawało mi się, że rysy Adama stwardniały. Gwałtownie zmienił temat, zwracając się do mnie:

– Zobaczysz, jak bardzo wszystko tutaj różni się od tego, do czego byłaś przyzwyczajona w domu – powiedział. – Przede wszystkim ludzie. Ich postrzeganie świata jest bardzo odmienne od naszego, co czasami niezwykle utrudnia komunikację.

– Wiele czytałam na ten temat – odparłam. – Sylwester zawsze dbał, bym miała pod dostatkiem książek, dlatego otoczenie nie wydaje mi się aż tak obce, jak mógłbyś przypuszczać. Myślę, że szybko się przystosuję.

– Masz dziecko, którym musisz się opiekować i wiem, że poświęcasz mnóstwo czasu memu stryjowi.

– Jane zna się też całkiem dobrze na interesach. Chcę, żeby pojechała ze mną do magazynów i zorientowała się, co się tam dzieje.

Adam milczał przez chwilę i wydawało mi się, że chyba dostrzegam pogardę w tym, jak wygiął kąciki ust. Najwyraźniej nie sądził, bym mogła się na coś przydać.

- Będziesz potrzebowała towarzyszki... kogoś w rodzaju prze-
wodniczki, może też pokojówki – powiedział z namysłem.
- W domu jest pełno służących – zauważył Sylwester. – Może
wybrać, kogo chce.
Adam potrząsnął głową.
- Nie do końca to miałem na myśli. Ci ludzie słabo mówią po angielsku. Jane potrzebuje kogoś, kto pomoże jej opiekować się dzieckiem, czy też pójdzie z nią do sklepów. Przecież nie może chodzić
sama.
Sylwester wyglądał na zakłopotanego.
- Mógłbym kogoś zaproponować – mówił dalej Adam. – Właściwie to znam idealną kandydatkę. – Zwrócił się do mnie. – Potrzebujesz do towarzystwa kogoś kto... będzie kimś więcej niż tylko służącą... kto zna angielski wystarczająco dobrze, by opowiedzieć ci
o Chinach i pomóc w zrozumieniu Chińczyków. Znam kogoś takiego. To młoda dziewczyna, pół Chinka, pół Angielka. Mówi dosyć dobrze po angielsku, wychowywała się w nieco mniej zamkniętym domu niż inne. Myślę, że Kwiat Lotosu to osoba, jakiej potrzebujesz.
- Jakie piękne imię! – zawołałam.
- Tak brzmi w angielskiej wersji. Jest ładna i bardzo... repre-
zentacyjna. Ma piętnaście lat, ale w Chinach to nie jest wiek dzie-
cięcy. Przyślę ją do ciebie i jeśli ci się spodoba... to ją zatrzymasz.
- Kim jest ta dziewczyna? – chciał wiedzieć Sylwester.
- Robię interesy z jej rodziną. Będą zadowoleni, gdy znajdą dla
niej dobre miejsce. Tak, Jane, musisz się spotkać z małą Kwiat Lotosu i jeżeli ją polubisz, będzie to dla ciebie doskonała towarzyszka.
Przyda ci się, gdy zechcesz iść na zakupy. Będzie się targowała
w twoim imieniu, zostanie kimś w rodzaju przyzwoitki. Pomoże ci
w opiece nad dzieckiem. Zobaczysz, że okaże się niezwykle użytecz-
na. A zatem to już ustalone.
- Zdaję sobie sprawę, że Jane będzie potrzebowała kogoś takie-
go. Równie dobrze więc może obejrzeć tę dziewczynę – zgodził się
Sylwester.
- Przyślę ją do ciebie – powtórzył Adam.
Gdy wyszedł, mój mąż pogrążył się w myślach.
- Adam wychodzi ze skóry, żeby być miłym – zauważył po chwili.
- Wydajesz się tym zaskoczony – odrzekłam.
- No cóż, rodzina się rozpadła i niewiele go widywałem po
śmierci jego ojca. Mam wrażenie, że teraz chciałby połączyć ze mną
siły.

– Pragnąłbyś tego?

– Nie, teraz już nie. Mam inne plany. – Uśmiechnął się do mnie ciepło i pomyślałam, że wiem, o co mu chodzi. Kiedyś Adam i Joliffe byliby jego naturalnymi spadkobiercami, a teraz, po narodzinach Jasona, wszystko się zmieniło.

Sylwester zmienił temat i opowiedział mi, jak wyglądały tutejsze okolice za życia jego ojca, gdy kupcy wypływali w morze, a potem rzucali kotwice w zatoce, a głównym przedmiotem handlu było opium. Minęło pięćdziesiąt lat od Wojen Opiumowych, toczonych między Wielką Brytanią i Chinami, których ukoronowaniem było zatknięcie brytyjskiej flagi na wyspie Hongkong.

– Wtedy były tu tylko nieużytki. Teraz, oczywiście, kolonia świetnie prosperuje, wręcz kwitnie. Setki razy dziennie promy przewożą ludzi z Koulunu na wyspę i z powrotem. Całe to miejsce tętni życiem. Najwięcej zysków przynosi eksport herbaty, tu jest doskonały klimat do jej uprawy, która zapewnia pracę ludziom i dochody dla rządu. Chińczycy są ciężko pracującą nacją, Jane. To musiał być wspaniały dzień, gdy zatknięto brytyjską flagę w Punkcie Własności. I od tej pory się rozwijamy. Na pewno z czasem zaczniesz lepiej rozumieć ten kraj, choć nigdy nie przestanie cię on zadziwiać.

Sylwester opadł na oparcie krzesła. Wyglądał na bardzo zmęczonego.

– Co za pomysł, żeby Tobiasz próbował działać na własną rękę! – Roześmiał się. – Tak, stanowczo myślę, iż Adam daje mi do zrozumienia, że chciałby wrócić. Zastanawiam się, jak idą mu interesy. Przypuszczam, że nie najlepiej. Bez wątpienia wkrótce się dowiemy. Oczywiście, w naszym fachu bardzo łatwo popełnić błąd.

– Naprawdę tak myślisz? Wydawał się taki z siebie zadowolony.

– Znam Adama, Jane, on zawsze robi dobrą minę do złej gry. W naszym fachu można bez trudu utopić mnóstwo pieniędzy w przedmiocie, który nawet jeżeli jest cenny, to ma małą wartość handlową. Czasami zamrozimy tak wiele gotówki w nabytkach, że bez dużych pożyczek nie jesteśmy w stanie spłacić naszych wierzycieli. Mój ojciec i ja postępowaliśmy w tej materii dużo ostrożniej niż Redmond czy mój brat Magnus. Entuzjazm potrafił zwieść ich na manowce. Ja nigdy taki nie byłem. Sam kształciłem Tobiasza i wiem, że mogę mu zaufać.

– To miłe ze strony Adama, że przyśle nam tę dziewczynę.

– O, tak, to świetny pomysł. A dziś po południu pojedziemy do magazynów.

– Czy czujesz się na siłach...?

– Zawsze mogę oprzeć się na tobie. Pomożesz mi wsiąść do rikszy, a na końcu drogi będzie czekał Tobiasz.

Pozostawiłam syna pod opieką Ling Fu, gdyż podczas podróży nawiązała się między nimi dziwna nić przyjaźni. Niewiele ze sobą rozmawiali, ale widać było, że wzajemne towarzystwo daje im ciche zadowolenie i wiedziałam, że Jason będzie bezpieczny.

Pojechaliśmy rikszą na nabrzeże, skąd widać było domy na wodzie, i dopiero wtedy dostrzegłam w pełni, jak tętni życiem to miejsce. Rikszarze biegali ze swymi ciężarami we wszystkich kierunkach, stopy mieli bose, stożkowate kapelusze zawiązane pod brodą i fruwające kucyki. Wzbudzali we mnie litość, bo wydawali się zbyt wątli, by ciągnąć swoje wózki i siedzących pasażerów. Zewsząd otaczały mnie hałasy i krzyki, a także, oczywiście, wszechobecny zapach ryb. Na rzece ujrzałam pływającą wioskę – dżonka koło dżonki, burta przy burcie, domy rodzin, które nigdy nie znały innej siedziby. W malutkich łódkach – jednych pomalowanych wesołymi kolorami, innych ciemnych i nędznych – żyły od pokoleń całe rodziny. Na wietrze łopotało pranie i dostrzegłam kobietę, która na pokładzie kąpała niemowlę. Powietrze wypełniały zapachy gotowanych potraw. Mały chłopiec, nagi poza przepaską na biodrach, stał na brzegu łodzi – jak wyryty na tle słońca – i co chwila nurkował za monetami, rzucanymi przez europejskiego podróżnika. Widziałam ludzi, którzy kupowali na innej łodzi warzywa i Sylwester powiedział mi, że ci mieszkają na dżonkach przez całe życie, urodzili się na nich, wychowali i bardzo rzadko schodzą na brzeg.

– Gdybyś weszła pod pokład takiej łodzi – mówił dalej – bez wątpienia zobaczyłabyś ołtarzyk otoczony palącymi się kadzidełkami. Spostrzegłabyś też pasek czerwonego papieru, który ma odganiać demony. Spójrz na tamten stateczek – wskazał na trzymasztowiec, kołyszący się na wodzie. – Widzisz, namalowano na nim oczy. To po to, żeby mógł widzieć drogę przed sobą. Byłoby bardzo niebezpiecznie wyruszyć w morze łodzią pozbawioną oczu.

– Chińczycy wydają się bardzo przesądni.

– Są biedni – odrzekł Sylwester. – Ogromnie ważne jest dla nich, by zdobyć przychylność bogów, dlatego palą kadzidła w świątyniach albo w domach na wodzie i bardzo się starają, by nie wzbudzić gniewu smoków.

Ludzie pędzili wokół nas, mężczyźni i kobiety, prawie wszyscy identycznie ubrani w czarne spodnie i tuniki, a często także stożkowate kapelusze ze słomy, dla ochrony przed słońcem.

Dostrzegłam kobietę, która niosła tak ogromny ciężar, że aż się zataczała. Cała była ubrana na czarno, odzienie miała zakurzone i nędzne, a na głowie kapelusz z czarną, jedwabną obwódką.

Sylwester podążył oczami za moim wzrokiem i wytłumaczył mi, że to jedna z kobiet Hakka.

– Przybyli z południowych Chin za panowania dynastii Yuan i osiedlili się na północny zachód od Hongkongu. Bardzo ciężko pracują, zwłaszcza kobiety, i to głównie fizycznie. Wiele z nich zobaczysz na polach.

– Wydaje się, że mają bardzo ciężkie życie.

– Życie często nie jest łatwe dla chińskich kobiet.

Zrobiłam uwagę na temat wszechobecnego zapachu ryb, na co Sylwester powiedział:

– Dziwne, że to miejsce nazwano Heung Kong, co znaczy „Pachnąca Zatoka".

– Piękna nazwa – uznałam – ale teraz raczej nie bardzo pasuje.

– Bez wątpienia była pachnąca, zanim rozpoczął się cały ten ruch.

Riksza zatrzymała się przed magazynem. Tobiasz już na nas czekał i pomógł wysiąść najpierw mnie, potem mojemu mężowi.

Wsparty na mym ramieniu z jednej, a na lasce z drugiej strony Sylwester ruszył z Tobiaszem do budynku.

Weszliśmy do starannie urządzonego biura, w którym znajdowała się między innymi gablota wystawowa, a w niej leżały piękne okazy nefrytu i różowego kwarcu.

Przyniesiono wygodne krzesło dla Sylwestra, który z ulgą usiadł po tym wysiłku i gdy wszyscy zajęliśmy miejsca, Tobiasz opowiedział nam, co działo się przez te wszystkie lata, gdy kierował interesami, będąc jedynie w listownym kontakcie z moim mężem.

Pan Milner sam zobaczy, że interesy idą dobrze. Oczywiście wie, jakich zakupów dokonano, sam nawet wynalazł w Anglii parę pięknych okazów. Pomimo że ostatnie lata były trudne dla większości kupców, Tobiaszowi świetnie się powodziło.

– Co wiesz o interesach mego bratanka, Adama? – zapytał Sylwester. – Możesz śmiało mówić przy mojej żonie, nie mamy przed sobą tajemnic.

Toby wzruszył ramionami.

– Wydaje mi się, że ma jakieś kłopoty.

– Nie wiesz dokładnie, jakie?

– Obawiam się, że raczej nie wybrałby mnie na powiernika, ale czasem słyszy się plotki.

– Bardzo mi pomaga, dlatego byłem ciekaw. No dobrze, możesz oprowadzić moją żonę po biurze, Tobiaszu. Poczekam tutaj i przejrzę księgi.

I tak Toby, jak sama wkrótce zaczęłam nazywać go w myślach, zabrał mnie na wycieczkę po firmowych włościach. Byłam pod wielkim wrażeniem, nie miałam pojęcia, że są tak rozległe. Po drodze mi wyjaśniał, w jaki sposób kupowano cenne przedmioty, a potem przesyłano je statkami do różnych miejsc rozsianych po całym świecie i jaki rodzaj dzieł sztuki rynek przyjmował najchętniej.

– Kiedy klient szuka jednej, konkretnej rzeczy – mówił – zwraca się z tym do kilku kupców takich, jak my. Konkurencja jest ogromna i to właśnie czyni ten zawód tak fascynującym. Wtedy wszyscy rozpoczynamy poszukiwania zamówionego dzieła. Rozumiem, pani Milner, że będzie pani tu przyjeżdżała od czasu do czasu i przyglądała się, jak pracujemy.

– Bardzo bym chciała. Czasami jeździłam do biura w Londynie.

– Tam mamy coś w rodzaju izby rozrachunkowej, jednak najważniejsze transakcje zawierane są tutaj. – Tłumaczył mi wszystko niezwykle jasno i z każdą minutą coraz bardziej go lubiłam. Miał w sobie szczerość, która od razu mnie ujęła.

Zanim wróciliśmy do Sylwestra, powiedział:

– Gdyby kiedykolwiek czegokolwiek pani potrzebowała, pani Milner, proszę po mnie posłać, a ja zawsze przyjadę i zrobię, co w mojej mocy.

Poczułam, że właśnie zyskałam nowego przyjaciela.

To było bardzo ciekawe spotkanie i z radością rozmawiałam o nim z Sylwestrem przez całą drogę do Domu Tysiąca Latarni.

II

Nigdy nie zapomnę dnia, w którym ujrzałam Kwiat Lotosu po raz pierwszy. Adam sam ją przyprowadził i ujrzałam ich, jak stali razem w gabinecie Sylwestra – wysoki Adam i krucha, drobna dziewczyna.

Imię bardzo do niej pasowało, bo Kwiat Lotosu była piękna. Drobniutka i delikatna, kruczoczarne, błyszczące włosy nosiła rozpuszczone. Później wyjaśniła mi, że tylko mężatki mogą czesać się w kok. Jej oczy nie były tak skośne, jak u większości Chińczyków, skóra także miała odrobinę jaśniejszy odcień, wydawała się jakby matowa i przezroczysta, w kolorze przypominającym kwiaty magnolii. Dziewczyna ubrana była w tradycyjny cheongsam* ze stójką, uszyty z jasnobłękitnego jedwabiu i ozdobiony delikatnym, białym wzorem. Prosta w kroju suknia z rozciętą z boku spódnicą idealnie pasowała do szczupłej figury właścicielki i sprawiała, że dziewczyna wyglądała jak lalka.

Gdy szłam w stronę gości, by ich powitać, Adam powiedział:

– Jane, przyprowadziłem Kwiat Lotosu. Lotos, to jest pani tego domu, pani Sylwestrowa Milner.

Dziewczyna skłoniła się tak nisko, że pomyślałam, iż za chwilę upadnie.

– Pełna radości witać wielką panią – odezwała się niezwykle melodyjnym głosem, który był tak samo czarujący, jak jej wygląd.

– Cieszę się, że przyszłaś – odpowiedziałam.

– Bardzo dobre wieści – odrzekła. – Mieć nadzieję, że będzie dobrze służyć.

– Mój mąż chciałby się z tobą zobaczyć – dodałam.

Oczy Kwiatu Lotosu otworzyły się szeroko. Wyglądała na przestraszoną.

Adam uspokajająco położył dłoń na jej ramieniu.

– Wszystko będzie dobrze, nie bój się. Tylko dobrze służ tej pani, a ona się tobą zaopiekuje.

– Mieć nadzieję, że będzie dobrze służyć – oznajmiła Kwiat Lotosu odrobinę drżącym głosem.

– Jestem pewna, że będzie nam się dobrze współpracować – powiedziałam.

W gabinecie mój mąż drzemał w fotelu.

– Sylwestrze! – zawołałam. – Przyszedł twój bratanek z tą chińską dziewczyną.

– Przyprowadź ich, Jane. Ach, tu jesteś, dziecko.

Lotos postąpiła parę kroków w przód, uklękła i dotknęła czołem dywanu.

– Moje drogie dziecko, nie ma potrzeby. Chodź tutaj. Rozumiem, że mówisz po angielsku.

– Uczyłam się – odpowiedziała. – Być bardzo złym mówcą.

---

* cheongsam – długa chińska suknia, odpowiednik japońskiego kimona

- Tutaj się wyćwiczysz - odrzekł Sylwester, a ja uśmiechnęłam się czule na wspomnienie, jak bardzo memu mężowi zawsze zależało, by ludzie w jego otoczeniu bezustannie się uczyli. - Usiądź, a Ling Fu przyniesie nam herbatę.

Usiadłam naprzeciwko dziewczyny, bo fascynowały mnie delikatne trzepotanie jej dłoni, gracja, z jaką się poruszała, jasne, skośne oczy, w których czaił się uśmiech, i to spojrzenie - pokorne, ale dumne, łagodne, a jednocześnie nieprzeniknione. Zauważyłam, że bacznie obserwowała każdy element czynności, którą Sylwester nazywał ceremonią parzenia herbaty. Gdy postawiono przede mną tacę, Lotos wstała, brała napełnione przez mnie filiżanki i podawała najpierw Sylwestrowi, potem Adamowi.

- A ta jest dla ciebie - powiedziałam.

Wyglądała na skonsternowaną.

- Pani pierwsza, wielka pani. Nie mogę wziąć.

Zapewniłam ją, że może i poszłam na kompromis, najpierw nalewając herbaty sobie, a dopiero potem podając jej filiżankę, którą z powagą wzięła z moich rąk. Zauważyłam, że Adam nie spuszczał z niej wzroku. Nie byłam tym zaskoczona, bo Lotos była piękna. Bardzo mu zależało, byśmy ją polubili i najwyraźniej uważał małą Chinkę za czarującą.

- Kwiat Lotosu będzie wykonywać dla was przeróżne prace - powiedział. - Wkrótce zaczniecie się zastanawiać, jak radziliście sobie bez niej kiedykolwiek. Pomoże przy dziecku. Jesteś dobrą opiekunką, prawda, Lotos? I nauczysz panią Milner zwyczajów, które tu panują.

Dziewczyna siedziała bez ruchu. Ze splecionymi dłońmi i spuszczonymi oczami stanowiła uosobienie pokory. Wyglądała, jakby zeszła z jednego z chińskich malowideł.

Za parę dni Lotos stała się nieodłączną częścią naszego domu. Byłam nią zachwycona - wydawała się taka delikatna, tak bardzo pragnęła sprawić mi przyjemność, a jej egzotyczna uroda wprost mnie urzekała.

Jason też bardzo ją polubił. Powiedział mi, że jest śmieszna, ale miła. Nazywała go Małym Paniczem, a on uwielbiał to określenie. Sam mówił na nią Lottie i nie wiadomo kiedy wszyscy zaczęliśmy tak ją nazywać. Być może szkoda, bo jej imię bardzo do niej pasowało, gdyż przypominała kwiat - ale skrót „Lottie" okazał się lepszy do codziennego użytku.

Ją samą bardzo to bawiło.

– Bardzo dobrze – powiedziała. – Ja mieć rodzinne imię. Należeć do rodziny.

Jej angielski był niezwykły i wcale nie zależało mi aż tak, jak Sylwestrowi, by go zmienić, ponieważ ów sposób mówienia bardzo do niej pasował.

To dzięki Lottie zaczynałam powoli rozumieć kraj, w którym przyszło mi zamieszkać. To, co dla mnie było niezwykłe, jej wydawało się naturalne i kiedy wreszcie przezwyciężyła swój lęk przede mną i udało mi się oduczyć ją składania niskiego ukłonu za każdym razem, gdy mnie widziała, zaczęła swobodnie ze mną gawędzić.

– Pewnie ja nigdy nie przyjść służyć tutaj – powiedziała – gdyby nie wielki tajpan. – Dowiedziałam się, że tak nazywała ojca Adama.

– Pewnego dnia on znaleźć mnie na ulicy. Ja tam zostawiona. Być może ja umrę od mrozu, bo była zima. Może przyjdą dzikie psy i mnie zjedzą. Zamiast tego przychodzi tajpan.

– Na ulicy! A co ty tam robiłaś?

– Tylko dziewczynka. – Potrząsnęła głową. – Dziewczynki niedobre. Nikt nie chce. Chłopiec to skarb. Dorośnie i będzie pracował dla swego ojca, dbał o niego, gdy on stary. Dziewczynka... – machnęła rękami w geście pełnym pogardy i potrząsnęła głową – niepotrzebna. Może wyjdzie za mąż, ale za długo trzeba ją trzymać. Dlatego małe dziewczynki kładzie się na ulicy. Umrze z zimna albo z głodu, albo psy ją zjedzą... a jeżeli do rana nic takiego się nie stanie, zamiatają ją i wrzucają do dołu razem z umarłymi i tam zakopują.

– To niemożliwe!

– Możliwe – odpowiedziała stanowczo. – Dziewczynka niedobra. Tam bym umarła, ale wielki tajpan mnie znaleźć i zabrać do Chan Cho Lan i ja mieszkać w jej domu. Mam angielskiego ojca. Niedobrze. Nie-Chinka... nie-Angielka... niedobra.

Pomyślałam, że to bardzo smutna historia. Oto związek między Wschodem i Zachodem, w wyniku którego owo wyjątkowe dziecko wyrzucono na ulicę na pewną śmierć.

Spytałam Sylwestra, czy to może być prawda.

– O tak – odpowiedział. – To haniebny zwyczaj. Słyszałem, że w samym Pekinie w ciągu roku umiera cztery tysiące noworodków płci żeńskiej. Te biedne, niewinne stworzenia, których jedyna wina polega na tym, że urodziły się kobietami, są porzucane zagłodzonym psom i świniom na pożarcie.

– To potworne!

Sylwester wzruszył ramionami.

– Trzeba oceniać ludzi według ich czasów, obyczajów i wierzeń. Trudno sobie wyobrazić, w jakiej żyją nędzy. Nie mogą pozwolić sobie na karmienie dziewczynek, które przynoszą tak mało korzyści. Kobiety w Chinach są niewiele więcej warte od niewolników.

– I naprawdę ją znaleziono?

– Tak, znalazł ją mój brat, Redmond. Teraz sobie przypominam, że kiedyś coś o tym słyszałem. Przyniósł dziecko z ulicy i wyszukał dla niego dom.

– Dlaczego wybrał akurat ją, ze wszystkich dziewczynek, które tamtej nocy musiały leżeć na ulicach?

– To był szczęśliwy przypadek dla Kwiatu Lotosu, że trafił akurat na nią. Wola dobrych bogów, jak by powiedziała. Musi sobie wyobrażać, że bogowie mieli jakiś specjalny cel, by ją ocalić.

Przybycie dziewczyny do domu wywarło na mnie ogromny wpływ. Czasami wydawała się tak krucha, tak niesamodzielna, a jednak potrafiła przyjąć na siebie rolę mojej opiekunki. Jeździłyśmy razem rikszą do miasta i chodziłyśmy po sprawunki. Lottie targowała się z kupcami, podczas gdy ja stałam z boku, podziwiając sposób, w jaki jej łagodna pokora zamieniała się w przebiegłość. Miękki akcent stawał się coraz bardziej ostry, gdy ona i sprzedawca przekrzykiwali się nawzajem. Czasami lękałam się, że dojdzie do rękoczynów, ale zapewniała mnie, że to wszystko jest nieodłączną częścią transakcji.

Z nią czułam się na obcych ulicach jak w domu, a ponieważ była ze mną, przyciągałam mniej spojrzeń, niż gdybym spacerowała z towarzyszką mojej rasy. Gawędziła z kimś w swoim języku, a potem odwracała się do mnie ze zjadliwym komentarzem, jak na przykład „To bardzo nieuczciwy człowiek. On chcieć zbyt dużo. Myśleć, że dostać od ciebie, bo ty nie jesteś Chinka". Jej głos stawał się piskliwy, a podobne do kwiatów dłonie wyrażały pogardę i gniew. Zawsze patrzyłam na nią z przyjemnością. Razem odkrywałyśmy uliczki znane jako Targ Złodziei, gdzie wystawiano na sprzedaż przeróżne antyki, w tym figurki Buddy, niektóre z kości słoniowej, inne z nefrytu albo różowego kwarcu. To miejsce fascynowało mnie i chciałam tam jeździć, gdy tylko miałyśmy wolną chwilę. Można było kupić tu wazy, ozdoby i ryciny. Uwielbiałam określać ich wiek. Pewnego razu kupiłam figurkę Buddy z różowego kwarcu i z radością zabrałam do domu, by pokazać ją Sylwestrowi. Zapewnił mnie, że zrobiłam świetny interes. Teraz sobie przypominam, że kiedy powiedziałam o tym Lottie, wzięła figurkę i z uczuciem przycisnęła do piersi. Potem uklękła, ujęła moją dłoń i powiedziała:

– Będę ci służyć do końca moich dni.

Kwiat Lotosu odmieniła mnie pod wieloma względami i wkrótce nie potrafiłam wyobrazić sobie domu bez niej.

Codziennie udzielałam Jasonowi lekcji i Lottie również zaczęła brać w nich udział. Siedzieli razem przy stole, Jason trudził się nad ćwiczeniami kaligraficznymi, z językiem wystającym z kącika ust, jakby miał nim kontrolować to, co robiły ręce. Lottie także uczyła się pisać i razem czytaliśmy po angielsku. Przywiozłam z sobą z Anglii książki, stare podręczniki, z których uczyłam się jako dziecko, pełne kolorowych obrazków i historyjek z morałem.

Oboje słuchali z powagą owych czytanek, a potem sami głośno je dukali. Byłam z nimi bardzo szczęśliwa i nie miałam wątpliwości, że Jason bardzo przywiązuje się do Lottie. Została jego opiekunką, bawili się razem w ogrodzie. Często widziałam przez okno, jak spacerują, trzymając się za ręce.

Powoli zaczynałam kochać tę małą pół-Chinkę. Była niezwykle utalentowana, potrafiła wyszywać i ślicznie malować na jedwabiu. Lubiłam patrzeć, jak piękne chińskie znaki wypływają spod jej palców, gdy pisała.

– Ty uczysz mnie, jak lepiej mówić po angielsku – powiedziała. – Ja uczę cię chińskiego.

Sylwester był zachwycony, że tak wiele lekcji odbywa się w domu.

– Zobaczysz, że to trudny język – ostrzegał mnie. – Ale będzie wspaniale, jeżeli uda ci się opanować choćby podstawy. Oryginalne znaki chińskie są niczym innym, jak tylko hieroglifami, takimi, jakimi posługiwano się w starożytnym Egipcie. Oczywiście, ważne jest, żebyś nauczyła się współczesnego chińskiego. Singshu to język, w którym się pisze, sama zauważyłaś, że jego znaki są bardzo piękne.

Uśmiechnęłam się w myślach z czułością. Przy moim mężu zawsze czułam się jak uczennica i nigdy nie przestało mi zależeć, by zabłysnąć w jego oczach. Łączył nas dziwny związek, jak na męża i żonę, ale przecież nasze małżeństwo nigdy nie było zwyczajne.

– Adam miał świetny pomysł, żeby przysłać do nas tę dziewczynę – powiedział. – Ona ma dobry wpływ na Jasona. Pomoże mu zrozumieć chiński sposób widzenia świata. Mam poważne plany co do naszego syna.

Domyślałam się, jakie. Chciał, aby Jason poznawał, przy pomocy nas obojga, radość, jaką przynosiło kupowanie i sprzedawanie dzieł sztuki, a także wieczna pogoń za arcydziełem. A gdzie mógłby znaleźć lepszą inspirację niż tutaj, w miejscu, w którym można było znaleźć wszystkie te skarby?

Odkryłam, że Sylwester jest bardzo bogatym człowiekiem: dom w Anglii, dom tutaj, magazyny na nabrzeżu, biura w Londynie – to wszystko oznaczało, że jego interesy miały ogromny zasięg. Odkąd sam przejął nad wszystkim kontrolę, jego firma znacznie się rozrosła. Często zastanawiałam się, jak wiele uwagi, którą poświęcał nam Adam, brało się z chęci połączenia sił z wujem.

Mąż mówił od czasu do czasu o bratanku. Był bez wątpienia zadowolony, że utrzymują przyjazne stosunki. Domyślałam się, że odkąd Redmond zerwał z bratem wszelkie kontakty, jego stosunki z bratankiem także stały się bardzo chłodne. Sylwester miał o Adamie bardzo dobrą opinię i byłam przekonana, że gdyby wszystko potoczyło się inaczej, uczyniłby go swoim spadkobiercą. To jasne, że przedkładał go nad swego drugiego krewniaka. Sylwester nigdy nie miał wysokiego mniemania o Joliffie, wydaje mi się, że zawsze uważał go za nieodpowiedzialnego, a w świetle tego, co się stało, nie chciał już mieć z nim więcej do czynienia.

Pojmowałam tok rozumowania mego męża. Uważał Adama za zdolnego kupca i zamierzał uczynić go swoim spadkobiercą. Narodziny mego chłopca jednak wszystko zmieniły. Zastanawiałam się, w jakim stopniu Adam zdawał sobie z tego sprawę.

Adam mówił niewiele i wydawało mi się, że mnie nie lubi. Nie byłam tym zaskoczona. Jeżeli choćby podejrzewał, co się dzieje w głowie Sylwestra, musiał być niezadowolony, że mój syn zajął jego miejsce. Byłoby to dlań wielce niekorzystne zwłaszcza, jeśli interesy nie szły najlepiej.

Za to nawiązywałam coraz bliższą przyjaźń z Tobiaszem Granthamem. Tak, jak niegdyś podróże do biura w Londynie, teraz wielką przyjemność sprawiały mi samotne wyprawy do magazynów, gdy Sylwester nie czuł się najlepiej. Wtedy sama pracowałam z Tobym. Czasami piliśmy razem herbatę w gabinecie, a raz zaprosił mnie do domu, bym poznała jego siostrę. Była to kobieta o surowym wyglądzie, parę lat starsza od niego i gdy weszłam do ich niewielkiego, schludnego domku, odniosłam wrażenie, jakbym przeniosła się do Edynburga. Mówiła z silniejszym akcentem niż Toby i miała skłonność do potępiania wszystkiego, co odbiegało od szkockiego stylu życia. Dosyć męcząca kobieta, jak określił to Sylwester. Ale jej przywiązanie do brata było widoczne i polubiłam ją pomimo sztywnego sposobu bycia i nieugiętej postawy.

Bardzo lubiłam spotkania z Tobym i dzięki nim oraz zmianom, które wprowadziła w domu obecność Lottie, zaczęłam odczuwać pewne zadowolenie z życia. Czasami wracało do mnie wspomnienie ekstazy, którą przeżywałam z Joliffe'em, jako że mój pierwszy i jedyny ukochany nie dawał się wyrzucić z pamięci. Pewnie wrócił już do Anglii. Często myślałam, jak układa mu się życie z Bellą. Wiedziałam, że już nigdy nie doznam uniesienia, które z nim dzieliłam, i niekiedy, podczas długich, samotnych nocy ogarniał mnie gorzki smutek i nie pragnęłam niczego innego, jak tylko ujrzeć znowu Joliffe'a.

Ale rankiem, gdy Jason stał przy moim łóżku, by za chwilę wgramolić się na nie i przytulić, ból znikał. Leżałam drzemiąc, a mój synek czytał coś głośno, bo odkąd zdobył tę umiejętność, czytał wszystko, co mu wpadło w ręce. Potem przychodziła Lottie – uosobienie skromności, w niebieskich spodniach i tunice, z długimi włosami związanymi turkusową wstążką – i życzyła nam obojgu szczęśliwego dnia.

Pewnego dnia zabrała Jasona do pagody – było to ich ulubione miejsce. Siadywali w środku, a Lottie opowiadała historie o smokach, których Jason nigdy nie miał dość. Bestie fascynowały go od chwili, gdy zobaczył posągi przed drzwiami domu.

Nagle zaczął strumieniami lać deszcz i gdy wrócili, byli przemoczeni do suchej nitki. Kazałam Jasonowi natychmiast zdjąć całe mokre ubranie i wytarłam go do sucha ręcznikiem, po czym poleciłam mu włożyć suche rzeczy.

Obróciłam się w stronę Lottie i zobaczyłam, że wciąż ma na nogach mokre buty.

– Natychmiast je zdejmij, Lottie. Tu masz suche.

Popatrzyła na mnie przestraszona i skonsternowana, więc pchnęłam ją na fotel i zdjęłam jej mokre pantofle, zanim zdążyła cokolwiek powiedzieć.

I wtedy zrobiła coś dziwnego. Złapała swoje mokre buty i wybiegła z pokoju.

Gdy Jason już się ubrał, poszłam jej poszukać. Leżała na łóżku, a łzy powoli spływały jej po policzkach.

– Co się stało, Lottie? – zapytałam.

Ale tylko potrząsnęła głową.

- Lottie - powiedziałam - jeżeli cokolwiek jest nie tak, musisz mi powiedzieć.

Wciąż potrząsała głową.

- Wiesz, że bardzo cię lubię, Lottie. Chcę ci pomóc. Proszę, wyjaśnij mi, co się stało.

- Będziesz mnie nienawidzić. Uznasz, że jestem brzydka.

- Nienawidzić ciebie? Uznać za brzydką? Przecież to nieprawda, wiesz o tym. Powiedz mi. Być może uda mi się naprawić to, co zostało zepsute.

Potrząsnęła głową.

- Tego nigdy nie da się naprawić. To już na zawsze i ty widziałaś...

Łamałam sobie głowę, nie mając najmniejszego pojęcia, o czym ona mówi.

- Lottie - nalegałam - jeżeli nie powiesz, co się stało, to pomyślę, że tak naprawdę wcale mnie nie lubisz.

- Nie, nie! - zawołała z rozpaczą. - To dlatego, że mam tyle szacunku dla wielkiej pani, dlatego tak się wstydzę!

- Czy wstydzisz się czegoś, co zrobiłaś?

- Nie, to oni coś zrobili - odparła tragicznym szeptem.

- No dobrze, Lottie, nalegam, żebyś mi powiedziała.

- Widziałaś moje stopy - wyszeptała.

- Ależ Lottie - nic nie rozumiałam - co masz na myśli? - Ujęłam jej małą stópkę i pogładziłam.

- Stopy wieśniaczki - odrzekła. - Stopy robotnicy. Nikt się nimi nie zajął, jak byłam mała.

Byłam przerażona. Wiedziałam, że chodzi jej o to, iż jej stopy, inaczej niż u większości małych Chinek, były idealne, bo nikt ich nie bandażował, aby nie rosły.

Zrobiło mi się jej żal. Próbowałam ją pocieszyć, mówiłam, jakie to szczęście, że ma zdrowe idealne stopy.

Jednak nie udało mi się jej przekonać.

Kręciła tylko głową i cichutko szlochała.

Powoli i prawie niezauważalnie przyzwyczajałam się do towarzyskiego życia Hongkongu.

Od czasu do czasu spotykałam się z Adamem. Nabrałam wobec niego nieco cieplejszych uczuć, gdy przyniósł mi piękną wazę z epoki Ming i - zapomniawszy o niechęci do mnie, którą wyczuwałam od naszego pierwszego spotkania - wyjaśnił, na czym polega jej wartość. Zniknął gdzieś jego zwykły chłód i wydawał się w tym momencie tak ożywiony i szczery, że nawet zaczęłam czuć do niego sympatię. Nadal mieszkał w wąskim, wysokim domu na nabrzeżu, który niegdyś dzielił z ojcem. Dom ten, podobnie jak Dom Tysiąca Latarni, był pół europejski, pół chiński i kręciło się po nim wielu chińskich służących.

Wydawało się też, że Jason zapomniał, iż kiedykolwiek wiódł inne życie. Rzadko teraz wspominał panią Couch, Lottie stała się godną jej następczynią. Czasami wyglądali na dwoje bawiących się razem dzieci, a czasami dziewczyna wykazywała się wielką mądrością i rozsądkiem, czym zdobyła sobie szacunek i autorytet u Jasona. Wielką radość sprawiało mi obserwowanie, jak bardzo się lubią i ponieważ wiedziałam, że chłopiec jest z nią bezpieczny, pozwalałam wychodzić im razem poza obręb murów otaczających ogrody. Lottie zrobiła Jasonowi latawiec z jedwabiu i kawałków bambusa. Był przepiękny, ozdobiony delikatnie namalowanym wizerunkiem smoka. Lottie sama go namalowała wiedząc, jak bardzo Jason interesuje się tymi stworami. Z pyska smoka buchał ogień, a w jedwabiu zrobiła maleńkie otwory, przez które przeciągnęła wibrujące sznurki tak, że gdy latawiec frunął, wydawał cichy, buczący dźwięk, przypominający brzęczenie roju pszczół. Jason rzadko wychodził bez swojego latawca i trzymał go przy łóżku, żeby był ostatnią rzeczą, którą zobaczy przed zaśnięciem i pierwszą, jaką ujrzy po otwarciu oczu. Nazywał go Płonącym Smokiem.

Lottie była wniebowzięta, że prezent od niej dawał małemu tyle przyjemności i powiedziałam Adamowi, jak bardzo jestem mu wdzięczna za to, że ją do mnie przyprowadził.

Odrzekł, że zasługuje na podwójne wyrazy wdzięczności, zarówno ode mnie, jak i od Lottie.

Nie ulega wątpliwości, że ta dziewczyna otworzyła mi drzwi do kultury Chin, bo im bardziej poznawałam Lottie, tym lepiej rozumiałam ten kraj. Nauczyłam się nawet podstaw chińskiego, poznałam wiele tutejszych zwyczajów i nieustannie fascynowało mnie wszystko, co nas otaczało.

Wciąż jednak w moim życiu brakowało czegoś ważnego. Tak bardzo tęskniłam za Joliffe'em. Gdy spodziewałam się narodzin Jasona i w pierwszych latach jego życia, mój mały synek koił tę tęsknotę, ale teraz, gdy rósł i robił się coraz bardziej samodzielny, z każdym dniem stawałam się bardziej świadoma tej bolesnej pustki. Byłam normalną kobietą, przeżyłam okres szczęśliwego małżeństwa i pragnęłam Joliffe'a.

Sylwester, jak zawsze niezwykle wrażliwy i spostrzegawczy, rozumiał mnie lepiej niż ja kiedykolwiek rozumiałam jego. Powiedział mi kiedyś, że od chwili, w której pojawiłam się w jego domu, miał świadomość łączącej nas szczególnej więzi. Wiedział, że odegram ważną rolę w jego życiu.

– Wszystko się zmieniło – wyznał – gdy się pojawiłaś. Myślę, że to się zaczęło w chwili, w której ujrzałem cię stojącą z pałeczkami w dłoni. Gdy odeszłaś z Joliffe'em, poczułem się opuszczony. Wydawało mi się, że został zakłócony jakiś plan. Byłem nieszczęśliwy nie tylko dlatego, że straciłem ciebie, wiedziałem też, że popełniłaś błąd. Pomysł, że ty i ja powinniśmy się pobrać, wydawał się wtedy absurdalny. Wiedziałem, że w normalnych okolicznościach nigdy nie wzięłabyś mnie pod uwagę jako kandydata na męża, ale sama widzisz, co zgotował nam los... i oto jesteśmy razem... zawsze wiedziałem, że będziemy.

To połączenie mistycyzmu i sprytnej kalkulacji mogło wydawać się zaskakujące, ale nie sądzę, żeby mój mąż był bardziej skomplikowany niż inni ludzie. Zaczęłam rozumieć, że wszyscy jesteśmy pełni sprzeczności.

W każdym razie, zawsze odnosił się do mnie bardzo wyrozumiale i taktownie. Dostrzegał, nawet lepiej niż ja, przyczynę mego niepokoju. Wiedział, jak bardzo brakuje mi Joliffe'a.

– Powinnaś od czasu do czasu jeździć konno – zaproponował. – Adam ma stajnie. Poproszę go, żeby znalazł dla ciebie dobrego konia. Tobiasz mógłby ci towarzyszyć.

Wtedy zaczęłam oglądać z bliska chińską wieś. Widziałam tonące w wodzie pola, na których uprawiano ryż – podstawowe jedzenie Chińczyków. Patrzyłam, w jaki sposób nawadnia się ziemię i obserwowałam pracę młyna wodnego. Widziałam pługi, ciągnięte przez osły, muły, woły, wodne bawoły, a nawet ludzi. Oglądałam krzewy herbaty, która jest głównym źródłem bogactwa Chin i poznałam różnicę między wyborową herbatą czarną, zieloną a tanim napojem dla najuboższych. Patrzyłam na rybaków z sieciami i wiklinowymi pułapkami i w pełni wierzyłam Toby'emu, gdy mówił, że Chiny uzyskują więcej dóbr z każdej piędzi ziemi niż jakikolwiek inny kraj.

Lubiłam przejażdżki z Tobym. Staliśmy się bliskimi przyjaciółmi, śmialiśmy się z tych samych żartów i rozumieliśmy bez słów. On znał Chińczyków doskonale i często dyskutowaliśmy o mistycyzmie Wschodu, a potem jechaliśmy do domu Toby'ego na herbatę i orzeźwiający prysznic zdrowego, szkockiego rozsądku, który serwowała nam jego siostra Elspeth. Bardzo niecierpliwie wyczekiwałam tych spotkań, aż zaczęłam myśleć, że gdybym nigdy nie spotkała Joliffe'a i nie wyszła za Sylwestra, mogłabym zakochać się w Tobym. Zresztą, może to nie było właściwe określenie. Ponieważ już raz byłam zakochana, to słowo miało dla mnie specjalne znaczenie i wiedziałam, że już nigdy nie uda mi się doznać ekstazy, którą przeżywałam u boku Joliffe'a. Pozostawało jednak faktem, że zaczynałam darzyć Toby'ego cieplejszym uczuciem.

Adam zauważył naszą zacieśniającą się przyjaźń. Oczywiście nie mógł tego tak zostawić i pewnego dnia, gdy poszłam do stajni po konia, zastałam tam bratanka męża.

– Będę towarzyszył tobie i Toby'emu – oznajmił.

Uniosłam brwi. Naprawdę, czasami jego władczy ton był nie do zniesienia.

– Och – powiedziałam – czy Toby zaprosił cię na przejażdżkę?

– Sam się zaprosiłem – odparł.

Milczałam, a on mówił dalej:

– Tak będzie lepiej. Zbyt wiele czasu spędzacie razem.

– A zatem przyjąłeś na siebie rolę przyzwoitki?

– Można tak powiedzieć.

– Uważam, że to zupełnie niepotrzebne.

– Pod pewnym względem masz rację, ale zaczęły krążyć plotki.

– Plotki?

– Ludzie zauważyli. No wiesz, mówią o was. To nie jest korzystne... dla rodziny.

– Co za bzdury. To przecież Sylwester zaproponował, żeby Toby mi towarzyszył.

– Pomimo wszystko pojadę z wami.

Toby nie okazał wielkiego zdziwienia na widok Adama. Wyruszyliśmy razem. Adam był interesującym kompanem i miał dużą wiedzę, ale jego obecność trochę nas krępowała.

Z czasem przyzwyczaiłam się do przejażdżek we trójkę. Adam trochę się rozluźnił i rozmawialiśmy o chińskiej sztuce i skarbach przeszłości z takim entuzjazmem, że wyprawy wkrótce znowu sprawiały mi taką przyjemność jak przedtem.

Pewnego dnia, gdy dotarliśmy na wybrzeże, ujrzeliśmy na niebie słup ognia.

Wstrzymaliśmy konie, by zobaczyć, gdzie wybuchł pożar i ku naszemu przerażeniu odkryliśmy, że w płomieniach stanął dom Adama. Nigdy nie zapomnę wyrazu jego twarzy.

Zeskoczył z konia i ruszył biegiem. Dowiedziałam się później, że wpadł do domu i uratował jednego z chińskich służących, który został uwięziony w buzującym ogniu.

Poza tym nic nikomu się nie stało, ale Adam stał się bezdomny. Wydawało się naturalne, że powinien zamieszkać w Domu Tysiąca Latarni. Sylwester bardzo nalegał.

– Mamy mnóstwo miejsca – powiedział. – Będę czuł się naprawdę urażony, jeśli odmówisz.

– Dziękuję – odrzekł Adam sztywno – ale obiecuję, że zrobię co w mojej mocy, by znaleźć mieszkanie tak szybko, jak to tylko będzie możliwe.

– Mój drogi bratanku – zaprotestował Sylwester – wiesz dobrze, że nie ma potrzeby, abyś się z tym śpieszył. Przeżyłeś ogromny szok, nie myśl teraz o przeprowadzce. Jesteśmy zachwyceni, że z nami zamieszkasz, prawda, Jane?

Powiedziałam, że oczywiście.

Adam popatrzył na mnie ponuro i przypomniało mi się nasze pierwsze spotkanie, gdy odniosłam wrażenie, że uznał mnie za awanturnicę.

Teraz byłam prawie pewna, że uważa mnie także za intruza.

Ogień zniszczył dom do cna, zostawiając jedynie pustą skorupę. Adam powiedział nam ze smutkiem, że budynek był co prawda ubezpieczony, ale spłonęły zbiory, których nie da się odkupić. Był niepocieszony. Opowiadał ze szczegółami, co przepadło, i łączyłam się z nim w żalu.

– Już nigdy mogę nie trafić na takie okazy – narzekał.

– Ale w poszukiwaniach tkwi pewne wyzwanie – pocieszałam go. – Oczywiście nie znajdziesz tych samych przedmiotów, może jednak natrafisz na coś, co wynagrodzi ci poniesione straty.

Popatrzył na mnie nieodgadnionym wzrokiem i ogarnęło mnie przeczucie, że porównuje swoją tragedię do mojej. Ja straciłam Joliffe'a, a on – ukochaną kolekcję. Czy któremuś z nas uda się znaleźć coś, co zrekompensuje straty?

Od tej chwili moje stosunki z Adamem uległy zmianie. Było to tak, jakby odrzucił maskę, za którą ukrywał swój prawdziwy charakter. Doszłam do wniosku, że ten człowiek czegoś się lękał i dlatego tak uzbroił się przeciwko światu. Teraz odważył się wyjrzeć zza swoich obronnych murów.

Od czasu do czasu przyjmowaliśmy gości, życie towarzyskie w kolonii było bardzo ożywione.

– Społeczność angielska trzyma się tu razem – wyjaśnił mi Sylwester. – Oczywiście, odwiedzamy się od czasu do czasu.

Wydawaliśmy okazjonalnie obiady i czasami odwiedzaliśmy przyjaciół, którzy znali Sylwestra i jego rodzinę od lat. Lubiłam te przyjęcia i raz czy dwa, gdy mój mąż nie czuł się na siłach, by w nich uczestniczyć, nalegał, bym pojechała z Adamem. Konwersacja na tych spotkaniach była na ogół bardzo ożywiona i nie toczyła się jedynie wokół chińskiej sztuki, manier i obyczajów, o czym uwielbiał mówić Sylwester, ale dotyczyła także codziennych wydarzeń z naszego życia.

Powoli zaczynałam przyzwyczajać się do życia w Hongkongu.

Pewnego dnia Lottie przyszła do mojej sypialni z czarująco tajemniczą miną i błyszczącymi oczami.

– Wielka pani, chciałabym poprosić o wielką łaskę – powiedziała.

– O co chodzi, Lottie?

– Bardzo czcigodna pani błaga cię o wizytę.

– Błaga mnie o wizytę? A kim jest ta czcigodna pani?

Lottie skłoniła się, jakby okazywała szacunek jakiemuś niewidocznemu bóstwu.

– Pani Chan Cho Lan prosi, abyś do niej przyszła.

– Dlaczego mnie o to prosi? Przecież jej nie znam.

Lottie zmarszczyła czoło.

– Wielka pani musi przyjść. Jeżeli nie, czcigodna Chan Cho Lan straci twarz.

Wiedziałam, że najgorsze, co może przydarzyć się Chińczykowi, to utrata twarzy, więc powiedziałam:

– Opowiedz mi więcej o tej damie.

– Bardzo czcigodna pani – powiedziała Lottie z lękiem. – Córka mandaryna. Byłam w jej domu, gdy byłam mała. Służyłam jej.

– A teraz ona pragnie się ze mną zobaczyć.

– Pyta, czy wielka pani zechce łaskawie odwiedzić jej niegodny dom. Ty nie przyjdziesz, ona straci twarz.

– A zatem muszę iść – odrzekłam.

Lottie uśmiechnęła się szeroko.

– Służyłam jej... służę tobie. Więc gdy ona cię zobaczy, zapyta: „Jak ta niegodna, która kiedyś mi służyła, teraz służy tobie"?

- Odpowiem, że jestem bardzo zadowolona i że na pewno nie jesteś niegodna.

Lottie uniosła ramiona i zachichotała – zwyczaj, który mógł niekiedy irytować, gdyż taki chichot mógł oznaczać zakłopotanie, smutek albo radość i nigdy nie było się pewnym, jakie w danej chwili są odczucia Lottie – ale ja uważałam go za czarujący.

I tak wyruszyłam z wizytą do pani Chan Cho Lan.

Byłam zaskoczona, gdy okazało się, że nie potrzebujemy rikszy, gdyż jej dom znajdował się bardzo blisko naszego. Nie wiedziałam o jego istnieniu, bo otaczał go wysoki mur. Czcigodna Chan Cho Lan była naszą najbliższą sąsiadką.

Zostawiłam Jasona pod opieką Ling Fu i pokonałyśmy z Lottie ten krótki dystans piechotą. Chiński służący otworzył przed nami bramę i weszłyśmy do ogrodu. Trawnik był bardzo podobny do naszego, z miniaturowymi drzewkami i krzewami oraz małym, bambusowym mostkiem, a nad wszystkim górowało wielkie drzewo figowe.

Osłupiałam na widok domu, który okazał się prawie dokładną repliką Domu Tysiąca Latarni, oczywiście z jednym wyjątkiem – brakowało latarni.

Gdy się zbliżałyśmy, usłyszałam delikatne pobrzękiwanie wietrznych dzwonków, które zabrzmiało w moich uszach jak ostrzeżenie. Nagle pojawił się przed nami mężczyzna w czarnych spodniach, zielonej tunice i związanych z tyłu w ogon włosach przykrytych stożkowatym kapeluszem. Klasnął w dłonie. Lottie minęła go i weszłyśmy po dwóch stopniach na marmurowe podwyższenie, na którym stał dom. Drzwi otworzyły się, zapraszając nas do środka.

Rozległ się gong i zbliżyło się do nas dwóch Chińczyków do złudzenia przypominających służących, których widziałam wcześniej. Skłonili się, a potem gestem wskazali, że mamy iść za nimi.

Dom był pogrążony w półmroku i od razu zdałam sobie sprawę z panującej w nim ciszy. Poczułam się nieswojo, zupełnie jak wtedy, gdy pierwszy raz weszłam do Domu Tysiąca Latarni.

W holu, u podnóża schodów, stały dwa chińskie smoki, a ściany zawieszono haftowanym jedwabiem. Wiedziałam już dosyć, by rozpoznać, że sceny na tkaninach przedstawiały wzrost i upadek jednej z dynastii. Stałam się prawdziwym kolekcjonerem i nie mogłam powstrzymać się przed próbą oceny ich wartości, bardzo chciałam obejrzeć je z bliska i natychmiast pomyślałam, by przyprowadzić tu Adama i poprosić go o opinię.

Lottie dawała mi na migi znaki, że musimy pójść za służącym. Chińczyk odsunął kotarę i znalazłyśmy się w innym pokoju, w którym także zawieszono na ścianach przepiękne hafty na jedwabiu. Na podłodze leżały chińskie dywany o żywych barwach. Jedyne umeblowanie stanowił niski stół i parę wysokich poduszek, przypominających siedziska, które w domu nazywaliśmy pufami.

Stanęłyśmy pełne oczekiwania i wtedy Chan Cho Lan weszła do pokoju.

Oniemiałam na jej widok. Była niewątpliwie piękna, ale jej uroda różniła się od świeżego i naturalnego piękna, które tak podziwiałam u Lottie. To piękno zostało wypielęgnowane – przypominała raczej orchideę z cieplarni niż polną lilię.

Nie mogłam oderwać od niej oczu. Wyglądała, jakby przed chwilą zeszła z malowidła okresu dynastii Tang.

Nie tyle podeszła, co podpłynęła do nas, kołysząc się na boki. Później dowiedziałam się, że taki sposób chodzenia nazywa się „chwianiem wierzby poruszanej lekkim wiatrem" i uznałam, że to określenie trafia w samo sedno. Chan Cho Lan była pełna gracji i niezwykle kobieca. Nosiła jedwabną tunikę o najdelikatniejszym odcieniu błękitu, jaki w życiu widziałam, ozdobioną subtelnym haftem, różowo-biało-zielonym, oraz jedwabne spodnie. Bujne, czarne włosy miała upięte wysoko, a dwie długie, skrzyżowane szpilki trzymały fryzurę na miejscu. We włosach błyszczały klejnoty, ułożone we wzór chińskiego feniksa (_foong-hâng_, jak później dowiedziałam się od Lottie, która, gdy już wróciłyśmy do Domu Tysiąca Latarni, ani na chwilę nie przestawała mówić z podnieceniem o naszej sąsiadce). Twarz pięknej kobiety była delikatnie umalowana, a brwi wyskubane w kształt, który Lottie nazywała „młodym liściem wierzby", ale mnie przypominał raczej księżyc w nowiu.

Gospodyni rozsiewała wokół siebie delikatny aromat. Wydawała się stworzona do tego, by zdobić każde miejsce, w którym się znalazła. Byłam niezwykle ciekawa historii jej życia.

Skłoniła się przede mną i rzeczywiście przywiodła mi na myśl wiotką wierzbę, gdy tak się zakołysała na maleńkich, obutych w klapki stopach. Natychmiast pomyślałam o rozpaczy Lottie z powodu jej własnych stóp i domyśliłam się, że czcigodna Chan Cho Lan nie uniknęła tortur. Poczułam się nieswojo i zaczęłam się zastanawiać, co ona o mnie myśli.

Zatrzepotała dłońmi. Miała piękne dłonie, z paznokciami długości co najmniej ośmiu centymetrów, osłoniętymi płytkami z nefrytu. Lottie dała mi znak, że powinnam usiąść, więc przycupnęłam na jednej z poduszek. Dziewczyna stała czekając, aż Chan Cho Lan z gracją usiądzie.

Dłonie gospodyni znowu wykonały krótki taniec i Lottie usiadła. Chan Cho Lan klasnęła lekko, gdzieś w oddali rozległ się gong i wszedł służący.

Nie mogłam zrozumieć, co zostało powiedziane, ale służący zniknął i niemal natychmiast wniesiono okrągłą, polakierowaną na czarno tacę. Rozpoczęła się tak dobrze mi znana ceremonia parzenia herbaty.

Lottie z gracją zajęła się wszystkim i widziałam, że była zdenerwowana, gdy spoczęły na niej czujne oczy dawnej pani.

Podała porcelanową filiżankę najpierw mnie, a potem Chan Cho Lan i usiadła, oczekując na pozwolenie wzięcia filiżanki, którego pani domu z wdziękiem udzieliła. Przyniesiono suszone i kandyzowane owoce oraz małe widelczyki, którymi mogłyśmy nabierać łakocie. Starałam się okazać uśmiechem, jak bardzo doceniam poczęstunek.

– Wzięłaś tę nędzną dziewczynę do swego szlachetnego domu – powiedziała gospodyni, a Lottie zwiesiła głowę.

Odrzekłam, że obecność Lottie bardzo wzbogaciła mój dom i zaczęłam wychwalać zalety dziewczyny. Powiedziałam, że jestem tu obca, a Lottie pomaga mi zrozumieć jej kraj.

Chan Cho Lan siedziała kiwając głową. Opowiedziałam jej, jak Lottie opiekuje się moim synem i jak bardzo Jason ją polubił.

– Ty szczęśliwa pani – powiedziała. – Masz zdrowe dziecko, chłopca.

– Tak – odparłam. – Mam wspaniałego syna. Lottie może potwierdzić.

Lottie z uśmiechem skinęła głową.

– Nędzna dziewczyna musi służyć ci dobrze, jeśli nie, ty użyć kar cielesnych.

Roześmiałam się.

– Nie ma mowy, Lottie jest dla mnie jak córka.

Na sekundę zapadła niezręczna cisza i zdałam sobie sprawę, że je zaskoczyłam, ale Chan Cho Lan była zbyt dobrze wychowana, by okazać zdumienie.

Lottie przyniosła więcej kandyzowanych owoców i nabrałam parę widelczykiem o dwóch zębach.

Chan Cho Lan powiedziała coś do niej. Głos miała niski i melodyjny, wykonywała piękne ruchy dłońmi, gdy mówiła. Nic nie rozumiałam, ale Lottie tłumaczyła słowa gospodyni.

– Pani Chan Cho Lan mówi, że musisz na siebie uważać. Cieszy się, że jestem tam z tobą i mogę się tobą zaopiekować. Mówi, że Dom Tysiąca Latarni to dom, gdzie może mieszkać wiele złego. Zbudowany tam, gdzie kiedyś była świątynia, mówi. Może bogini nie jest zadowolona, że ludzie mieszkają tam, gdzie kiedyś oddawano jej cześć. Chan Cho Lan pragnie, byś na siebie uważała.

Poprosiłam, żeby przekazała pani domu, że jestem jej wdzięczna za troskę, ale nie sądzę, żeby groziło nam coś złego, gdyż świątynia należała do Kuan Yin, łaskawej i dobrej bogini miłosierdzia.

Chan Cho Lan przemówiła ponownie, a Lottie tłumaczyła jej słowa.

– Być może Kuan Yin straci twarz, bo ludzie mieszkają tam, gdzie kiedyś była jej świątynia.

Odrzekłam, że dom znajduje się w tym miejscu od setek lat, wciąż stoi i nie wydaje się, żeby komukolwiek stało się w nim coś złego.

Wychwyciłam słowo *fân-kuei* w odpowiedzi Chan Cho Lan i wiedziałam, że w ten sposób nazywano przybyszów spoza Chin. Domyśliłam się, że gospodyni mówi, iż być może bogini nie miałaby nic przeciwko temu, by w miejscu jej świątyni zamieszkali Chińczycy, ale może mieć to za złe obcym diabłom.

Ale przecież dom należał do dziadka Sylwestra, którego nie spotkał żaden straszny los. Wspomniałam o tym Lottie, jednak nie wiem, czy przetłumaczyła moją uwagę, czy nie.

Spojrzenie dziewczyny powiedziało mi, że czas, bym zaczęła zbierać się do wyjścia.

Wstałam, a Chan Cho Lan natychmiast poszła w moje ślady. Perfumy, których zapach owiewał mnie, gdy się poruszyła, były dziwne i egzotyczne, jakby mieszanka olejku migdałowego i róż. Tak niesamowite, jak sama gospodyni.

Skłoniła się i powiedziała, że czuje się niezwykle zaszczycona, że raczyłam odwiedzić jej nędzną siedzibę.

Klasnęła w dłonie i pojawił się służący, który miał odprowadzić nas do wyjścia.

To była dziwna wizyta. Nie mogłam zrozumieć, po co Chan Cho Lan chciała się ze mną zobaczyć. Być może, myślałam, troszczyła się o Lottie i chciała się upewnić, że jej była służąca ma teraz dobre warunki. Z drugiej strony, mogła być ciekawa, jak wygląda pani Domu Tysiąca Latarni.

Zaczynałam powoli poznawać tutejszych ludzi i wiedziałam, że nigdy nie można być pewnym, co mają na myśli. Powód, który wydawałby się logiczny w danej sytuacji, rzadko okazywał się prawdziwym motywem ich postępowania.

Lottie zachowywała się, jakby była w transie. Wydawała się też trochę smutna. Myślałam, że to dlatego, iż nigdy nie będzie mogła chodzić kołysząc się, jak wierzba na wietrze, bo miała dwie absolutnie normalne stopy, które bez wysiłku zaniosą ją wszędzie tam, gdzie zechce.

To piękne stworzenie było kobietą i pewnie dlatego ciekawiły ją inne kobiety. Zastanawiałam się, czy Lottie spotyka się z dawną panią od czasu do czasu i opowiada jej o mnie. Może tak właśnie było, a Chan Cho Lan po prostu chciała zobaczyć, jak wyglądam.

I dla równowagi rzuciła ostrzeżenie o Domu Tysiąca Latarni.

III

Na prośbę Sylwestra jeździłam do magazynów, by uzgadniać z Tobym szczegóły niektórych transakcji. Często tylko w ten sposób mogłam pomagać mężowi. Riksza zawoziła mnie pod magazyn, czekała na mnie i wiozła z powrotem. Toby zawsze bardzo się cieszył, gdy mnie widział. Był doskonałym kupcem, w pełni lojalnym wobec Sylwestra i czułam, że często jest zakłopotany uczuciami, które w nim wzbudzałam. Kiedyś mi powiedział, że pan Milner dał mu ogromną szansę. Toby pracował wtedy w biurze w Cheapside i gdy miał jakieś szesnaście lat, jego ojciec ponownie się ożenił. Toby bardzo kochał matkę, która zmarła rok przed drugim małżeństwem ojca. Jego siostra, Elspeth, natychmiast po tym ślubie opuściła dom i wyjechała, by pracować w Edynburgu jako nauczycielka. Położenie Toby'ego stało się nie do pozazdroszczenia. Okazało się, że jego macocha jest zacną istotą, ale nie mógł znieść widoku jakiejkolwiek innej kobiety na miejscu matki. Sylwester rozumiał jego uczucia i znalazł rozwiązanie: wysłał chłopca do oddziału w Hongkongu. Dopiero z dystansu Toby'emu udało się jasno ocenić sytuację i żałował, że patrzył złym okiem na szczęście ojca.

Bezustannie mówił o swej wdzięczności wobec Sylwestra. Doskonale go rozumiałam. Wiedziałam, że ja sama już nigdy nikogo nie obdarzę głębokim uczuciem. Mogłam tylko mieć nadzieję, że uda mi się dryfować przez życie we względnym spokoju i zaakceptować to, co dostałam od losu.

Tamtego dnia, wróciwszy do domu, usłyszałam głosy dobiegające z salonu mojego męża.

Był u niego Adam. Wydawało mi się, że wyglądał dosyć ponuro, ale gdy zajrzałam do pokoju, obaj gwałtownie zamilkli.

Kiedy Adam wyszedł, Sylwester powiedział do mnie:

– Adam prawie zaproponował połączenie naszych firm.

– Masz na myśli wspólne prowadzenie interesów?

Mój mąż skinął głową.

– Uważa, że powinienem więcej odpoczywać, że potrzebuję kogoś, kto zdejmie mi ciężar z barków i tak dalej. Powiedziałem mu, że Tobiasz jest doskonałym zarządcą i z tobą tutaj, a także całą resztą ludzi w magazynach świetnie sobie radzę.

– A może jednak byłby to dobry pomysł, żebyś miał wspólnika. Przecież cenisz umiejętności Adama.

– Nie – odparł Sylwester stanowczo. – Znam dobrze obu moich bratanków. Mają w sobie pewną arogancję, wszyscy ją mamy. Redmond i Magnus też. Każdemu z nas wydaje się, że wie najlepiej. Dlatego nie mogliśmy razem pracować. Każdy z nas chciał być tajpanem. Adam wyrażał się o tobie bardzo pochlebnie, Jane.

– Och?

– Ale powiedział, że kobiecie trudno będzie negocjować z przebiegłymi kupcami.

– No proszę, co za troska!

Sylwester roześmiał się.

– Już ty mu pokażesz, że potrafisz poradzić sobie nie gorzej od niego. Tak trzymać, Jane. – Popatrzył na mnie uważnie. – Nie mam żadnych obaw co do przyszłości.

Dni mijały szybko. Przyszły święta Bożego Narodzenia. Oczywiście nie obchodzono ich w Chinach, więc świętowaliśmy dyskretnie w Domu Tysiąca Latarni. Bardzo żałowałam, że nie mieliśmy choinki, bo Jason pamiętał zeszłoroczną Gwiazdkę, gdy pani Couch prezydowała przy stole w jadalni dla służby, a na deser był pudding oblany płonącą brandy. Mimo to napełniłam skarpetę prezentami dla niego, przygotowałam też drugą dla Lottie, co ją bardzo rozbawiło i wprawiło w zachwyt.

Zbliżało się Święto Lampionów. W Hongkongu często odbywały się różne parady i czasami wydawało mi się, że ludzie albo próbują sobie zjednać, albo czczą, albo obrażają smoka. Jak gdyby mieli obsesję na punkcie tej bestii, tak pięknie przedstawianej w sztuce. Jednak to święto nie miało nic wspólnego z mitycznym potworem. Święto Lampionów wydawało się w szczególny sposób nam bliskie, w końcu mieszkaliśmy w domu, gdzie podobno było tysiąc latarni!

Święto obchodzono w pierwszą noc pełni po Nowym Roku.

Sylwester widział te uroczystości już wiele razy i uwielbiał mi o nich opowiadać.

– To naprawdę jedno z piękniejszych świąt – mówił. – Wydaje się, że chodzi o to, by ludzie pokazali sobie nawzajem, jak piękne lampiony potrafią zrobić. Urządzają wspaniały pochód, podczas którego można ujrzeć latarnie wszelkich kształtów i kolorów. Potem nad zatoką wystrzelą fajerwerki i możesz być pewna, że nie zabraknie paru smoków.

Czekałam na ten dzień z niecierpliwością.

– Wydaje mi się, że ma dla nas szczególne znaczenie – powiedziałam.

– Och, ze względu na dom – roześmiał się. – Chyba masz rację.

Lottie powiedziała mi, że służba uważa, iż powinniśmy uczcić święto w specjalny sposób, by zjednać sobie przychylność bogini, w końcu mamy dom pełen latarni i może, jeżeli jej pokażemy, że doceniamy mieszkanie w budynku postawionym na miejscu jej świątyni, Kuan Yin nie straci twarzy wobec innych bóstw.

Powiedziałam o tym Sylwestrowi i postanowiliśmy uczynić ze Święta Lampionów naprawdę wyjątkowy dzień. Wydamy obiad dla rodziny i kilku przyjaciół, na którym podamy chińskie jedzenie serwowane w chiński sposób. Zapalimy wszystkie światła w każdym pokoju, a nad gankiem zawiesimy latarnię z ruchomymi figurkami w środku. Adam zaprojektował taki lampion według najlepszych chińskich tradycji.

Lampion był wspaniały, wykonany z jedwabiu, rogu i szkła. W środku zamontowano horyzontalnie koło, które obracało się pod wpływem ciepła wydzielanego przez płomień. Na kole były figurki pięknych mężczyzn i kobiet przypominających Chan Cho Lan oraz kolorowo upierzonych ptaków. Do figurek przymocowano cienkie nitki, tak że poruszały się razem z kołem. Efekt był przepiękny. Zawiesiliśmy tę ogromną latarnię nad zewnętrzną bramą, tak żeby, gdy zapadnie zmrok, wyglądała jak piękna latarnia morska.

Służący byli zachwyceni i Lottie powiedziała mi, że to zjedna domowi przychylność wszystkich bóstw, a nasza bogini bez wątpienia będzie zadowolona.

Przygotowania w kuchni trwały kilka dni. Goście przybyli późnym popołudniem, ponieważ chcieliśmy zjeść obiad, zanim zapadnie zmrok, żeby obejrzeć pochód od samego początku.

Obiad był rzeczywiście wyjątkowy. Siedzieliśmy na poduszkach i najpierw podano nam miseczki z zupą. Po raz pierwszy wtedy jadłam zupę z ptasich gniazd i Lottie wytłumaczyła mi później, w jaki sposób ją przygotowywano.

– Jest dobra dla ciebie – powiedziała.

Robiono ją z gniazd małych jaskółek, które podobno pokrywały gałązki kleistą substancją wyławianą z morza. Gniazdka wielkości spodka trzeba było zebrać, zanim ptaki złożą jajka. Lottie pokazała mi parę gniazd, które przyniesiono do kuchni: miały bladoczerwony kolor i były lekko przejrzyste. By ugotować zupę, podgrzewano je w wodzie. Wywar wydał mi się dosyć mdły, ale uważano go tu za wyjątkowy przysmak, więc musieliśmy okazywać, jak bardzo nam smakuje.

Po zupie podano solone mięso i ryż, serwowany na małych, porcelanowych talerzykach, potem płetwy rekina oraz jelenie ścięgna – te potrawy jedliśmy pałeczkami, którymi posługiwałam się już bardzo sprawnie, a w razie potrzeby pomagaliśmy sobie małymi, chińskimi łyżeczkami. Piliśmy grzane słodkie wino i herbatę w filiżankach.

Większość gości dobrze znała już chińską kuchnię, dla mnie jednak był to pierwszy posiłek, który podano i spożywano całkowicie na sposób chiński. Zrobił na mnie ogromne wrażenie, zwłaszcza, gdy przy końcu obiadu służący zaczęli zapalać latarnie.

Po skończonym posiłku poszłam na górę do pokoju Jasona, który jadł tam pod czujnym okiem Lottie. Mówiła mu o przyjęciu na dole i o tym, jak bardzo bogini będzie z nas zadowolona, bo pomimo że wszyscy byliśmy _fân-kuei_, zachowaliśmy się jak prawdziwi Chińczycy.

Jason był podekscytowany perspektywą obejrzenia parady. Służący zapalili już wielki lampion, wiszący przed bramą, który pięknie świecił w ciemnościach.

Wszyscy ruszyliśmy na nabrzeże, skąd rozciągał się najlepszy widok. I cóż to był za widok! Na każdej dżonce paliła się latarnia, lampiony były zielone, niebieskie, purpurowe, mieniły się wszystkimi możliwymi kolorami, choć najwięcej widziałam czerwonych. Lampiony były proste i ozdobne, jedwabne i papierowe, wiele ozdobiono ruchomymi scenkami, takimi jak ta w naszym, wiszącym przed bramą. Były tam obracające się statki, figurki bożków, motyle i ptaki. Chyba wszyscy prześcigali się, by zaprezentować ładniejszą lampę niż wykonana przez sąsiada. To święto zawsze będzie mi się kojarzyło z dźwiękiem gongów, który bez przerwy unosił się w powietrzu i nigdy nie przestał wywoływać we mnie pewnego niepokoju. Zawsze brzmiał w moich uszach jak ostrzeżenie.

Adam posadził sobie Jasona na ramionach, żeby chłopiec mógł dobrze wszystko zobaczyć, a Jason pokrzykiwał do nas wszystkich, byśmy popatrzyli na to albo na tamto. Lottie stała koło mnie, dumna ze wspaniałego pokazu. Na morzu pływały statki wyglądające jak smoki, przez papier przeświecało światło, niektóre nawet ziały ogniem. To był piękny widok, ale jeszcze bardziej interesujący niż lampiony okazał się tłum, który zgromadził się, by wziąć udział w zabawie lub tylko przyglądać się z daleka paradzie. Mężczyźni w przepysznych strojach mandarynów mieszali się z najuboższymi wieśniakami. Kobiety Hakka, w szerokich kapeluszach z czarnymi zasłonami, stały ramię w ramię z innymi robotnicami z pól ryżowych i służącymi z bogatych domów, gdy pochód z latarniami ruszył wzdłuż nabrzeża. Pod lampionami rząd mężczyzn niósł ogromnego smoka, mężczyźni skręcali na boki i wirowali, sprawiając, że wielka bestia poruszała się jak żywa. W środku konstrukcji umieszczono światła, co sprawiało, że widok był porażający, do tego smok miał otwartą paszczę, z której zionął ogień, a w wielkich oczach błyszczały płomienie.

Jason o mało nie wyszedł z siebie z zachwytu i przerażenia.

Wtedy wystrzelono fajerwerki.

Jason i Lottie wydawali się równolatkami w swej radości i gdy na nich patrzyłam, czułam się bardziej pogodzona ze swym losem, niż kiedykolwiek dotychczas. Niestety, chwila cichej satysfakcji nie miała trwać długo.

Po paradzie wróciliśmy rikszą do domu. Poszliśmy do pokoju, który przeznaczyliśmy na bawialnię, a Lottie zabrała Jasona na górę, by go położyć do łóżka. Sylwester mówił, żywo gestykulując, jak zawsze, gdy opowiadał o chińskich zwyczajach.

– Zawsze musi być smok – tłumaczył. – Zdominował życie Chińczyków. Boją się go, próbują go przebłagać, a czasami zniszczyć. Mówią, że jest wszechmocny. Kiedyś byłem tutaj podczas zaćmienia słońca. Wierzyli wtedy, że smok, dręczony dotkliwym głodem, próbuje połknąć słońce. Nigdy nie zapomnę tego walenia w gongi, gdy usiłowali przestraszyć smoka. Pomimo to wiele razy widziałem uroczystości urządzane na jego cześć.

Toby, który nie wrócił z nami od razu do domu, wszedł w tym momencie, najwyraźniej bardzo podekscytowany.

– W zatoce jest statek – powiedział. – Przypłynął z Anglii.

Tej nocy obudził mnie Jason, gdyż przyśnił mu się ziejący ogniem smok. Był przekonany, że bestia unosiła się za oknem i usiłowała wejść do środka. Wzięłam chłopca do swojego łóżka i wyjaśniłam, że smoki są zrobione z papieru, a w środku siedzą ludzie, którzy sprawiają, że bestia wygląda, jakby się poruszała.

– W twoim łóżku to prawda – wyszeptał – ale nie w moim.

Więc pozwoliłam mu spać ze mną i gdy leżał pogrążony we śnie, ogarnęła mnie tak ogromna miłość do synka, iż zrozumiałam, że dopóki mam jego, moje życie nie będzie puste. Znowu pomyślałam o Sylwestrze, o tym, jaki jest dla mnie dobry, i przysięgłam sobie, że zawsze będę o niego dbała i pomagała mu w interesach. Jutro pojadę do magazynów i dowiem się od Toby'ego, jakie przedmioty przywieziono dla nas na statku, a wykaz zaniosę mężowi, bo będę nalegała, by odpoczywał po dzisiejszym przyjęciu i paradzie.

Wstałam wcześnie i ledwo zdążyłam się ubrać, gdy weszła Lottie i oznajmiła, że pomimo tak wczesnej pory mamy gościa.

Stała z tajemniczym wyrazem twarzy i nie patrzyła mi w oczy, ale chyba wtedy nie zauważyłam jej dziwnego zachowania. Dom pogrążony był w ciszy. Zeszłam na dół do bawialni, gdzie, jak powiedziała Lottie, oczekiwał mnie poranny gość.

Otworzyłam drzwi. Myślałam, że zaraz zemdleję, bo oto Joliffe wstał z krzesła i ruszył w moim kierunku.

Stanął przede mną i patrzył, a mnie zalała fala tak głębokiego uczucia, że nie potrafiłam go ukryć. Nie posiadałam się z radości, jednak była ona pomieszana z lękiem przed tym, co przyjazd Joliffe'a może oznaczać.

Powiedział tylko:

– Jane! – i to jedno słowo wyrażało wszystko: tęsknotę, ból rozstania, radość ze spotkania i nadzieję.

Postanowiłam zachować zimną krew i trzymać się z dala od niego. Jeżeli tylko mnie nie dotknie, będę spokojna. Stanę z boku całej tej sceny, zupełnie jakby ktoś inny grał rolę Jane, a ja jestem jedynie obserwatorem. Ale jeżeli położy dłonie na moich ramionach, jeżeli przyciągnie mnie do siebie...

Nie mogłam do tego dopuścić.

– Co ty tutaj robisz, Joliffie? – zapytałam.

Musiał zdać sobie sprawę z tego, że powinniśmy rozmawiać o rzeczach obojętnych, bo odrzekł:

– Przypłynąłem na statku.

– Jak długo zamierzasz zostać?

– Przez jakiś czas.

– Ale...

Zaczynałam martwić się tą sytuacją. Pomyślałam, że nie możemy oboje tutaj zostać, nie ma tu miejsca dla nas dwojga. Widywalibyśmy się często i co wtedy?

Joliffe zapytał:

– Co u ciebie, Jane?

– Wszystko dobrze.

Roześmiał się smutno.

– Jesteś... szczęśliwa?

– Prowadzimy tu bardzo interesujące życie.

– Och, Jane! – powiedział z wyrzutem. – Dlaczego to zrobiłaś?

– Nie rozumiem.

– Nie udawaj. Doskonale rozumiesz. Dlaczego wyszłaś za mojego stryja?

– Już ci mówiłam.

– Powinnaś była poczekać.

Odwróciłam się. To był fatalny ruch, bo Joliffe położył dłoń na moim ramieniu i w ułamku sekundy byłam już w jego objęciach, a cała magia powróciła. Zobaczyłam wtedy jasno, że żyłam w stanie fałszywego zadowolenia i że nigdy nie będę szczęśliwa bez Joliffe'a.

– Nie, nie! – zawołałam odsuwając się od niego. – To niedopuszczalne.

– Jestem teraz wolny, Jane.

– A Bella?

– Bella nie żyje.

– Korzystny zbieg okoliczności... dla ciebie, prawda?

– Biedna Bella! Nigdy tak naprawdę nie wróciła do zdrowia po wypadku.

– Kiedy ją widziałam, wydawała się zdrowa i w pełni sił.

– Podczas katastrofy odniosła poważne obrażenia, nikt nie zdawał sobie sprawy, jak ciężkie. Dopiero później zaczęły dawać się jej we znaki. Wypadek spowodował coś... jakąś wewnętrzną narośl. Miała przed sobą tylko kilka lat życia.

– I teraz, jak mówisz, jesteś wolny.

– Szkoda tylko... że ty nie jesteś.

Podeszłam do okna.

– Słuchaj, Joliffie, takie sytuacje nie mogą się powtórzyć.

Stał już przy mnie.

– Co masz na myśli? Jakie sytuacje? Jak możesz zabronić istnieć czemuś, co wciąż trwa?

– Ułożyłam sobie tutaj życie i nie chcę żadnych komplikacji. To, co było między nami, jest skończone.

– Jak możesz tak mówić! Wiesz, że to nigdy się nie skończy... tak długo, dopóki choćby jedno z nas żyje.

– Nie powinieneś był tu przyjeżdżać. Dlaczego to zrobiłeś?

– Przywiodły mnie interesy, ale przede wszystkim przyjechałem, żeby ci powiedzieć, że jestem wolny.

– A dlaczego powinno mieć to dla mnie jakieś znaczenie?

– Chciałem, żebyś zdała sobie sprawę, jak wielki błąd popełniłaś. Nigdy nie powinnaś była wychodzić za mego stryja. Gdybyś tego nie zrobiła, mielibyśmy teraz przed sobą wspólną przyszłość.

– A mój syn?

– Nasz syn! Troszczyłbym się o niego... i o ciebie.

– Uważam, że zrobiłam to, co należało. A skoro już tak zdecydowałam... mam nadzieję, że nadal będę robiła to, co powinnam. Odejdź, Joliffie. Nie chcę, żebyśmy się więcej spotykali.

– Muszę się z tobą widywać. Przysiągłem sobie, że nie będę już żył tak, jak dotychczas. Chcę także zobaczyć mojego syna.

– Nie, Joliffie.

– To jest mój syn.

– Jest tu szczęśliwy. Uważa Sylwestra za ojca. Nie życzę sobie, byś go niepokoił. Joliffie, jak możesz tu przychodzić... do tego domu... ze wszystkich miejsc...

– Kiedyś to był mój dom. Gdzie indziej miałbym pójść?

– Nie możesz tu zostać.

– Boisz się. Nie powinnaś bać się życia, Jane.

– Wszyscy powinniśmy obawiać się niewłaściwego postępowania.

– Moja biedna Jane!

– Biedna Jane! Biedna Bella! Może trzeba się litować nad nami obydwiema, dlatego że związałyśmy się z tobą.

– Nigdy nie będziesz tego żałować.

– Chcę, żebyś odszedł, Joliffie.

Spojrzał na mnie uważnie i potrząsnął głową. W tej chwili drzwi się otworzyły i do pokoju wbiegł Jason.

Zatrzymał się na chwilę, przenosząc wzrok ze mnie na gościa i z powrotem.

Joliffe uśmiechnął się do niego i na buzi chłopca także pojawił się nieśmiały uśmiech.

- To jest kuzyn wujka Adama - powiedziałam i zobaczyłam, że usta Joliffe'a wykrzywiły się lekko na moje słowa.
- Czy masz latawiec? - zapytał Jason.
- Nie, ale miałem, gdy byłem chłopcem.
- Jakiego rodzaju?
- Zrobiony był z bambusowych prętów i polakierowany. A na wierzchu namalowany był smok.
- Ziejący ogniem?
- Ziejący ogniem - potwierdził Joliffe. - Nikt nie umiał puszczać latawców tak wysoko, jak ja.
- Ja umiem - odrzekł Jason.
Joliffe przechylił lekko głowę i potrząsnął nią powoli.
- Zrobimy zawody! - zawołał podekscytowany chłopiec.
- Dobrze, któregoś dnia urządzimy zawody.
Do pokoju weszła Lottie.
- Tutaj jestem, Lottie - powiedział Jason. - Gdzie mój latawiec?
Joliffe i Lottie popatrzyli na siebie. Dziewczyna uklękła i oparła czoło o podłogę, a Jason z powagą naśladował jej ruchy.
Joliffe wziął ją za rękę i pomógł wstać, a Lottie powiedziała:
- Wielki pan jest łaskawy.
Gdy patrzyłam, jak stała, młoda i piękna, z dłonią w ręce Joliffe'a, poczułam dotkliwe ukłucie zazdrości. Powiedziałam:
- Jasonie, idź, proszę, z Lottie. Pora, żebyś zjadł śniadanie.
- Czy kuzyn wujka Adama też będzie jadł śniadanie?
- Myślę, że gdzieś będzie jadł.
Jason stał wpatrzony w Joliffe'a i widziałam zachwyt w oczach malca. Zastanawiałam się, jak by zareagował, gdybym powiedziała: to twój ojciec.
- Chodź i zjedz śniadanie ze mną - zaproponował.
- To niemożliwe - powiedziałam ostro. - Idź już.
- Jeszcze się zobaczymy - dodał Joliffe.
- Przynieś latawiec - polecił Jason.
- Przyniosę.
Lottie i Jason wyszli.
- Mój Boże, Jane - odezwał się Joliffe - to wspaniały chłopak.
- Proszę cię, sytuacja jest wystarczająco trudna. Nie komplikuj jej jeszcze bardziej.
- Bardzo się postarałaś, żeby ją skomplikować.

– W dobrej wierze – odparłam. – Ale nie zagłębiajmy się teraz w szczegóły. Zapytam Sylwestra, co powinniśmy zrobić. Muszę mu powiedzieć o twojej wizycie.

– Jak dobra i posłuszna żona – zauważył gorzko, a ja widziałam, że zarówno widok mnie i Jasona, jak świadomość, że stracił nas na zawsze, napełniły go smutkiem i złością.

Znałam go też wystarczająco dobrze, żeby wiedzieć, że nie jest podobny do mnie. Nie pogodzi się z tą sytuacją i postara się ją wykorzystać najlepiej, jak będzie umiał.

Joliffe nigdy się nie zgodzi na kompromis.

Zostawiłam go w bawialni i poszłam do Sylwestra. Nie wstał jeszcze z łóżka, ale Ling Fu przyniósł mu śniadanie, do którego właśnie usiadł.

– Wcześnie wstałaś, Jane – zauważył. – Statek... – Urwał. – Czy coś się stało?

– Joliffe przypłynął tym statkiem. Jest tutaj.

– W tym domu?

Skinęłam potakująco głową.

– Musi jak najszybciej odjechać – oświadczył Sylwester.

– Mówi, że przywiodły go tu interesy.

– Nie mogę odesłać go z powrotem do Anglii, ale na pewno nie ma dla niego miejsca w tym domu.

Rozdział piąty

Święto Zmarłych

I

Od tej chwili wszystko się zmieniło. Musiało tak się stać, skoro Joliffe przyjechał do Hongkongu. Już dłużej nie mogłam biernie znosić swojego losu, musiałam zacząć się buntować. Miałam tylko jedną drogę, aby odzyskać spokój ducha: zapomnieć o Joliffie, a tego nigdy nie mogłabym zrobić.

Spotkali się z Sylwestrem. Nie wiem, co dokładnie zostało powiedziane, jednak sens rozmowy był taki, że chociaż Adam mieszkał w naszym domu, nie ma tutaj miejsca dla Joliffe'a. Przez wzgląd na łączące nas kiedyś stosunki przebywanie pod jednym dachem jest absolutnie wykluczone.

Joliffe nie miał wyboru, musiał zaakceptować wolę stryja, ale jednocześnie wyraźnie zaznaczył, że chce widywać się z synem. Znałam go wystarczająco dobrze, by wiedzieć, że będzie używał Jasona jako wymówki.

Sylwester był bardzo zdenerwowany. Rozumiał mnie tak dobrze, że musiał w pełni zdawać sobie sprawę z tego, jak podziałał na mnie powrót Joliffe'a, pomimo że bardzo starałam się to ukryć. Czasami zadziwiała mnie głębia uczuć, które wzbudziłam w tym spokojnym, powściągliwym mężczyźnie. Wiedziałam, że obawia się nie tylko o przyszłość związku ze mną, ale lęka się też o Jasona. Sylwester miał zawsze w sobie coś z samotnika, co utrudniało mu nawiązywanie intymnych relacji z bliską osobą. Przyszło mi do głowy, że nasze małżeństwo mogło wydawać mu się idealne... małżeństwo pozbawione aspektu fizycznego, które pomimo to w cudowny sposób przyniosło mu syna, a do tego w żyłach chłopca płynęła krew Milnerów.

Sylwester jak gdyby się kurczył pod wpływem fizycznego kontaktu. A może tylko tak mi się wydawało, bo byłam pod przemożnym wpływem dominującej męskości Joliffe'a? Mój mąż wyglądał blado, był roztrzęsiony i wiedziałam, że nęka go jeden z częstych ataków bólu głowy, ale okazał ogromną stanowczość, zabraniając Joliffe'owi wstępu do naszego domu.

Gdy pojechałam do magazynów, Toby przywitał mnie z niezwykle poważną miną.

Był wściekły na Joliffe'a.

– Nigdy nie powinien był tutaj przyjeżdżać – powiedział. – Wiedział, ile komplikacji spowoduje jego powrót.

– Ma tu do załatwienia jakieś interesy – odpowiedziałam, z zaskoczeniem zdając sobie sprawę, że bronię Joliffe'a.

– Przez cały czas świetnie sobie radził przy pomocy agentów. Dopiero teraz, kiedy ty jesteś tutaj... – Przyjrzał mi się uważnie, próbując ocenić, jak podziałał na mnie przyjazd tamtego.

Mam nadzieję, że udało mi się zachować spokój.

– Cokolwiek było między nami, należy do przeszłości – oświadczyłam. – I skończyło się bardzo dawno temu.

Toby zmarszczył brwi.

– W takim miejscu jak to trudno wam będzie uniknąć spotkania.

– Może on tu nie zostanie – odrzekłam.

Westchnął. Przypuszczałam, że też żywił taką nadzieję.

Adam także wspomniał o kuzynie w mojej obecności.

– Słyszałem, że jego żona umarła – powiedział, przyglądając mi się uważnie.

– Też tak słyszałam.

– Nie powinien był tu wracać. Wszystkie interesy mógł pozostawić pod opieką agentów.

– Dlaczego wszyscy tak się tym przejmują?

Adam prychnął.

– Nie ma sensu udawać. Wiemy, że łączyło cię z nim coś na kształt małżeństwa i że Jason jest jego synem. To stwarza niezręczną sytuację. Joliffe nigdy nie miał zrozumienia dla uczuć innych ludzi, zupełnie jak jego ojciec. Teraz ułożyłaś sobie życie z Sylwestrem. Powinien okazać większy rozsądek i takt i nie przyjeżdżać tutaj.

– Nie ma potrzeby, żeby wszyscy robili wokół niego takie zamieszanie. Od naszego ostatniego spotkania upłynęły całe lata.

Adam skinął głową.

– On ma ten swój nieodparty czar, podobno odziedziczony po naszej babce. Uciekła z kochankiem. To jakaś wada charakteru, która ujawnia się u niektórych z nas.

– Na pewno nie u ciebie, Adamie.

– Czyżbyś współczuła mi z tego powodu?

Potrząsnęłam przecząco głową.

– Ależ nie, gratuluję ci.

– W każdym razie nikt nie potrafi się oprzeć temu lekkoduchowi. Ty też nie zdołałaś, inaczej dlaczego miałabyś wychodzić za mąż za Joliffe'a – albo myślałaś, że wychodzisz za mąż?

Chciałam powiedzieć: bo go kochałam. Bo wtedy uważałam, że jest mi przeznaczony Ale jak można było wytłumaczyć takie uczucia prozaicznemu Adamowi? Toteż powiedziałam tylko:

– Z tego samego powodu, dla którego większość ludzi bierze ślub.

– Ludzie pobierają się z różnych powodów, niektórzy dlatego, że małżeństwo wydaje im się korzystnym rozwiązaniem.

– Jesteś cyniczny.

– Jestem realistą. Czy nie wyszłaś za stryja Sylwestra właśnie z tego powodu?

– Zawsze miałeś mi za złe, że za niego wyszłam, prawda? – odrzekłam ze złością.

Wzruszył ramionami i odwrócił się. Byłam na niego wściekła, ale za każdym razem, gdy w rozmowie padało imię Joliffe'a, nie mogłam sobie ufać, dlatego chciałam jak najszybciej zostać sama.

Adam spojrzał na mnie przez ramię i dodał:

– Nie zapominaj, że wyszłaś za mojego stryja... i cokolwiek się stanie, na zawsze pozostaniesz jego żoną.

– Czemu wydaje ci się, że o tym nie pamiętam?

– Niektórzy ludzie mają zwyczaj zapominać o małżeńskich przysięgach – powiedział i wyszedł.

Adam był wyjątkowo nieprzyjemnym człowiekiem. Cała moja dawna niechęć do niego powróciła.

Joliffe przysłał mi wiadomość. Chciał, żebym się z nim spotkała. Zignorowałam jego prośbę. Przysłał następny list. Jason jest jego synem, pisał. Jeżeli ja odmawiam widzenia się z nim, to trudno, ale absolutnie nie zamierza rezygnować ze spotkań z dzieckiem.

Bardzo mi zależało, by nie prowadzić z Joliffe'em żadnych negocjacji za plecami Sylwestra, dlatego poszłam do niego i przedstawiłam sytuację.

Mój mąż wyglądał blado i mizernie. Oparł o krzesło laskę i nagle zrobiło mi się go bardzo żal.

– Ma pewne prawa do chłopca – przyznał.

– Nie przejmował się nim przez ponad pięć lat – zauważyłam.

– Pomimo wszystko jest jego ojcem.

– Tak bardzo bym chciała, żeby odjechał – powiedziałam, ale wyczułam fałszywą nutę w swoich słowach już w chwili, gdy je wypowiadałam, bo pragnęłam czegoś wprost odwrotnego. Po tym, jak Sylwester na mnie spojrzał, domyśliłam się, że dokładnie zna moje uczucia.

Sylwester był sprawiedliwy i zdawał sobie sprawę, że nie mogę odwracać się od życia. Miał pełną świadomość pustki panującej w mojej egzystencji, wiedział o mych sekretnych tęsknotach. Miał w sobie coś z fatalisty, zachowywał się tak, jakby mówił: Oto Joliffe. Może ofiarować ci żarliwość, namiętność młodości i oczarowanie, które wy dwoje nazywacie miłością. Z drugiej strony jestem ja, który zapewnię ci uczucie, spokój, cichą, wierną przyjaźń, dobry dom dla twego syna i bezpieczną przyszłość. Los daje ci wybór. Ty musisz podjąć decyzję.

Wiedziałam, że mój mąż obawia się, iż pewnego dnia odejdę z Joliffe'em – było jasne, że on do tego dąży – i zabiorę ze sobą Jasona, a wtedy Sylwester znowu zostałby sam. Być może nabrał tego fatalistycznego podejścia do życia pod wpływem lektury chińskich filozofów. Lękał się, a jednocześnie nie robił nic, by oddalić ode mnie pokusę.

Obiecałam sobie, że jej nie ulegnę. Znałam swoje obowiązki wobec męża i najdroższego syna. Tak właśnie sobie mówiłam i dlatego nie wolno mi było widywać się z Joliffe'em. Wystarczyło jedno spotkanie, abym zrozumiała, że mogę zapomnieć o wszystkim poza dręczącą mnie tęsknotą, a przysięgłam sobie, że do tego nie dopuszczę.

Znajdę sposób, by już nigdy nie znaleźć się sam na sam z Joliffe'em, on jednak miał prawo widywać się z Jasonem.

Sylwester powiedział:

– We właściwym czasie to dziecko dowie się, kim jest jego ojciec. Może mieć nam wtedy za złe, że nie pozwoliliśmy im się poznać. Joliffe nie powinien mówić małemu, jakie pokrewieństwo ich łączy, ale ma prawo spotykać się z chłopcem.

Umówiliśmy się, że Lottie będzie chodziła z Jasonem do hotelu, w którym mieszkał Joliffe. Miała nie spuszczać małego z oczu, a wizyta nie mogła trwać dłużej niż godzinę.

W zamian za to ustępstwo, którego uzgodnieniem zajął się Adam, Joliffe miał dać słowo honoru, że chłopiec po godzinie wróci do Domu Tysiąca Latarni.

Po powrocie Jasona z pierwszego spotkania zastanawiałam się, czy postąpiliśmy słusznie. Mały wrócił z oczami błyszczącymi jak gwiazdy. Kuzyn wujka Adama był najwspanialszym człowiekiem na świecie. Miał latawiec i puszczali je razem – Jason wziął ze sobą Ognistego Smoka – w ogrodach hotelowych, patrząc, jak szybują w powietrzu.

– Jego poleciał wyżej – powiedział Jason ze smutkiem. – Obiecał, że podaruje mi nowy latawiec.

– Ale przecież masz ten, który dostałeś od Lottie – przypomniałam mu.

Jason się zamyślił.

– Ale ten, który dostanę od niego, będzie większy i lepszy. On tak powiedział.

– Lottie może być przykro.

– Och, od czasu do czasu będę też puszczał ten od niej. Mamo, kiedy znowu zobaczę kuzyna wujka Adama?

Wytworzyła się wyjątkowo niezręczna sytuacja. Raz dostrzegłam na ulicy Joliffe'a, gdy jechałam rikszą, i serce zamarło mi w piersi. Innym razem, jak wychodziłam z magazynów, czekał na mnie, tak jak kiedyś przy wyjściu z biura w Cheapside.

Miał błagalny wyraz oczu i wyglądał na wymizerowanego. Pomyślałam wtedy: jest tak nieszczęśliwy, jak ja.

Stał przede mną prawie jak żebrak.

– Jane, to absurdalne. Musimy porozmawiać.

– Nie mam ci już nic do powiedzenia – odparłam.

– Musimy znaleźć jakieś rozwiązanie.

– Wszystko zostało uzgodnione. Wracaj do domu, Joliffie. Wracaj do Anglii. Tak będzie lepiej.

– Nie masz pojęcia, jak się tam czułem.

– Ja nie mam pojęcia! – zezłościłam się. – Dowiedziałam się, kiedy odkryłam, że nie jestem twoją prawdziwą żoną.

– Teraz jestem wolny, Jane.

– Zapominasz, że ja nie. – Odwróciłam się w stronę rikszy, która na mnie czekała.

– Jest jeszcze chłopiec – powiedział. – Pomyśl, co by to dla niego oznaczało.

– I właśnie z tego powodu powinieneś odejść – odpaliłam.

Wsiadłam do rikszy, a mężczyzna o kamiennej twarzy ujął dyszle.

Lottie widziała, jak bardzo jestem niespokojna.

Powiedziała, że bogini straciła twarz przed innymi bóstwami, ponieważ na miejscu świątyni wybudowano dom, i dlatego jego mieszkańców nie czeka nic dobrego.

– To nie ma nic wspólnego z boginią, Lottie – odparłam.

– Ale spokój zniknął.

Jakże trafna była jej uwaga! Chyba rzeczywiście przedtem byłam na swój sposób spokojna – cichutko szłam przez życie, udając, że jestem z niego zadowolona.

Często przyłapywałam Lottie na tym, jak mi się przyglądała. Patrzyła na mnie uważnymi, pełnymi smutku oczami. Wiedziała, że przyjazd Joliffe'a odmienił moje życie.

To ona zabierała Jasona na spotkania z „kuzynem wujka". Adam im towarzyszył i owe wizyty zamieniły się w całą ceremonię. Adam powiedział mi, że czeka w hotelu, gdy Joliffe z Jasonem wychodzą do ogrodu i posyła Lottie, by im towarzyszyła.

Dotychczas odbyły się trzy spotkania, a Jason już był bez pamięci zakochany w Joliffie. Uwielbiał go i każdego dnia pytał:

– Ile jeszcze do kuzyna Adama? – i zaznaczał dni w kalendarzu.

– Popełniliśmy błąd, zezwalając na te spotkania – powiedziałam do męża. – On czaruje małego. Nie podoba mi się to.

Wiedziałam, że Sylwester bardzo się boi, ale wydawało się, że fatalistyczne podejście do życia zdominowało w nim wszystkie inne reakcje. Zachowywał się tak, jakby chciał, bym nie tylko ja dokonała wyboru między nim a Joliffe'em, ale Jason także.

Pewnego dnia bardzo się przestraszyłam, kiedy nie zastałam synka w swoim pokoju. Powiedział, że idzie na górę poczytać, bo często spędzał popołudnia w ten sposób, a kiedy poszłam po niego, pokój był pusty.

Zawołałam Lottie, lecz jej także nie mogłam znaleźć. Fakt, że zniknęli oboje, uspokoił nieco moje obawy. Jak się później okazało, niesłusznie.

Zbiegłam na dół i wyszłam do ogrodu. Uniosłam głowę do góry i ujrzałam na niebie dwa szybujące latawce – dobrze mi znanego smoka Jasona i drugi, duży i ozdobny, który, jak się domyśliłam, należał do Joliffe'a.

Są razem, pomyślałam.

Przeszłam przez bramę i ruszyłam w stronę pagody.

Gdy podeszłam bliżej, usłyszałam głosy.

– Spójrz na mój! Spójrz na mój! – wołał Jason.

– Będzie latał jeszcze wyżej – odpowiedział Joliffe.

Nie widzieli mnie, bo byli zwróceni do mnie plecami, ale ja zobaczyłam nie tylko ich dwóch, lecz także siedzącą na trawie Lottie, która nie spuszczała oczu z latawców.

Posłałam po nią.

Wyglądała na przerażoną i zawstydzoną. Przyprowadziła Jasona do domu godzinę wcześniej.

Nie spytałam go, gdzie byli. Czekałam, aż sam mi powie. Byłam zszokowana, że nie wspomniał nawet słówkiem o spotkaniu z Joliffe'em.

Dlatego chciałam porozmawiać z Lottie.

Zamknęłam drzwi i kazałam jej usiąść. Zobaczyłam, że drżą jej dłonie.

– Wiesz, że zawiniłaś, Lottie – zaczęłam.

Zwiesiła głowę, a ja mówiłam dalej:

– A więc zabrałaś Jasona na spotkanie?

Pokiwała żałośnie głową.

– Pamiętasz, że te wizyty miały się odbywać w hotelu, a nie w pagodzie, prawda, Lottie?

Znowu skinęła głową.

– Pomimo to oszukałaś mnie. I uczysz mojego syna, żeby także mnie oszukiwał.

– Musisz wychłostać nieszczęsną – powiedziała, klękając i kładąc głowę na podłodze.

– Lottie, wstań i nie bądź głupia. Dlaczego to zrobiłaś?

– Jason tak bardzo lubi spotkania z panem Joliffe'em.

– Widuje się z nim raz w tygodniu. Tak zostało ustalone. A ty z własnej woli postanowiłaś zmienić zasady.

Uniosła twarz w moją stronę; oczy miała szeroko otwarte i pełne lęku. Obejrzała się przez ramię, jakby chciała sprawdzić, czy ktoś nas nie podsłuchuje.

– Pan Joliffe jest ojcem Jasona – wyszeptała.

– Kto ci to powiedział? – zapytałam.

Wzruszyła bezradnie ramionami.

– Tak jest. Wiem o tym.

Oczywiście, musiała coś usłyszeć. Adam o tym mówił, Sylwester też. Odkąd to można zachować jakiekolwiek tajemnice przed służącymi? A Lottie znała angielski.

– Sprzeciwianie się woli ojca przynosi nieszczęście – dodała.

Schwyciłam ją za ramiona.

– Tak, Lottie – odrzekłam. – Pan Joliffe jest ojcem Jasona, ale chyba nie powiedziałaś o tym chłopcu?

– Nie, nie powiedziałam. I nie powiem.

Wierzyłam jej. Wiedziałam, że Jason nigdy nie potrafiłby zachować takiej wiadomości dla siebie.

– Nie wolno ci o tym mówić – ostrzegłam ją. – Jeżeli powiesz... – Zawahałam się, a potem ciągnęłam: – Jeżeli komukolwiek powiesz, będziesz musiała odejść z tego domu. Wrócisz tam, skąd przyszłaś.

Na jej twarzy pojawił się wyraz absolutnego przerażenia. Zaczęła się trząść.

– Nie powiem. Źle jest powiedzieć. On tylko dziecko. Ale to nieszczęście nie słuchać ojca.

– Pan Joliffe poprosił cię, żebyś przyprowadziła Jasona do pagody, prawda?

Zwiesiła głowę.

– Nigdy więcej tego nie rób – ostrzegłam ją. – Jeżeli drugi raz zawiedziesz mnie w ten sposób, odeślę cię.

Pokiwała żałośnie głową i znowu chciała uklęknąć. Głębokie ukłony oznaczały, że uważa się za nędznicę i z całego serca pragnie odpokutować za popełnione winy.

– No dobrze, Lottie Wybaczam ci – powiedziałam. – Ale nie waż się zrobić tego po raz drugi.

Pokiwała głową, a ja czułam się usatysfakcjonowana, że trafiłam jej do przekonania.

Jednak wciąż nie przestawałam się lękać, bo wiedziałam, że Joliffe jest zdolny do wszystkiego dla osiągnięcia swoich celów. Żywo stał mi w pamięci moment, w którym zastałam go w środku nocy w salonie ze zbiorami Sylwestra. I chociaż już wtedy powinnam była mieć się na baczności wobec człowieka, który uciekał się do takich krętactw, postanowiłam zignorować wszystkie sygnały ostrzegawcze. Teraz zastanawiałam się, jaki będzie jego następny ruch i umierałam z niepokoju, że jednak postanowi wracać do Anglii.

Atmosfera w domu bez wątpienia uległa zmianie. To zaczęło się wkrótce po przyjeździe Joliffe'a. Zaczęłam zdawać sobie sprawę z cieni pojawiających się po zapadnięciu zmroku, a latarnie zdawały się otaczać wszystko niesamowitym światłem.

Gdy w domu panowała cisza, wyobrażałam sobie, że stare mury nasłuchują, knują, czekają... to było absurdalne. Widziałam w myślach budowlę, która musiała wznosić się dokładnie w tym miejscu, gdzie teraz stał dom. Przez ogrody świątyni podążali kapłani. Wyobrażałam sobie ich śpiewy, dźwięki gongu i niskie ukłony, składane przed posągiem bogini. Tak dokładnie widziałam ich oczami wyobraźni, odzianych w żółte szaty, z ogolonymi głowami, iż prawie oczekiwałam, że ujrzę duchy kilku, jak przemykają tam i z powrotem po naszych schodach.

Było tak, jakby cały dom ogarnął zupełnie inny nastrój. Wiedziałam, że Sylwester także to czuje, chociaż nigdy o niczym nie wspominał.

Być może ta zmiana została zapoczątkowana w naszych umysłach. W domu wyczuwało się strach. Sylwester bał się tego, co mogło się wydarzyć... i ja też.

Wydawało się, że mój mąż słabnie. Zdarzały się dni, gdy w ogóle nie opuszczał swojego pokoju.

Adam także to zauważył i zapytał mnie, czy nie sądzę, że powinniśmy wezwać europejskiego lekarza, doktora Philipsa, by zbadał chorego.

Ku memu zaskoczeniu, obecność Adama w domu przynosiła mi ulgę. Teraz, gdy Joliffe przybył do Hongkongu, Adam dawał nam pewną ochronę. Czułam, że gdybym posłuchała Joliffe'a – na co ten najwyraźniej liczył – starszy kuzyn nie ukrywałby złośliwej satysfakcji. Umiał myśleć praktycznie. Gdybym odeszła razem z Jasonem, stryj mógłby zgodzić się na spółkę w interesach. Wydawało mi się, że odczytuję myśli, które kłębiły się za tą nieprzeniknioną maską.

Adam oglądał kilka domów, ale żaden nie wydawał się odpowiedni, a Sylwester dał mu bardzo jasno do zrozumienia, że cieszy się z jego obecności. Zauważyłam, że od powrotu Joliffe'a stosunek mojego męża do bratanka uległ zmianie. Sylwester darzył go wielką sympatią, miał bardzo dobre mniemanie o umiejętnościach zawodowych Adama i cenił jego zaangażowanie w pracę. Domyślałam się, że niegdyś takimi samymi uczuciami darzył Joliffe'a. Sylwester i Adam byli bardzo do siebie podobni. Często widywałam ich razem pogrążonych w głębokiej, ożywionej dyskusji o jakimś przedmiocie, który jeden z nich odkrył.

Zgodziłam się z nim, że Sylwestra powinien obejrzeć lekarz i ponieważ mój mąż nie chciał o tym słyszeć, Adam postanowił zaprosić doktora Philipsa na kolację, a potem delikatnie poruszyć kwestię zdrowia stryja.

Sylwester był lekko zirytowany, w końcu jednak zgodził się poddać badaniu.

Doktor orzekł, że nie dzieje się nic złego. Rozmawiał ze mną i Adamem przez chwilę i stwierdził, że tryb życia, jaki prowadzi Sylwester, musiał w końcu przynieść niepożądane efekty w postaci słabości i zmęczenia, lecz to tylko nieuniknione skutki wypadku.

– Proszę zapewnić mu jakieś rozrywki i nie pozwolić, by się zaziębił.

Adam powiedział, że to wielka ulga, ale i tak sądził, że postąpił słusznie, zasięgając opinii doktora.

Później Sylwester poprosił, bym mu powiedziała, jak naprawdę brzmiało orzeczenie lekarza.

Powtórzyłam mu słowa doktora Philipsa.

– Chciałbym mieć świadomość mojej sytuacji, Jane – powiedział. – Istnieje teoria, że chorzy nie powinni wiedzieć, jeśli jest z nimi źle. Przypuszczam, że w niektórych wypadkach to rzeczywiście pomaga. Ale ja chciałbym wiedzieć, co mnie czeka... poznać swój koniec, jak to mówią. Jeżeli zostało mi niewiele czasu, chciałbym być tego świadomy.

– A skąd ci to w ogóle przyszło do głowy? Lekarz powiedział tylko, że odczuwasz skutki siedzącego trybu życia i powinieneś się interesować tym, co dzieje się wokół ciebie oraz uważać, abyś się nie zaziębił.

– Cieszę się, że Adam mieszka tutaj. Oczywiście, wciąż jestem przekonany, że jego interesy nie idą najlepiej i wolałby do mnie wrócić, ale nie chcę tego, Jane. Och, szanuję jego umiejętności, w paru dziedzinach jest wielkim autorytetem. Jednak mam swoje powody, by nie wziąć go na wspólnika. Wiele mówi o domu. Wierzy w legendę o ukrytym w tych murach skarbie.

– Czy próbowałeś kiedykolwiek poznać tę tajemnicę, Sylwestrze?

– Przeszukałem cały dom, sprawdziłem każdą ścianę, tak jak mój dziadek, ojciec i inni przede mną.

– Gdzieś tutaj mogą być ukryte pomieszczenia.

– Jeżeli są, to nikt ich nigdy nie znalazł.

– Opowiedz mi o swoim bracie, Magnusie.

– Joliffe jest tak podobny do swego ojca, że czasami wydaje mi się, iż Magnus powrócił. Magnus był ulubieńcem naszego ojca. Zwykliśmy mówić, że był jak Józef i gdyby ojciec miał kolorową szatę, na pewno zapisałby ją Magnusowi.

– Ale pomimo wszystko to ty odziedziczyłeś ten dom.

– Magnus zmarł przed ojcem, lecz nawet gdyby tak się nie stało, ojciec i tak zapisałby dom mnie. Niektórzy uważają ten spadek za ciężar. – Przesunął wzrokiem po ścianach. – Jestem pewien, że wielu służących wierzy, iż tutaj straszy. Zawsze uważałem, że ojciec zapisał dom mnie, bo byłem poważniejszy od Redmonda, który jeszcze wtedy żył, a ojciec myślał, że łatwiej przyjdzie mi pokonać trudności związane z mieszkaniem tutaj.

– Zaskakujesz mnie.

– Och, w tym domu unosi się pewna aura. Ty też ją czujesz, Jane. Żona mojego dziadka uciekła od niego wkrótce po tym, jak tu zamieszkali. Faktem jest, że zawsze była lekkomyślna, ale opuściła go akurat w chwili, kiedy dziadek stał się właścicielem tego domu. Nigdy się nie pogodził z jej odejściem. Mój ojciec także nie był szczęśliwy. Stracił ukochanego syna. Sama widzisz, że nieszczęścia spadały na wszystkich właścicieli tego domostwa. Mój ojciec wierzył, że ja potrafię stawić czoło przeciwnościom dużo skuteczniej niż Redmond.

– Ale firmę rozdzielił między was obu.

– Tak, każdemu z nas zapisał równą część, nie zapomniał też o Joliffie. Ojciec przepraszał mnie parę miesięcy przed śmiercią. „Za parę lat, mówił, ta równowaga zniknie. Ty, mój najstarszy synu, obejmiesz stery, a reszta zostanie daleko w tyle". Miał rację, ja odziedziczyłem największą smykałkę do interesów.

– A potem się rozdzieliliście.

– Niezgodność charakterów. Gdy ojciec żył, trzymaliśmy nasze temperamenty na wodzy, ale po jego śmierci każdy chciał dyktować pozostałym warunki. Ojciec miał rację. Wkrótce odnosiłem dużo większe sukcesy niż Redmond i Joliffe razem wzięci. Oni mieli więcej... innych zainteresowań. A może ja byłem bardziej zaangażowany. Niedługo po naszym rozstaniu Redmond zmarł na atak serca, a jego miejsce zajął Adam. Wtedy nie chciał zostać moim wspólnikiem, był przekonany, że potrafi sam odnieść sukces i do pewnego stopnia mu się to udało. I oto jesteśmy, trzy rywalizujące ze sobą firmy, stryj i dwóch bratanków. – Zawahał się. – Mówiłem ci już wcześniej, że kiedy byłem młody, darzyłem uczuciem pewną aktorkę. Zostaliśmy bliskimi przyjaciółmi. Mój brat Magnus ją ujrzał i ożenił się z nią. Joliffe jest ich synem.

Zastanowiłam się wtedy, czy mój mąż nie czuł pewnej niechęci do Joliffe'a także dlatego, że bratanek był synem kobiety, którą Sylwester kiedyś kochał. Ale kierowanie się takimi pobudkami nie leżało w jego naturze, raczej kochałby bratanka z tego powodu jeszcze mocniej. Joliffe sam sobie zapracował na utratę sympatii stryja.

– Pomimo że była Magnusowi bardzo oddana, nie udało im się to małżeństwo. Magnusa zawsze fascynowały kobiety. Był bogaty, zuchwały, przystojny, szarmancki i czarujący... miał wszystkie cechy, których kobiety szukają w mężczyźnie. Ale za bardzo lubił je wszystkie, by pokochać głęboko tylko jedną. Ja nie otrzymałem od natury żadnego z tych darów. Zawsze byłem tym poważnym Milnerem, oddanym jedynie swoim interesom.

– Cóż, masz teraz z tego pociechę.

– Właśnie tego z czasem się uczymy, Jane. W życiu zawsze przychodzi czas rekompensaty.

– Czy ona żałowała swojego wyboru?

– Och, nie, nigdy. Gdyby mogła przeżyć życie po raz drugi, na pewno znowu wybrałaby Magnusa. Często ją ranił, ale jej przywiązanie do niego nigdy nie osłabło. Umarli niemal razem. Z pewnością nie chciałaby żyć dalej bez niego.

– I Joliffe był ich jedynym synem?

Przytaknął.

– Poczyniłem pewne kroki, by go adoptować. Postanowiłem, że będę go traktował jak własnego syna. Próbowałem przerobić go na swoją modłę, ale czułem się tak, jakbym usiłował zatrzymać przypływ. W końcu był synem Magnusa. – Zamilkł na chwilę, a potem mówił dalej: – A potem ty się pojawiłaś, Jane. Wiesz, od samego początku byłem pewien, że odegrasz ważną rolę w moim życiu. Kiedy zjawił się Joliffe i myślałem, że naprawdę za niego wyszłaś, wydawało mi się, że oto powtarza się jakiś makabryczny wzór.

– Tak – powiedziałam – rozumiem. – A teraz Joliffe wrócił.

– Właśnie – odrzekł. – I znowu o tym myślę.

– Wzór się zmienił – zapewniłam go. – Wydaje mi się, że jestem podobna do ciebie. Postępuję rozsądnie, tylko raz zadziałałam pod wpływem impulsu. Nie sądzę, żebym po raz drugi miała popełnić ten błąd.

– Nie popełnisz. Teraz wszystko pójdzie zgodnie z moim planem.

Wyglądał na zmęczonego i widziałam, że nie ma już ochoty na dalszą rozmowę.

Zaproponowałam, żeby trochę się przespał, ale powiedział, że woli pograć w *mah-jongg**.

Gdy wróciłam z planszą, leżał z zamkniętymi oczami i zobaczyłam, że zasnął.

* *mah-jongg* – chińska gra towarzyska, polegająca na układaniu specjalnych kombinacji z kamieni o rozmaitych znakach

Wyglądał na bardzo zmęczonego, a jego skóra nabrała nowego, pergaminowego odcienia. Ogarnęła mnie fala współczucia i czułości.

Spędzałam z Sylwestrem coraz więcej czasu. Widziałam, jak z każdym dniem stawał się słabszy. Nie potrafiłam dokładnie określić, co mu dolegało, on zresztą też nie. Był po prostu zmęczony i apatyczny. Czasami spędzał całe dnie w łóżku, innym razem wstawał po południu i zasiadał na długie godziny w fotelu. Miał w sobie jakąś potulną rezygnację. Odniosłam wrażenie, że uznał, iż jego życie zmierza ku końcowi i postanowił się poddać.

Irytowała mnie ta postawa. Chciałam, aby zrobił jeszcze jakiś wysiłek. Uśmiechał się do mnie łagodnie, gdy proponowałam, żeby przebrał się do obiadu.

– Przychodzi w życiu taki czas – powiedział – gdy trzeba po prostu pozwolić się porwać. Nadchodzi przypływ, fala lekko cię dotyka i już wiesz, że to tylko kwestia czasu, zanim cię zaleje.

Odparłam gwałtownie, że nie wierzę w taką filozofię.

– To prawda, Jane – odrzekł. – Ty jesteś najbardziej zaciekłym wojownikiem na świecie.

Przyprowadzałam Jasona, który czytał mu na głos, by pokazać, jakie czyni postępy. Gawędzili swobodnie i chłopiec opowiadał wymyślone przez siebie historyjki. Prawie we wszystkich występował smok. Sylwester nauczył chłopca grać w *mah-jongg*, a ja byłam w tych chwilach szczęśliwa na swój spokojny, pełen satysfakcji sposób.

Toby często go odwiedzał i zamykali się razem w pokoju. Parę razy przyszedł też angielski prawnik i widziałam, że Sylwester porządkuje swoje sprawy.

II

Dotychczas starałam się ignorować dziwną obcość Domu Tysiąca Latarni, ale przyszedł moment, w którym nie mogłam już dłużej tego znieść. To było jak żywa istota, czyjaś obecność, postać, nie mogłam uciec przed tym odczuciem. Nie chciałam wierzyć, że wszelkie nieszczęścia, które spadły na wcześniejszych właścicieli domu, miały cokolwiek wspólnego ze złym urokiem, rzucanym przez te mury, ale coś tu było... nieokreślone, nieuchwytne wrażenie.

Sylwester rozmawiał ze mną o domu.

– Teraz już nigdy nie poznam jego sekretu, Jane – powiedział ze smutkiem.

– A czy w ogóle jest jakiś sekret? Ty i twoi poprzednicy przeszukaliście dom od parteru aż po dach. Jestem pewna, że gdyby było tu cokolwiek do odkrycia, ktoś już by to wydobył na światło dzienne.

– Czy czujesz w tym domu coś dziwnego?

Zawahałam się nieco.

– Wydaje mi się, że można w sobie wytworzyć pewną tę... jak to nazwałeś? Aurę. To coś w twojej głowie, nic realnego, czego można by było dotknąć.

– Jesteś wrażliwą kobietą, Jane. I masz rację. Przyczyna lęku istnieje często tylko w umysłach ludzi, których nęka strach. Być może właśnie odkryłaś sekret tego domu, polegający na tym, że nie ma żadnego sekretu, a tajemnica istnieje jedynie w umysłach tych, co ją stworzyli.

Czytałam mu potem trochę Dickensa, którego zawsze uwielbiał. Myślę, że lektura przenosiła go na chwilę w inny świat, a nic nie mogło być bardziej odległe od jego pokoju z tańczącymi latarniami niż angielska ulica.

Przy łóżku zawsze trzymał księgę z cytatami z dzieł największych chińskich pisarzy i często studiował je przed snem.

Pamiętam kilka z tych cytatów. Dwa zdawały się odnosić w szczególności do mnie. Pierwszy brzmiał: „Nie można wypolerować klejnotu bez tarcia ani udoskonalić człowieka bez prób". Myślałam wtedy, jak bardzo się zmieniłam od czasu moich wspólnych dni z Joliffe'em. Stałam się bardziej wyrozumiała dla innych, złagodniałam. Zastanawiałam się, czy dziewczyna, jaką byłam wtedy – zakochana we własnym życiu, która nie miała ani odrobiny czasu dla innych – potrafiłaby tak dodawać otuchy Sylwestrowi, jak czyniłam to teraz. Inny cytat, który powtarzałam w myślach, brzmiał: „Błąd chwili staje się smutkiem całego życia".

Dużo o tym myślałam.

To był dziwny okres. W pokoju Sylwestra panował nastrój akceptacji, oczekiwania pełnego filozoficznego spokoju. Dom stał cichy, jakby też na coś czekał, zdawało mi się, że z nadzieją. Usiłowałam przekonać samą siebie, że wyobraźnia płata mi figle, ale czułam to wyraźnie. Mroczne pokoje z wiszącymi latarniami i zacienione alkowy pełne były oczekiwania. Wyczuwałam je w cichym szeleście zasłon i łagodnych powiewach wiatru, który delikatnie kołysał miniaturowymi drzewkami i wietrznymi dzwonkami. Unosiło się w pagodzie – miejscu potajemnego spotkania Jasona i Joliffe'a. Często tam chodziłam, by sprawdzić, czy Lottie nie złamała moich zakazów i nie przyprowadziła tu Jasona na rozmowę z ojcem. Na poły pragnęłam tego, a na poły lękałam się, że go ujrzę.

Czułam, że żyję w dziwnym, podzielonym świecie – między teraźniejszością a przyszłością, ponieważ, chociaż Sylwester nic nie mówił, dom mi powiedział, że mój mąż wkrótce umrze.

Zastanawiałam się, co się wtedy stanie, ale postanowiłam nie przyjmować do wiadomości istnienia jednego, cudownego rozwiązania. Joliffe jest wolny... tak jak ja będę niedługo. Czułam się winna i zawstydzona, że mogę w ten sposób postrzegać śmierć męża.

Byłam niezwykle świadoma obecności Adama w domu. Często złościły mnie jego dydaktyczne zapędy, miał bowiem irytujący zwyczaj wygłaszania tez, co do których słuszności był absolutnie przekonany. Na początku chciałam z nim dyskutować, przekonałam się jednak, że prawie zawsze miał rację.

Adam wziął na siebie w pewnej mierze rolę obrońcy, tak, jakby zamierzał mnie chronić nawet wbrew mojej woli. Bardzo mnie to złościło i chciałam mu powiedzieć, że nie jestem słabą kobietką. Byłam uczennicą Sylwestra i wykułam wszystkie lekcje na blachę. Pierwszą z nich była umiejętność radzenia sobie o własnych siłach.

Ale nic nie mówiłam i tak płynęły dni.

Lottie powiedziała:

– Pan jest spokojny. Czeka na Yen-wang.

Wiedziałam, że Yen-wang był dla Chińczyków tym, czym Pluton dla Greków, ale chwilami, całym sercem buntowałam się przeciwko tej cichej akceptacji losu. Próbowałam wyrwać Sylwestra z apatii.

– Zawsze mówiłeś, że każdy człowiek potrafi zrobić wszystko. Jeżeli ktoś chce wyzdrowieć i jest naprawdę zdeterminowany, dlaczego miałoby mu się to nie udać?

– Nasz wola sięga tylko do pewnego punktu – odpowiedział. – Lecz gdy zbliża się wyznaczona godzina, nie można już zignorować zegara.

Tej nocy obudziłam się przerażona. Usiadłam na łóżku i poczułam, że jestem niemal sparaliżowana ze strachu. Pokój zalewało delikatne światło sierpu księżyca, a wisząca pośrodku latarnia wyglądała jak opadający z sufitu potwór.

I nagle zdałam sobie sprawę, co mnie obudziło. Ruch pod moimi drzwiami. Cichy zgrzyt przekręcanej wolno klamki. Wyskoczyłam z łóżka i wtedy drzwi otworzyły się powoli.

W mroku zamajaczyła jakaś ludzka postać. Przez parę sekund myślałam, że zmaterializował się jeden z duchów Domu Tysiąca Latarni.

Potem, ku memu niepomiernemu zdumieniu, dostrzegłam, że stoi przede mną Sylwester.

Musiałam śnić. To nie mógł być mój mąż, nie udałoby mu się samemu wejść po schodach.

– Sylwestrze... – wyszeptałam.

Nie było odpowiedzi. Postać miała oba ramiona wyciągnięte przed sobą i posuwała się w głąb pokoju.

Wpatrywałam się w niego szeroko otwartymi oczami. To musiał być sen. I nagle wszystko zrozumiałam: mój mąż chodził we śnie.

Nie mogłam się nadziwić, że udało mu się wdrapać po schodach. Czułam, że coś go zmusiło, by do mnie przyszedł i pomimo że spał, teraz już wiedział, że mnie znalazł.

Słyszałam kiedyś, że gdy ludzie lunatykują, nie należy ich budzić, tylko powoli zaprowadzić z powrotem do łóżka, więc delikatnie obróciłam Sylwestra w kierunku, z którego przyszedł, wyprowadziłam z pokoju, a potem przez korytarz i do schodów. Szłam przed nim i powoli sprowadzałam śpiącego ze stopni.

Położyłam go z powrotem do łóżka i starannie okryłam. Nie chciałam zostawiać go samego, na wypadek gdyby znowu próbował wstać.

Siedziałam więc przez jakiś czas i przyglądałam się mojemu mężowi. Wyglądał, jakby już nie żył. Miał ściągniętą skórę na policzkach, przez co jego rysy nabrały nienaturalnej ostrości. Myślałam o tym, jak wiele dla mnie zrobił i zastanawiałam się, co będzie dla mnie oznaczało jego odejście, bo wiedziałam, tak dobrze, jak on sam, że koniec jest bliski.

Zaczęłam marznąć i widziałam, że moje siedzenie tutaj w niczym mu nie pomoże, więc wstałam, ale w tym momencie otworzył oczy.

– Jane – szepnął.

– Wszystko w porządku, Sylwestrze.

– Która godzina? Co ty tutaj robisz?

– Wszystko w porządku. – Wiedziałam, że i tak będę musiała powiedzieć mu prawdę, toteż wyjaśniłam: – Chodziłeś we śnie. Przyprowadziłam cię z powrotem do łóżka.

Chciał wstać, więc dodałam szybko:

– Nie podnoś się. Pomówimy o tym rano. Teraz będziesz już spał spokojnie.

– Jane – wyszeptał.

Pochyliłam się i pocałowałam go w czoło.

– Spróbuj zasnąć – szepnęłam.

Rano rozmawialiśmy na ten temat. Sylwester był zaniepokojony.

– Nie sądzę, żebym kiedykolwiek wcześniej to robił – powiedział.

– Być może wielu ludziom to się zdarza – próbowałam go uspokoić – tylko nigdy się o tym nie dowiadują.

– I byłem w twoim pokoju. Jak mi się to udało?

– To niesamowite.

– Musiał kierować mną jakiś nakaz... we śnie... coś, co dało mi siłę do wejścia po schodach.

– Czy to możliwe?

– Myślę, że tak. Martwiłem się o ciebie, Jane, i być może mój niepokój ujawnił się w ten sposób. Musiałem śnić, że mnie potrzebujesz... być może chciałem ci coś powiedzieć, a może śniłem, że jesteś w niebezpieczeństwie. Bodziec musiał być bardzo silny, skoro dałem radę wdrapać się po schodach, Jane. Naprawdę martwię się o ciebie. Kiedy mnie zabraknie...

– Proszę, to mnie zasmuca.

– Moja kochana Jane, jesteś dla mnie taka dobra, zawsze byłaś. Wiesz, najwięcej szczęścia w życiu zaznałem właśnie dzięki tobie.

– To dla mnie bardzo pocieszające, ale chcę, żebyś przestał mówić tak, jakbyś był bliski śmierci. Może ten sen to znak, do czego tak naprawdę jesteś zdolny. Skupmy się na twoim powrocie do zdrowia.

– Nie, nie, Jane. Musimy spojrzeć prawdzie w oczy. Śmierć jest już w domu.

Zadrżałam.

– Och, nie, nie masz racji. Nawet nie wolno tak myśleć.

– Ale to prawda. Ja to czuję. I ty też. Jesteśmy wrażliwymi ludźmi, Jane, a to miejsce przyciąga zjawy. Nie czujesz tego?

– Zawsze myślałam, że jesteś trzeźwym i praktycznym człowiekiem interesu.

– Jestem nim właśnie dlatego, że wiem, iż w życiu jest wiele spraw, które dla mnie i dla innych na zawsze pozostaną tajemnicą. Widziałem śmierć, Jane. Tak, naprawdę widziałem śmierć w jej materialnej postaci.

– Co masz na myśli?

– Było późne popołudnie. Drzwi mojego pokoju otworzyły się i ukazał się w nich jakiś kształt. Smok w masce śmierci. Widziałem taką postać na paradzie, a teraz stała tu przede mną... i patrzyła wprost na mnie. Była i po chwili zniknęła.

– To musiał być zły sen, jak inaczej mógłbyś zobaczyć coś takiego?

– Nie, nie spałem. To, co mogłoby wydawać się niemożliwe w Anglii, w Zagrodzie Rolanda, tutaj może się wydarzyć.

– Nie wolno ci wierzyć w takie rzeczy.

– Wiedziałem, że to śmierć, Jane. To nie jest zwykły dom, czujesz to tak samo dobrze, jak ja. Tutaj mogą się dziać rzeczy w innych miejscach niemożliwe. Nie czujesz wszechobecnej tajemnicy, dawnych sekretów, stałego wpływu przeszłości?

– Muszę poprosić lekarza, żeby przepisał ci coś na sen. I zamierzam nie spuszczać z ciebie oka, Sylwestrze.

Uśmiechnął się, ujął moją dłoń i pocałował, a mnie zalała fala czułości.

Przyszedł kwiecień i z nostalgią myślałam o wiośnie w Anglii. W londyńskich parkach na pewno zakwitły już żonkile i wyobrażałam sobie dzieci, bawiące się koło stawu. Te wspomnienia przenosiły mnie natychmiast do owych krótkich, pełnych ekstazy dni z Joliffe'em, a wtedy wyraźnie widziałam uśmiechniętą twarz Belli i jej złowieszcze spojrzenie – posłaniec Losu, który przybył, by jednym słowem zniszczyć moje szczęście.

Dom ogarnęło podniecenie, służący szeptali po kątach. Zbliżało się wielkie święto.

Sylwester powiedział do mnie:

– Wiesz, co się zbliża, Jane. Święto Zmarłych.

Poczułam ukłucie strachu. Przypomniałam sobie, że czytałam kiedyś o tym obyczaju. Zupełnie zapomniałam, że święto jest o tej porze.

– Obchodzi je się dwa razy w roku – powiedział Sylwester – wiosną i na jesieni, ale uroczystości wiosenne są ważniejsze.

– To ponury zwyczaj.

– O nie, te obchody nie mają w sobie nic ponurego. Chińczycy oddają cześć swoim przodkom. Jak wiesz, największą wartością w ich życiu jest kult zmarłych. Każdy zły uczynek, popełniony w imię tego kultu, jest przebaczany. Konfucjusz ustanowił prawo mówiące, że najważniejszym obowiązkiem człowieka jest dopełnienie rytuałów pogrzebowych i żałobnych. Chińczycy wręcz bałwochwalczo czczą zmarłych, dlatego to święto jest najważniejsze w roku.

Rozpoczęto przygotowania. Przez cały dzień widzieliśmy grupy ludzi zmierzające w stronę wzgórz, gdzie chowano zmarłych. Sylwester powiedział mi, że w całych Chinach wybierano specjalne miejsca, gdzie nie wolno było uprawiać ziemi. Leżeli tam obok siebie wielcy mandaryni i najbiedniejsi wieśniacy.

Przez kilka dni mężczyźni, kobiety i dzieci chodzili tam myć grobowce, by były gotowe na wielki dzień. Gdy pojechaliśmy z Tobym na przejażdżkę, widzieliśmy czerwono-białe papierowe chorągiewki powiewające na wietrze. Zostawiano je na grobach, aby wszyscy wiedzieli, że pomnik jest umyty i przygotowany, a żywi nie zapomnieli o spoczywającym tam zmarłym.

Lottie także odbywała pielgrzymki na ów cmentarz. Brała ze sobą jedzenie oraz świece i owijała się grubym płaszczem.

Nigdy nie zapomnę tamtego dnia. Dom opustoszał, wszyscy służący udali się na wzgórze.

Tobiasz zabrał Jasona na przejażdżkę na małym kucyku – Jason zaczął uczyć się jeździć konno – więc Sylwester i ja zostaliśmy zupełnie sami.

W domu panowała idealna cisza, przerywana jedynie odległymi dźwiękami gongu, które dochodziły od podążającej na wzgórze procesji żałobników.

Będę zadowolona, kiedy ten dzień się wreszcie skończy, pomyślałam.

Sylwester był ubrany, siedział w swoim fotelu. Bardzo schudł i w przyćmionym świetle przypominał szkielet.

Tak bardzo chciałam, by przestali walić w te gongi. Ich dźwięk przywodził mi na myśl jęk żałobnego dzwonu. Przyszła mi nagle na myśl moja pogodna matka, która wiedziała, że umiera i nie powiedziała mi o tym ani słowa.

– To upiorna uroczystość – powiedziałam głośno.

– Smutek trwa krótko – odrzekł Sylwester. – Już niedługo zacznie się uczta.

– Uczta!

– Chyba nie sądziłaś, że pozwolą, by zmarnowało się całe to jedzenie, które ze sobą zabrali? Są zbyt praktyczni. Oddadzą cześć zmarłym, a potem urządzą ucztę z tego, co przynieśli. Na szczycie wzgórza zapalą lampiony i rozpocznie się uroczystość. Rozłożą jedzenie na grobach, usiądą i będą jedli, jak sami to nazywają, posiłek ze swymi przodkami.

– A jutro o wszystkim zapomną?

– Niektórzy zapominają o swoich zmarłych... inni pamiętają ich na zawsze.

Milczeliśmy chwilę, po czym Sylwester powiedział:

– Już wkrótce, Jane, odejdę stąd.

– Proszę, przestań – odparłam gwałtownie. – Od tak dawna nieomal kusisz śmierć.

– Widziałem, jak przyszła do domu, Jane, i wiedziałem, po kogo
przyszła.

– To nonsens. Po prostu straciłeś chęć do życia.

– Straciłem, bo ktoś mi ją odebrał.

– Ale kto?

I wtedy odrzekł coś dziwnego:

– Nie jestem pewien.

– Sylwestrze, co masz na myśli?

Wzruszył ramionami.

– W każdym razie, mój czas dobiega końca. Taka jest kolej życia.
Wiedziałem, jak powinienem postąpić. Kiedy odejdę, ten dom stanie
się twoją własnością, Jane.

– Nie chcę o tym słyszeć.

Roześmiał się cicho.

– Nie mów tak. Dom słucha. Nikt nie lubi być niechcianym, to
powoduje utratę twarzy. Tak, wiem, że właśnie to powinienem zrobić. Ten dom i firma będą twoje, Jane. Po to cię szkoliłem. Jesteś
sumienna... poważna. Doskonale się do tego nadajesz i wykształcisz
syna tak, by w przyszłości przejął od ciebie prowadzenie interesów.
Zaś jeżeli chodzi o dom... i jego tajemnice, wierzę, że odkryłaś prawdę. Lęk istnieje tylko w naszych umysłach, Jane, i to jest rozwiązanie zagadki. Będziesz żyła tu w spokoju.

– Nie możesz zapisać mi tego wszystkiego... mnie, kobiecie – odrzekłam.

– Wiesz, że zawsze darzyłem kobiety ogromnym szacunkiem.
A ty jesteś moją żoną. Lata, które z tobą spędziłem, były najszczęśliwsze w moim życiu, odkąd Marta odeszła z Magnusem. Twoje
przybycie wszystko zmieniło. A ty uczyłaś się... uczyłaś się tak
szybko. Twoja radość, twój entuzjazm, twoje oddanie – to były moje
rozkosze.

– Nie poradzę sobie...

– Bzdura. A kto przypominał mi ostatnio, że każdy człowiek może wszystko, jeżeli zechce?

– Czy ty w to wierzysz?

– Wierzę.

– Więc uwierz, że możesz wyzdrowieć. Na pewno wyzdrowie-
jesz. Będę się tobą opiekować. Sama będę wszystko dla ciebie go-
towała...

Zamilkłam, przerażona własnymi słowami. Wydawało się, że dom wstrzymał oddech i czekał, a ja czułam się tak, jakby jakiś nieznany głos wyszeptał mi te słowa do ucha.

– Już za późno, Jane – odrzekł Sylwester. – Moja godzina nadeszła. Będziesz wiedziała, co dalej robić. Tobiasz ci pomoże, możesz na nim polegać. Zaufaj Toby'emu. Zależy mi na tych skarbach. Odniosłem wielki sukces dzięki moim umiejętnościom handlowym, potrafiłem dobrze kupić i z zyskiem sprzedawać moje skarby, bo kocham to zajęcie. Sama wiesz, że zatrzymywałem wiele rzeczy, bo nie potrafiłem się z nimi rozstać. Wydaje mi się, że zadbałem o wszystko, starałem się przewidzieć wszelkie niespodziewane wypadki. Przyszło mi do głowy, że możesz nie chcieć żyć samotnie.

– O czym ty mówisz, Sylwestrze? – zapytałam ostro.

– Znam cię dobrze, Jane. Nie sądzę, żebyś była typem kobiety stworzonej do samotnego życia. Możesz chcieć ponownie wyjść za mąż.

– Och, nie mów takich rzeczy. Mam męża, który jest dla mnie najlepszy na świecie.

– Niech Bóg ci błogosławi, Jane. Ale spójrzmy prawdzie w oczy. Gdy ja odejdę, poczujesz się samotna. Ktoś będzie ci potrzebny. Wybieraj rozsądnie, Jane. Kiedyś... – Urwał, bo drgnęłam. Wiedziałam, że myśli o Joliffie. Sylwester jednak mówił prędko dalej: – Tak, jak powiedziałem, wziąłem pod uwagę wszelkie ewentualności. Jason jest bardzo młody. Ty też, lecz gdyby cokolwiek ci się przydarzyło, wyznaczyłem Adama na jego opiekuna, do chwili aż chłopiec ukończy dwadzieścia jeden lat. Ale ty będziesz wszystkim kierowała, Jane, tak długo, jak to tylko będzie możliwe.

Dawał mi do zrozumienia, że gdybym miała ponownie wyjść za mąż, chciałby, aby moim wybrankiem był Adam – Adam albo może Toby. Ufał mu bezgranicznie, jednak to Adam należał do rodziny. Najbardziej pragnął, bym trzymała się z dala od Joliffe'a.

– Chcę, żebyś wyzdrowiał! – krzyknęłam. – Chcę, żebyś ty wszystkim kierował!

– Jesteś dla mnie bardzo dobra, Jane – powiedział. – Zawsze byłaś wspaniała. Miałem dobre życie... jeśli spojrzeć na nie jako na całość. Były chwile smutku, ale nauczyłem się nad nim panować, a Chińczycy mówią, że im częściej ćwiczymy daną umiejętność, tym bardziej ją rozwijamy.

Zamilkł i wydawało mi się, że zasnął.

Siedząc przy nim, wróciłam myślami do przeszłości, do chwili gdy spotkaliśmy się po raz pierwszy i tak bardzo się bałam, że matka i ja zostaniemy odprawione.

A potem dotarła do mnie waga jego słów i nie mogłam już o niczym myśleć. Chciałam tylko siedzieć tak bez ruchu i wsłuchiwać się w ciszę domu, przerywaną jedynie odległymi dźwiękami gongu dochodzącymi ze wzgórza.

Tej nocy Sylwester umarł we śnie... w noc Święta Zmarłych. Uznałby, że to odpowiednia pora na śmierć.

Zostałam nie tylko wdową, ale i bardzo bogatą kobietą.

Rozdział szósty

Wdowa

I

Nastał dla mnie czas wzmożonego wysiłku. Tak wiele musiałam się nauczyć, nabrać pewnej godności. Musiałam przekonać do moich umiejętności nie tylko tych, z którymi prowadziłam interesy, ale także samą siebie.

Za każdym razem, gdy się obawiałam, że czemuś nie podołam, sama sobie dodawałam otuchy, mówiąc: Sylwester w ciebie wierzył. Był przekonany, że potrafisz to zrobić.

Musiałam dopełnić mnóstwa formalności i cale godziny spędzałam z prawnikami. Byłam zdumiona skalą interesów mojego męża, którymi miałam zarządzać jako depozytem przeznaczonym dla Jasona. Przysięgłam sobie, że utrzymam firmę w doskonałej kondycji, nie tylko po to, by przekonać samą siebie, że potrafię tego dokonać, ale przede wszystkim z uwagi na syna.

Wydawało się, jakby przybyło mi wzrostu. Nauczyłam się podejmować niezachwiane decyzje. Dowiedziałam się, jak rozmawiać z ludźmi, zachowując przyjaźnie formalną postawę. Zaczęłam nawet wyczekiwać nowych trudności, bo przezwyciężanie ich sprawiało mi ogromną satysfakcję.

Czułam, że Adam chętnie przejąłby stery.

– Musisz pozwolić mi zająć się wszystkim – powiedział. – Dla kobiety to stanowczo za wiele.

– Nie taka była wola Sylwestra – odparłam.

– No cóż, jeżeli mógłbym cokolwiek zrobić...

– Dziękuję, Adamie.

Wyprowadził się z Domu Tysiąca Latarni. Nie mógł tu zostać po śmierci stryja. Wynajął niewielki pawilon nieopodal.

– Wiesz, że jestem niedaleko, gdybyś czegoś potrzebowała – powiedział mi.

Nosiłam w sercu głęboką żałobę po mężu. Nie zdawałam sobie sprawy, jak wiele dla mnie znaczył, dopóki go nie straciłam. Czasami budziłam się w nocy z potwornym poczuciem pustki i leżałam bezsennie, rozmyślając o ogromnej dobroci, którą mi okazał. Bardzo chciałam zrobić wszystko, o co mnie prosił.

Pochowaliśmy go na angielskim cmentarzu. Chińscy służący nie kryli rozczarowania, że nie dopełniliśmy ich obrzędów. Chcieliby ujrzeć żałobną procesję z darami, owianą wonią kadzideł, zmierzającą na wzgórze. Rodzina niosłaby pieniądze i przedmioty do grobu, aby Sylwester mógł zrobić z nich użytek w świecie duchów. Złożyłam jednak ukłon w stronę ich obyczajów, ubierając Jasona i siebie na biało.

Lottie chodziła zamyślona.

– Wielka pani znowu wyjdzie za mąż – powiedziała.

– Za mąż! – zawołałam. – A skąd ci to przyszło do głowy?!

Rozłożyła ręce i popatrzyła na mnie z mądrą miną.

– W Anglii wdowa nawet nie myśli o małżeństwie przed upływem roku od śmierci męża – powiedziałam.

– Więc? – zapytała, przechylając głowę na jedną stronę jak ptaszek. – Zatem wyjdziesz za mąż za rok.

Wydawała się bardzo z tego powodu zadowolona.

Rok, powtórzyłam w myślach.

Na pogrzeb przyszedł Joliffe. Cały czas czułam na sobie jego świdrujący wzrok.

Zgodnie z angielskim zwyczajem testament odczytano zaraz po powrocie z cmentarza. Nie byłam zaskoczona, w końcu Sylwester uprzedził mnie o jego treści, zdumiała mnie jedynie wielkość spadku. Dziedziczyłam wszystko, ale, tak jak powiedział mój mąż, do testamentu była dołączona klauzula. Można było liczyć na Sylwestra, jeżeli chodziło o przewidywanie niespodziewanych wypadków. Gdybym umarła przed dwudziestymi pierwszymi urodzinami Jasona, majątkiem miał zarządzać Adam.

Zastanawiałam się, czy Sylwester obawiał się, że wyjdę za Joliffe'a, i w ten sposób próbował go odsunąć.

Joliffe przyszedł ponownie następnego dnia po pogrzebie. Wprowadzono go do bawialni, a gdy zeszłam na dół, podszedł do mnie z wyciągniętymi ramionami.

Odsunęłam się. Obawiałam się jego dotyku, byłam wtedy tak bezbronna.

– Jane, muszę z tobą pomówić – wybuchnął. – Tak wiele spraw musimy przedyskutować. Jesteśmy teraz wolni, Jane... oboje.

Odwróciłam się. Prawie widziałam Sylwestra, jak siedzi w swoim fotelu i z przerażeniem zakrywa oczy dłońmi.

– Proszę, Joliffie – odparłam. – Jestem wdową dopiero od tygodnia. Czyżbyś o tym zapomniał?

– To właśnie dlatego tak wiele musimy sobie powiedzieć.

– Nie tutaj – odrzekłam. – Nie teraz...

Zawahał się przez moment, a potem powiedział:

– Dobrze, w takim razie później. Ale niedługo.

Uciekłam do swojego pokoju i myślałam o Joliffie i o chwilach, które spędziliśmy razem w Paryżu. Pamiętałam dobrze pełną niepokoju radość, gdy się poznaliśmy, a potem miłość do niego. W końcu stanął mi przed oczami ten potworny dzień, w którym odwiedziła nas Bella. Kiedy dosięgnie się szczytów ekstazy, upadek jest naprawdę bolesny.

Przez te wszystkie lata po stracie Joliffe'a powtarzałam sobie jedno zdanie: jeżeli to będzie zależało ode mnie, nigdy więcej nie narażę się na takie cierpienie. Przypominałam sobie pełne mądrości słowa Sylwestra: „Zaangażowanie oznacza cierpienie. Trzeba uważać, by nie angażować się zbyt łatwo".

Dał mi też inną radę: „Nigdy nie podejmuj pochopnych decyzji. Przyjrzyj się problemowi ze wszystkich stron, oceń dokładnie każdy aspekt".

Czasami czułam, że Sylwester jest bardzo blisko mnie, czuwa nade mną i często wspominałam jego pełne mądrości słowa.

Parę dni później Lottie przyszła do mnie i powiedziała, że Joliffe jest w pagodzie i prosi, abym tam się z nim spotkała.

Gdy weszłam do środka, podszedł do mnie od tyłu i objął mnie ramionami.

– Proszę, Joliffie – powiedziałam. – Puść mnie.

– Jeszcze nie. Kiedy się pobierzemy?

– Przez rok nie zamierzam nawet śnić o małżeństwie.

– Te stare konwenanse! I tak nigdy nie byłaś niczyją inną żoną, tylko moją.

Odsunęłam się od niego.

– Nigdy nie byłam twoją żoną. Miałeś już żonę, gdy podpisywałeś ze mną nieważny akt ślubu.

– Akt ślubu! – zawołał. – Imiona wpisywane w puste linie z kropek! Czy to one tworzą małżeństwo?

– Tak się ogólnie uważa – odparłam.

– Nie – powiedział. – Byłaś moją żoną, Jane. Ty i ja jesteśmy dla siebie stworzeni. Gdybyś wiedziała, jak się czułem, gdy odeszłaś...

– Ja wiem, Joliffie – odrzekłam cicho.

– Więc dlaczego się wahasz?

– Byłam młoda, beztroska, nie wiedziałam nic o świecie. To się zmieniło. Spoważniałam.

– Kobieta interesu! – prychnął. – Cały Hongkong o tobie mówi. Zastanawiają się, ile czasu upłynie, zanim weźmiesz sobie męża, by zdjął ten ciężar z twoich ramion.

– O ile to w ogóle jest ciężar, to nie zamierzam na nikogo go zrzucać. Sylwester dobrze mnie wyszkolił przez te lata. Wierzył, że sobie poradzę. Mam syna i dla niego muszę pracować. Być może otrzymałam już w życiu wszystko, co mi potrzebne.

– Cóż za nonsens! Będziesz miała jeszcze wielu synów. Nie jesteś kobietą, która potrafiłaby usunąć miłość na zawsze ze swego życia.

– Sama muszę odkryć, jaką jestem kobietą, Joliffie. Bez przerwy zaskakuję samą siebie.

– Zraniłem cię, prawda? Kocham cię, Jane. Nie chciałem ci mówić o Belli, nie wtedy. Powiedziałbym ci później, kiedy byłabyś starsza i bardziej wyrozumiała wobec szaleństw młodości. Poza tym myślałem, że ten epizod skończył się raz na zawsze. Wtedy ona wstała z martwych – a ty mnie opuściłaś! Och, Jane, jak mogłaś to zrobić!

– Nie widziałam innego rozwiązania.

– Konwencjonalna Jane, nie mogła kochać bez aktu małżeństwa, a teraz nie może wrócić do swego prawdziwego męża, bo musi odczekać rok od śmierci męża, który nigdy nim nie był.

– Joliffie, proszę, nie mów tak o Sylwestrze. Zawsze był dla mnie dobry. Wiele dla mnie znaczył, choć może nie potrafisz zrozumieć tego, co nas łączyło.

– Świetnie to rozumiem.

– Nie, Joliffie, nie rozumiesz. On przez całe lata był moim najlepszym przyjacielem. Zawdzięczam mu wszystko... nawet spotkanie ciebie.

– Jakie to do ciebie podobne, konwencjonalna Jane, otaczać nieboszczyków aureolą. W umysłach niektórych ludzi umarli od razu stają się święci. Sylwester był geniuszem w interesach, potrafił też rozpoznać wielką szansę, gdy mu się trafiła. Ożenił się z tobą, bo potrzebował opiekunki, pomocnicy i syna, a ty mogłaś zaspokoić wszystkie jego potrzeby. Spójrzmy na tę sprawę praktycznie. Tutaj możemy mówić swobodnie. Duszę się w tym domu.

– To dlatego chciałeś spotkać się ze mną tutaj?

Skinął głową.

– Niby część domu, a jednak nie do końca. Coś jest w tej pagodzie, zawsze tak uważałem. – Spojrzał na ukruszony posąg bogini, na promień słońca wpadający przez otwór w dachu. – Przychodziłem tu jako chłopiec. Dlatego teraz pomyślałem: w pagodzie mogę spokojnie pomówić z Jane.

– Jeszcze nie mamy o czym mówić – oświadczyłam. – Potrzebuję czasu do namysłu. Mam zbyt wiele wątpliwości.

– Potrzebujesz swojego wyznaczonego roku – powiedział.

– Tak, potrzebuję mojego roku.

– I nie wyjdziesz za mnie przed upływem tego czasu?

– Nie.

– Więc jak mam przeżyć kolejny rok bez ciebie?

– W ten sam sposób, w jaki żyłeś dotychczas.

– Prosisz o wiele, Jane.

– Kto naprawdę kocha, ten jest gotów wiele ofiarować.

Patrzył na mnie bez zmrużenia oka.

– Nigdy nikogo nie darzyłem takim uczuciem, jak ciebie. Będę żył dla chwili, w której znowu będziemy razem. Za rok od tego dnia wrócę po ciebie. Przejdziemy jeszcze raz przez ślubną ceremonię, tym razem akt będzie wiążący. – Podszedł do mnie znowu, wziął mnie w ramiona i pocałował, a w jego uścisku była ta sama magia, którą zapamiętałam tak dobrze.

Parę dni później Adam powiedział mi, że Joliffe wyjechał z Hong-kongu.

Teraz nie miałam wiele czasu na konne przejażdżki. Zastanawiałam się, czy nie powinnam zatrudnić guwernantki do Jasona, ale to by oznaczało sprowadzenie kogoś aż z Anglii. Poza tym nasze lekcje sprawiały mi ogromną przyjemność. Jason był bardzo bystry – widziałam to nie tylko oczami dumnej matki – a ciekawość świata i chęć do nauki u Lottie zaskakiwały mnie i cieszyły. Nie mogłam opuścić mojej małej klasy, którą urządziłam w jednym z pokoi na ostatnim piętrze. Kazałam wstawić tam duży, drewniany stół i szafki na książki. Nad stołem wisiała latarnia. Jason był wniebowzięty, gdy pozwalałam mu zapalać olejową lampkę, umieszczoną w środku. Z okna widzieliśmy pagodę, która zdominowała widok rozciągający się ze wszystkich okien po tej stronie domu.

Często zwierzałam się Tobiaszowi. Po upływie kilku pierwszych tygodni starałam się codziennie jeździć do magazynu. Uczyłam się coraz więcej od Toby'ego, a on z radością przekazywał mi swoją wiedzę. Coraz bardziej zbliżaliśmy się do siebie. Wiedziałam, że mogę mu ufać. Powiedziałam mu, że nie zamierzam zostać w Hongkongu na zawsze. Przyjdzie czas, gdy nie zdołam już sama uczyć Jasona, chłopiec będzie musiał pojechać do szkoły. To stanie się za parę lat i nie zamierzałam zostać tutaj, gdy mój syn zamieszka w Anglii.

– Jest jeszcze sporo czasu, by się nad tym wszystkim zastanowić – zauważył Toby.

– Mnóstwo czasu – potwierdziłam. – Sylwester z radością przekazywał kierowanie tutejszymi interesami w twoje sprawne ręce. Tylko dzięki tobie mógł tak długo mieszkać w Anglii.

– Możesz polegać na mnie tak samo, jak on – odrzekł z powagą, ale kiedy spojrzał mi prosto w twarz, spuściłam oczy, by uniknąć jego wzroku. Wiedziałam, że ma nadzieję, iż połączy nas głębszy związek. Miałam świadomość tego już od dawna, chociaż Toby był człowiekiem honoru i nigdy za życia Sylwestra celowo nie okazał mi ani cienia swoich uczuć – ale ja od dawna zdawałam sobie z nich sprawę.

Czasami myślałam, jakie to by było wspaniałe rozwiązanie... jeżeli chodzi o interesy. Nigdy nie znalazłabym lepszego zarządcy. Potrafił być stanowczy, w swych decyzjach i planach zawsze kierował się uczciwością i prawie zawsze miał rację. Wiedziałam, że mogę mu bezgranicznie ufać.

Poza tym darzyłam go wielką życzliwością. Szanowałam go, podziwiałam, lubiłam jego towarzystwo, gdyż odznaczał się lekkim dowcipem najlepszego rodzaju, dowcipem który bawił, nie raniąc przy tym innych. Potrafiłabym wyobrazić sobie małżeństwo z Tobym jako szczęśliwe zakończenie... gdybym nigdy nie poznała Joliffe'a. Z Tobym czekałoby mnie życie pełne spokoju i zadowolenia.

Co najdziwniejsze, moje stosunki z Adamem zaczęły ulegać zmianie. Jego towarzystwo, które kiedyś tak mnie irytowało, teraz działało na mnie stymulująco. Bawiło mnie jego poważne, pełne rezerwy i krytycyzmu podejście do życia.

Pewnego dnia udaliśmy się, każde oddzielnie, do pałacu pewnego mandaryna, gdzie odbywała się aukcja dzieł sztuki. Coraz częściej zaczęłam sama bywać w takich miejscach, co z początku wywoływało zdumione spojrzenia, z czasem jednak przestało kogokolwiek dziwić. Było jasne, że nie jestem zwykłą kobietą. Stałam się znana jako Madame Milner, żona wielkiego Sylwestra Milnera, jednego z najbogatszych kupców na Dalekim Wschodzie. A Sylwester wszystko zostawił mnie. Na początku uważano, że był to akt głupoty zdziecinniałego starca, zaślepionego miłością do o wiele młodszej żony, ale z czasem okazało się, że świetnie sobie radzę. A może zaakceptowano mnie także dzięki wpływom Toby'ego. Byłam inna, bo byłam kobietą. Miałam kobiecą intuicję, a moja znajomość chińskiej sztuki stawała się fenomenalna. Miałam też doskonałego zarządcę w osobie Toby'ego Granthama, który, jak wszyscy wiedzieli, jest najlepszy w swoim fachu. Pozostał lojalny wobec mnie, chociaż słyszałam, że inni właściciele firm składali mu bardzo atrakcyjne oferty. Wydawało się, że nie można mnie tak łatwo zignorować.

Moja riksza stała się znana w mieście i zauważyłam, że przechodnie przyglądają mi się spod opuszczonych powiek. Mruczeli coś o Madame i dziwactwach obcych diabłów, którzy traktowali swoje kobiety jak boginie.

Tym razem, ponieważ pałac był położony w dalekiej wsi, pojechałam tam konno. Na początku zabierałam na te wyprawy Toby'ego, ale później nabrałam zwyczaju jeżdżenia samotnie.

Dom mandaryna wyglądał jak wyrzeźbiony z kości słoniowej, był pozłacany, zdobiony zupełnie jak Dom Tysiąca Latarni, i stał na podwyższeniu wyłożonym przepiękną mozaiką.

Służący odprowadził konia, a ja weszłam do środka. Drzwi otwierały się na duży, kwadratowy hol, który znowu przywiódł mi na myśl Dom Tysiąca Latarni. Belkowany sufit wspierał się na pomalowanych jaskrawymi kolorami kolumnach. Dostrzegłam na nich wizerunki wszechobecnego smoka.

W holu wystawiono przeznaczone na sprzedaż przedmioty, które ja i kilka innych osób przyjechaliśmy obejrzeć. Większość z nabywców stanowili Europejczycy, prawie wszystkich znałam. Z różnych stron padały słowa powitania i poczułam dumę, bo zachowanie zebranych mówiło mi jasno, że zostałam przyjęta do ich grona.

Wśród wystawionych przedmiotów była figurka, przedstawiająca skaczącego człowieka, która wyjątkowo mi się spodobała. Stałam, przyglądając się jej, gdy poczułam, że ktoś zatrzymał się tuż za mną, a obróciwszy się, ujrzałam Adama.

– Wiedzę, że interesuje nas to samo – powiedział.

– Jest piękna – odrzekłam. – Nie bardzo potrafię określić czas powstania.

– Powiedziałbym, że dynastia Zhou.*

– Tak dawno?

* Dynastia panująca w Chinach w latach 1122-221 p.n.e.

– To prawdopodobnie kopia wykonana w późniejszych wiekach, ale wyraźnie widać wpływ Zhou. – Twarz miał lekko rozjaśnioną. – Jest pełna ruchu. Definitywnie wpływ Zhou. Zdradza, jacy byli wtedy ludzie – pełni życia i barbarzyńscy.

– Chciałabym mieć tak rozległą wiedzę, jak ty – powiedziałam z podziwem.

– Miałem trochę więcej czasu na naukę. Poza tym dla mnie to jedyne zajęcie... albo pasja, jeżeli tak wolisz. Ty masz jeszcze inne sprawy, które cię absorbują.

– Wciąż pragnę nauczyć się tak wiele, jak tylko zdołam.

– Być może, ale i tak nigdy mi nie dorównasz.

– A to dlaczego?

– Masz dziecko, które jest dla ciebie ważniejsze niż jakakolwiek sztuka.

– Być może dzięki temu jeszcze lepiej potrafię docenić jej piękno.

Adam potrząsnął głową.

– Zaangażowanie emocjonalne odrywa umysł od sztuki.

– Nie zawsze. Wielcy artyści często bywali wspaniałymi kochankami.

– Ale i tak największą miłością ich życia była zawsze twórczość. Bogowie i boginie sztuki nie znieśliby rywali. No cóż, ja nie jestem artystą, tylko koneserem. Poznawanie sztuki jest zajęciem niezwykle absorbującym, tyle trzeba czytać, wykonywać wiele badań, tak że nie zostaje już czasu na nic innego.

– Nie zgadzam się z tobą. Artyści i koneserzy sztuki nie mieliby pojęcia o życiu, gdyby sami go nie doświadczali.

– To nie jest miejsce na tego rodzaju dyskusję. Przełóżmy ją na później. Spróbuję zdobyć figurkę Zhou. A ty?

– Chcę ją mieć – powiedziałam.

– Zatem niech najlepszy... albo najlepsza... wygra.

Obejrzeliśmy pozostałe przedmioty, wśród których dostrzegłam kilka pięknych rzeźb z kości słoniowej. Wzięłam udział w licytacji i kupiłam je. Znalazłam też przepiękną wazę z epoki Ming, która mnie zachwyciła.

Moje nabytki miały zostać zabrane później przez pracownika, przysłanego przez Toby'ego. Postanowiłam wrócić do figurki Zhou i wziąć udział w licytacji.

Ku memu rozczarowaniu, posążek zniknął.

Adam uśmiechnął się do mnie ironicznie.

– Odrobina negocjacji – powiedział.

- Ale...
- Czasami tak się zdarza. Widzisz, wciąż jeszcze musisz nauczyć się paru rzeczy.

Byłam wytrącona z równowagi nie tylko tym, że straciłam szansę na zdobycie figurki, ale też dlatego, że Adam udowodnił mi nieznajomość pewnych rzeczy – i to akurat on.

- Nie przejmuj się – powiedział. – Może następnym razem pojedziemy na aukcję razem i z przyjemnością posłużę ci radą. Będę towarzyszył ci w drodze powrotnej, bo nie uważam za rozsądne, abyś sama jeździła konno przez wieś.

Już miałam zaprotestować, ale pomyślałam, że skoro udowodniono mi brak wiedzy w jednej dziedzinie, to teraz powinnam okazać nieco pokory.

W drodze powrotnej Adam opowiadał o różnych dynastiach i gdy mówił na ten temat, wydawało się, że promienieje jakimś wewnętrznym światłem. Mogłabym go słuchać godzinami, jak w transie.

- Rola kobiety kierującej firmą musi być dla ciebie bardzo absorbująca – powiedział na koniec. – Bardzo dobrze sobie radzisz, ale wkrótce poczujesz się zmęczona.

- Jeżeli masz na myśli prowadzenie interesów, tak jak sobie życzył tego mój mąż, to nie, nie poczuję się zmęczona.

- Zawsze możesz mieć ostateczne słowo w danej kwestii. A kiedyś nadejdą chwile, gdy sprawy rodzinne okażą się ważniejsze.

- Masz na myśli edukację mojego syna?
- To także, ale gdybyś miała wyjść ponownie za mąż...

Milczałam.

- Jesteś młoda i atrakcyjna. Otrzymasz mnóstwo propozycji. W końcu ty sama masz wiele do zaoferowania. Jesteś zamożną kobietą.

- Całkiem dobra partia – powiedziałam.
- Na pewno są mężczyźni, którzy mają tego świadomość.
- A zatem stanowię łup dla łowców posagów?
- Założę się, że znalazłoby się przynajmniej kilku mężczyzn, którzy z radością przejęliby od ciebie prowadzenie interesów.

- Być może, ale dowiedzieliby się, że nie zamierzam nikomu przekazywać sterów.

- Powinnaś wyjść za mąż – rzekł Adam łagodnie – ale bądź ostrożna i nie podejmuj żadnych pochopnych kroków.

- Obiecuję ci, że będę bardzo ostrożna.

Pochylił się nagle w moją stronę i położył swoją dłoń na mojej. A potem szybko cofnął rękę.

– Gdybyś kiedykolwiek potrzebowała mojej pomocy w jakiejkolwiek sprawie – dodał – z radością ci jej udzielę.

– Dziękuję.

Wydawało mi się, że gdy pomagał mi zsiąść z konia, przytrzymał mnie trochę dłużej, niż było potrzebne. Nasze oczy spotkały się na moment, a jego spojrzenie straciło zwykły chłód.

Później do domu dostarczono figurkę Zhou. Paczka była adresowana do mnie i kiedy zobaczyłam, co zawiera, poszłam do Adama, by mu powiedzieć, że popełniono błąd i jego zdobycz została wysłana pod niewłaściwy adres.

– Nie popełniono żadnego błędu. – Uśmiechnął się do mnie. – Figurka jest dla ciebie.

– Przecież ty ją kupiłeś.

– To prawda, ale teraz należy do ciebie. Prezent ode mnie.

– Adamie! – zawołałam. – Ale ona jest taka piękna!

– Nie zamierzałem obdarowywać cię czymś, czego nie chciałabyś mieć.

Odwróciłam się, czując przypływ zupełnie nowych emocji.

– Cieszę się, że ci się podoba – powiedział cicho Adam.

A ja nagle zdałam sobie sprawę, że oto już trzech mężczyzn stara się o moją rękę.

Joliffe, który mówił o tym tak gwałtownie. Toby, który dał mi tego dowód swoją lojalnością, a teraz Adam, składał mi propozycję za pośrednictwem figurki Zhou.

Ogarnęło mnie niejasne wrażenie, że dom się ze mnie śmieje. Rzeczywiście, trzech mężczyzn! Nietrudno było znaleźć odpowiedź, dlaczego: jesteś jeszcze młoda, dosyć atrakcyjna i bardzo, bardzo bogata.

W natłoku wszystkich praktycznych spraw, które należało załatwić po śmierci Sylwestra, na początku nie miałam zbyt dużo czasu na myślenie o domu, ale później fakt, że jestem jego właścicielką, stał się moją obsesją.

Chodziłam z pokoju do pokoju. Lubiłam przebywać w tym domu, zamykać się w nim i rozmyślać, pytać samą siebie, czy to prawda, że wszystkie dziwne uczucia, które we mnie wzbudzał, mają źródło jedynie w mojej wyobraźni. Jak łatwo było uwierzyć, że taka budowla żyje własnym życiem, że do mnie przemawia.

Tęskniłam za obecnością Sylwestra, pragnęłam porozmawiać z nim tak, jak kiedyś. Bardzo mi go brakowało i nie potrafiłam poradzić sobie ze smutkiem po jego stracie. Nieustannie chciałam prosić go o radę w sprawie jakiegoś nowego odkrycia i tęskniłam za naszymi rozmowami, które dotyczyły tak wielu tematów. Czasami oszołomiona budziłam się ze snu, w którym dotykałam jakiegoś pięknego przedmiotu i mówiłam: „muszę pokazać to Sylwestrowi". A wtedy przychodziła smutna świadomość, że już nigdy nie będę mogła mu nic pokazać, ani mojej wdzięczności, ani szacunku, ani uczucia... tak, kochałam go mocno.

Lottie mówiła o domu tak, jakby był żywą istotą. Bała się, że stracił twarz, bo stał się teraz własnością kobiety.

Odpowiedziałam jej, że bogini ze świątyni, na której miejscu podobno stał, była kobietą. Czy zatem nie powinna być raczej zadowolona niż zła?

Lottie była przekonana, że nie.

– Kobiety – mówiła i potrząsała głową, wykrzywiając usta – się nie liczą. Mężczyźni... to co innego.

Sama zebrała w życiu wiele dowodów na niewielkie znaczenie swojej płci. Wiedziała, że zaraz po urodzeniu została porzucona na ulicy na pewną śmierć. Każdego dnia widziało się na dżonkach przywiązanych sznurami małych chłopców, tak by nie powpadali do wody, ale nikt nie podejmował takich środków ostrożności wobec dziewczynek. Czułam się oburzona w imieniu chińskich kobiet. Jeżeli pochodziły z wyższych klas, miały okaleczone stopy, a edukacja, jaką otrzymywały, ograniczała się do nauki wyszywania, malowania na jedwabiu i umiejętności służenia przyszłemu małżonkowi. Po ślubie zaś musiały znosić konkubiny męża, mieszkające pod tym samym dachem.

Gdy rozważyłam to wszystko, zrozumiałam punkt widzenia Lottie. Dom tak na wskroś chiński, jak nasz, mógł rzeczywiście poczuć się urażony tym, że znalazł się w posiadaniu kobiety.

– Za rok wielka pani wyjdzie za mąż – powiedziała Lottie z przekonaniem. – Wtedy będzie pan domu. I już nie ma straconej twarzy.

– To wciąż będzie mój dom – oświadczyłam.

Lottie uniosła ramiona i roześmiała się. Nie uwierzyła mi.

Odkąd dostałam od Adama figurkę Zhou, moje relacje z nim uległy zmianie.

Zaczęliśmy razem jeździć na aukcje i często spotykaliśmy się u handlarzy. Zauważyłam, że Toby czuł się nieco urażony moją zacieśniającą się przyjaźnią z Adamem, ale miał zbyt wiele taktu, by o tym wspomnieć.

Adam był człowiekiem zdążającym do upatrzonego celu, wyczuwałam w nim mnóstwo cichej determinacji. Wiedziałam, że gdy tylko upłynie rok mego wdowieństwa, poprosi mnie o rękę.

Często rozmyślałam o nich obu, ale w moich myślach wciąż niepodzielnie panował Joliffe. Wiedziałam, że wróci, i nie mogłam myśleć o nim tak beznamiętnie, jak o pozostałych. Gdy przypominałam sobie, jak włamał się do galerii Sylwestra i zabrał posążek do ekspertyzy, wiedziałam, że Toby określiłby takie zachowanie jako nieetyczne, bo sam był człowiekiem honoru. A Joliffe? Joliffe miał awanturniczą naturę, w dawnych czasach zostałby korsarzem. Z łatwością mogłam sobie wyobrazić, jak na bezkresnych morzach napada na statki i zabiera skarby... i być może kobiety. Kochałam Joliffe'a, ale Adama i Toby'ego także darzyłam wielką życzliwością. Pomimo wszystko nie sądzę jednak, żebym mogła się zaangażować głębiej z którymś z nich. Czy to była miłość? Mogłam przyglądać się z boku swoim uczuciom do Toby'ego i Adama, nigdy jednak nie potrafiłam nabrać dystansu, gdy chodziło o Joliffe'a. Mogłam postanowić, jak się zachowam podczas spotkania z nim, lecz kiedy się pojawił, zmieniał wszystko. Byłam tak mocno związana jeszcze tylko z jedną osobą – z moim synem Jasonem. Wiedziałam, że on zawsze musi zajmować w moich myślach pierwsze miejsce. Dla jego dobra wyszłam za Sylwestra i teraz, jeżeli miałabym ponownie stanąć przed ołtarzem, powinnam znowu wziąć pod uwagę przede wszystkim dobro mojego syna.

Zarówno Toby, jak i Adam wydawali się świetnie rozumieć, że Jason odegra ważną rolę, gdy przyjdzie dla mnie czas podjęcia decyzji.

Z tych dwóch chłopiec stanowczo wolał Toby'ego, był absolutnie szczęśliwy w jego towarzystwie. Adam i Toby udzielali mu lekcji konnej jazdy, która stała się pasją małego. Toby wiedział, jak postępować z Jasonem, odnosił się do niego z odpowiednią dozą stanowczości i męskiej przyjaźni. Nie traktował go z góry, rozmawiali jak mężczyzna z mężczyzną, a pomimo to Jason zawsze patrzył na niego z podziwem. Adam był bardziej niedostępny, nie umiał radzić sobie z małymi chłopcami, ale zauważyłam, że chłopiec darzy go ogromnym szacunkiem.

Pewnego razu zapytałam syna, czy lubi Adama.

O, tak, odpowiedział, lubi go, lubi „kuzyna Joliffe'a" dodał, jakby lubił go właśnie z tego powodu.

Postanowiłam, że gdy przyjdzie czas, wyjdę ponownie za mąż. Sylwester miał rację, nie byłam typem kobiety, która chciałaby żyć w samotności. Jason dorastał, coraz bardziej potrzebował ojca.

I gdy tak mijały tygodnie, rozmyślałam o małżeństwie i życiu, jakie będę prowadzić – może, tak jak Sylwester, między Anglią i Hongkongiem. Pragnęłam mieć więcej dzieci, chciałam cieszyć się pełnią życia. Potrzebowałam komfortu, jaki zapewnia duża rodzina i mężczyzna u boku, który będzie mi towarzyszem. A jednocześnie chciałam wciąż doznawać satysfakcji z pogłębiania wiedzy i dreszczyku emocji, jaki wywoływało we mnie polowanie na dzieła sztuki. Najdziwniejsze było to, że wszyscy trzej mężczyźni, którzy nieustannie zaprzątali moje myśli, dzielili owe zainteresowania.

Chciałam, aby ktoś zamieszkał ze mną w tym domu i ponieważ nie mogłam pozbyć się owych myśli, zabroniłam sobie zbyt częstego wspominania Joliffe'a. Och, Sylwestrze, wzdychałam, gdybyś był tutaj, nie miałabym takich rozterek.

Pewnego dnia, gdy wracaliśmy z Adamem z aukcji i rozmawialiśmy o Domu Tysiąca Latarni, powiedziałam:

– Spodziewam się, że będziesz się ze mnie śmiał, ale odkąd ten dom przeszedł w moje ręce, wydaje mi się inny.

– Pod jakim względem? – zapytał.

– Nie potrafię tego wyjaśnić. To subtelna różnica. Kiedy jestem sama w pokoju, czuję obok czyjąś obecność... jakby dom usiłował mi coś przekazać.

Adam się uśmiechnął.

– Jestem pewien, że to było o zmroku.

– Niewykluczone.

– Cienie zawsze pobudzają wyobraźnię, a w miejscu takim jak Dom Tysiąca Latarni nie brakuje pożywki dla fantazji.

– Co takiego w nim jest, że wyczuwam jakąś aurę tajemniczości... w której czai się coś złowrogiego.

– To po prostu tutejsze budownictwo. Masz sporą wiedzę o Chinach, ale to, z czym się tu spotkałaś, diametralnie różni się od atmosfery, w której zostałaś wychowana. Poza tym, zapewniam cię, że to dziwny dom. Te wszystkie pokoje... każda alkowa wyposażona w latarnię.

– Myślisz, że to jedyny powód, dla którego czuję się tam tak dziwnie?

– Wydaje mi się to bardzo prawdopodobne.

– Sylwester powiedział, że dom kryje jakiś skarb.

– Tak głosi legenda.

– Gdzie może być ukryty?

– A kto to wie?

– Jeżeli rzeczywiście coś tu jest, to w domu musi być jakaś sekretna kryjówka.
– Jeśli jest, to uszła uwagi wszystkich poprzednich właścicieli. Przeszukali wielokrotnie każde pomieszczenie.
– Myślisz, że to tylko legenda?
– Myślę, że może tak być.
– Jestem pierwszą kobietą, która została właścicielką tego domu. Traktuję to jako pewnego rodzaju wyzwanie.
– I co zamierzasz zrobić?
– Spróbuję rozwiązać tę zagadkę.
– Od czego zaczniesz?
– Poczekam na inspirację. Gdzie można ukryć skarb?
– Zależy, jaki.
– Sylwester nie sądził, aby w grę wchodziło złoto, srebro czy drogocenne kamienie. Uważał, że to coś subtelniejszego. Doszłam do wniosku, że to może być posążek Kuan Yin. Wiesz, figurka, której poszukuje każdy kolekcjoner.
– Skąd ci to przyszło do głowy?
– Dom został wybudowany na miejscu świątyni. Jeden posąg bogini znajduje się w pagodzie, a drugi w domu.
Adam przyjrzał mi się uważnie. Oczy pociemniały mu z podniecenia, którego starał się nie okazywać. Odnalezienie figurki Kuan Yin z okresu Song było marzeniem każdego handlarza i konesera chińskiej sztuki.
– Myślisz, że gdyby mandaryn, od którego dziadek dostał dom, był w posiadaniu posążka Kuan Yin, tak po prostu by go oddał?
– Może uznał to za największe podziękowanie. W końcu wasz dziadek uratował mu żonę i syna.
– Ponosi cię wyobraźnia, Jane.
– Moja matka zawsze tak mówiła. Może to szalony pomysł, ale jeżeli ta figurka jest w domu, zamierzam ją odnaleźć.
– W jaki sposób?
– Przeszukam każdy pokój.
– Robiono to już setki razy.
– Ale niczego nie znaleziono.
– Jeżeli rzeczywiście jest tam jakaś tajemnica, nikt jej nie odkrył przez ponad osiemdziesiąt lat.
– Być może uda mi się to zrobić.
Adam obdarzył mnie jednym ze swych rzadkich uśmiechów.
– Połączmy siły. Od czego zaczniemy?

– Tego właśnie muszę się dowiedzieć. Albo dom sam mi powie. – Uśmiechnęłam się, dostrzegłszy, że wydął pogardliwie wargi.

Adam był najpraktyczniejszym z ludzi. Nigdy nie pozwoliłby, by poniosła go wyobraźnia. Może właśnie takiego mężczyzny potrzebowałam w życiu. Pytałam samą siebie: czy mam rację myśląc, że właśnie tego pragnął Sylwester? Musiał ufać Adamowi, skoro wyznaczył go na opiekuna Jasona.

A Jason? Jason go lubił. Darzył go zaufaniem, jakim dzieci darzą silnych ludzi – poza tym Adam był kuzynem Joliffe'a.

II

Zostaliśmy zaproszeni do Chan Cho Lan. Adam, Lottie i ja.

– Ta dama ma tutaj dużo do powiedzenia – wyjaśnił mi Adam. – Nasza rodzina zna ją od ładnych paru lat. Kiedyś była swego rodzaju pośredniczką między nami a bogatymi mandarynami. Pochodzi z bardzo dobrej rodziny i nie ma drugiej takiej kobiety w Hongkongu, bo, tak jak ty, jest panią swojego majątku i w obecnej chwili nie ma męża. Prowadzi duży dom, w którym uczy dziewczęta dobrych manier i ćwiczy w różnych sztukach.

Wyjaśniłam mu, że zabrała mnie kiedyś do niej Lottie i już się znamy.

– Lottie darzy ją niemal nabożnym szacunkiem – powiedziałam. – Myślę, że się bała, że w czasie wizyty nie zachowam wymogów etykiety. Lottie podobno służyła przez pewien czas w tamtym domu i dobrze zna tę kobietę. Spotkanie było fascynujące. Dlaczego znowu nas zaprosiła?

– Od czasu do czasu zaprasza członków naszej rodziny. Chce pokazać, że pozostaje z nami w przyjaźni.

Pamiętałam dobrze poprzednią wizytę i uderzającą grację pani domu. Ubrałam się w białą szyfonową suknię, jako że wciąż nosiłam żałobę po Sylwestrze. W bieli jest mi do twarzy, więc byłam ze swego wyglądu zadowolona. Nie, żebym starała się rywalizować z pięknością i gracją Chan Cho Lan, ale czułam, że powinnam wyglądać najlepiej, jak potrafię.

Lottie wyglądała prześlicznie w jasnozielonym, jedwabnym cheongsam. W rozpuszczone włosy wpięła kwiat migdałowca.

Przeszliśmy niewielką odległość dzielącą nasze ogrody i gdy stanęliśmy w drzwiach, usłyszałam gong i dźwięki dziwnej, brzęczącej, dla mego ucha pozbawionej melodii chińskiej muzyki. Zostaliśmy wprowadzeni do środka, a Chan Cho Lan wstała ze swej poduszki, by nas powitać.

Rozpoznałam zapach jaśminu i migdałów, gdy kołysała się przed nami – uosobienie elegancji i wdzięku. Ubrana była w bladoliliową suknię haftowaną złotem, wspaniałe włosy upięła do góry za pomocą kosztownych szpilek, a delikatny koloryt jej cery był po prostu przepiękny.

Adam górował nad nią, a ona skłoniła mu się nisko. Potem złożyli dłonie i unieśli je dwa lub trzy razy do góry. Adam powiedział:

– *Haou? Tsing. Tsing.*

– *Tsing. Tsing* – wymruczała Chan Cho Lan.

Potem przywitała mnie w ten sam sposób.

Z Adamem u boku poprowadziła nas z pokoju przyjęć do jadalni, gdzie stał okrągły stół, zastawiony chińskimi miseczkami, chińskimi łyżeczkami i pałeczkami z kości słoniowej.

Chan Cho Lan i Adam rozmawiali ze sobą po kantońsku, Adam wydawał się świetnie znać ten dialekt. Usiadł obok naszej gospodyni, Lottie i ja zajęłyśmy miejsca, które nam wskazała. Byłam zaskoczona, że Lottie siada z nami do stołu i zastanawiałam się, czy Adam specjalnie o to prosił. Nieraz okazywał, jak bardzo obchodzi go mała Chinka i dawał mi jasno do zrozumienia, że cieszy się, iż znalazła przyjaźń w moim domu.

Wszedł służący, niosąc na tacy wilgotne, gorące ręczniki, nasączone wodą różaną. Braliśmy je szczypcami i wycieraliśmy dłonie.

Potem przyniesiono herbatę o jaśminowym zapachu i domyśliłam się, że to preludium posiłku. Chan Cho Lan powiedziała, jak ogromny honor uczyniliśmy jej niegodnemu stołowi i jak bardzo jest szczęśliwa, że może nas gościć. Adam mówił w naszym imieniu. Odniosłam wrażenie, że wiedział dokładnie, jak powinien się zachować, spożywając posiłek w takich okolicznościach.

Nasza gospodyni przyglądała mi się ciekawie. Przynoszę chlubę Hongkongowi, oświadczyła. Jestem bardzo ważną damą. Niezwykle sławną. Adam uniósł małą filiżankę herbaty w toaście na cześć dwóch słynnych dam, a Chan Cho Lan uniosła dłonie i kręciła głową na boki, najwyraźniej chcąc zaprzeczyć, że należał jej się ten tytuł.

– Mieszkamy blisko – zauważyła.

– Po sąsiedzku – odrzekł Adam. – Dlatego powinniśmy zachowywać się jak sąsiedzi.

Gospodyni najwyraźniej nie zrozumiała i Adam wytłumaczył jej to w kantońskim.

Lottie, cicha i oniemiała, wpatrywała się we wszystko szeroko otwartymi oczami. Adam otrząsnął się z właściwego sobie ponurego nastroju i dosyć sprawnie prowadził rozmowę zarówno po kantońsku, jak i w podstawowym angielskim, którego używała Chan Cho Lan.

Gdy przyniesiono dużą miskę, pełną kawałków mięsa kurczaka i kaczki, wybrał kawałki, które nałożył do miseczki pani domu, co oznaczało, że dał jej najlepsze mięso. Taki był zwyczaj i Lottie zrobiła to samo dla mnie.

Obiad był niezwykle uroczysty i miałam szczęście, że znałam obowiązujący ceremoniał, bo nigdzie nie jest łatwiej o złamanie zasad dobrego wychowania niż przy chińskim stole. Przez cały posiłek – poczynając od *deem sum*, czyli przystawek, przez danie mięsne, przyprawione nasionami lotosu i zawinięte w najcieńsze ciasto, aż do zupy z ptasich gniazd i deseru, który stanowiły owoce zanurzone w słodkiej masie, przypominającej toffi – udawało mi się postępować dokładnie tak, jak tego ode mnie oczekiwano. Sporadyczne toasty wznosiliśmy *shau-shing*, ryżowym winem, które było słodkie i sycące.

– *Yam seng* – powiedział Adam, a Chan Cho Lan skłoniła swą piękną głowę i powtórzyła z nim *yam seng*, po czym opróżnili małe, porcelanowe czarki.

Kilka razy przynoszono pachnące wilgotne ręczniki, którymi wycieraliśmy dłonie. Po skończonym posiłku Chan Cho Lan wstała, Adam ujął ją za rękę, a ja i Lottie ruszyłyśmy za idącą chwiejnie gospodynią do innego pokoju, gdzie spoczęliśmy na podobnych do puf poduszkach. W jednym końcu pokoju ustawiono podium, na którym siedzieli muzycy.

Rozległ się gong i weszły tancerki. Rzadko widywałam dziewczęta tak pełne gracji, jak te, które tańczyły wtedy w domu Chan Cho Lan.

Miały kostiumy w jaskrawych kolorach i szybko zdałam sobie sprawę, że tańcem przedstawią nam jakąś opowieść. Przed rozpoczęciem występu jedna z dziewcząt wyjaśniła nam, że opowiedzą historię kochanków, a przed każdą częścią ona będzie tłumaczyć, co pokazują.

Najpierw było spotkanie kochanków. Przedstawiło je osiem młodych, pięknych tancerek, wykonujących kokieteryjne ruchy, gdy zbliżały się do siebie i oddalały. Zaloty zostały pokazane przez dziewczęta usiłujące złapać motyle na łące. W dłoniach trzymały wstążki i tańcząc, układały je w symetryczne kształty. Śmiały się radośnie, zbijając się w koło, gdy dołączyły do nich tancerki przebrane za młodych chłopców. Ten taniec przedstawiał zakochanie i twarze dziewcząt miały różny wyraz, od frywolności po przejęcie.

Potem nastąpił taniec panny młodej w wykonaniu pełnej gracji solistki ubranej w strój weselny i drugiej, przebranej za pana młodego. Pozostałe tancerki – goście weselni – pląsały radośnie i żywiołowo.

Przedstawienie zakończyło się, gdy pan młody wyprowadził swą wybrankę, a reszta ruszyła za nimi.

– I żyli długo i szczęśliwie – powiedziała Chan Cho Lan. Klaskaliśmy w dłonie, a pani domu z powagą kiwała głową.

– Zanim pójdziecie – powiedziała – chcieć, żebyście zobaczyć kapliczka.

Patrzyła na mnie, więc odrzekłam, że uczynię to z radością.

Skłoniła się i znowu z Adamem u boku powiodła nas korytarzem, oświetlonym latarniami do złudzenia przypominającymi te, które wisiały w naszym domu. Podeszliśmy do obitych brokatem drzwi. Gdy je otworzyła, otoczyła nas woń kadzideł, palących się w środku. Starzec z długą brodą, ubrany w sięgającą do kostek szatę i okrągły kapelusz, skłonił się przed nami i odstąpił na bok.

W pomieszczeniu panowała cisza. I wtedy ujrzałam kapliczkę. Była oszałamiająca, a pośrodku królował posążek Kuan Yin. Bogini została wyrzeźbiona w drzewie, siedziała na czymś, co przypominało skałę. Jej piękna, pełna dobroci twarz, uśmiechała się do nas. Przy kapliczce płonęły kadzidła.

– Bogini miłosierdzia – wymruczała Chan Cho Lan.

– To jej poświęcona jest kapliczka – wyjaśnił mi Adam. – A na ścianach wiszą portrety przodków Chan Cho Lan.

Spojrzałam na malowidła przedstawiające mężczyzn, którzy wszyscy wyglądali tak samo – w szatach mandarynów, z długimi brodami i złożonymi przed sobą dłońmi.

Bardziej jednak ciekawiła mnie sama kapliczka, bo wokół niej wisiały akwaforty obrazujące życie Kuan Yin na ziemi. Na pierwszej przedstawiono boginię bitą przez ojca, gdy nie chciała wyjść za mąż. Na drugiej pracowała jako pomywaczka w żeńskim klasztorze. Następne malowidła pokazywały różne stadia krzywdy, jakich nie szczędził jej podły ojciec, a wreszcie odejście bogini do raju. Gdy zły ojciec się rozchorował, Kuan Yin zeszła na ziemię, by go pielęgnować. Stała się pełną miłosierdzia boginią, do której każdy zwracał się w potrzebie.

Nie ulegało wątpliwości, że ten pokój, z kapliczką poświęconą Kuan Yin i przodkom Chan Cho Lan, jest świętym miejscem, dlatego byłam zaskoczona, że gospodyni pozwoliła tu wejść nam, barbarzyńcom.

Potem nastąpiło bardzo ceremonialne pożegnanie, okraszone mnóstwem ukłonów z jej strony i mową, jak nędzne okazało się przedstawienie, a zapewnieniami z naszej, że nie byliśmy godni, by je oglądać. Muszę przyznać, że nieco mnie to zirytowało. Chciałam podziękować Chan Cho Lan i powiedzieć, jak wspaniałym przeżyciem była dla mnie wizyta w jej domu i zrobiłam to.

Gdy wracaliśmy do Domu Tysiąca Latarni, Lottie wyglądała tak, jakby właśnie złożyła wizytę w chińskim raju. Mimo to była jakby odrobinę smutna. Pomyślałam, że może jej smutek bierze się stąd, że kiedyś mieszkała w domu Chan Cho Lan, ale ta dama nie wykształciła jej na tancerkę, by dostarczała rozrywki gościom ani nie przygotowała dziewczynki do wspaniałego zamążpójścia, krępując jej stopy.

Zastanawiałam się, dlaczego tak się stało. Postanowiłam, że dowiem się tego w odpowiednim momencie.

Rozmawiałam o tym później z Adamem.

– Chan Cho Lan wydaje się bardzo z tobą zaprzyjaźniona.

– Nasze rodziny znają się od wielu lat, a teraz, po śmierci Sylwestra, uważa mnie za głowę Milnerów. Ta kobieta ma za sobą niezwykłą przeszłość. Kiedy była dzieckiem, została wybrana na jedną z konkubin cesarza. Miał ich mnóstwo i niektórych nawet nigdy nie widział. Żeby zakwalifikować się na cesarską konkubinę, kobieta musi pochodzić ze szlacheckiego rodu. Posyła się ją do pałacu i sprawdza jej urodę, grację i ogładę. Nie robi tego cesarz, selekcją zajmuje się jego matka albo majordomus. Dziewczęta trafiają do pałacu w bardzo młodym wieku, lecz na niektórych z nich nawet nie spocznie wzrok cesarza. Są trzymane w zamknięciu, pod strażą eunuchów, i, jak mniemam, żyją nadzieją, że zostaną wezwane. Chan Cho Lan nigdy nie została. Jestem przekonany, że gdyby stało się inaczej, cesarz byłby bardzo zadowolony. Jego wybór zależy od wpływów i układów na dworze. Przez ten czas dziewczęta żyją tak, jak w szkole, malują na jedwabiu, wyszywają, rozmawiają o sobie i o tym, co wiedzą o świecie – a wiedza ta jest niewyobrażalnie skromna – a gdy minie okres pierwszej młodości, czyli skończą osiemnaście lat, wolno im opuścić cesarski pałac. Wtedy wybiera się dla nich mężów. Chan Cho Lan oddano staremu mandarynowi, który zmarł rok po ślubie. Od tej pory stała się wybitną damą na szczególnych prawach. Ponieważ wyćwiczono ją we wszelkich sztukach, by umiała umilać czas cesarzowi, postanowiła nie marnować swych talentów, tylko przekazywać je wybranym dziewczętom. Bierze pod opiekę starannie wyselekcjonowane dziewczynki i niektóre z nich, tak, jak te, które widzieliśmy dzisiaj, uczy tańca, innym, jeżeli przybywają do niej w odpowiednio młodym wieku, krępuje stopy, by w przyszłości mogły dobrze wyjść za mąż. Ocenia dziewczęta i kształci je w sposób, który, według niej, najbardziej do każdej pasuje. Jest też kimś w rodzaju swatki albo pośredniczki małżeńskiej, co przynosi spore dochody i mówi się, że to jedna z najbogatszych kobiet w Hongkongu.

– Sprawiała wrażenie, że bardzo się mną interesuje – powiedziałam. – A może tylko mi się wydawało?

– To prawda, jest tobą zainteresowana, dlatego że masz reputację bystrej kobiety interesu. Co prawda działasz w zupełnie innej dziedzinie niż ona, ale na pewno chciała poznać kobietę, która odnosi takie sukcesy. Życie podobnie się z wami obeszło, w każdym razie ona tak to widzi, chociaż dzieli was przepaść. Poza tym jesteś członkiem naszej rodziny i chociażby z tego powodu musiała się tobą zainteresować.

– Rzadko widuję, żebyś aż tak się starał być miły. – Nie mogłam się powstrzymać przed zrobieniem tej uwagi.

– Muszę odpowiadać grzecznością na grzeczność. Poza tym Chan Cho Lan w przeszłości skontaktowała mnie i mego ojca z wieloma mandarynami, którzy szukali jakiejś wyjątkowej rzeźby czy obrazu. Zawsze też dawała nam znać, jeżeli ktoś z jej znajomych chciał się czegoś pozbyć, i chcę, żeby robiła to nadal.

– Och – powiedziałam z uśmiechem. – Więc jednak chodzi o interesy.

Nie mogłam przestać myśleć o wyjątkowej gracji tancerek, Lottie zaś cały czas miała ponurą minę.

– Podobał ci się taniec? – zapytała.

– Tak, bardzo.

– I wszystko prowadziło do małżeństwa.

– Domyślam się, że to dosyć popularny temat.

Lottie nie zrozumiała, co powiedziałam.

– To było dla ciebie – oświadczyła. – To znak. Wkrótce wyjdziesz za mąż.

– To nie miało ze mną nic wspólnego. Po prostu taki był temat przedstawienia.

– Było dla ciebie – powtórzyła z mądrą miną. – Rok już prawie minął.

– Ależ Lottie – zapytałam – nie jesteś zadowolona z obecnego stanu rzeczy?

Potrząsnęła gwałtownie głową.
- Niedobrze dla domu. Dom chce o pana – powiedziała.
- No cóż, to ja będę o tym decydować – przypomniałam jej.
- Ty zdecydujesz – odrzekła z przekonaniem. – Jeden rok od końca pana ty zdecydujesz.

A zatem Lottie już postanowiła, że wyjdę za mąż. Ja jednak nie byłam tego taka pewna.

Leżałam w łóżku i nagle podniosłam wzrok na wiszący u sufitu lampion.

Tysiąc latarni, pomyślałam. Czy sekret tego domu kryje się w nich właśnie?

Musiało tak być. Czym ten budynek różni się od innych? Podobno jest w nim tysiąc latarni. Rozejrzałam się po sypialni. Nie był to największy pokój w domu, ale na środku sufitu wisiał ogromny lampion, a kilka mniejszych rozmieszczono w pewnych odstępach na ścianach. Policzyłam, że było ich dwadzieścia. A jeszcze pokój, w którym spał Jason, tam zapewne wisiało około piętnastu.

Powiedziałam do siebie: tajemnica musi tkwić w latarniach.

Następnego dnia byłam bardzo zajęta i zapomniałam o latarniach, ale przypomniałam sobie o nich wieczorem.

Zjadłam kolację i właśnie piłam kawę, gdy przyszedł Adam. Byłam zaskoczona, widząc go o tej porze, ale wytłumaczył swą późną wizytę chęcią podzielenia się ze mną ekscytującymi nowinami na temat przedmiotu, który udało mu się dzisiaj zdobyć.

- Nie mogłem się doczekać, żeby ci to pokazać – powiedział. – Jestem pewien, że dokonałem wyjątkowego zakupu. Co o tym myślisz?

Odwinął swój nabytek z perkalowej szmatki i podniósł z czcią.

- To kadzielnica – powiedziałam.

- Zgadza się. Jak myślisz, która dynastia?

- Oceniłabym ją na drugi lub pierwszy wiek przed naszą erą. Jeżeli mam rację, kadzielnica pochodzi z czasów dynastii Han.

Adam uśmiechnął się do mnie ciepło. Przy takich okazjach zawsze zachowywał się jak ktoś zupełnie inny i to właśnie dzięki podobnym sytuacjom zaczynałam lubić go coraz bardziej.

- Gdzie ją znalazłeś? – chciałam wiedzieć.

- Pewien mandaryn, przyjaciel Chan Cho Lan, chciał się jej pozbyć. Chan Cho Lan się o tym dowiedziała i dlatego miałem pierwszeństwo.

– Pamiętam jedną kadzielnicę, która bardzo podobała się Sylwestrowi – powiedziałam. Mój głos zadrżał i Adam przyjrzał mi się uważnie.

– Musisz czuć się w tym domu bardzo samotna – zauważył.

– Nie aż tak. Mam Jasona... Lottie też jest dla mnie dużym wsparciem.

Wydawał się usatysfakcjonowany moją odpowiedzią i skinął głową, jak gdyby chciał mi przypomnieć, że to on przyprowadził do mnie małą Chinkę.

– Jesteś blada – mówił jednak dalej z troską w głosie, prawie czule. – Czy wystarczająco często wychodzisz na świeże powietrze?

– Tak, oczywiście.

– Ale nie możesz tu odbywać spacerów tak, jak czyniłaś to w Anglii. Chciałabyś przespacerować się teraz? Moglibyśmy przejść się po ogrodach i pójść do pagody.

– Tak – odrzekłam – bardzo chętnie. Pójdę tylko po szal.

Poszłam na górę, zajrzałam do śpiącego mocno Jasona, a potem wróciłam do Adama.

Spacery wokół Domu Tysiąca Latarni zawsze sprawiały mi przyjemność. Nad ścieżkami w ogrodzie unosiły się łuki pokryte pnącymi roślinami. Alejkami można było obejść dookoła cały budynek, ale spacerując tędy, zawsze czułam się ograniczona przez mury i lubiłam przechodzić przez wszystkie cztery bramy aż do pagody.

Wybraliśmy tę trasę również teraz. Wchodząc do pagody, zawsze myślałam o chwili, gdy czekał tam na mnie Joliffe i schwycił mnie w ramiona.

Wnętrze wyglądało teraz niezwykle tajemniczo. Przez dach przedzierało się światło księżyca i padało promieniem na twarz bogini.

– Bardzo chciałabym zobaczyć to miejsce, gdy była tu świątynia – powiedziałam, a Adam zgodził się ze mną.

– Jaka spokojna noc. Zbliża się Święto Smoka. Podobno piątego dnia piątego miesiąca smok bywa bardzo okrutny. Zobaczysz piękne ruchome obrazy na wodzie i lądzie, oczywiście będą to ziejące ogniem smoki. Usłyszysz też gongi, których dźwięki mają odwieść bestię od złych zamiarów.

– Jason będzie zachwycony. Muszę przyznać, że ja też uważam te parady za ekscytujące. Pewnie za jakiś czas przyzwyczaję się do nich... o ile tu zostanę.

– Ależ oczywiście, że tu zostaniesz. Spędzisz życie w podróży między Hongkongiem a domem, każdy z nas tak robi.

– Jak długo zamierzasz tu zostać?

– To zależy od wielu czynników.

– Wyjedziesz przed upływem roku?

– Nie – odpowiedział stanowczo.

– Czy twój wyjazd zależy od tego, co się wtedy wydarzy?

– Wiem, że zabawię tu jeszcze przez jakiś czas.

Pomyślałam, że Adam poczeka, aż upłynie rok, a potem poprosi mnie o rękę.

Przyjrzałam się mu w blasku księżyca. Wyglądał na silnego, spokojnego, pełnego godności mężczyznę. Był sztywny jak zawsze, ale ta jego cecha już mnie nie irytowała, tylko bawiła. W pewien sposób stanowił dla mnie intelektualne wyzwanie, czego nie mogłam powiedzieć o Tobym, który prawie we wszystkim się ze mną zgadzał – a przynajmniej usiłował spojrzeć na sprawę z mojego punktu widzenia. Toby był uprzejmy, dobry i godny zaufania, Adama zaś nigdy nie czułam się do końca pewna. Wiedziałam tylko, że im więcej czasu z nim spędzałam, tym bardziej mnie fascynował.

– Obudziłam się dziś rano z przekonaniem, że sekret domu tkwi w latarniach – powiedziałam nagle.

Adam odwrócił się gwałtownie, żeby na mnie spojrzeć.

– Jak to: w latarniach?

– Nie wiem i właśnie tego muszę się dowiedzieć. Skąd wzięła się nazwa „Dom Tysiąca Latarni"?

– Pewnie stąd, że latarnie są najbardziej rzucającą się w oczy cechą tego miejsce.

– Tysiąc latarni – nie ustępowałam. – Zamierzam je policzyć. Czy ktokolwiek kiedykolwiek to zrobił?

– Nie wiem i nie rozumiem, po co je liczyć.

– Ja też tego nie wiem, ale chciałabym przynajmniej mieć satysfakcję, że rzeczywiście jest ich tysiąc. Pomożesz mi?

– Pomogę. Kiedy?

– Jutro, gdy w domu nikogo nie będzie.

– A zatem to tajemnica?

– Z jakiegoś powodu wydaje mi się, że lepiej, aby nikt nie wiedział, co robię.

– A zatem jutro – powtórzył – gdy w domu nikogo nie będzie.

Było popołudnie, w domu panowała cisza, przerywana jedynie cichym pobrzękiwaniem wietrznych dzwonków. Adam i ja staliśmy w holu, Adam trzymał w dłoni ołówek i papier, bo postanowił robić dokładne notatki. Zaczęliśmy liczyć w holu i przeszliśmy przez pokoje na parterze, obserwując, jak powoli suma się powiększa.

– Zaczynam się zastanawiać – powiedział Adam – jak zdołali upchnąć tutaj aż tysiąc lampionów.

– Tego właśnie musimy się dowiedzieć.

Przeszliśmy przez pokoje na parterze, a potem przez wszystkie pomieszczenia na pierwszym piętrze. Zobaczył nas jeden ze służących i musiał się zastanawiać, co robimy, ale jego twarz pozostała kamienna, a my przyzwyczailiśmy się już do braku reakcji służby na nasze poczynania.

Dotarliśmy na ostatnie piętro, którego używano bardzo rzadko. W tych pokojach nie było śladu kultury Zachodu, niepodzielnie panowały tu chińskie meble. Na podłogach leżały chińskie dywany w pięknych odcieniach błękitu, prawie wszystkie z motywem smoka, a ściany zdobiły delikatne, zamglone obrazy, które zaczęto malować w czasach dynastii Tang i od tej pory stały się nieodłączną częścią chińskiej sztuki.

– Są naprawdę wspaniałe – powiedziałam. – Powinniśmy częściej używać tych pokoi.

– To bardzo duży dom. Potrzebowałabyś ogromnej rodziny, żeby go zapełnić. Być może – dodał – pewnego dnia będziesz ją miała.

– Kto to może wiedzieć?

Podszedł do mnie odrobinę bliżej i przez głowę przeleciała mi myśl: czy mogę w pełni ufać Adamowi? Nigdy tak do końca go nie poznam, ale to może być nawet ciekawe. Zawsze będzie coś do odkrycia na jego temat.

Miałam wrażenie, że odgadł moje myśli. Przelotnie dotknął mej dłoni i pomyślałam, że za chwilę poprosi mnie o rękę.

Jednak natychmiast odsunął dłoń i przez chwilę wydawał się prawie nieobecny. Na pewno uważał, że byłoby to niewłaściwe proponować mi małżeństwo przed upływem roku wdowieństwa. Jak bardzo różnił się od Joliffe'a!

– To wspaniały dom – powiedziałam lekko. – Zastanawiam się, czy został wybudowany dla latarni, czy też lampiony umieszczono tu później. – Zawahałam się przez moment, a potem zawołałam: – Może to właśnie jest wskazówka! Czy dom został wybudowany jako pomieszczenie dla latarni?

– A któż mógłby coś takiego wymyślić? I po co komu ich aż tysiąc?

– Budowniczemu domu, inaczej nie umieściłby ich tutaj. Adamie, teraz jestem już pewna, że tajemnica domu tkwi w latarniach.

– Więc liczmy dalej, to będzie nasz pierwszy krok ku rozwiązaniu zagadki.

Podjęliśmy więc liczenie.

– Ile jest teraz?

– Pięćset trzydzieści dziewięć.

– Przeszliśmy prawie cały dom i nawet nie zbliżamy się do tysiąca. Widzisz, nazwa nie mówi prawdy. To nie jest dom tysiąca latarni.

Podeszłam do okna i wyjrzałam. Dostrzegłam pagodę, która nigdy nie przestawała mnie intrygować, Adam stanął obok.

– Ona mnie fascynuje – powiedziałam. – Pewnie dlatego, że jest częścią starej świątyni. Możesz to sobie wyobrazić, Adamie?

Skinął głową i przymknął oczy.

– Pagoda o trzech bogato zdobionych piętrach – a kiedyś te kolory były intensywne – zadumał się. – Sama świątynia... w miejscu, w którym stoi teraz dom. Wyłożona kamieniami dróżka, prowadząca do portyku, ogromne, kamienne figury, wspierające granitowe platformy – przerażający strażnicy świątyni, prawdopodobnie podobizny Chin-ky i Chin-loong, wojowników o wielkiej sławie. Przeszlibyśmy przez bramę, a układ całości był mniej więcej taki sam, jak teraz. Minęlibyśmy ogród pocięty ścieżkami i pełen drzewek, przeszlibyśmy przez następną bramę, i jeszcze kolejną, aż doszlibyśmy do świątyni, gdzie zebrali się kapłani. Wyobraź sobie śpiew i dźwięki gongów, gdy kłaniali się posągowi wielkiej bogini. Kapłani mieszkali blisko świątyni, bo do ich obowiązków należały codzienne modły.

– Potrafię to sobie wyobrazić – powiedziałam. – Prawie widzę kapłanów, jak wychodzą z pagody i wsłuchują się w dźwięk gongów. Ale pewnie uważasz, że mam zbyt bujną wyobraźnię, by zachować zdrowy rozsądek.

– Myślę, że łączysz obie te cechy. Niebezpieczeństwo tkwi w tym, że czasem pozwalasz, by jedno wzięło górę nad drugim, i jeżeli akurat zwycięża wyobraźnia, możesz podjąć złą decyzję.

– Jesteś zbyt prozaiczny – odrzekłam.

– Jeżeli rzeczywiście tak jest, a ciebie czasem ponosi wyobraźnia, dobrze do siebie pasujemy.

Odsunęłam się od niego.

– Do ilu doszliśmy? – spytałam.

Adam zerknął na kartkę.

– Pięćset pięćdziesiąt trzy.

– Już niewiele nam zostało. Gdzie reszta tego tysiąca latarni?

Gdy skończyliśmy obchód domu, suma wzrosła do pięciuset siedemdziesięciu.

– Oczywiście – przypomniałam sobie – musimy wziąć także pod uwagę ogrody. Chodź. Lista powinna być kompletna.

Obeszliśmy ogrody i pagodę. Doliczyliśmy się jeszcze trzydziestu latarni, co razem dawało sześćset.

– Nie ma ich więcej – powiedział Adam.

– Muszą tu być.

– Więc gdzie są? Wciąż jeszcze daleko nam do tysiąca.

Staliśmy w pagodzie, a ja podniosłam wzrok na skrawek nieba, widoczny przez dach. Wsłuchałam się w odległy dźwięk wietrznych dzwonków, które, jak mi się wydawało, wyzywały mnie na pojedynek.

– Jestem przekonana, że rozwiązanie zagadki tkwi w latarniach. Wiem, że tak jest, zupełnie, jakby dom mi o tym powiedział – oświadczyłam.

– Chyba nie jesteś jak Joanna d'Arc, która słyszała głosy?

– Być może.

– Och, Jane!

Odwróciłam się do niego lekko zniecierpliwiona.

– Nie oczekuję, że mnie zrozumiesz, ale pierwszy raz usłyszałam o tym miejscu, gdy byłam jeszcze w szkole, i już wtedy wiedziałam, że odegra ważną rolę w moim życiu. Dom i mnie łączy pewnego rodzaju... jak to nazwać? Więź. Nie rozumiesz tego, Adamie, prawda?

Pokręcił przecząco głową.

– Ale ja w to wierzę i myślę, że Sylwester też zdawał sobie z tego sprawę. Jestem zdecydowana odkryć tajemnicę tego domu.

Adam położył dłoń na mym ramieniu.

– Co za tajemnica! – powiedział. – Nie ma żadnej tajemnicy. Mój pradziadek otrzymał ten dom w prezencie. Zbudowano go na miejscu świątyni i dlatego jest otoczony legendą. A potem ktoś wpadł na pomysł, by zapełnić go latarniami.

– I stał się Domem Tysiąca Latarni. Tylko dlaczego tysiąca!

– Widać gołym okiem, że dom jest ich pełen i pewnie nie mogli już więcej pomieścić. Dom Tysiąca Latarni to po prostu malownicza nazwa, nadana budowli bez związku ze stanem faktycznym, to znaczy, że lampionów wcale nie musi być aż tyle.

– Twoje rozumowanie wydaje się logiczne.

– Mam nadzieję, że zawsze rozumuję logicznie, Jane.

– Ja chyba nie zawsze...

– Podobno każda kobieta od czasu do czasu daje się ponieść fantazji.

– A ty żałujesz, że ja również mam tę kobiecą cechę?

– Tak naprawdę wydaje mi się ona dosyć interesująca, ale...

– Ale co, Adamie?

– Sądzę, że wszystkie kobiety, takie, jak ty, potrzebują mężczyzny, który będzie się nimi opiekował.

Przerwałam mu szybko:

– Mamy za mało o czterysta latarni. Musimy odkryć, gdzie one są. Jeżeli się tego dowiemy, być może uzyskamy rozwiązanie łamigłówki.

Sprzeczaliśmy się trochę w powrotnej drodze do domu. Adam był przekonany, że domowi nadano taką nazwę, bo brzmiała poetycko, ja zaś miałam pewność, że chodziło o coś więcej. Nadal wierzyłam, że sekret jest ukryty w latarniach.

Latarnie! Śniły mi się całą noc. Pierwszą rzeczą, jaką ujrzałam po obudzeniu, była wisząca na środku sufitu latarnia, w której przez całą noc płonęła olejna lampka. Gdy nadeszło Święto Lampionów, byłam tak samo zachwycona ich różnorodnością, jak w zeszłym roku. Wtedy żył jeszcze Sylwester i wszyscy poszliśmy na nabrzeże, by oglądać paradę. Cóż za pokaz lampionów każdego rodzaju! Większość z nich zrobiono z papieru i jedwabiu. Nasze latarnie miały prostokątny kształt i były wykonane z kutego metalu.

Po święcie zaczęłam uważnie przyglądać się naszym lampionom i ku mej radości zauważyłam, że przedstawione na ich ściankach sceny układają się w opowieść. Na dole w holu kochankowie spotykali się po raz pierwszy. Tańczące dziewczęta rzucały wstążki, zupełnie tak, jak to widziałam w domu Chan Cho Lan. Wszystkie lampiony na parterze były ozdobione tym samym motywem, ale gdy poszłam na górę, dostrzegłam, że tam ukazano kochanków trzymających się za ręce.

Na następnym piętrze kochankowie się obejmowali.

To było ekscytujące, zupełnie tak, jakby lampiony opowiadały jakąś historię. Spotkali się, zakochali w sobie i przypuszczałam, że ostatnia scena musi przedstawiać małżeństwo.

Teoria wydawała się interesująca, lecz gdy powiedziałam o tym Adamowi, wyśmiał mój pomysł. To bardzo sprytne z mojej strony, uznał, że odkryłam, iż latarnie na każdym piętrze przedstawiają inny epizod, ale po prostu ukazują naturalną kolej rzeczy i on nie widzi w tym nic, co mogłoby nas zbliżyć do rozwiązania zagadki.

– Słyszałeś kiedyś powiedzenie „poruszyć niebo i ziemię"? – zapytałam.

– Wiele razy – odparł.

– Nie sądzisz, że jest trafne? Bo ja właśnie to zamierzam teraz zrobić.

Uśmiechnął się do mnie pobłażliwie, ale latarnie nie przestawały mnie fascynować.

Zbliżał się czas obchodów Święta Zmarłych.

Wszystko odbywało się podobnie, jak w zeszłym roku. Pamiętałam dobrze, jak wtedy zmieniła się atmosfera wokoło, obowiązki poszły w kąt, a cały dom ogarnęło uczucie podniecenia. Wydawało się, że każdy ma jakiegoś zmarłego krewnego, którego trzeba zapewnić, że nie został zapomniany.

Obserwowałam z okien ludzi podążających na wzgórze, a w czasie konnej przejażdżki widziałam cmentarz, na którym wzniesiono plecione namioty. Wszystkie nagrobki były w kształcie ostatniej litery greckiego alfabetu, omegi, co zapewne miało jakieś znaczenie. Na wzgórze wnoszono mnóstwo jedzenia, już wkrótce zacznie się uczta.

Myślami wróciłam do dnia, w którym umarł Sylwester. Pamiętałam naszą ostatnią rozmowę. Nie mogłam wymazać z pamięci widoku jego wymizerowanej twarzy o pergaminowej skórze, a także tego, jaki był pewny nadchodzącej śmierci i jak się niepokoił, czy zdąży uporządkować wszystkie sprawy.

I nocą piątego kwietnia – w kulminacyjnym punkcie Święta Zmarłych – mój mąż umarł.

Wtedy wydawało się to po prostu zbiegiem okoliczności, ale teraz zaczęłam uważać to za dziwne, że odszedł akurat tamtej nocy.

Nadeszło święto. Dom ogarnęło pełne napięcia oczekiwanie, gdy cała służba wyruszyła na wzgórze.

– Będziesz chciała zostać sama ze swoim smutkiem – powiedziała do mnie Lottie, zanim wyszła. – Nie ucztujesz przy jego grobie, ale będziesz o nim myśleć.

– Tak – odrzekłam. – Będę o nim myśleć.

– W Chinach dama nosi żałobę przez trzy lata. Obce duchy tylko przez rok.

– Czasami o wiele dłużej, Lottie.

– Mówiłaś, że minie jeden rok i wyjdziesz za mąż.

– Powiedziałam, że nie powinnam wychodzić za mąż przed upływem roku.

– Ale wyjdziesz za mąż. Dom tak chce.

– Wciąż martwisz się, że bogini straciła twarz, bo dom, zbudowany na miejscu jej świątyni stał się własnością kobiety?

Lottie zachichotała tajemniczo.

– Dom zadowolony, bo wkrótce będzie pan.

W rękach trzymała koszyk pełen smakołyków z kuchni, z którym wybierała się na groby krewnych.

– Muszę iść do przodków – powiedziała. – Nie zrobić tego to największy grzech. Budda mówi, że dobry człowiek troszczy się o swoich zmarłych. Jeśli tego nie robi, nigdy nie pójdzie do Fÿ.

Skinęłam głową bo rozmawiałam kiedyś o Fÿ z Sylwestrem. Tak się nazywał raj zamieszkiwany przez wyznawców Buddy, królestwo złota, gdzie drzewa rodziły lśniące kamienie zamiast owoców. Miejsce to zdominowała magiczna siódemka. Było więc siedem rzędów drzew, siedem płotów i siedem mostów, a mosty te zostały wykonane z pereł. Nad wszystkim panował Budda, siedzący w pozycji kwiatu lotosu. Wszystko w Fÿ było idealne. Nikt nie chodził głodny ani nie odczuwał pragnienia, nie znano bólu i nikt się nie starzał. Dostanie się do tego raju stanowiło cel każdego człowieka, mężczyzny i kobiety, a można było to osiągnąć jedynie przez dobre uczynki. I tak, skoro szacunek i miłość do przodków są głównymi powinnościami człowieka, Święto Zmarłych jest jednym z najważniejszych dni w roku.

Poszłam do salonu. Na środku stał pusty fotel Sylwestra. Tak bardzo chciałam, żeby mój mąż żył, bym mogła mu powiedzieć, jak bardzo jestem wdzięczna i że nigdy nie zapomnę, iż wszystko, co mam, zawdzięczam jemu.

Nie mogę powiedzieć, że nie cieszył mnie otrzymany spadek, bo to nieprawda. Byłam dumna, że stoję na czele firmy, którą on zbudował. Czułam też dumę, że jestem właścicielką Domu Tysiąca Latarni.

Jaka cisza panowała teraz tutaj! Wszyscy poszli na wzgórze. Ling Fu zabrał Jasona do magazynów, dziś po południu chłopiec miał jeździć z Tobym konno. Mogłam wybrać się z nimi, ale miałam dziwne wrażenie, że tego popołudnia powinnam zostać w domu sama.

Żadnego dźwięku... tylko od czasu do czasu brzęczenie wietrznych dzwonków i odległy jęk gongów, gdy procesja wchodziła na wzgórze.

W mojej głowie kołatała się tylko jedna myśl: twój rok dobiegł końca.

Gdy stałam tak w sypialni Sylwestra i myślałam o jego ostatnich chwilach, przez pokoje przetoczył się niespodziewany dźwięk. Dom zamarł w czujnym oczekiwaniu.

Poczułam, że serce wali mi jak młotem. Domyślałam się, co ten odgłos może oznaczać.

To był dźwięk wiszącego na ganku gongu. Miałam gościa.

Wiedziałam, kto nim jest, i ogarnęła mnie radość pomieszana z lękiem.

Podeszłam do drzwi.

On powiedział:

– Przychodzę tak, jak obiecałem. – A potem wszedł do środka i zamknął za sobą drzwi. – Nie mogłem czekać ani minuty dłużej – dodał.

I wziął mnie w ramiona, a ja wiedziałam, że nigdy nie myślałam poważnie ani o Adamie, ani o Tobym, bo na świecie nie istniał dla mnie żaden inny mężczyzna poza tym jedynym – Joliffe'em.

Rozdział siódmy

Sztylet z monet

I

Moje ciche kalkulacje zostały zapomniane. Wiedziałam, że nie mogłabym wyjść za mąż za nikogo innego. Byłam tak uległa, tak chętna, tak zakochana jak kiedyś. Straciłam rozum, nie chciałam wybiegać myślą dalej niż w najbliższą przyszłość i wiedziałam, że nie pozwolę, by ktokolwiek stanął mi na drodze.

Żyłam w raju Fÿ, gdzie spełniało się wszystko, co tylko mogłam sobie wymarzyć. Świat wokół mnie był piękny. Może drzewa nie rodziły drogocennych kamieni zamiast owoców, ale liście i kwiaty wydawały się stokroć piękniejsze. Wszystko wokół mnie się zmieniło, a świat stał się cudownym miejscem.

Byłam zakochana i zamierzałam pokonać każdą przeszkodę, która stanie na mej drodze do szczęścia.

Zamierzałam wyjść za Joliffe'a.

Wtedy zdałam sobie sprawę, że moje szczęście może zranić kilka osób. Na przykład dobrego Toby'ego. Nigdy nie zapomnę jego twarzy, gdy powiedziałam mu o swoich planach.

– A zatem wrócił – powiedział głuchym głosem.

– Tak – odparłam poważnie. – I gdy tylko go ujrzałam, wiedziałam, że to nieuniknione.

Toby milczał. Wyjrzał przez okno swego kantorka na wodę, stłoczone dżonki, połączone sznurami suszącego się prania, pędzących tam i z powrotem rikszarzy. Widział to wszystko setki razy, ale nie w tej chwili. Teraz przed oczami stanął mu wyimaginowany obraz naszego wspólnego szczęścia i powrót Joliffe'a, który zniszczył to marzenie bezpowrotnie.

Powiedział tylko:

– Jane, nie powinnaś się śpieszyć.

– Wiem – odrzekłam łagodnie. – Naprawdę się nie śpieszę. Znasz moją historię, wiesz, że Joliffe i ja byliśmy razem przez trzy miesiące, a Jason jest jego synem. Tak musi być, Toby.

Skinął głową.

– A Jason? – zapytał.

– Joliffe jest jego ojcem – przypomniałam.

Toby się odwrócił.

– Czy zajdą jakieś zmiany... tutaj? – Machnął ręką w nieokreślonym kierunku.

– Masz na myśli, w interesach? Och, nie. Zamierzam wszystko pozostawić tak, jak przedtem... jak by sobie tego życzył Sylwester.

Potrząsnął głową.

– Toby – powiedziałam – twoja sytuacja nie ulegnie zmianie, zrozum to. Byłeś prawą ręką Sylwestra i pozostaniesz moją.

Ale tylko patrzył na mnie smutno. Poczułam nagle złość, że litość dla niego zakłóca moje szczęście.

Adam nie pogodził się tak łatwo z moją decyzją. Na początku wydawał się oszołomiony, później ogarnęła go złość.

– A zatem zamierzasz wyjść za Joliffe'a! – wykrzyknął.

– Kiedyś już myślałam, że jestem jego żoną – odparłam spokojnie. – A teraz, skoro oboje jesteśmy wolni...

– Oszalałaś! – zawołał.

– Nie sądzę, Adamie.

– Myślałem, że będziesz miała wystarczająco dużo rozsądku, by wiedzieć, że to nie może się udać.

– Instynkt podpowiada mi co innego.

– Jak zwykle, dokonując wyboru, wierzysz w to, w co chcesz wierzyć.

– Joliffe i ja się kochamy, Adamie. Zawsze będziemy razem.

– Czy to z miłości okłamał cię i pozwolił, abyś wydała na świat syna, który nie miał nazwiska aż do chwili, gdy wyszłaś za mego stryja?

– To nie była wina Joliffe'a. Nie wiedział, że jego żona wciąż żyje.

– Jesteś bardzo naiwna, Jane. Dlatego lękam się o ciebie.

– Mam pewne doświadczenie i potrafię o siebie zadbać.

– Chyba jednak nie. Wpakowałaś się w kłopoty, z których udało ci się wyplątać, a teraz jesteś gotowa uczynić dokładnie to samo.

– Nie zgadzam się z tobą.

– Oczywiście, że się nie zgadzasz. Wystarczyło, że wrócił z tymi swoimi słodkimi słówkami, a ty od razu się poddajesz...

Było mi przykro. Wiedziałam, że Adam czuje się dotknięty. Przez ostatnich kilka miesięcy nabrał przekonania, że mogę się zgodzić i zostać jego żoną. Sama przecież nawet rozpatrywałam taką możliwość. Powinnam była od razu mu powiedzieć, że nigdy nie będę kochała nikogo oprócz Joliffe'a.

Ale coś innego niepokoiło mnie o wiele bardziej. Robiłam dokładnie to, przed czym ostrzegał mnie Sylwester. Dał mi jasno do zrozumienia, że nie ufa Joliffe'owi. Wyznaczając Adama na opiekuna Jasona, wskazał, że pragnie, bym wyszła właśnie za niego. Nie mógł wyrazić tego jaśniej. Nie potrafiłam pozbyć się myśli o Sylwestrze, a te wspomnienia rzucały cień na moją radość. We śnie słyszałam głos zmarłego męża: „historia się powtarza".

– Teraz jest inaczej, Sylwestrze – szepnęłam, obudziwszy się pewnego ranka.

Było inaczej. Joliffe stał się teraz wolny, a ja kochałam go tak bardzo, że bez niego nigdy nie mogłabym być szczęśliwa.

Nawet Lottie wyglądała na zawiedzioną.

– Zatem rok się skończył – powiedziała – i wychodzisz za mąż. Dom nie jest zadowolony.

– Co za nonsens – odrzekłam.

Uniosła dłonie w geście bezradności, a jej podobne do półksiężyców brwi powędrowały do góry. Potem przyłożyła palec do ust.

– Ty słyszysz. Ty czujesz.

– Nic nie słyszę.

– To jest tutaj. Dom nie jest zadowolony.

W jej oczach czaił się strach. Obejrzała się przez ramię, jakby rzeczywiście wierzyła, że nagle pojawi się jakieś bóstwo i położy nas trupem.

– Bogini ostrzega – oznajmiła. – Słyszysz to w wietrznych dzwonkach. Mówią: źle robisz.

– To stek bzdur – odparłam zniecierpliwiona. – Najpierw bogini straciła twarz, bo właścicielką domu została kobieta. Chciała, żebym szybko znalazła męża – tak mówiłaś. Teraz zamierzam wyjść za mąż, a wciąż jest niezadowolona. To czego ona właściwie chce?

Lottie potrząsnęła bezradnie głową.

– Ty nie rozumiesz, wielka pani – szepnęła.

Lecz nawet jeżeli bogini była tak samo niezadowolona jak Lottie, Toby i Adam, był ktoś, kto nie posiadał się z radości.

Jason oparł się rękami o moje kolana i uniósł ku mnie rozjaśnioną radością buzię.

– Będę miał tatę – powiedział.
– Tak, Jasonie – potwierdziłam. – Chcesz tego, prawda?
Roześmiał się. Oczywiście, że chciał.
– Powiem ci coś – odezwał się, stając na palcach.
– Tak, Jasonie?
– On przez cały czas był moim prawdziwym tatą. Powiedział mi.

Pobraliśmy się, a ja byłam w siódmym niebie. Nie przypuszczałam, że czeka mnie jeszcze takie szczęście.

Joliffe chciał, abyśmy wyjechali na miesiąc miodowy, jednak odmówiłam. Jeżeli mielibyśmy gdzieś wyjechać, musielibyśmy zabrać Jasona, tłumaczyłam. Trochę protestował, ale w końcu przyznał mi rację. Zresztą i tak dokąd moglibyśmy jechać w Chinach? Wyjazd Jasona z nami nie wydawał mi się stosowny.

– Miesiąc miodowy nie ma żadnego znaczenia – powiedział Joliffe. – To małżeństwo jest ważne... razem przez resztę życia, Jane. Co za perspektywa.

To była cudowna perspektywa. Znowu mogliśmy zacząć marzyć i planować tak, jak kiedyś. Połączyliśmy na nowo wątki naszych opowieści.

To były cudowne dni, czasami urządzaliśmy sobie wycieczki na dwójkę, zostawiając Jasona pod opieką Lottie, niekiedy chłopiec wychodził z nami. Płynęliśmy promem na wyspę i piknikowaliśmy na piaszczystym brzegu Zatoki Wielkiej Fali. Czasami jeździliśmy konno i przyglądaliśmy się robotnikom pracującym na zalanych wodą polach. Robiliśmy zakupy na Targu Złodziei i zaglądaliśmy do świątyń, gdzie na ołtarzach błyszczały posągi bożków, a kadzidła zwieszały się spiralami z sufitów. Uliczny wróżbita przepowiedział nam przyszłość, tresowana papuga wybrała naszą szczęśliwą kartę. Braliśmy łódź, żeglowaliśmy po zatoce i rzucaliśmy monety małym chłopcom, którzy uwielbiali nurkować po nie w krystalicznie czystej wodzie. Wszystko było takie piękne: kołyszące się na wodzie dżonki, kobiety z maleńkimi dziećmi na plecach, rikszarze w stożkowych kapeluszach, właściciele straganów, przekrzykujący się na ulicy i targujący z klientami. Owiana wszechobecnym zapachem suszonych ryb zatoka wydawała mi się miejscem wyjątkowym, pełnym malowanych szyldów sklepowych, ozdobionych kolorowymi chińskimi literami.

Znowu byłam w Paryżu. Wszystko spowijała mgła miłości, rozjaśniała kolory, sprawiała, że świat tańczył, rozjaśniając pięknem nawet zmęczone twarze kobiet Hakka.

Pewnego ranka, gdy leżąc w łóżku, rozmawialiśmy o tym, jak cudownie być znowu razem, Joliffe wspomniał o Jasonie. Mówił, jak bardzo jest zachwycony chłopcem, jak myślał o nim bez przerwy i buntował się przeciwko losowi, który rozłączył go z synem.

– I jeszcze ten testament Sylwestra – dodał. – Pomyśleć, że wyznaczył Adama na opiekuna Jasona. Nie podoba mi się to, Jane.

– Tylko na wypadek mojej śmierci – odparłam.

– Nawet nie mów o takich rzeczach. – Przytulił mnie mocno do siebie. – Najdroższa, nie chcę o tym myśleć. Na pewno tak się nie stanie, bo to ja umrę przed tobą.

– Nie – powiedziałam z lękiem.

Tuliliśmy się mocno do siebie, aż Joliffe wybuchnął śmiechem.

– A kto ma zamiar umierać? Jesteśmy młodzi, prawda? I zdrowi. Będziemy żyli przez długie lata, oboje. Ale jesteś ode mnie młodsza, Jane, więc ja umrę pierwszy.

– Nie zniosłabym tego – odrzekłam, a Joliffe pogłaskał mnie po włosach.

– Ależ z nas głuptasy! Zapewniamy siebie nawzajem, że każde umrze pierwsze, bo żadne nie chce być tym, które zostanie samo. Ale jedno z nas będzie musiało.

Milczeliśmy przez chwilę, a potem roześmialiśmy się, kochaliśmy i byliśmy bardzo szczęśliwi. Jednak zanim zasnęliśmy, Joliffe powiedział:

– Powinnaś to zmienić, Jane.

– Jak to... zmienić?

– To proste. Sylwester mianował Adama opiekunem Jasona. Nie mogę pozwolić, żeby moim synem opiekował się ktoś poza mną. A tak się stanie, gdybyś ty... Jane...

– Gdybym umarła – podpowiedziałam. – Tak, gdybym umarła jutro, cały majątek stanie się własnością Jasona, a Adam będzie jego opiekunem.

– Sylwester nie wiedział, że ty i ja zostaniemy małżeństwem – odparł Joliffe.

Zawahałam się. Co Sylwester miał na myśli? Wiedział, jak bardzo cierpiałam po stracie ukochanego. Czy kiedykolwiek przypuszczał, że Joliffe wróci i będzie moim mężem? Oczywiście, że tak, a mimo to wyznaczył Adama – może właśnie z tego powodu.

Joliffe nalegał:

– To musi zostać zmienione. Sprawa nie powinna być trudna. Ty mogłabyś to zrobić. Masz do tego prawo.

– Nie jestem pewna. Takie były postanowienia testamentu – odrzekłam.

I pomyślałam: Dlaczego Sylwester wyznaczył Adama? Wierzył, że za niego wyjdę? A może dlatego, że chciał, abym wyszła za Adama?

– Jane, powinnaś to zrobić. Jason jest moim synem. – Pocałował mnie czule w ucho. – Nie mogę znieść myśli, że choćby na piśmie ktoś inny jest opiekunem mojego syna.

– Nie zamierzam na razie umierać, Joliffie.

– Mój Boże, oczywiście, że nie! Ty i ja mamy przed sobą wiele długich lat. Wrócimy do Anglii. Może pojedziemy do Zagrody Rolanda? Zawsze lubiłem to miejsce, a teraz należy do ciebie. Zastanawiam się, co też porabia stara pani Couch? Ależ by się ucieszyła na nasz widok. A ty nie chciałabyś tam pojechać?

– Bardzo bym chciała tam wrócić... pójść do lasu, w którym spotkaliśmy się po raz pierwszy. Pamiętasz ten dzień? Deszcz... i jak się przed nim schroniliśmy.

– Nigdy tego nie zapomnę.

– Nie sądzę, żeby Jason miał wiele wspomnień z Zagrody Rolanda.

– Będzie musiał iść do szkoły. Wtedy razem wrócimy.

– Tak – powiedziałam – pojedziemy razem. Toby może wszystkiego tutaj dopilnować. Ale najpierw chciałabym odkryć tajemnicę tysiąca latarni.

– Razem ją odkryjemy... i nie tylko ją.

– A co jeszcze?

– Będziesz musiała się przekonać, jak bardzo cię kocham i jak bardzo ty kochasz mnie.

– Myślisz, że teraz nie wiem, jak bardzo cię kocham?

– To dużo ważniejsze niż cały ten kram z latarniami. I, Jane, żeby wszystko już było w porządku, wstąp do prawnika. Ja jestem opiekunem mojego syna, nikt inny.

– Jutro porozmawiam z prawnikiem – obiecałam.

Pan Lampton, który zajmował się sprawami Sylwestra od wielu lat, słuchał z uwagą tego, co miałam mu do powiedzenia. Było jasne, że wiedział bardzo dużo o naszych sprawach rodzinnych i mój mąż radził się go w kwestii testamentu.

– Życzeniem pana Sylwestra Milnera było, żeby w wypadku pani śmierci pani syn, Jason, znalazł się pod dobrą opieką. Panu Milnerowi bardzo na tym zależało.

- Wiem - odpowiedziałam - ale chłopiec ma ojca, a żaden ojciec nie chciałby patrzeć, jak jego synem opiekuje się ktoś inny.

Pan Lampton skinął głową.

- Tak naprawdę chodzi tu o interesy, pani Milner. Pan Sylwester Milner życzył sobie, żeby w razie pani śmierci kontrolę nad firmą sprawował jego bratanek Adam, zanim pani syn osiągnie wiek, w którym będzie mógł sam się tym zająć. Właśnie tego bratanka wybrał.

- Wiem, że uważał go za silnego i poważnego i Adam rzeczywiście taki jest. Ale moje małżeństwo wszystko zmienia. Teraz pracuje ze mną mój mąż. Niewłaściwe byłoby oddanie tego, co osiągnie, w cudze ręce... w wypadku mojej śmierci.

- Nic nie może pani powstrzymać przed zmianą testamentu na korzyść męża, jednak istnieje możliwość, że w razie pani śmierci Adam Milner może zakwestionować tę decyzję. Żaden sąd nie przekaże opieki nad dzieckiem innemu mężczyźnie, jeżeli żyje ojciec, natomiast kwestia sprawowania kontroli nad firmą może okazać się sporna. Jednak powtarzam, że nic nie stoi na przeszkodzie, by wprowadziła pani zmiany na korzyść męża.

- Zrobię to - oznajmiłam.

Gdy wróciłam do domu, powiedziałam Joliffe'owi, co zrobiłam.

- I zadbasz o to, by nikt nie zabrał mi Jasona.

- Oczywiście i to bezzwłocznie. Domyślam się, że Adam będzie zły.

- Nic mu nie mów.

- Myślisz, że to w porządku?

- Posłuchaj, Jane, nie umrzesz. Będziemy żyli tak, jak teraz, przez długie, długie lata. Nie ma potrzeby zakłócania spokoju Adama.

- Ale on nadal będzie myślał...

- I niech tak myśli. Jeżeli ma choć odrobinę rozsądku, będzie wiedział, że nigdy nikomu nie pozwolę wychowywać mojego syna.

- Ja jednak uważam, że ma prawo...

Joliffe roześmiał się i otoczył mnie ramionami.

- Nie chcemy przecież wzbudzać złości. Nasze stosunki z Adamem są teraz dosyć przyjazne i niech takie pozostaną.

- Ale gdybym miała umrzeć...

- Nie umrzesz. Nie pozwolę ci na to.

Przytulił mnie mocno i na jakiś czas zapomniałam o swoich wątpliwościach. Ale tej nocy śnił mi się Sylwester. Patrzył na mnie uważnie przez kilka sekund, zupełnie tak, jak wtedy, wiele lat temu w Zagrodzie Rolanda, gdy powiedziałam mu, że zamierzam wyjść za Joliffe'a. A potem potrząsnął głową ze smutkiem.

Parę tygodni później miałam pierwszy atak zawrotów głowy. Kiedy się obudziłam, czułam się doskonale, lecz gdy chciałam wstać, pokój zaczął tańczyć wokół mnie. Trwało to tylko parę sekund, ale opadłam z powrotem na poduszki, czując nagły przypływ mdłości.

Leżałam na łóżku. Joliffe wyszedł wcześnie tego ranka, miał obejrzeć jakieś figurki z kości słoniowej parę kilometrów od Koulunu.

Po jakimś czasie poczułam się lepiej i zaczęłam się zastanawiać, czy nie jestem w ciąży. Nie miałam jednak innych symptomów. Rozmyślałam, jaka to by była radość, gdybym urodziła drugie dziecko.

Spisałam testament, w którym wyznaczyłam Joliffe'a na opiekuna Jasona i zastrzegłam, że w razie mojej śmierci mąż ma sprawować nad wszystkim kontrolę do czasu, gdy Jason osiągnie pełnoletność. To było absurdalne, ale czułam się nieswojo, myśląc o śmierci i pozostawieniu Jasona i Joliffe'a. Zapewne większość ludzi ma takie uczucia przy sporządzaniu testamentu.

Joliffe pracował z entuzjazmem w firmie, która kiedyś należała do Sylwestra. Powiedział, że nie wyobraża sobie, aby mąż i żona mieli się stać rywalami w interesach. Toby'emu nie bardzo się to podobało i chociaż nie okazywał niezadowolenia, znałam go dobrze i wyczuwałam w jego zachowaniu pewien smutek.

W wypadku innego mężczyzny sytuacja mogłaby stać się trudna do zniesienia, ale Toby nigdy nie domagał się uznania. To on prowadził firmę, był najlepszym kierownikiem w branży. Adam chciał go podkupić, Toby jednak pozostał lojalny, nawet teraz, gdy Joliffe tak bardzo zaangażował się w pracę i przejmował coraz więcej obowiązków.

Przyszła Lottie i stanęła koło mego łóżka.

– Nie czujesz się dziś dobrze, wielka pani?

– Było mi trochę słabo, gdy wstawałam.

– Zostań w łóżku.

– Chyba nie. Już wstaję.

Spojrzała na mnie z niepokojem i przyniosła szlafrok.

Wstałam. Pokój pozostał nieruchomy.

– Już mi lepiej – powiedziałam. – To nic takiego.

Ale przez cały dzień byłam apatyczna, a po południu zasnęłam.

Myślałam o Sylwestrze. Często skarżył się na zawroty głowy przy wstawaniu, w takie dni dużo spał i nie miał siły na nic innego.

To okropne uczucie.

Biedny Sylwester, pomyślałam. Tak bardzo chciałam, żeby wiedział, jak często gości w moich myślach.

Przypłynął statek z Anglii, co zawsze było dla nas wydarzeniem. W dokach tragarze uwijali się przy rozładunku, a po pewnym czasie do magazynów przywożono nowe nabytki. Zawsze byliśmy bardzo ciekawi, co też przysyłają nam londyńscy agenci.

Przypływali też pasażerowie i dla wielu mieszkańców zawinięcie statku do portu oznaczało początek zabaw z przyjaciółmi. Joliffe miał tłumy znajomych i lubił przyjmować ich w domu. Moje życie towarzyskie nabrało rumieńców, odkąd wyszłam za mąż. Czasami wydawaliśmy obiady w chińskim stylu, co zawsze bardzo podobało się nowo przybyłym, zwłaszcza tym, którzy odwiedzali Hongkong po raz pierwszy. Służący też lubili te przyjęcia. Uważali, że dom „zyskiwał twarz", gdy przychodzili do niego Europejczycy, by ucztować na chińską modłę.

Joliffe coraz bardziej zaprzyjaźniał się z Adamem. Zachowywał się tak, jakby chciał wynagrodzić kuzynowi zmianę testamentu, ja jednak z tego powodu czułam się zawsze w obecności Adama nieswojo i wolałabym mu powiedzieć, co zrobiłam. Przecież moja decyzja była rozsądna. To naturalne, że chciałam, aby mój mąż nie tylko został opiekunem własnego syna, ale także nadzorował jego interesy, zwłaszcza że Joliffe pracował teraz w firmie Sylwestra. Adam myślał logicznie, byłam pewna, że zrozumiałby moje postępowanie.

W jego zachowaniu pojawiła się znowu rezerwa, która tak mnie irytowała na początku naszej znajomości, cieszyłam się jednak, że stosunki między kuzynami są teraz lepsze.

Gdy wydawaliśmy obiad, mój mąż zawsze pamiętał o Adamie i pytał go:

– A może jest ktoś, kogo chciałbyś zaprosić? Mów śmiało. – Co było typowe dla otwartej i zgodnej natury Joliffe'a.

Tak więc Adam był częstym gościem w Domu Tysiąca Latarni.

Pewnego wieczoru stało się coś, co mnie zaniepokoiło.

Otworzyłam jedną z moich szuflad i znalazłam w środku przedmiot, którego nigdy wcześniej nie widziałam. Wyjęłam go zaintrygowana i obejrzałam uważnie.

Był to metalowy sztylet, z rękojeścią w kształcie krzyża, cały oklejony starymi monetami, z których każda miała na środku prostokątny otwór.

Nie mogłam zrozumieć, skąd się wziął w mojej szufladzie.

Gdy tak siedziałam, obracając go w dłoniach i oglądając, do pokoju weszła Lottie i powiedziała:

– Chciałaś włożyć jutro błękitną suknię z jedwabiu. Uprałam...

Nagle urwała, wpatrując się w nóż, który trzymałam w ręku.

– Co się stało, Lottie?

Zamarła bez słowa, a potem zgarbiła się i zachichotała, ale ja już wiedziałam, że taki chichot oznaczał strach.

– Masz sztylet z monet – powiedziała. – Kto dał?

– Był w mojej szufladzie. Kto go tam włożył i co to jest? Co oznacza?

Potrząsnęła głową i odwróciła twarz do ściany.

– Och, Lottie – zapytałam zniecierpliwiona – o co w tym wszystkim chodzi?

– Ktoś to włożył – odrzekła.

– Bez wątpienia ktoś włożył nóż do mojej szuflady. Czy wiesz coś na ten temat?

Potrząsnęła przecząco głową.

– Musiał to zrobić ktoś ze służby – uznałam.

– To na szczęście – powiedziała. – Powinien wisieć nad łóżkiem.

Spojrzałam na ścianę.

– Nie sądzę – odrzekłam. – Ale chciałabym wiedzieć, kto mi go podrzucił.

Lottie podniosła delikatnie sztylet i przyjrzała się monetom.

– Na monetach widzisz datę. Jeżeli powiesisz to nad łóżkiem, cesarz, który panował w czasie monet, będzie nad tobą czuwał. Trzymał z dala złe duchy.

– To ciekawe – zauważyłam.

Skinęła głową.

– To zawsze w domu, gdzie była śmierć. Jeżeli morderstwo w domu... albo ktoś odbiera sobie życie... musi być sztylet z monet, żeby odpędzić złe duchy i chronić.

– W domu, w którym popełniono morderstwo lub samobójstwo... ale...

Lottie potrząsnęła głową.

– Złe duchy przychodzą, jeżeli ktoś odbiera życie... sobie albo komuś innemu. Więc w takim domu jest sztylet z monet. Chroni.

– W tej rodzinie nie było ani morderstwa, ani samobójstwa.

Lottie milczała.

– No dobrze – powiedziałam. – Włożę jutro tę jedwabną suknię. Dobranoc, Lottie.

Ociągała się z wyjściem.
– Powieś nad łóżkiem – nalegała. – Zatrzymaj dobro tu, wyrzuć zło.
Potrząsnęłam głową.
– To bardzo interesujący sztylet. Zastanawiam się, kto go włożył
do mojej szuflady?

Opowiedziałam o tym zdarzeniu Joliffe'owi.
– Joliffie, czy słyszałeś kiedykolwiek o sztyletach z monet?
– Oczywiście. Fascynujące przedmioty. Chińczycy mają wiele
związanych z nimi przesądów.
– Lottie coś mi o tym wspominała.
– Stare sztylety osiągają całkiem wysokie ceny. Oczywiście, to
zależy od wieku monet. Chińczycy wieszają takie noże nad łóżkami
dla odegnania zła, przede wszystkim w domach, w których nastąpi-
ła gwałtowna śmierć, zwłaszcza w wypadku samobójstwa.
– Ktoś włożył taki sztylet do mojej szuflady. Zastanawiam się,
kto mógł to zrobić? Nie ty, prawda, Joliffie?
– Moja droga, gdybym chciał ci dać taki prezent, na pewno nie
ukrywałbym go w szufladzie.
– Więc kto mógł go tam włożyć?
– Pytałaś Lottie?
– Ona nic nie wie. Bardzo się zdenerwowała. Najwidoczniej to
jakiś rodzaj talizmanu.
– Ciekawe – mruknął Joliffe.
I zapomnieliśmy o całej sprawie, bo nie potrafiliśmy jeszcze przejść
do porządku dziennego nad ekscytującym faktem, że znowu jesteśmy
razem. Ale wkrótce miałam przypomnieć sobie o sztylecie z monet.

Postanowiliśmy, że wydamy obiad w chińskim stylu. Przez cały
dzień przygotowywano potrawy, a służba krzątała się w radosnym
podnieceniu.
Joliffe'owi bardzo zależało, by przyjęcie okazało się sukcesem,
i był zachwycony, gdy Adam zaproponował, że po obiedzie zabierze
naszych gości na występy taneczne do domu Chan Cho Lan.
– Poznasz Langów – powiedział Adam. – On jest moim starym
przyjacielem. Jego żona zmarła i niedawno ożenił się ponownie. To
pierwsza wizyta pani Lang w Hongkongu. Podobno ta dama jest cza-
rująca, tylko trochę niemądra. Będzie zachwycona tym wszystkim.
Zaprosiliśmy także Toby'ego i jego siostrę, więc spodziewałam
się, że rozmowa przy stole będzie dotyczyła głównie interesów. Nie

byłam zachwycona tym, że obaj mężczyźni, którzy chcieli prosić mnie o rękę, usiądą przy jednym stole z moim mężem.

Gdy przebierałam się do obiadu, spojrzałam krytycznie w lustro i usiłowałam zobaczyć siebie taką, jaką widział mnie Joliffe. Nie byłam ani brzydka, ani ładna, miałam jednak w sobie pewną energię, a głowę trzymałam wysoko – nauczyłam się tego w czasie małżeństwa z Sylwestrem i doprowadziłam do perfekcji przez rok wdowieństwa. W ciągu ostatnich miesięcy jednak nieco złagodniałam, stałam się bardziej podatna na zranienia, jak każdy, kto się zakocha.

Zastanawiałam się nad tym, oglądając swoje odbicie w lustrze. Być może stan zakochania miał i zalety, i wady. Nie istniała miłość bez lęku, bo kto kocha, musi się bać o najdroższą osobę. Gdy Jason cierpiał na jakąś dziecięcą chorobę, przechodziłam katusze, wyobrażając sobie, jak mój syn umiera, a ja idę za jego trumną podczas pogrzebu. Wszystko dlatego, że go kochałam. A teraz Joliffe... Umierałam ze strachu, gdy go nie było obok mnie, wyobrażałam sobie wszystkie niebezpieczeństwa, które mogą czyhać na niego w tym dziwnym kraju. Naprawdę stałam się bardziej wrażliwa.

I ta przeciętna... nie, to chyba nie jest sprawiedliwe określenie, ta stosunkowo atrakcyjna, choć już nie pierwszej młodości kobieta, miała aż trzech konkurentów – i to niepozbawionych zalet i pewnego uroku.

Dostrzegłam delikatne wygięcie swoich ust i cień sceptycyzmu w oczach. Nic dziwnego, w końcu byłam zamożną kobietą. Miałam dużo więcej do zaoferowania niż tylko samą siebie.

A jednak nie mogłam uwierzyć, że moi adoratorzy działali wyłącznie z pobudek materialnych... Joliffe mnie kochał, powtarzał to setki razy. A Adam i Toby? Też okazywali mi miłość, tylko w inny sposób. Adam poprzez chłodną dezaprobatę i gniew, a Toby – smutną rezygnacją.

To, dziwne, powiedziałam do siebie. Byłam przekonana, że tamci darzą mnie szacunkiem, ale majątek mógł być koronnym argumentem, który przemawiał na moją korzyść.

W takim nastroju zeszłam na obiad.

Adam nie mylił się mówiąc, że pani Lang ma pstro w głowie. Była bardzo ładną kobietą o jasnych, puszystych włosach i mówiła bez przerwy, chaotycznymi zdaniami, z których wielu wcale nie kończyła.

Hongkong jest cudowny. Oczywiście, słyszała... ale nie zdawała sobie sprawy, że aż tak. Kochany Jumbo... jej mąż... powiedział, że będzie oczarowana i, na Boga, naprawdę była. Te wszystkie łódki!

Co za widok! Chociaż ona nie chciałby mieszkać na takiej... I te maleńkie dzieci na plecach matek! To istny cud, że nie pospadają...

Tą bezustanną paplaniną musiała zdominować każdą konwersację, co było niezwykle irytujące dla gości, którzy chcieli porozmawiać o nieco poważniejszych sprawach.

Pani Lang poznała Joliffe'a w Londynie i najwyraźniej była nim zainteresowana dużo bardziej niż pozostałymi gośćmi. Cały czas próbowała go zagadywać, mimo że siedział po drugiej stronie stołu.

Starałam się słuchać jej męża, który opowiadał o niedawno znalezionej wazie. Była porcelanowa, ozdobiona zieloną i czarną emalią i prawdopodobnie pochodziła z czasów dynastii Chen. W tym samym czasie pani Lang mówiła do Joliffe'a:

– Mój drogi, to było naprawdę okropne... Biedna, biedna kobieta. I całe to zamieszanie. Musiałeś być zrozpaczony.

– To już przeszłość. Najlepiej o niej zapomnieć – odparł krótko.

– Masz zupełną rację. Zawsze najlepiej jest wyrzucić z pamięci przykre wydarzenia. A teraz masz taką cudowną żonę... ach, mój biedny, biedny Joliffie. Tak bardzo było mi cię żal. Oni zawsze są tacy, zawsze muszą znaleźć winnego, prawda? I jeżeli chodzi o żonę... lub męża... to zawsze najpierw podejrzewają to drugie...

Musiałam jasno okazać, że nie słucham opisu wazy Chen, bo Jumbo powiedział:

– Moja droga Lilian, za dużo mówisz.

– Kochany Jumbo, masz rację, za dużo. Ale musiałam powiedzieć Joliffe'owi, jaka byłam niepocieszona... W tamtym okropnym czasie... To już przeszłość i Joliffe jest teraz szczęśliwy w małżeństwie, a ja jestem... taka szczęśliwa z tego powodu.

Joliffe przyglądał mi się w napięciu. Spuściłam oczy. Bałam się, że było coś, o czym nie wiedziałam, co dotyczyło Belli.

Jumbo musiał być przyzwyczajony do tuszowania gaf żony, bo powiedział gładko:

– Mówiłem o tej wazie Chen. Koniecznie muszę ci ją kiedyś pokazać, Joliffie. Myślę, że poślę ją księciu de Grasse, jest nią bardzo zainteresowany. Widziałeś jego kolekcję?

– Tak – odrzekł Joliffe. – Jest wspaniała.

– Ta waza byłaby pięknym jej uzupełnieniem.

Podniosłam oczy i napotkałam wzrok męża. Joliffe próbował mnie uspokoić. Dobrze znałam ten wyraz twarzy, który mówił: mogę to wyjaśnić.

Widziałam go już wcześniej.

Nigdy jeszcze przyjęcie nie trwało tak długo. Po przedstawieniu goście wrócili do naszego domu i wydawało mi się, że upłynęły godziny, zanim ostatnia riksza odjechała spod bramy.

Czekałam w sypialni na Joliffe'a, który nie śpieszył się zbytnio na górę.

Gdy tylko wszedł, zapytałam:

– O czym ta kobieta mówiła?

– Ach, ta plotkara. Co za głupia i bezmyślna istota! Naprawdę nie rozumiem, dlaczego Jim Lang się z nią ożenił. W tym wieku powinien mieć więcej rozsądku.

– Ona wspomniała coś o... Belli.

– Tak, o Belli. Co takiego mówiła?

– Coś o tym, że ciebie obarczano winą. Bella naprawdę nie żyje, prawda?

– Bella umarła – potwierdził.

– Joliffie, proszę, wyjaśnij mi, o czym ona mówiła.

Westchnął.

– Musimy teraz to drążyć? Bella nie żyje. Ten etap mojego życia został zamknięty na zawsze.

– Jesteś tego pewny?

– Co masz na myśli? Oczywiście, że jestem pewny. Słuchaj, Jane, już późno. Pomówimy o tym innym razem.

– Muszę wiedzieć teraz, Joliffie.

Podszedł i położył mi dłonie na ramionach, kusząc mnie swoim czarem.

– Jestem zmęczony, Jane. Proszę, chodźmy do łóżka.

Nie ruszyłam się z miejsca.

– Nie zmrużę oka. Chcę wiedzieć, co miała na myśli ta kobieta.

Objął mnie i podprowadził do łóżka. Usiedliśmy na nim oboje.

– Mówiła o śmierci Belli.

– Zmarła na jakąś nieuleczalną chorobę. Jej stan bardzo pogorszył się po wypadku. Tak mi powiedziałeś. To nie była prawda?

– Była... do pewnego stopnia.

– To jest albo prawda, albo kłamstwo. Jak coś może być po części prawdą?

– Bella zmarła z powodu nieuleczalnej choroby. Tak ci powiedziałem.

– Ale mówiłeś prawdę tylko do pewnego stopnia. Co to znaczy?

– Nie powiedziałem ci, że Bella odebrała sobie życie.

Wstrzymałam oddech.

- Ona... popełniła samobójstwo. Och, Joliffie, to potworne!

- Wiedziała, co ją czeka. Czułaby się coraz gorzej, a koniec był-by... bolesny. Dlatego postanowiła sama odebrać sobie życie.

- Dlaczego nic mi nie powiedziałeś?

- Nie chciałem cię niepokoić. Nie widziałem potrzeby, żeby ci o tym mówić. Ona umarła. Ja byłem wolny. Wszystko inne nie mia-ło żadnego związku z tobą.

Milczałam przez chwilę, a potem zapytałam:

- W jaki sposób?

- Wyskoczyła z okna.

- W domu w Kensington?

Przytaknął. Mogłam to sobie wyobrazić. Pokój na ostatnim pię-trze z widokiem na poprzecinany ścieżkami ogród i samotną gruszę.

- Albert i Annie... - zaczęłam.

- Byli bardzo dobrzy... bardzo pomocni, jak sama zapewne się domyślasz.

- Co ta kobieta mówiła o obarczaniu ciebie winą?

- Przeprowadzono dochodzenie. Wiesz, jak dociekliwi potrafią być ci koronerzy. Wyszło na jaw, że nie żyliśmy w zgodzie i harmo-nii. Zostały wysunięte pewne zarzuty...

- Pod twoim adresem.

- Tylko przez tych, którzy nie wiedzieli o jej chorobie. Nic ofi-cjalnego, same szepty i pogłoski.

Zadrżałam, a Joliffe przytulił mnie mocno.

- Nie przejmuj się tym tak bardzo, Jane. To już minęło. Mówi-my o wydarzeniach sprzed prawie trzech lat. Nie ma sensu wydo-bywać tego wszystkiego na światło dzienne. Na Boga, żałuję, że ta kobieta w ogóle się tu pojawiła. - Delikatnie rozwiązał stanik mojej sukni. - Chodź - szepnął. - Nie ma sensu zamartwiać się przeszłością.

- Wolałabym, żebyś sam mi to wszystko powiedział - odrzekłam. - To okropne, że musiałam się dowiedzieć w taki sposób.

- Powiedziałbym ci, w odpowiednim czasie. Nie chciałem teraz niczego zepsuć.

Już kiedyś słyszałam z jego ust prawie identyczne słowa. Ożenił się z Bellą i myślał, że zginęła w wypadku, ale nic mi nie powie-dział. Nie miałam pojęcia o istnieniu tej kobiety aż do momentu, w której pojawiła się w Kensington ze swymi fatalnymi nowinami. Podobnie było teraz, gdy o samobójstwie Belli dowiedziałam się z beztroskiej paplaniny bezmyślnego gościa.

Joliffe starał się mnie uspokoić. Tak bardzo mnie kochał. Chciał, aby nic nie mąciło naszego szczęścia. Czy przez całe życie będzie ponosił konsekwencje młodzieńczej głupoty? Ożenił się z Bellą, a potem był przekonany, że umarła, i wziął ślub ze mną. Musimy zapomnieć o wszystkich tragediach, które nas spotkały, zostawić je za nami. Najważniejsze, że teraz wszystko układa się pomyślnie.

On zawsze potrafił rozwiać moje obawy i sprawić, że widziałam przed nami świetlaną przyszłość. Taką miał moc. Umiał mnie przekonać, że będę szczęśliwa tak długo, jak długo on pozostanie przy moim boku.

Uśpił moją czujność i dał chwilowe poczucie bezpieczeństwa. Nie chciałam wybiegać myślą poza tę noc w ramionach Joliffe'a.

Ale następnego ranka, gdy byłam sama w sypialni, otworzyłam szufladę i mój wzrok padł na sztylet.

W głowie rozbrzmiewał mi głos Lottie:

– Ochrona przed złem... złem, które pojawia się w domu, gdzie ktoś popełnił samobójstwo lub zmarł gwałtowną śmiercią.

Gwałtowna śmierć, pomyślałam. To może oznaczać morderstwo. Jednak morderstwo wcale nie musi być gwałtowne. Może być cichym, stopniowym odchodzeniem.

W myślach zobaczyłam twarz Sylwestra – wymizerowaną, o skórze w kolorze pergaminu, naciągniętej mocno na wystające kości.

A potem przypomniałam sobie, jak wyglądał, gdy ujrzałam go po raz pierwszy w Pokoju Skarbów. Był wtedy zupełnie inny.

Gwałtowna śmierć. Samobójstwo... albo morderstwo.

Wzięłam sztylet do ręki. Podobno przynosił szczęście w domu, w którym zagościło zło.

Talizman.

Ktoś uważał, że potrzebuję talizmanu. Kto? I przed czym miał mnie chronić?

Teraz poczułam wokół prawdziwy strach. Był zupełnie jak żywa istota. Skradał się do ofiary. Kto będzie tą ofiarą? Czy ktoś mnie ostrzegał, że właśnie ja?

II

Cały czas prześladowało mnie pytanie, kto włożył sztylet z monetami do mojej szuflady. Znalezienie odpowiedzi wydawało mi się coraz bardziej istotne. Nie było sensu pytać służących. Wreszcie zrozumiałam ich sposób myślenia. Zawsze chcieli sprawić państwu przyjemność, więc za wymóg dobrego wychowania uważali udzielenie takiej odpowiedzi, jakiej oczekiwał pytający. Prawda nie była dla nich tak istotna jak dobre wychowanie. Byli ulegli, łagodni i pracowici, pragnęli jedynie żyć w spokoju. Gdybym poprosiła o coś któregoś z nich, od razu by się zgodził, bo wyrażenie sprzeciwu oznaczałoby brak manier. Gdyby jednak się okazało, że nie może zrobić tego, co mu kazano, uniósłby dłonie z uśmiechem i znalazł jakąś wymówkę, chociaż już na samym początku wcale nie zamierzał spełnić rozkazu. Odmowa była nie do pomyślenia.

Zrozumienie tego zajęło mi sporo czasu, podobnie jak uchwycenie różnic między zachodnim a orientalnym sposobem myślenia.

Wiedziałam, że gdybym zapytała, kto włożył sztylet do szuflady, w odpowiedzi otrzymałabym jedynie zaprzeczenie, bo ktokolwiek to zrobił, wyczułby, że bardzo mnie tym podarkiem zdenerwował.

Zrozumiałam, że nic nie mogę zrobić, ale nie mogłam zapomnieć o całej sprawie. Za każdym razem gdy byłam w pokoju, otwierałam szufladę, żeby sprawdzić, czy sztylet wciąż tam jest.

Kiedy obracałam go w rękach, usiłując odcyfrować wytłoczone na monetach daty, wyobrażałam sobie stojącą w oknie Bellę. O czym wtedy myślała? Jak bardzo musiała być zdesperowana! Co czuje ktoś, kto za chwilę sam odbierze sobie życie?

Biedna Bella! Była taka zuchwała w rozmowie ze mną. A może właśnie pod maską zuchwałości ukrywała swoją tragedię.

Widziałam całą tę scenę wyraźnie: mały ogród o ścieżkach z niesymetrycznie ułożonych kamieni, samotna grusza pośrodku. Naprzeciwko domu okna stajni, nad którymi mieszkali Albert i Annie.

I z powodu tego, co się przydarzyło Belli, ktoś myślał, że ja też potrzebuję ochrony, więc włożył do mojej szuflady sztylet z monetami.

Szłam przez targ z Lottie u boku. Targowała się głośno ze sprzedawcami i zamawiała rzeczy, które miały zostać dostarczone do domu.

Mijał nas mandaryn ze swoją świtą. Lottie i ja stanęłyśmy, by się temu przyjrzeć. Czterej słudzy nieśli wielkiego pana w lektyce. Ci słudzy mieli swój orszak, co świadczyło o wysokiej pozycji dostojnika. W dwóch rzędach po obu stronach lektyki szli pozostali służący. Na czele procesji dwóch mężczyzn uderzało w gongi co parę sekund, by wszyscy wiedzieli, że zbliża się wielki pan, a za nimi szli służący potrząsający łańcuchami. Niektórzy członkowie świty co jakiś czas wznosili okrzyki, by podkreślić rangę niesionego mandaryna. Na końcu szła służba domowa dźwigająca ogromne, czerwone parasole i tablice zapisane tytułami dostojnika.

Gdy ta procesja przechodziła, mężczyźni i kobiety o bosych stopach stali w pozach pełnych szacunku, z pochylonymi głowami i rękami opuszczonymi wzdłuż ciała. Każdy, kto podniósł wzrok i nie okazał należytego szacunku, był chłostany biczami przez kilku służących mandaryna.

Gdy tak stałyśmy i oglądałyśmy tę scenę, Lottie wyszeptała do mnie:

– Bardzo wielki mandaryn. Idzie do domu czcigodnej Chan Cho Lan.

Nagle usłyszałam, że ktoś mnie woła.

– Och, co za spotkanie! – I oto stała przede mną Lilian Lang, a jej błękitne, porcelanowe oczy błyszczały z ciekawości.

– Widziała pani procesję? Czyż nie była przezabawna?

Pomyślałam, że powinna być ostrożniejsza, bo wielu z otaczających nas Chińczyków znało angielski, a nazywanie procesji mandaryna „przezabawną" mogło oznaczać dla niego utratę twarzy.

Pomyślałam wtedy, że Lilian Lang zawsze uczyni jakieś najmniej stosowne spostrzeżenie i podzieli się nim w najmniej odpowiednim momencie.

– On idzie do domu tej tajemniczej kobiety – powiedziała głośno.

Lottie patrzyła na nas z uśmiechem na twarzy, który mógł oznaczać wszystko.

Zaproponowałam:

– Chodźmy do rikszy na pogawędkę.

– Proszę przyjść do mnie – zaproponowała. – Nie mieszkam daleko. Napijemy się herbaty, tutaj zawsze mają gotowy dzbanek. Robią z tego całą ceremonię, prawda? Mnie to nie przeszkadza, zawsze lubiłam wypić filiżankę dobrej herbaty.

Powiedziałam Lottie, by wróciła rikszą, sama zaś poszłam do domu Langów.

Piłyśmy herbatę, a Lilian mówiła bez chwili przerwy.

– Wychodzi pani sama z domu? – zapytałam.

Otworzyła szeroko błękitne jak u niemowlęcia oczy.

– A dlaczego nie? Tu jest chyba bezpiecznie, prawda? Mnie nikt nie zrobiłby krzywdy.

– Ja zawsze zabieram ze sobą Lottie.

– Tą małą Chinkę... a raczej pół-Chinkę, prawda? Ładne dziecko. Powiedziałam do Jumbo: „Co za czarujące stworzenie z tej małej... Na miejscu Jane Milner miałabym na nią oko".

- Dlaczego? - zapytałam.
- Och, ci mężowie - odrzekła z łobuzerskim uśmiechem.

Poczułam się dotknięta i pomyślałam, że Lilian Lang jest głupia.

- A szczególnie Joliffe - dodała.
- Dlaczego zwłaszcza Joliffe?
- On zawsze musi być w centrum uwagi, prawda? Biedny Joliffe, to była okropna sprawa. Tyle plotek. Zawsze ktoś plotkuje, prawda?

Chciałam krzyknąć na nią, żeby zamilkła, ale z drugiej strony pragnęłam się dowiedzieć najwięcej, jak tylko mogłam. Powiedziałam:

- Nie było mnie wtedy w Anglii.
- To dobrze, że nie uczestniczyła pani w tym wszystkim. Nikt nie może powiedzieć, że była pani w coś zamieszana, prawda? Czy ma pani coś przeciwko rozmowie na ten temat?

Chciałam uderzyć ją w twarz. Czy mam coś przeciwko wysłuchiwaniu insynuacji na temat mojego męża! Co ona sugerowała? Że ludzie myśleli, iż to on zabił Bellę?

- Wie pani, jacy oni są... mam na myśli policjantów. I jeszcze gazety. Miała siostrę, która opowiedziała dziennikarzom historię jej życia... nie pominęła tego, jak Joliffe myślał, że Bella umarła, i ożenił się ponownie. To z panią, prawda? Cóż za romans. No cóż, to wyglądało tak, jakby... - przerwała.

- Jakby co? - zapytałam.
- Pani tutaj... rozumie pani, kiedyś już wyszła pani za niego za mąż... albo tak pani myślała... a potem ona umiera w taki sposób... pani znowu za niego wychodzi... no i jest jeszcze ten kochany, mały chłopiec. Wiadomo, że ludzie będą gadać, prawda? Jumbo powtarza mi, że powinnam siedzieć cicho. Obawiam się, że mówię wszystko, co tylko przyjdzie mi do głowy. Ale jestem przekonana, że teraz już wam się ułoży. Jesteście tacy szczęśliwi, prawda? Tak bardzo zakochani... A Joliffe jest taki uroczy... po prostu fascynujący... Zawsze tak myślałam i mnóstwo kobiet... podzielało moje zdanie. Jumbo był nawet zazdrosny. Joliffe jest po prostu takim mężczyzną, prawda?

Pragnęłam jedynie stamtąd uciec. Żałowałam, że w ogóle zgodziłam się na tę wizytę, ale miałam wrażenie, że gdybym tu nie przyszła, Lilian wykrzyczałaby swoje rewelacje na cały targ.

Bardzo żałowałam, że ta kobieta przyjechała do Hongkongu.

Musiała zauważyć, jak zniesmaczyła mnie ta konwersacja i dokonała wystudiowanego wysiłku, by zmienić temat.

- Ten mandaryn... co za widok! Musi mieć o sobie wysokie mniemanie. To wstyd, żeby tak chłostali tych biedaków tylko dlatego, że się nie pokłonili. Jechał do tej Chan Cho Lan. Podobno jest wielką damą, a paznokcie ma długie na osiem centymetrów. – Zachichotała. – Dziwny sposób na zaznaczenie pochodzenia. Długie paznokcie są oznaką, że nigdy sama nic nie robi. Gdyby było inaczej, te wspaniałe paznokcie połamałyby się, pomimo że są chronione osłonkami z klejnotów. Podobno tak naprawdę ta kobieta jest kurtyzaną... Ona i jej dziewczęta, które przygotowuje do dobrego zamążpójścia... lub innych związków. Coś w rodzaju szkoły wdzięku! Jumbo mówi, że ona szkoli te dziewczęta, a potem zawiera transakcje z bogatymi mężczyznami – mandarynami i tym podobnymi, a także z bogatymi Europejczykami – i sprzedaje je za taele srebra. Biedne dziewczynki nie mają w tej sprawie wiele do powiedzenia. Ona jest kimś w rodzaju swatki... bez zawierania małżeństw. Podobno sama była słynną kurtyzaną... a może wciąż nią jest. Odwiedza ją wielu mężczyzn. Czyż to nie ekscytujące?

Chciałam jak najszybciej wstać i wyjść. Z każdą minutą coraz bardziej żałowałam, że tu przyszłam. Nie mogłam rozmawiać o Chan Cho Lan, mój umysł był zaprzątnięty wizją tego, co musiało dziać się w domu w Kensington, gdy na brukowanej ścieżce znaleziono roztrzaskane ciało Belli.

Mniej więcej w tym czasie zachorował Toby. Joliffe wykorzystał tę okazję, by dokładnie sprawdzić stan naszych interesów i był bardzo zadowolony z tego, co znalazł.

– Sylwester był doskonałym kupcem – powiedział. – Nie można mieć co do tego wątpliwości. A Toby Grantham jest dobrym i lojalnym zarządcą. Twoje sprawy są w doskonałym porządku, moja droga.

– Tak naprawdę to nasze sprawy, Joliffie.

Potrząsnął głową ze smutkiem.

– Wszystko należy do ciebie. Takie były warunki testamentu.

– Jesteśmy małżeństwem, a to wszystko zmienia. Nienawidzę myśli, że nie dzielimy majątku.

Pocałował mnie wyjątkowo czule.

Po paru dniach pojechałam odwiedzić Toby'ego.

Drzwi otworzyła mi Elspeth. W kącikach jej ust czaił się ten nieustępliwy wyraz dezaprobaty, którym witała mnie od chwili, gdy wyszłam za mąż.

Dom błyszczał i lśnił. Wydawał się tak szkocki pod każdym względem, że trudno było uwierzyć, iż znajdujemy się w Hongkongu. Elspeth nie należała do osób, które łatwo zmieniają swoje przyzwyczajenia. Byłam pewna, że ten dom wygląda dokładnie tak, jak jej własny w Edynburgu.

Na kominku leżała serwetka z frędzlami i stało parę figurek ze Staffordshire – między innymi szkocki góral w kilcie, grający na kobzie. Poduszki wykonano z tartanu w barwach klanu Granthamów.

– Och – powiedziała – a więc przyszła pani odwiedzić Tobiasza.

– Mam nadzieję, że czuje się lepiej?

– Tak, wraca do zdrowia.

Miała uroczy, edynburski akcent, dużo wyraźniejszy niż u Toby'ego.

Zaprowadziła mnie do sypialni brata, który siedział w łóżku i przeglądał plik faktur.

Był blady i wyglądał na osłabionego.

– Witaj, Toby – powiedziałam. – Jak się czujesz?

– Dużo lepiej, dziękuję. – W jego oczach dostrzegłam, że moja wizyta sprawiła mu przyjemność. – Miło z twojej strony, że przyszłaś.

– Martwiłam się o ciebie.

– Niedługo wrócę do pracy.

– Brakuje nam ciebie, Toby.

– Będzie musiał w pełni odzyskać siły, zanim wróci – wtrąciła szorstko Elspeth.

– Oczywiście.

– A teraz daleko mu do tego. Za dużo pracował. – Skinęła głową sugerując, że pracował zbyt ciężko dla ludzi, którzy go nie doceniają.

Nigdy mi nie wybaczy, że wyszłam za Joliffe'a, kiedy mogłam mieć jej brata, pomyślałam.

Usiadłam i rozmawialiśmy o interesach do chwili, gdy Elspeth nam przeszkodziła mówiąc, że Toby musi odpocząć.

Pożegnałam się z nim i poszłam do salonu, gdzie gospodyni zagotowała wodę na spirytusowej maszynce i zaparzyła herbatę. Przyniosła kruche ciasto domowej roboty, pieczone według starego, szkockiego przepisu i opowiadała mi, jak bardzo Tobiasz się przepracowywał. Gardziła mną za odrzucenie najlepszej partii, jaką, jej zdaniem, kobieta mogła sobie wymarzyć – a wszystko to dla człowieka, który już raz udowodnił, że nie jest godzien zaufania. W każdym razie ona tak to widziała.

– On się martwi – powiedziała, kiwając głową w stronę sufitu i wskazując pokój, w którym leżał brat. – Powiedziałam mu: to nie twoja sprawa, co robią inni. Ludzie sami ścielą sobie łóżka i sami później muszą w nich spać.

– To święta prawda – zgodziłam się.

– Tobiasz jest zupełnie taki, jak nasz ojciec. Delikatny, zawsze gotów się wycofać. Nasza matka mówiła, że nie ma na świecie lepszego mężczyzny niż ten, za którego wyszła, ani drugiego, który nawet idąc do przodu, robi krok wstecz. Sądzę, że to samo można powiedzieć o Tobiaszu. Tak bardzo bym chciała, żeby zgodził się wrócić do Edynburga.

– Nie dalibyśmy sobie tutaj bez niego rady.

– Myślałam o tym, z czym on mógłby sobie bardzo dobrze dać radę bez was.

– Ale Toby chyba nie chciałby wracać, prawda?

– Nie jestem pewna. Wiem tylko, że życie tutaj nie jest dla niego. Czułby się znacznie lepiej w dobrym, szkockim domu towarowym. Nigdy się nie przyzwyczaił do tutejszych obyczajów.

– Jesteście tu już od długiego czasu, panno Grantham.

– Och, tak. Przyjechałam z Tobiaszem piętnaście lat temu. Miał wtedy dwadzieścia lat, ja byłam dziesięć lat starsza. Nie pozwoliłabym, aby przyjechał do miejsca takiego, jak to, bez kogoś, kto mógłby prowadzić mu dom.

Zawsze walczyła zaciekle w jego obronie, dlatego była na mnie taka zła, że go zraniłam.

– Będąc tutaj przez cały ten czas, dowiedziałam się wielu rzeczy – ciągnęła. – Sporo wiem o tym miejscu. Nie zawsze jest takie, jakie może się wydawać.

– A czy cokolwiek jest?

– Pewnie nie. Ale tu czai się pod powierzchnią więcej tajemnic. Kiedyś się bałam, że Tobiasz weźmie sobie chińską żonę. Nie lubię mieszanych małżeństw.

– A mogło się to stać?

– Nie, Tobiasz tylko ten jeden raz był bliski małżeństwa. Ale i tak martwiłam się, że, jak niektórzy mężczyźni, zwiąże się z którąś z tych chińskich dziewcząt. – Zmarszczyła brwi.

– Jednak nigdy tego nie zrobił.

– Ma ogromny szacunek dla religii i małżeństwa, i wszystkiego, co jest z tym związane. To bardzo dobry człowiek, ten mój brat. To się rzadko zdarza. Tak wielu Europejczyków ma tutaj kochanki. Czasami nikt o tym nie wie. Słyszała pani o Chang Cho Lan, tej wyjątkowej swatce, która prowadzi szkołę dla młodych dziewcząt?

– Tak, nawet złożyłam jej wizytę.

– Te jej dziewczęta... ona aranżuje dla nich związki, a raczej zawiera transakcje... i to nie tylko z chińskimi bogaczami. Wielu europejskich dżentelmenów również trzyma u niej kochanki. Mówią, że swaci postępują według starego, chińskiego zwyczaju i że to zaszczytne zajęcie. Oczywiście wszystko jest przeprowadzane z ogromnym taktem. Mężczyzna musi zapłacić za dziewczynę co najmniej dwadzieścia tysięcy taeli srebra i zapewnić jej służącą, a w kontrakcie jest klauzula mówiąca, że gdy kochanka mu się znudzi, ma znaleźć dla niej męża. Musi pozwolić jej zapuścić paznokcie na osiem centymetrów – w ten sposób obiecuje, że dziewczyna nie będzie wykonywała żadnych prac domowych. Chociaż i tak nie wiem, jak mogłaby cokolwiek zrobić, mając stopy w takim stanie. Tak to się właśnie dzieje, wszystko w pięknej otoczce i każdy traktuje Chan Cho Lan z szacunkiem. Ludzie u niej bywają i przyjaźnią się z nią. Nie mogę zrozumieć, dlaczego, i zastanawiam się, jak nazwano by tego rodzaju interes w Edynburgu albo w Glasgow.

– Różne kraje mają różne obyczaje, panno Grantham.

– Och, tak, zawsze znajdzie się jakaś wymówka. Mówię tylko, że przez te wszystkie lata, kiedy tu jesteśmy, mój brat Tobiasz nigdy nie był w pobliżu takiego przybytku. To dobry i cnotliwy młody człowiek i, dopomóż Boże, pewnego dnia zostanie dobrym mężem kobiety, która będzie miała dość rozsądku, by się na nim poznać.

Uznałam towarzystwo Elspeth za równie irytujące, jak Lilian Lang.

I miałam wrażenie, że obie usiłowały mnie przed czymś ostrzec.

Ostrzeżenia. Najpierw sztylet z monet, teraz – te dwie kobiety.

Czy dawałam się ponieść wyobraźni? Czy szukałam ostrzeżeń tam, gdzie ich nie było?

Przynajmniej Jason był szczęśliwy. Nigdy nie tęsknił za tatą, ale to nie znaczyło, że nie cieszył się, gdy w jego życiu pojawił się ojciec. Nie mogło być wątpliwości, że uwielbiał Joliffe'a. Zawsze mówił o nim „mój ojciec". Właściwie mówił o nim bez przerwy i rzadko zdarzało mu się wypowiedzieć zdanie, w którym „mój ojciec" nie występował.

Nie podlegało dyskusji, że Joliffe potrafił postępować z dziećmi. Nigdy nie traktował ich z góry, a mimo to zawsze patrzyły na niego z szacunkiem. Nie odnosił się do nich jak do dzieci i umiał się z nimi bawić. Potrafił odrzucić dzielące ich lata i w ułamku sekundy stać się znowu chłopcem, a mimo to wciąż był autorytetem, tym, który wie. Zawsze starał się mieć mnóstwo czasu dla syna, zupełnie jakby chciał nadrobić te wszystkie lata rozłąki.

Puszczali razem latawce – Jason nigdy z tego nie wyrósł. Joliffe zabierał chłopca na łódkę i pływali razem po zatokach lub przeprawiali się na wyspę. Poznali wielu mieszkańców pływających wiosek i czasami widywałam, jak Jason wita się z kobietą z niemowlęciem na plecach czy rybakiem, zajętym swoimi sieciami.

Joliffe z ogromną łatwością nawiązywał przyjaźnie. Był niezwykle towarzyski, zupełnie inaczej niż Adam. Myślałam, że Jason będzie taki sam, jak jego ojciec.

Przed ślubem byłam najważniejszą osobą w życiu mego syna. To do mnie przychodził po pocieszenie. Teraz też często to robił, ale miał już nas dwoje i widziałam, że Joliffe daje Jasonowi poczucie bezpieczeństwa, którego ja nigdy nie umiałabym mu zapewnić. Jason zawsze zachowywał się wobec mnie w odrobinę opiekuńczy sposób. Teraz przybrało to na sile, Joliffe zaś był opoką, do której mój syn mógł się zwrócić. W pewien sposób byłam z tego zadowolona. Chyba każdy chłopiec potrzebuje ojca, a Jason nie mógł mieć bardziej oddanego.

Joliffe stwarzał nie tylko poczucie bezpieczeństwa, potrafił też być doskonałym towarzyszem zabaw i ta umiejętność najbardziej przemawiała do Jasona. Bawili się razem w zgadywanki i mieli sekrety, do których nawet ja nie byłam dopuszczana.

Patrzyłam na nich i pytałam samą siebie, dlaczego odczuwam ten dokuczliwy lęk, dlaczego nęka mnie świadomość wiszącej nad nami katastrofy. Czemu tak często myślałam o biednej Belli, jak idzie do okna i rzuca się z niego, bo już dłużej nie może znieść swojego życia? Dlaczego muszę roztrząsać plotki Lilian Lang i zawoalowane ostrzeżenia Elspeth Grantham?

Joliffe i Jason często grywali w chińskiego wolanta, w którym korka z przyczepionymi piórami nie uderzało się kijem, lecz używało do tego stóp. Osiągnęli w tej grze niemałą biegłość, a ich ulubionym miejscem rozgrywek był rozciągający się zaraz za murami trawnik obok pagody.

I właśnie w czasie gry natrafili na ukrytą w ziemi klapę.

Podekscytowani przybiegli do domu, gdy ja leżałam w swoim pokoju.

Rano, przy wstawaniu źle się poczułam, znowu miałam zawroty głowy, które teraz już minęły, ale w takie dni czułam pewną ociężałość i musiałam odpoczywać po południu przez parę godzin.

Usłyszałam wołanie Joliffe'a, więc szybko zsunęłam się z łóżka i poszłam go przywitać.

– Jane! Chodź, zobacz! To coś niezwykłego. Jestem przekonany, że to jakieś wejście.

Wyszłam za nimi z domu i przeszłam przez wszystkie trzy bramy aż do pagody.

Kwadratowa kamienna płyta była cała zakryta krzewami, które Joliffe musiał odgarnąć, żeby mi ją pokazać.

– Korek Jasona wylądował w samym środku krzaków – wyjaśnił – i kiedy go szukałem, znalazłem to.

Byłam zaintrygowana.

Od dnia ślubu mój zapał do ujawnienia tajemnicy domu znacznie osłabł, przytłumiony nawałem innych spraw, ale teraz powrócił ze zdwojoną siłą.

Byłam pewna, że jesteśmy o krok od wielkiego odkrycia.

Jolife także nie posiadał się z podniecenia. Musimy usunąć te krzaki. Musimy usunąć bruk ze ścieżki. Oboje byliśmy przekonani, że klapa przykrywa podziemne przejście, które zaprowadzi nas prosto do legendarnego skarbu.

Nie byliśmy pewni, co robić. Czy powinniśmy sami próbować unieść kamień, czy poprosić kogoś o pomoc? Joliffe uważał, że nierozsądnie byłoby wzywać pomocników z zewnątrz. Dom Tysiąca Latarni od tak dawna otoczony był legendą, że takie wydarzenie na pewno zwróciłoby zbyt wiele uwagi.

– Jestem pewna – powiedziałam – że nie odkryliśmy jeszcze jakiejś części budowli. W końcu to jest Dom Tysiąca Latarni, a my doliczyliśmy się tylko sześciuset.

Entuzjazm Joliffe'a nie miał granic. Był pewien, że znajdziemy skarb. Wyobrażał sobie najwspanialsze rzeczy.

– Wiesz, co to będzie, Jane. Oryginalna Kuan-Yin, warta fortunę!

– Chyba powinniśmy przekazać ją do jakiegoś muzeum – zauważyłam.

– Do Muzeum Brytyjskiego – powiedział Joliffe. – Ale co za znalezisko!

– Chińczycy mogą nie chcieć wypuścić jej z kraju.

– Będą musieli się z tym pogodzić.

– Cóż, zobaczymy, jeszcze jej nie znaleźliśmy.

Wyrwaliśmy krzaki i rzeczywiście, był pod nimi kamienny prostokąt, ale bez żadnych uchwytów, by można go unieść.

Jedyne, co możemy zrobić, powiedział Joliffe po uważnym obejrzeniu kamienia w poszukiwaniu ukrytych sprężyn, to podnieść klapę i zobaczyć, co jest pod spodem.

Trudno było przeprowadzić taką operację bez zwracania niczyjej uwagi. Służący świetnie wiedzieli, co robimy. Przyszedł Adam i zaproponował pomoc.

– To może być rozwiązanie tajemnicy – powiedział z błyskiem w oku.

Wszyscy wyobrażaliśmy sobie schody, które zaprowadzą nas do podziemnej kryjówki, a tam będzie ukryty skarb.

Jakie rozczarowanie nas czekało! Po długich zmaganiach mężczyznom udało się odsunąć kamienną płytę, ale pod nią była tylko ziemia, dom setek rozbieganych robaków.

Joliffe i Adam unieśli płytę, która nagle wysunęła im się z rąk. Odskoczyli prędko na boki, a klapa rozbiła się o ścianę pagody.

Usłyszeliśmy huk spadających kamieni.

Byliśmy wszyscy zbyt ogłuszeni rozczarowaniem, którego doznaliśmy, by od razu ocenić szkody, lecz gdy weszliśmy do pagody, ujrzałam ze zgrozą, że wstrząs odłupał fragment kamiennej bogini.

Czubek jej głowy leżał w kawałkach na posadzce.

– Wygląda na to, że pani naprawdę straciła twarz – odezwał się z wisielczym humorem Joliffe.

Było oczywiste, że zniszczenie posągu zostanie uznane za zły omen.

My – obce diabły – byliśmy temu winni. Bogini pogniewała się na nas. Beztrosko pozwoliliśmy na zniszczenie jej posągu.

– Bardzo źle dla domu. Bogini jest niezadowolona – powiedziała Lottie.

– Zrozumie, że to był wypadek.

Lottie potrząsnęła głową i zachichotała.

Gdy weszłam później tego dnia do sypialni, zauważyłam, że sztylet z monet wisi nad moim łóżkiem.

– Kto go tam powiesił? – zapytałam.

Lottie skinęła głową wskazując, że to jej sprawka.

– Dlaczego?

– Tak lepiej – odrzekła. – Chroni. To najlepsze miejsce.

Było jasne, że uznała, iż potrzebuję specjalnej ochrony.

– Słuchaj, Lottie, ja nie podnosiłam tej płyty – powiedziałam. – Tylko patrzyłam. Dlaczego akurat ja miałabym potrzebować ochrony przed gniewem bogini?

– Ty największa pani. Dom należy do ciebie.

- I dlatego mam ponosić odpowiedzialność za wszystko, co się w nim dzieje?

Lottie kiwnęła głową na znak, że ta niesprawiedliwa logika jest niestety prawdziwa.

Zostawiłam sztylet tam, gdzie go powiesiła, żeby zrobić jej przyjemność, ale muszę przyznać, że czerpałam pewną pociechę z jego widoku na ścianie. Stawałam się przesądna, jak wszyscy, którym wydaje się, że grozi im niebezpieczeństwo.

III

Byłyśmy z Lottie na targu i gdy wracając rikszą, mijałyśmy dom Chan Cho Lan, zobaczyłam Joliffe'a. Najwyraźniej wyszedł od naszej sąsiadki. Patrzyłam, jak pokonuje krótki dystans dzielący go od Domu Tysiąca Latarni.

Skuliłam się na siedzeniu. Zadawałam sobie pytanie, dlaczego aż tak się przejęłam. Oczywiście znałam odpowiedź. W głowie krążyły mi urywki rozmowy z Elspeth Grantham, a przed oczami miałam chytry uśmieszek Lilian Lang.

Jak nazwano by tego rodzaju interes w naszym kraju?

Po co Joliffe miałby składać wizyty Chan Cho Lan?, pytałam samą siebie, a w odpowiedzi słyszałam głos Lilian: Ona zawiera transakcje... nie tylko w imieniu Chińczyków, ale także bogatych Europejczyków... I Elspeth Grantham: Wielu mężczyzn utrzymuje tutaj kochanki...

Roześmiałam się z absurdalności tego podejrzenia. To niemożliwe. Pomyślałam o namiętności między nami. Tej stronie naszego małżeństwa niczego nie brakowało. Joliffe nie mógłby udawać aż do tego stopnia.

Więc po co miałby odwiedzać Chan Cho Lan?

Gdy Lottie i ja dojechałyśmy do domu, Joliffe już wrócił. Poszłam na górę, do naszej sypialni. Wiedziałam, że tam jest, bo słyszałam, jak gwiżdże słynną arię Księcia z „Rigoletta".

Podeszłam prosto do niego.

- Witaj, kochanie – powiedział. – Byłaś na zakupach?
- Tak.

Spojrzałam na niego. Joliffe zawsze potrafił sprawić, że w jego obecności wierzyłam jedynie w to, co przemawiało na jego korzyść, nieważne, jak mało prawdopodobne byłyby to wyjaśnienia. Natychmiast wydało mi się niemożliwe, by poszedł do Chan Cho Lan w jakichkolwiek innych sprawach niż zawodowe.

– Gdzie dzisiaj byłeś? – zapytałam.

– Och, pojechałem do magazynów, a potem spotkałem się z pewnym Anglikiem, który jest zainteresowany tą figurką z różowego kwarcu. Wiesz, o której mówię.

Ale przecież właśnie widziałam, jak wychodził z domu Chan Cho Lan.

Poczułam tylko lekkie ukłucie niepokoju, bo oto stał przede mną z tym swoim szczerym uśmiechem. Wiedziałam jednak, że wszystkie lęki odżyją, gdy zostanę sama, dlatego musiałam coś powiedzieć.

– Byłeś w domu Chan Cho Lan. – Przez chwilę wyglądał na zaskoczonego, a ja mówiłam dalej: – Widziałam, jak wychodziłeś od niej przed chwilą.

– A, to... tak.

– Myślałam, że byłeś na spotkaniu w sprawie figurki z różowego kwarcu?

– Byłem. Wpadłem do Chan Cho Lan w drodze do domu.

– Często tam chodzisz?

– Och, od czasu do czasu.

Spojrzałam na niego ostro.

– Po co?

Podszedł do mnie i położył mi dłonie na ramionach.

– Ta kobieta ma duże wpływy w Hongkongu. Zna mnóstwo ludzi.

– Bogatych mandarynów, którzy pragną... wstąpić w związki?

– Właśnie. Bogatych mandarynów, szukających także cennych przedmiotów albo pragnących sprzedać okazy ze swych kolekcji, które rodziny gromadziły przez wieki. W ten sposób trafiamy na nasze najcenniejsze znaleziska.

– Więc chodzisz do niej, by poznawać tych ludzi?

– Wykorzystuję każdą okazję. Adam też.

– Czy Toby także tam bywa?

Joliffe się roześmiał.

– Dobry, stary Toby. Elspeth nigdy by nie pozwoliła, aby przekroczył próg takiego domu. Boi się, że biedak zostanie uwiedziony.

– A czy ja powinnam martwić się o ciebie?

Przytulił mnie do siebie.

– Ani odrobinę – oświadczył stanowczo. – Wiesz, że jestem absolutnie i cały twój.

Oczywiście uwierzyłam.

Zazdrość jest podstępna. Śmiejesz się na myśl, że ukochany mógłby być niewierny, mówisz sobie, że wszystko wymyśliłaś dlatego, że tak bardzo go kochasz. Ale nagle dopadają cię wątpliwości. Pytałam samą siebie, jak dobrze tak naprawdę znam Joliffe'a. Jedno wiedziałam na pewno: mój mąż jest wyjątkowo atrakcyjny, nie tylko dla mnie, lecz również dla innych kobiet. Lilian Lang czyniła śliskie aluzje do tego za każdym razem, gdy z nią rozmawiałam, a w sztywnym uśmiechu Elspeth pojawiał się wtedy błysk cnotliwego zadowolenia, bo jak sobie pościelesz, tak się wyśpisz.

Rozmawiano o pierwszej żonie Joliffe'a. Wiedziałam, że te kobiety na poły wierzyły, że to nie choroba doprowadziła ją do samobójstwa, tylko on swoim postępowaniem.

Elspeth uważała, że raz złożonych przysiąg małżeńskich powinno się dotrzymywać zawsze, bez względu na okoliczności. W jej oczach Joliffe nie był człowiekiem godnym zaufania, a to, że przedłożyłam go nad jej brata, świadczyło wyraźnie o mojej głupocie.

Elspeth nie miała wyrozumiałości ani dla głupców, ani dla łobuzów, dlatego sądziła, że zasłużyłam sobie na wszystko, co mnie spotka.

Gdy Lottie przyszła do mnie z zaproszeniem od Chan Cho Lan, przyjęłam je więcej niż chętnie.

Ta dziwna kobieta interesowała mnie teraz bardziej niż kiedykolwiek. Chciałam zobaczyć ją z bliska, a może nawet szczerze z nią porozmawiać.

– Prosi, żebyś wzięła Jasona – powiedziała Lottie.

Jason był zachwycony tą perspektywą i wyruszyliśmy we trójkę.

Służący otworzył przed nami bramę i ujrzeliśmy przed sobą otoczony ogrodem dom – wyglądał wspaniale w promieniach słońca, z trzema wystającymi nad sobą piętrami i ozdobnym dachem.

To miała być inna wizyta niż poprzednia, ponieważ okazaliśmy się jedynymi gośćmi. Zastanawiałam się, dlaczego ta kobieta chciała mnie widzieć i przyszło mi do głowy, że może Joliffe powiedział jej o moich dociekaniach na temat przyczyn jego wizyt w tym domu.

Czekaliśmy w holu, aż z oddali dobiegł nas drżący, wszechobecny dźwięk chińskiej muzyki i pojawił się służący, który zaprowadził nas do Chan Cho Lan.

Gospodyni, która siedziała na poduszce, na nasz widok wstała i z gracją zakołysała się w naszą stronę.

Złączyła dłonie i trzykrotnie uniosła je do głowy.

– *Haou? Tsing tsing* – powiedziała swoim miękkim, melodyjnym głosem.

Spojrzała na Jasona i powitała go w ten sam sposób. Chłopiec już wiedział, że musi odpowiedzieć takimi samymi gestami.

Powiedziała coś do Lottie, która przetłumaczyła:

– Czcigodna Chan Cho Lan mówi, że masz wspaniałego syna.

Usiadłyśmy. Gospodyni klasnęła w ręce, a długie, osłonięte klejnotami paznokcie uderzyły o siebie.

Przybiegł służący, a ona przemówiła do niego tak szybko, że nic nie mogłam zrozumieć. Domyśliłam się, że każe przynieść herbatę. Ale następny służący wcale nie przyniósł tacy z dzbankiem i filiżankami, tylko wprowadził za rękę małego chłopca.

To był piękny chłopczyk o czarnych włosach, gładko zaczesanych do tyłu. Jego oczy, podobnie jak u Lottie, wydawały się bardziej okrągłe niż skośne. Skórę miał w kolorze płatków magnolii. Ubrany był w jedwabne, błękitne spodnie i taką samą kurtkę.

Chan Cho Lan patrzyła na niego przez chwilę z kamienną twarzą, a potem skinęła ręką. Chłopiec podszedł i nisko się przed nami skłonił.

Jason i nieznajomy wpatrywali się w siebie ciekawie. W pokoju zapadła głęboka cisza. Chan Cho Lan przyglądała się chłopcom z uwagą, jak gdyby ich porównując.

Jason zapytał tamtego:

– Ile masz lat?

Mały roześmiał się. Nie zrozumiał.

– To Chin-ky – przedstawiła chłopczyka Chan Cho Lan.

Powiedziałam, że już wcześniej słyszałam to imię.

– To imię wielkiego wojownika – wyjaśniła Lottie. – Kiedyś będzie wielkim wojownikiem.

Chan Cho Lan przemówiła szybko do chłopca, który spoglądał nieśmiało na Jasona.

– Pani Chan Cho Lan mówi, żeby Chin-ky pokazał Jasonowi swój latawiec.

Mój syn aż zastrzygł uszami na dźwięk słowa „latawiec".

– Jaki masz latawiec, Chin-ky? Taki ze smokiem? Ja mam za smokiem. Mój ojciec i ja potrafimy go puszczać wyżej niż ktokolwiek inny na świecie.

Chin-ky roześmiał się znowu, najwyraźniej zafascynowany Jasonem, który był dużo wyższy od niego.

Chan Cho Lan powiedziała coś do Lottie i dziewczyna wstała.

– Chan Cho Lan mówi, żebym wzięła ich obu na zabawę do ogrodu. – Machnęła ręką w stronę rozciągającego się za oknem trawnika.

Skinęłam głową i Lottie wyszła razem z chłopcami.

Gdy zniknęła, podano herbatę.

Chan Cho Lan i ja usiadłyśmy przy oknie. Po chwili ukazali się chłopcy. Nieśli latawiec, który był nieomal większy od Chin-ky'ego. Lottie usiadła na ławce i przyglądała się zabawie.

Służący podał mi filiżankę i wypiłam łyk harbaty. Była gorąca i odświeżająca.

Gospodyni powiedziała:

– Twój syn... mój syn.

– To piękny chłopiec, twój Chin-ky – pochwaliłam.

– Dwóch pięknych chłopców. Bawić się szczęśliwie.

Podano mi suszone owoce. Poczęstowałam się jednym, używając widelczyka o dwóch zębach.

– Bawić się w latawiec. Wschód i Zachód. Ale...

Wydawało się, że nie potrafi więcej powiedzieć, odniosłam jednak wrażenie, że usiłuje mi coś wyjaśnić.

Jason i Chin-ky potrafili lepiej się porozumieć niż my. Razem puścili latawiec. Stali na szeroko rozstawionych nogach, patrząc, jak szybuje w powietrzu, a ja przyglądałam się obu, zdziwiona, jak bardzo są do siebie podobni.

Chan Cho Lan chyba czytała w moich myślach, bo powiedziała:

– Oni wyglądać... jeden jak drugi?

– Tak – odrzekłam. – Dokładnie o tym samym myślałam.

– Twój syn... mój syn... – Wskazała na mnie, a potem na siebie i pokiwała głową z uśmiechem.

– Dwóch chłopców... chłopcy lepsi niż dziewczynki. Ty zadowolona.

– Mój syn jest moją radością – odrzekłam.

Zrozumiała i skinęła głową.

Gdzieś w domu rozległ się gong. Jego dźwięk zabrzmiał dla mnie jak dzwon pogrzebowy, bo w tym samym czasie Chan Cho Lan powiedziała:

– Mój syn... twój syn... oba mieć angielskiego ojca.

Uśmiechnęła się, ale w jej oczach pojawił się złowrogi błysk.

O Boże, pomyślałam, co ona usiłuje mi wyjawić?

I wtedy, gdzieś jeszcze dalej w głębi domu, znowu odezwał się gong.

Nie byłam pewna, jak długo tak siedziałyśmy i patrzyłyśmy na dzieci bawiące się w ogrodzie. Mój syn krzyczał jak opętany, gdy latawiec wzbił się w powietrze, a Chin-ky skakał dookoła z radości. Co jakiś czas przystawał, by popatrzeć na Jasona i obaj wybuchali śmiechem, jakby dzielili jakiś wspólny sekret.

Przez cały czas byłam bardzo świadoma bliskości Chan Cho Lan, jej delikatnych perfum, pełnego gracji, kołyszącego się ciała, maleńkich stóp w czarnych klapkach oraz pięknych, pełnych ekspresji dłoni. Czułam się przy niej wielka i niezdarna. Ona była wyjątkowa, została wychowana, by uwodzić mężczyzn. Wszystko w niej wydawało mi się obce. Myślałam o mojej matce, która pragnęła, żebym rosła duża i silna i kupowała mi nowe buty nawet wtedy, gdy nie było jej na to stać, żeby nic nie krępowało moich stóp. Te myśli mogłyby się wydawać dziwne w takiej chwili, ale z całej siły starałam się odsunąć od siebie kiełkujące w mojej głowie podejrzenia.

Chan Cho Lan próbowała mi coś powiedzieć, a ja nie miałam odwagi, by zastanawiać się zbyt uporczywie, o co jej chodzi. Wiedziałam, że Joliffe tu był. Widziałam, jak wychodził z tego domu. Powiedział mi o tej wizycie, dopiero gdy zaczęłam naciskać. Jak często tu bywał? Jaki związek łączył go z tą egzotyczną, piękną i fascynującą kobietą? Przyjeżdżał do Hongkongu już jako chłopiec, wiedział o tym miejscu dużo więcej ode mnie. Składał wizyty tej kobiecie. Dlaczego? Czy mówił mi prawdę? Skąd mogłam wiedzieć?

Kiedy nie było go przy mnie i przypominałam sobie, co wydarzyło się kiedyś, do mego umysłu wkradły się szkaradne podejrzenia.

A ta dziwna, zagadkowa kobieta po co mnie tu zaprosiła? Dlaczego jej syn bawi się z moim, a my na nich patrzymy? Dlaczego chciała, bym zobaczyła chłopców razem? Żeby pokazać mi podobieństwo – bez wątpienia duże – jakie łączy jej syna z moim?

Obaj mieli angielskich ojców. Czy ona sugerowała, że mieli tego samego ojca?

W końcu wizyta dobiegła końca. Chan Cho Lan posłała służącego po Jasona, który przyszedł niechętnie. Gospodyni dała nam taktownie do zrozumienia, że już czas, abyśmy wyszli.

W drodze do Domu Tysiąca Latarni Jason bez przerwy mówił o Chin-kym. Uznał, że jest miły, ale śmieszny, a jego latawiec nie był tak dobry, jak Jasona, ale prawie.

– Umie puszczać go tak wysoko jak mój ojciec – powiedział z zadowoleniem.

Lottie przyglądała mi się ukradkiem.

– Podobała się wizyta? – zapytała.

Odrzekłam, że była bardzo interesująca.

– Dlaczego ona nas zaprosiła? – spytałam.

– Chciała pokazać swojego syna... zobaczyć twojego.

Zachichotała, a ja zadałam sobie pytanie: Jak dużo ona wie? A może tylko podejrzewa?

Nie mogłam przestać myśleć o tej wizycie. Powiedziałam do Joliffe'a:

– Chan Cho Lan zaprosiła mnie na herbatę.

– Ach tak, chce utrzymywać dobre stosunki z naszą rodziną.

– Ma syna... trochę młodszego od Jasona. Myślę, że bardzo jej zależało, abym go zobaczyła.

– Chińczycy są dumni ze swoich synów. Zachowywałaby się inaczej, gdyby miała córkę.

– Domyślam się, że wyszkoliłaby ją tak, by znalazła dobrego... partnera.

– Bez wątpienia tak by zrobiła.

– Powiedziała, że chłopiec ma angielskiego ojca.

– Ona powinna to wiedzieć najlepiej – odparł.

Wydawał się nieporuszony i w jego obecności wstydziłam się tamtych podejrzeń, ale gdy zostawałam sama, wątpliwości wracały.

Wkrótce po tej wizycie zaczęłam podupadać na zdrowiu. Częściej odczuwałam zawroty głowy, stany apatii zaczęły się przedłużać. Co się ze mną dzieje?, pytałam samą siebie. Odczuwałam wszelkie możliwe lęki. W moim umyśle rodziły się tysiące przypuszczeń. Chan Cho Lan... i jej syn, Bella i jej przedwczesna śmierć. Co to wszystko miało znaczyć? Nie wierzyłam w te podejrzenia, ale nie potrafiłam się ich pozbyć.

Czasami próbowałam mówić o nich z Joliffe'em, lecz kiedy byłam z nim, wszystkie takie sugestie wydawały mi się śmieszne. Jak mogłam go zapytać: czy jesteś ojcem syna Chan Cho Lan? A o to właśnie go podejrzewałam. Ale jak mogłam powiedzieć głośno coś takiego? Kiedy był przy mnie, wesoły i czuły, z oczami pełnymi miłości do mnie, jakże mogłabym zadać mu takie pytanie?

I jeszcze Bella. Chciałam dowiedzieć się o niej więcej. Jak naprawdę było między nimi wtedy, gdy rzuciła się z okna?

Joliffe zamykał się za każdym razem, gdy dotykałam tego tematu. Jednego już się o nim dowiedziałam: chciał być zawsze w promieniach słońca. Żył dla wielkich chwil. Niektórzy uważają, że w ten sposób powinno się przeżywać całe życie. Wierzył, że wszystko w końcu się ułoży, chciał odsunąć na bok problemy i to, co mogłoby sprawić mu przykrość.

Ja byłam inna, lubiłam patrzeć kłopotom prosto w twarz i decydować, co powinnam zrobić. Zawsze spoglądałam w przyszłość; gdy wyszłam za Sylwestra, myślałam o przyszłości Jasona. Być może Joliffe i ja byliśmy dla siebie tak atrakcyjni, dlatego że mieliśmy tak różne usposobienie. Ja zarzucałam mu beztroskę i impulsywne postępowanie, a on śmiał się z mojej przezorności.

Nie mówiłam mu o moich dolegliwościach i próbowałam o nich nie myśleć. Czasami, gdy nachodziła mnie obezwładniająca słabość, szłam na górę do sypialni i kładłam się na chwilę. Często wystarczała nawet krótka drzemka, by zrobiło mi się lepiej. Ale i tak czułam się dziwnie i nie potrafiłam przestać myśleć o Sylwestrze i o tym, jak bardzo bywał czasami zmęczony.

Lottie widziała, co się ze mną dzieje. Wsuwała się do sypialni i zaciągała story. Czasami widziałam, jak jej małą buzię przecinają głębokie zmarszczki niepokoju. Unosiła ramiona, brwi jak półksiężyce wędrowały do góry i słychać było jej nerwowy chichot.

– Śpij – mówiła – potem lepiej.

Pewnego popołudnia spałam dłużej niż zwykle i obudziłam się gwałtownie. Być może miałam zły sen. Nagle zdałam sobie sprawę, że nie jestem sama. Ktoś... coś było w pokoju. Uniosłam się na łokciach i kątem oka dostrzegłam jakiś ruch. Wtedy zobaczyłam, że drzwi są lekko uchylone i stoi w nich dziwaczna diabelska istota.

Wstrzymałam oddech. Śniłam. To musiał być sen. Zjawa zatrzymała się w drzwiach... z wykrzywionej straszliwym grymasem twarzy spoglądały na mnie świecące oczy.

To nie był człowiek.

Krzyknęłam, przekonana, że potwór zaraz się na mnie rzuci. Wydawało mi się, że czas się zatrzymał, ogarnęło mnie takie przerażenie, że zamarłam, kompletnie sparaliżowana, i nie mogłam się poruszyć, leżałam zupełnie bezbronna.

Na szczęście, to coś zamiast ruszyć na mnie, wycofało się. Gdy się poruszyło, dostrzegłam błysk czerwieni.

Usiadłam, rozglądając się dookoła. Serce waliło mi tak szybko, że w moich uszach jego uderzenia brzmiały jak werbel. To musiał być koszmar senny. Ale jaki realny. Przysięgłabym, że się obudziłam i ujrzałam tę istotę. Teraz jednak nie spałam, więc nie mogłam śnić.

Czy byłam już tak nieprzytomna, że nie wiedziałam, czy śpię, czy nie?

Wstałam z łóżka. Nogi mi drżały. Zauważyłam, że drzwi są otwarte. Byłam przekonana, że wcześniej je zamykałam.

Podeszłam do drzwi i wyjrzałam na korytarz, na którego końcu stał posąg bogini. Na poły oczekiwałam, że figura się poruszy. Zmusiłam się, by do niej podejść.

Wyciągnęłam dłoń i dotknęłam posągu.

– Jesteś tylko rzeźbą – wyszeptałam.

To był sen... sen, w którym się budziłam. Cóż innego? Nie miałam przecież halucynacji.

Nie, to był tylko sen, ale wstrząsnął mną do głębi.

Włożyłam suknię i wyszczotkowałam włosy. Gdy to robiłam, weszła Lottie.

– Długo spałaś – powiedziała.

– Tak, za długo – odparłam.

Przyjrzała mi się uważnie.

– Dobrze się czujesz?

– Tak.

– Wyglądasz, jakbyś się przestraszyła.

– Miałam zły sen, to wszystko. Pora już zapalić latarnie.

Joliffe wyjechał na kilka dni. Pojechał do Kantonu, żeby kupić nefryt.

– Martwię się o ciebie – powiedział. – Kiedy wrócę, wyjedziemy gdzieś na trochę, ty, ja i Jason. – Ujął moją twarz w dłonie. – Nie zwracaj uwagi na tych starych proroków zła. Muszą mówić, że bogini jest niezadowolona, bo odpadł fragment jej twarzy. Ten posąg stoi tam od lat i kawałki odpadają z niego, odkąd tylko pamiętam. Ale oni wykorzystają każdą okazję, żeby wieszczyć zło.

– Wracaj szybko – błagałam.

– Możesz być pewna, że wrócę najszybciej, jak to tylko będzie możliwe.

Gdy odjechał, wybrałam się do magazynów. Toby już wyzdrowiał i, jak mi powiedział, miał mnóstwo roboty z załatwianiem spraw, nagromadzonych podczas jego nieobecności. Próbowałam okazać entuzjazm na widok paru brązowych pucharów, które udało mu się zdobyć, ale najwyraźniej mi się nie udało, bo Toby spojrzał na mnie z niepokojem i powiedział:

– Nie wyglądasz dobrze, Jane. – Głos miał pełen czułości. – Czy coś się stało?

Próbowałam zbagatelizować moje dolegliwości.

– Myślę, że to nic takiego. Po prostu czuję się zmęczona, czasami apatyczna, a rano miewam zawroty głowy.

– Powinnaś wezwać lekarza.

– Nie sądzę, żeby moje kłopoty były aż tak poważne.

– Powinnaś porozmawiać o nich z doktorem. Musisz.

– Być może to zrobię.

– Czy jest coś jeszcze, Jane?

Zawahałam się chwilę, a potem opowiedziałam mu o potworze, którego, jak mi się wydawało, widziałam.

– Musiał ci się przyśnić.

– Oczywiście, ale wszystko wydawało się takie realne, że naprawdę byłam przekonana, iż już się zbudziłam.

– Niektóre sny takie są. To musiał być sen, bo cóż by innego?

– Nie wiem... tylko Lottie ciągle mówi o smokach, a mnie się wydawało, że widziałam jednego z nich.

Uśmiechnął się do mnie łagodnie i pomyślałam, ile ciepła i dobroci jest w jego oczach, i że mogłam zwierzyć się Toby'emu z rzeczy, o których nigdy nie potrafiłabym mówić z Joliffe'em.

Przy moim mężu zawsze chciałam być taką kobietą, jakiej pragnął, a on nienawidził chorób.

– To z pewnością tylko sen, Toby – zgodziłam się. – Musiało mi się to przyśnić, bo jeżeli nie, to znaczy, że miałam halucynacje. Martwi mnie tylko, iż naprawdę wydawało mi się, że już się obudziłam.

Toby uśmiechnął się ciepło.

– Może miałaś gorączkę – podpowiedział – i ujrzałaś tę zjawę, gdy byłaś półprzytomna. To nic poważnego, ale i tak uważam, że powinnaś wezwać lekarza.

– Może tak i zrobię – odrzekłam.

Ale nie zrobiłam tego, nie mogłam się zmusić. Wydawało mi się takie głupie – wołać lekarza z powodu złego snu! Im więcej czasu upływało od owego zdarzenia, tym bardziej byłam przekonana, że po prostu przyśnił mi się jakiś koszmar na chwilę przed przebudzeniem.

Nie potrzebowałam lekarza, sama mogłam się wyleczyć. Przestanę się bać. To było źródło moich kłopotów: strach. Za bardzo przejęłam się legendami, które mi tak chętnie opowiadano. Całe to gadanie o złych duchach, o bogini, która straciła twarz i skierowała swój gniew na tych, którzy nie przestrzegali jej praw, miało na mnie duży wpływ, a wszystko dlatego, że nie mogłam przestać zadawać sobie pewnych pytań. Sylwester... co naprawdę mu dolegało? Co czuła Bella, gdy stała przy oknie, z którego za chwilę miała wyskoczyć? Dlaczego jej życie stało się nie do zniesienia?

A teraz Bella nie żyła, Joliffe został moim mężem, a ja byłam bardzo bogatą kobietą. Sprawowałam kontrolę nad całą firmą, a gdybym umarła, wszystko przeszłoby w ręce mojego małżonka, bo to jego wyznaczyłam na opiekuna Jasona. Moje zdrowie zaś pogorszyło się, odkąd w tajemnicy poczyniłam te zmiany!

Wszystkie te myśli wirowały w mojej głowie, doprowadzając mnie do takiego rozstroju nerwowego, że pytałam samą siebie, czy rzeczywiście nie grozi mi jakieś niebezpieczeństwo.

Czy ten dom naprawdę mnie ostrzega, czy też znowu działa moja rozchwiana wyobraźnia? A jeżeli coś mi zagraża, to z czyjej strony?

– Wezwij lekarza – poradził mi Toby, a jego łagodne oczy były pełne troski.

Pomyślałam, że bardzo łatwo mogłabym opowiedzieć mu o wszystkich moich lękach. Wysłuchałby mnie z powagą. Dziwne, ale czułam, że łatwiej przyszłoby mi zwierzyć się Toby'emu niż Joliffe'owi.

Lepiej mi się myślało bez męża u boku, więc starałam się przyjrzeć całej sytuacji z dystansu.

Jak echo wracały do mnie słowa, które wypowiedział kiedyś Adam:

– Czy zdajesz sobie sprawę z rozległości swoich interesów? Pojmujesz, jak ogromny majątek zostawił ci Sylwester?

Wiedziałam, że duży. Wiedziałam też, że muszę zarządzać tym majątkiem w imieniu Jasona, bo taka była wola Sylwestra. Adam miał zostać jego opiekunem, a ja to zmieniłam na korzyść Joliffe'a.

I odkąd dokonałam tej zmiany...

Co się ze mną dzieje?, pytałam sama siebie w duchu. Dlaczego tak źle się czuję? Zupełnie jakby zawisła nade mną jakaś klątwa. Co takiego zrobiłam, że zasłużyłam na gniew bóstw Lottie?

A może to nie gniewu bogów powinnam się obawiać, tylko chciwości ludzi?

Jak długie wydawały się dni bez Joliffe'a! Miał w sobie tyle energii, że gdy był przy mnie, wszystkie lęki znikały i czułam się tak ożywiona, jak nigdy, kiedy zostawałam sama.

Nawet tego dnia, gdy ogarnęło mnie ogromne znużenie i zasypiałam wszędzie, gdzie tylko usiadłam, tak bardzo za nim tęskniłam. Jak puste byłoby życie bez Joliffe'a!

Jason też nie mógł znaleźć sobie miejsca.

– Jak długo mój ojciec będzie poza domem?

– Tylko przez dzień lub dwa – odrzekłam.

– Żałuję, że nie zabrał mnie z sobą. Któregoś dnia mnie zabierze, sam powiedział.

– Tak – potwierdziłam. – Nauczy cię wszystkiego o chińskiej sztuce, żebyś mógł robić to, co on, kiedy dorośniesz.

Jason westchnął.

– Dorastanie zabiera tyle czasu – poskarżył się.

Poszedł do łóżka, a ja też postanowiłam położyć się wcześniej. Byłam bardzo zmęczona i wypiłam jeszcze przed snem filiżankę herbaty.

Herbata często czekała na mnie w sypialni w te dni, gdy źle się czułam. Pomyślałam, że pewnie ktoś ze służby uważa, iż jestem we wczesnym stadium ciąży. Sama też kładłabym owe dziwne dolegliwości, których doznawałam, na karb odmiennego stanu, gdyby nie to, że nie miałam żadnych innych objawów.

To było coś innego.

Jakaś tajemnicza choroba. Toby powiedział, że Europejczycy padali czasem ofiarami różnych niezidentyfikowanych zarazków, bez względu na to, od jak dawna mieszkali na Wschodzie. Nasze organizmy nie zawsze potrafiły dostosować się do zmiany klimatu. Czyżby odpowiedź miała być aż tak prosta?

Ale bez względu na to, jak bardzo się starałam, nie potrafiłam wyrzucić z myśli obrazu Belli. Jeżeli ktokolwiek był kiedykolwiek dręczony przez ducha, to ja przez Bellę. Tkwiła w moich myślach bez przerwy. Jakie cierpienia umysłu mogą doprowadzić do samobójstwa? Do targnięcia się na własne życie? Za taką decyzją musi stać przekonanie, że to, co czeka po drugiej stronie, będzie łatwiejsze do zniesienia niż obecne życie. Jak trzeba być zrozpaczonym, by dojść do takiego wniosku?

Wypiłam herbatę i wkrótce zapadłam w sen, z którego, miałam nadzieję, nie wyrwą mnie już żadne koszmary.

Ale śniłam, a sny były tak realne. Wydawało się, że na poły na jawie pogrążyłam się w jakimś fantastycznym świecie.

Była w nim Bella. Mówiła:

– To łatwe. Po prostu spadasz... spadasz....

– Co się stało, Bello? – spytałam. – Czy byłaś sama, gdy stałaś przy oknie?

– Chodź i zobacz... Chodź i zobacz...

Śniłam, że wstaję z łóżka. Ona odwróciła się i spojrzała na mnie, a jej twarz była potworna... wyglądała zupełnie jak ta, którą widziałam w tamtym koszmarnym śnie. Zrozumiałam wtedy, kto na mnie patrzy. To była śmierć. Bella szła ku swojej śmierci. Twarz jej zmieniła się nagle i zobaczyłam Bellę taką, jak wcześniej, w parku. Oznajmiła:

– Muszę ci coś powiedzieć. Nie spodoba ci się to, ale musisz wiedzieć.

– Idę... idę! – zawołałam.

Wyciągnęła dłoń, a ja ją ujęłam. Powiodła mnie korytarzem i w górę, po schodach. Jej głos szeptał mi do ucha:

– Nie spodoba ci się to... ale musisz wiedzieć. Chodź – kusiła. – To łatwe.

Poczułam na twarzy powiew zimnego wiatru. Ktoś schwycił mnie mocno. Leżałam na pół wychylona z okna.

– Gdzie jestem?! – wrzasnęłam.

Byłam w pełni rozbudzona. Odwróciłam się i ujrzałam Joliffe'a. Trzymał mnie w ramionach, obok niego stała Lottie.

To nie był sen. Stałam w pokoju na najwyższym piętrze przed szeroko otwartym oknem. Kątem oka dostrzegłam sierp księżyca nad dachem pagody.

– Mój Boże, Jane! – zawołał Joliffe. – Już dobrze, jestem tutaj.

– Co się stało?

– Musimy natychmiast położyć cię do łóżka – oświadczył.

Zobaczyłam twarz Lottie, bladą w świetle księżyca. Dziewczyna drżała.

Joliffe wziął mnie na ręce i zaniósł do mego pokoju. Usiadłam na łóżku i patrzyłam na niego ze zdumieniem.

– Przyniosę ci trochę brandy – powiedział. – Dobrze ci to zrobi.

– Myślałam, że nie ma cię w domu – wymamrotałam.

Lottie stała nieopodal, wpatrując się we mnie szeroko otwartymi oczami.

– Wróciłem godzinę temu – wyjaśnił. – Nie chciałem ci przeszkadzać, więc spałem w garderobie. – Mówił o pokoju, który kiedyś należał do Jasona, bo odkąd Joliffe się wprowadził, chłopiec przeniósł się do pokoju przy gabinecie ojca. – Spałem i coś mnie obudziło. To musiałaś być ty, gdy wychodziłaś z sypialni. Byłem przerażony, gdy zobaczyłem, że twoje łóżko jest puste. Poszedłem za tobą. Dzięki Bogu, że to zrobiłem.

Zerknęłam na Lottie. Kiwała głową jak marionetka.

– Ja też słyszałam – potwierdziła. – Ja też przyszłam.

Poczułam się śmiertelnie zmęczona.

– Która godzina? – zapytałam.

– Dochodzi pierwsza w nocy – odrzekł Joliffe. – Idź spać, Lottie. Już wszystko będzie dobrze.

Skinęła głową i wybiegła z pokoju.

Joliffe usiadł na łóżku i objął mnie mocno.

– Chodziłaś we śnie – wyjaśnił. – Zdarzyło ci się to po raz pierwszy, prawda?

– W każdym razie pierwszy raz o tym słyszę.

Ujął moje dłonie i spojrzał na mnie, a ja mogłabym przysiąc, że widzę w jego oczach prawdziwy niepokój i troskę.

– Miałam taki realny sen – powiedziałam.

– Stałaś przy oknie.

– Śniło mi się, że Bella mnie tam zaprowadziła.

– O Boże, nie!

– Tak właśnie mi się śniło.

– To był koszmar. Ciągle o tym myślałaś. To już skończone, Jane, zamknięte. Przestań o tym myśleć. Pozwalasz, żeby ta sprawa niepokoiła cię tak bardzo, że... może ci się przydarzyć coś takiego, jak dzisiaj. Mówię ci, to już minęło.

Podniosłam wzrok na sztylet z monet, wiszący nad łóżkiem.

– Wypij to – polecił, wkładając mi w rękę szklaneczkę z brandy.

Zrobiłam, jak mi kazał.

– Zaraz poczujesz się lepiej – stwierdził, jak gdyby chciał zmusić mnie do wyzdrowienia samą siłą woli.

– Jestem zmęczona – odrzekłam. – Tak bardzo zmęczona.

– Śpij, a rano poczujesz się lepiej.

Byłam zupełnie wyczerpana. Jedyne, czego pragnęłam, to spać. Wszystko inne mogło poczekać.

Czułam jeszcze, jak Joliffe pochyla się nade mną, otula mnie prześcieradłem i czule całuje w czoło.

Następnego ranka obudziłam się późno. Lottie powiedziała, że pan kazał pozwolić mi spać tak długo, jak zechcę.

Gdy tylko się obudziłam, osaczyły mnie wspomnienia zeszłej nocy. Chodziłam we śnie. Nigdy wcześniej tego nie robiłam. Pamiętałam tamtą noc, gdy obudziłam się i ujrzałam Sylwestra. Zaprowadziłam go z powrotem do sypialni i stałam, patrząc na niego zdziwiona.

– Chodziłem we śnie – powiedział. – O ile wiem, nigdy w życiu tego nie robiłem.

Nagle poczułam, jak ogarnia mnie przerażenie. Sylwester widział śmierć. Wierzył, że to znak.

Moje ciało przeszył zimny dreszcz.

To, co działo się z Sylwestrem, powtarzało się teraz ze mną! Znużenie i brak sił. Od tego wszystko się zaczęło. I lekarz nie znalazł nic niepokojącego!

Sylwester przyszedł do mojego pokoju. Tak bardzo chciał mnie zobaczyć, że we śnie jego umysł był silniejszy niż ciało. Chciał mi powiedzieć, że umiera i że wszystko, co ma, zostawia mnie. Ta myśl bez przerwy zaprzątała jego umysł. Ja śniłam o Belli, bez przerwy gościła w moich myślach. W jaki sposób umarła? Bez końca zadawałam sobie to pytanie. Wypadła z okna. Rzuciła się z niego? A może ktoś ją tam zaprowadził?

Nie, nie. Nie mogłam przestać myśleć o tym, jak walczyłam w objęciach Joliffe'a.

Lottie mnie usłyszała i przyszła na górę. Czy to dlatego... nawet nie chciałam o tym myśleć. Oczywiste, że było tak, jak mówił mój mąż.

– Oczywiście, oczywiście – powiedziałam głośno. – Jak mogłoby być inaczej?

Ale czy można powstrzymać złe myśli i przerażające podejrzenia, gdy już raz wkradną się do twego serca?

Joliffe był zatroskany.

– Moja najdroższa Jane, coś ci dolega. Co to jest? Powiedz mi.

– Po prostu czuję się zmęczona – odpowiedziałam.

– Ale żeby chodzić we śnie? Nigdy wcześniej tego nie robiłaś, prawda... jako dziecko? Czy twoja matka lunatykowała? Czy to coś, co przechodzi z pokolenia na pokolenie?

– Jeżeli kiedykolwiek lunatykowałam, to nic mi o tym nie wiadomo.

– Myślę, że powinnaś porozmawiać z doktorem Philipsem. Potrzebujesz czegoś na wzmocnienie. Jesteś wyczerpana. Miałaś bardzo ciężki okres.

– To nie były pierwsze ciężkie chwile w moim życiu. Powinnam już się przyzwyczaić.

– Ale stres działa właśnie w ten sposób. Nasze nerwy wydają się w porządku w czasie kryzysu, a gdy przyjdzie już upragniony spokój, zaczynamy odczuwać skutki napięcia. Potrzebujesz czegoś, co postawi cię na nogi.

Potrząsnęłam głową.

– Dam sobie radę, Joliffie.

Jason wiedział, że źle się czuję i także się martwił. Ogarnęła mnie fala wzruszenia, gdy patrzył na mnie z niepokojem w oczach.

Obawiał się, że mnie zaniedbał. Był tak podniecony poznaniem prawdziwego ojca, że pozwolił, by radość z powrotu jednego z rodziców przesłoniła obowiązek opieki nad drugim. Zawsze o mnie dbał, a teraz byłam chora.

Wszędzie za mną chodził. Przychodził rankiem do mojego pokoju i stawał przy łóżku.

– Jak się czujesz, mamo? – pytał, a ja chciałam przytulić go do siebie i nigdy nie puścić.

Joliffe go rozumiał. Zawsze rozumiał Jasona.

– Nie martw się, synu – powiedział. – Będziemy o nią dbali.

Pewnego popołudnia, nic mi nie mówiąc, przyprowadził do domu doktora Philipsa.

Odpoczywałam w łóżku, bo był to jeden z moich apatycznych dni.

– Pani mąż powiedział, że źle się pani czuje, pani Milner.

– Czasami czuję się zupełnie dobrze, a czasem odczuwam wielkie znużenie.

– Czy coś panią boli?

Potrząsnęłam przecząco głową.

– Są dni, gdy czuję się zupełnie... normalnie. A potem jakby to na mnie spadało.

– Tylko zmęczenie?

– I... yyy... dosyć niepokojące sny.

– Pani mąż powiedział mi, że chodziła pani we śnie. Myślę, pani Milner, że być może pani organizm nie przystosował się do życia tutaj.

– Jestem tu od prawie dwóch lat.

– Wiem, ale to może ujawnić się w jakiś czas po przyjeździe. Najwyraźniej nie dokuczają pani żadne inne dolegliwości poza zmęczeniem i niespokojnym snem. Znużenie może być właśnie wynikiem kłopotów ze spaniem.

– Przesypiam większość nocy.

– Tak, ale może nie jest to sen spokojny i głęboki. I miewa pani koszmary. Może powinna pani rozważyć powrót do domu.

– W odpowiednim czasie. Na razie mam tutaj zbyt wiele spraw do załatwienia.

Zrozumiał.

– Mimo wszystko pomyślałbym o tym na pani miejscu. Na razie przepiszę coś na wzmocnienie. Jestem pewien, że niedługo dojdzie pani do siebie.

Gdy doktor wyszedł, powiedziałam do Joliffe'a:

- Powinieneś był mi powiedzieć, że wzywasz lekarza. Naprawdę, czuję się jak hipochondryczka. Wygląda na to, że nic mi nie jest.
- Dzięki Bogu.
- Najwyraźniej nie nadaję się do życia na Wschodzie. Lekarz zasugerował powrót do domu.
- A ty chciałabyś pojechać, Jane?
- Bardzo bym chciała, tylko na razie to niemożliwe.
- Jednak nie zaszkodzi o tym pomyśleć.
- A ty byś chciał, Joliffie?
- Pragnę wszystkiego, co uczyni cię zdrową... i szczęśliwą.

Był taki czuły, że moje serce miękło. Miał nade mną ogromną władzę. Potrafił uczynić mnie szczęśliwą jednym spojrzeniem lub słowem. Tak bardzo go kochałam.

Zaczęłam myśleć o Zagrodzie Rolanda; pani Couch przygotowuje dom na nasze przybycie. Już widziałam, jak mruczy nad Jasonem. Na pewno jej się nie podoba, że dom jest taki opustoszały. Myślałam o zielonych łąkach i jaskrach, pokrytych rosą, o polach, wyglądających jak patchwork, i pełnych liści alejkach, pierwszych pierwiosnkach i krokusach, białych, żółtych i błękitnych, nieśmiało wychylających się z trawy. Wszystko to wydawało się takie zwyczajne i tak bardzo odległe. Byłam pewna, że tam bym wyzdrowiała. Poczułam, jak zalewa mnie fala dojmującej tęsknoty.

Zażywałam miksturę, którą przepisał mi lekarz i przez parę dni czułam się lepiej. Byłam niezwykle podekscytowana, gdy Joliffe natrafił na bramę do buddyjskiej świątyni, którą z pełnym przekonaniem datował na dziesiąty lub dziewiąty wiek przed naszą erą. Adam i Toby byli innego zdania i nie potrafiłam ukryć satysfakcji, gdy po przejrzeniu zapisków i materiałów źródłowych okazało się, że to on miał rację. Sylwester nie doceniał Joliffe'a, powiedziałam do siebie. Kochał tę pracę tak samo jak stryj, a gdy osiągnie jego wiek, zdobędzie równie wielką wiedzę – a może nawet większą.

Czułam się teraz tak dobrze, że śmiałam się z moich niedawnych lęków.

Joliffe był wniebowzięty.

- Stary Philips postawił cię na nogi – powiedział. – To naprawdę cudowne, że znowu wszystko w porządku.

Ale apatia powróciła. Osłabienie wpędzało mnie w depresję, bo już uwierzyłam, że diagnoza doktora była słuszna i po prostu muszę przystosować się do życia na Wschodzie.

Pewnego popołudnia zasnęłam tak, jak kiedyś, i po obudzeniu ujrzałam ten sam koszmar. Pokój wypełniały głębokie cienie i wiedziałam, co zobaczę, jeszcze zanim spojrzałam. Ogarnęło mnie czyste przerażenie. To nie był sen. To działo się naprawdę.

Podniosłam oczy, czując paraliżujący, potworny strach, bo potwór stał w uchylonych drzwiach: ohydna, diabelska twarz o przerażających, świecących oczach... wpatrzonych we mnie.

Po paru chwilach dostrzegłam błysk czerwieni i zjawa zniknęła.

Wygramoliłam się z łóżka i podbiegłam do drzwi, otwartych jak wtedy, ale korytarz był pusty.

Znowu to samo. A już myślałam, że mój stan się poprawia. Próbowałam myśleć logicznie.

To musiał być wytwór mojej imaginacji. Sylwester wspomniał o takiej istocie i to, co powiedział, zapuściło korzenie w moim umyśle, by ujawnić się teraz, gdy źle się czułam.

Zamknęłam drzwi i przekręciłam klucz w zamku. Zostałam sama w pokoju.

Spojrzałam na ścianę nad łóżkiem. Sztylet z monet znajdował się dokładnie tam, gdzie powiesiła go Lottie.

Rozdział ósmy

Tysiąc latarni

I

Prawda wyszła na jaw w najgorszy możliwy sposób.

Następnego dnia, gdy piłam w salonie popołudniową herbatę, do pokoju wszedł Jason.

Wyglądał na zadowolonego z mojego widoku i usiadł koło mnie. Znowu był opiekuńczy jak dawniej. Był też bardzo przejęty, bo zbliżało się Święto Smoków i Joliffe zamierzał zabrać nas na nabrzeże, skąd rozciągał się najlepszy widok na paradę.

Jason mówił o tym z ożywieniem, a potem zapytał, czy może się napić herbaty.

Nalałam mu filiżankę, a on połknął gorący płyn jednym haustem. Powiedział, że jadł rybę, która była bardzo słona i poprosił o jeszcze jedną filiżankę herbaty.

Tej nocy zachorował.

Lottie przyszła i stanęła przy moim łóżku. Wyglądała tak krucho i pięknie, z włosami opadającymi na ramiona i szeroko otwartymi oczami pełnymi lęku.

– Chodzi o Jasona. On mówi dziwne rzeczy...

Pobiegłam do jego pokoju najszybciej, jak mogłam i ujrzałam bladą twarzyczkę syna, otoczoną wilgotnymi włosami. Jason toczył dookoła nieprzytomnym wzrokiem.

– Ma koszmar – odezwała się Lottie.

Wzięłam go za rękę i powiedziałam:

– Już dobrze, Jasonie. Jestem tutaj.

To go uspokoiło. Skinął głową i leżał nieruchomo.

Wszedł Joliffe.

– Poślę po doktora – powiedział.

Siedzieliśmy tak przy łóżku Jasona, mój mąż po jednej stronie, ja po drugiej i towarzyszył nam paraliżujący strach, że chłopiec umrze. Wiedziałam, że lęk Joliffe'a dorównuje mojemu. Chodziło o naszego ukochanego syna.

Wydawało się, że Jason zdaje sobie sprawę z naszej obecności. Gdy Joliffe wstał, by posłać po doktora, chłopiec poruszył się niespokojnie.

– Wszystko w porządku – zapewnił go Joliffe i Jason położył się z powrotem.

Doktor Philips próbował nas uspokoić.

– To nic poważnego – powiedział. – Pewnie zaszkodziło mu coś, co zjadł.

– Czy zatrucie może mieć aż takie skutki? – zapytałam.

– Zatrucie może objawiać się w przeróżny sposób. Podam mu środek na wymioty i jeżeli moja diagnoza jest słuszna, jutro powinien być trochę osłabiony, ale zdrów jak ryba.

Joliffe i ja spędziliśmy przy Jasonie całą noc. Wydawało się, że nasza obecność przynosi mu ulgę i po paru godzinach zapadł w głęboki sen.

Co dziwne, następnego ranka nie było po nim widać śladu nocnej niedyspozycji. Wydawał się jedynie osłabiony, tak jak uprzedzał lekarz, więc poleciłam, aby przeleżał cały dzień w łóżku. Przyszedł Joliffe i grali razem w *mah-jongg*.

Gdy patrzyłam, jak obaj pochylają głowy nad planszą, byłam nieskończenie szczęśliwa, że Jason wyzdrowiał i że znowu jesteśmy razem.

Ale później zaczęłam się zastanawiać.

Co przytrafiło się Jasonowi? Zaszkodziło mu coś, co zjadł. Słowa lekarza bez ustanku krążyły mi w głowie.

I nagle sobie uprzytomniłam: Jason przyszedł do salonu. Pił moją herbatę.

Czy to naprawdę możliwe, że chłopiec wypił truciznę przeznaczoną dla mnie?

Mojemu synowi groziło niebezpieczeństwo i nie mogłam już dłużej ignorować swoich lęków. Podejrzenia pukały do mego umysłu od dawna, a ja nie chciałam ich tam wpuścić.

Teraz jednak musiałam zmierzyć się z prawdą.

Byłam chora – ja, która nigdy w życiu nie przechorowałam ani jednego dnia. Stałam się apatyczna, chociaż kiedyś emanowałam żywotnością, zaczęłam mieć złe, okrutne koszmary senne – ja, która wcześniej zasypiałam głębokim, spokojnym snem, ledwo przyłożyłam głowę do poduszki.

Powód tego wszystkiego: ktoś dosypywał mi czegoś do jedzenia lub picia. I kiedy Jason niespodziewanie poczęstował się moją herbatą, on również zachorował.

Poczułam, jakby nagle rozbłysło wokół mnie światło. Teraz przynajmniej widziałam to zło, podczas gdy wcześniej błąkałam się w ciemności.

Ktoś próbował mnie otruć.

Kto?

Nie. To niemożliwe! Dlaczego miałby to robić? Ponieważ w razie mojej śmierci zyska kontrolę nad całym majątkiem i będzie nim zarządzał w imieniu Jasona. Chłopiec jest jeszcze bardzo mały, upłyną lata, zanim stanie na czele największej firmy w Hongkongu. Ale przecież Joliffe doradza mi już teraz. Doradza. Jaka pociecha z bycia doradcą dla tak ambitnego mężczyzny, jak on? Ostateczna decyzja zawsze należała do mnie i miałam jeszcze do pomocy Toby'ego Granthama. Gdybym odeszła, a Joliffe stałby się jedynym opiekunem Jasona, to do niego należałoby ostatnie słowo. Stałby się rzeczywistym panem fortuny Sylwestra.

Nie mogłam w to uwierzyć. Ale cóż są warte takie wątpliwości, skoro tamta myśl już raz zaświtała mi w głowie?

Nadeszło Święto Smoka. Często odbywały się tu uroczystości ku jego czci i miałam wrażenie, że ludzie bezustannie próbowali albo przebłagać, albo uhonorować bestię. To święto obchodzono, by uczcić potwora.

Jason, zupełnie zdrowy, paplał podekscytowany:

– Mój ojciec zabierze nas rikszą. Wszystko obejrzymy. Będą smoki zionące ogniem.

Lottie była zadowolona, że pojedziemy obejrzeć paradę.

Gdy pomagała mi się ubrać, powiedziała:

– Gdy odjedziesz, ja wrócę do pani Chan Cho Lan.

– Gdy odjadę? Co masz na myśli, Lottie?

Skłoniła głowę i przybrała swój pokorny wyraz twarzy.

– Myślę, że odjedziesz... kiedyś.

– Skąd ci to przyszło do głowy?

– Może pojedziesz do Anglii.

– Domyślam się, że słyszałaś, jak mówił o tym doktor.

– Wszyscy tak mówią – odparła.

– Mam nadzieję, że nie odejdziesz, dopóki tu będę, Lottie.

Potrząsnęła gwałtownie głową.
– Nie odejdę – zapewniła mnie.
– Bardzo się z tego cieszę – odrzekłam.
– Czcigodna pani Chan Cho Lan mówi, że może znaleźć dla mnie związek.
– Masz na myśli małżeństwo?
Spuściła oczy i zachichotała.
– No cóż, Lottie – powiedziałam – wydaje się, że to dobry pomysł. Chciałabyś wyjść za mąż?
– Gdybym miała przychylność bogów, to bym chciała. Niełatwo znaleźć dla mnie bogatego małżonka. – Spojrzała ze smutkiem na swoje stopy.
– Nie wolno ci się tym przejmować, Lottie. Twoje stopy są dużo piękniejsze, niż gdyby były krępowane i okaleczone.
Potrząsnęła głową.
– Żadna wielka chińska dama nie ma stóp wieśniaczki.
Wiedziałam, że dalsze przekonywanie jej jest bez sensu.
Lottie wychowywała się i uczyła z wysoko urodzonymi pannami. Pomagała bandażować im stopy i doglądała opatrunków, aż wielkie palce wysychały i odpadały. Opowiadała mi, jak sześcioletnie dziewczynki płakały z bólu, gdy bandaże stawały się zbyt ciasne i ściskały stopy. Ale gdy nadszedł czas, młode damy chodziły jak chwiejące się wierzby i znajdowano dla nich dobre partie.
– Kiedyś myślałam, Lottie – powiedziałam – że zostaniesz ze mną na zawsze. To było bardzo samolubne z mojej strony. To oczywiste, że chcesz mieć własne życie.
Popatrzyła na mnie smutnymi oczami.
– Życie bardzo smutne czasami – odrzekła.
– No cóż, zawsze będziemy przyjaciółkami, prawda? Przyjadę do ciebie z wizytą, gdy wyjdziesz za mąż. Przywiozę prezenty dla twoich dzieci.
Zachichotała, ale pomyślałam, że jest trochę smutna.
– Trudno znaleźć męża – poskarżyła się. – Pół-Chinka i wielkie stopy.
Przyciągnęłam ją do siebie i ucałowałam.
– Lottie, kochanie, jesteś członkiem naszej rodziny – zapewniłam. – Myślę o tobie jako o swojej córce.
– Ale nie córka – odparła, wciąż niepocieszona.
Rozchmurzyła się, gdy wyruszyliśmy rikszą, by obejrzeć paradę.

Jason siedział ze mną i z Joliffe'em i wspaniale było patrzeć, jak podskakuje z radości. Wydawało się, że upłynęły wieki od nocy, kiedy bałam się, że mój synek umrze.

Było już ciemno – najlepsza pora na tego rodzaju widowisko, w którym tak dużo zależało od oświetlenia. Dźwięki gongów mieszały się z łoskotem bębnów. Brzmiała w nich jakaś ostrzegawcza nuta, ich odgłos zawsze wydawał mi się złowieszczy. Jak zawsze przy takich okazjach wszędzie było pełno lampionów w najróżniejszych kolorach, wiele ozdobiono ruchomymi figurkami.

Nad tłumem kołysały się flagi z rysunkami ziejących ogniem smoków, ale to same bestie szły w paradzie. Były małe smoki i duże, niektóre niesiono wysoko jak chorągwie, inne pełzały po ziemi. Te ciągnęli mężczyźni, sami przebrani za smoki. Inni mężczyźni i kobiety odgrywali wielkie bestie – kilka osób tworzyło jednego smoka – ziejące ogniem i wykrzykujące ostrzeżenia.

Najbardziej atrakcyjny widok stanowiły dwie, niesione wysoko nad smokami lektyki, w których stały dziewczyny – obie tak piękne, że trudno byłoby dorównać im urodą. W długie, czarne włosy miały wplecione kwiaty lotosu, ubrane były w jedwabne suknie, jedna w delikatnym, liliowym, druga zaś w różowym kolorze.

Lottie zawołała do mnie z drugiej rikszy:

– Widzisz... widzisz?

Skinęłam głową.

– Te dziewczęta – poinformowała mnie – są od Chan Cho Lan.

– Biedne stworzenia, jakie życie je czeka? – powiedziałam do Joliffe'a.

– Myślę, że bardzo przyjemne.

– Przypuszczam, że zostaną sprzedane.

– Mężczyźnie, którego będzie stać na ich utrzymanie i zapewnienie im beztroskiego życia, do jakiego zostały wychowane.

– A kiedy już mu się znudzą?

– Zatrzyma je. Nie pozwoli, by cierpiały niedostatek. Straciłby twarz.

– Współczuję im.

– Kiedy jesteś w obcym kraju, musisz przyzwyczaić się do sposobu myślenia tubylców – odparł Joliffe.

– I tak twierdzę, że to biedne istoty.

Patrzyłam szeroko otwartymi oczami na rozgrywające się przede mną widowisko. Jeden z uczestników parady podszedł bardzo blisko nas.

Był to mężczyzna w czerwonej szacie, na twarzy miał maskę. Poczułam, że serce wali mi jak młotem. Widziałam ten kostium już wcześniej – albo coś tak podobnego, że mogło być repliką. Mężczyzna spojrzał na mnie i aż skurczyłam się w fotelu.

– Co za ohydna maska – powiedziałam.

– A, tamta – odrzekł mój mąż. – To Maska Śmierci, tak ją nazywają Chińczycy.

Przez parę dni czułam się dobrze. Od choroby Jasona przestałam pić herbatę. Teraz byłam już pewna, że wszystkie moje dolegliwości spowodował właśnie ten napój.

To była potworna świadomość. Co mam teraz zrobić?, pytałam samą siebie. Jeżeli ktoś próbował otruć mnie herbatą i teraz zdał sobie sprawę, że odkryłam jego plan, czy nie będzie próbował innej metody działania? Czy nie poszuka czegoś nowego?

Znalazłam się w wielkim niebezpieczeństwie. Musiałam zwrócić się do kogoś po pomoc. Ale do kogo? Do męża?

Zadrżałam. Jeszcze niedawno śmiałam się z takich podejrzeń – oczywiście zawsze wtedy, gdy Joliffe był obok mnie. Tylko kiedy zostawałam sama, potrafiłam spojrzeć prosto w oczy faktom i powiedzieć sobie: on ma motyw.

Jak można kochać kogoś i jednocześnie bać się tej osoby? Jak można być z kimś tak blisko i nie znać najgłębszych myśli ukochanego? Byliśmy kochankami, nasza namiętność nigdy nie przygasła, strona fizyczna odgrywała w naszym związku ogromną rolę. Ale w moim sercu kiełkowały dręczące podejrzenia. Ktoś próbuje mnie skrzywdzić, może nawet uśmiercić, ale najpierw chce uczynić mnie bezbronną, słabą, zniszczyć moje zdrowie. Jeżeli umrę, nikt nie będzie specjalnie zaskoczony. Jeżeli to Joliffe, to jak mógł udawać czułego kochanka z takim zaangażowaniem, pasją i oddaniem.

Chyba że wzajemna fizyczna fascynacja była czymś odrębnym, kompletnym, samym w sobie. Może zjednoczenie naszych ciał nie oznaczało zjednoczenia dusz. Przypuszczam, że pierwsze zauroczenie, które nas połączyło, było natury fizycznej – w każdym razie ja zapałałam do niego miłością od pierwszego wejrzenia, a takim uczuciem obdarza się kogoś, zanim jeszcze pozna się jego charakter. Czy nasza miłość pozostała w tym stadium? Czy to prawda, że wcale nie znałam Joliffe'a lepiej niż on mnie? Musiało tak być, skoro mogłam podejrzewać go o tak niewyobrażalne potworności. A on... czy naprawdę byłby do tego zdolny?

Czasami te teorie wydawały się zupełnie absurdalne. Niekiedy jednak sprawiały wrażenie porażająco logicznych.

I teraz, kiedy czułam się już lepiej, nie mogłam pozbyć się takich myśli, właściwie moje podejrzenia stawały się coraz głębsze. Powtarzałam sobie, że choroba ciała objęła także umysł, że moja rozgorączkowana wyobraźnia tworzy sytuacje, które nie miały prawa zaistnieć.

Lecz gdy z każdym dniem nabierałam sił, byłam coraz bardziej przekonana, że znajduję się w poważnym niebezpieczeństwie.

Wróciła dawna Jane i przejęła stery. Jane, stąpająca mocno po ziemi i myśląca logicznie, Jane, która lubiła patrzeć życiu prosto w twarz.

I oto, co zobaczyła: ktoś próbuje cię skrzywdzić, być może zabić. A jedyną przyczyną może być to, że po twojej śmierci otrzyma coś, czego pragnie.

W razie twojej śmierci Joliffe zostanie zarządcą ogromnego majątku. Ale on cię kocha, a przynajmniej tak mówi. Nigdy nie miał skrupułów, postępując nieetycznie. Pamiętasz, jak myszkował w Pokoju Skarbów Sylwestra? Ożenił się z Bellą i nic ci o tym nie powiedział. Bella wróciła, rozstaliście się, a potem ona umarła. Okłamał cię w kwestii jej śmierci. Wyszłaś za niego i zmieniłaś testament, według którego Adam miał zarządzać majątkiem w imieniu Jasona. I wtedy zaczęłaś chorować.

Wszystkie fakty wydają się przemawiać przeciw niemu, poza jednym: jest twoim mężem i kocha cię. Mówi o swej miłości sto razy na tydzień, zachowuje się jak zakochany, czasami łączy was idealna harmonia, a gdy go nie ma obok ciebie, życie traci smak.

To nie Joliffe. Nie uwierzę, że to Joliffe. To niemożliwe.

To ktoś inny.

Jest jeszcze Adam. Uczciwy Adam o surowych zasadach. Co on mógłby zyskać? Nie wie, że testament został zmieniony i wszystko przejdzie w ręce Joliffe'a. Nie miałby motywu... gdyby wiedział. Ale Adam nie ma o niczym pojęcia.

Jakie wrażenie wywarł na tobie Adam, gdy spotkałaś go po raz pierwszy? Było w nim coś odpychającego. Nie spodobał ci się. Pomyślałaś, że to zimny, wyrachowany człowiek, ale potem zmieniłaś zdanie. Chciał się z tobą ożenić. Nie złożył ci propozycji, jednak ty to wyczułaś. Gdybyś nie kochała Joliffe'a, czy rozważyłabyś kandydaturę Adama?

Teraz bierzesz go pod uwagę. Był w domu, gdy zmarł Sylwester. Joliffe nie. Adam nie mieszka już tutaj. Nie, ale jest częstym gościem. Jak umarł Sylwester? Wtedy wydawało się, że z przyczyn naturalnych... starszy człowiek, po ciężkim wypadku, który powoli słabł, tracił zainteresowanie życiem, aż zmarł. Adam mieszkał wówczas w tym domu. Jednak nie mogłam uwierzyć, że był mordercą.

Na pewno Adam domyślił się, że nie pozwolę nikomu innemu na opiekę nad moim synem, poza ojcem chłopca. Bez wątpienia musiał zdawać sobie z tego sprawę, Ale z drugiej strony wierzył, że życzenie Sylwestra, aby to Adam zarządzał firmą do osiągnięcia przez Jasona pełnoletności, będzie respektowane.

A Joliffe? Spisałam testament. Jeśli umrę, mój mąż przejmie kontrolę nad majątkiem.

W którąkolwiek stronę bym się zwróciła, wszystko wiodło mnie z powrotem do niego.

Każdego dnia budziłam się z poczuciem zagrażającego mi niebezpieczeństwa. Tak bardzo pragnęłam komuś się zwierzyć, ale nie miałam komu.

Lottie nie mogła mi pomóc. Kochałam tę dziewczynę, lecz zbyt trudno było nam się porozumieć. Żałowałam, że nie mam żadnej przyjaciółki. Pozostawała Elspeth Grantham, trudno jednak byłoby nazwać ją przyjaciółką i wiedziałam, że nie lubi Joliffe'a choćby dlatego, że wybrałam jego zamiast jej brata.

Najbliższym moim przyjacielem był Toby i to właśnie jemu wyjawiłam mój sekret, choć nie do końca.

Pewnego dnia, gdy skończyliśmy pracę, zauważył:

– Od wizyty lekarza czujesz się lepiej.

– Tak – zawahałam się.

Spojrzał na mnie z powagą i poczułam przypływ ciepłych uczuć do tego spokojnego, skromnego mężczyzny, który zawsze się o mnie martwił.

– Czasami – powiedział – jest nam trudno przyzwyczaić się do nowego otoczenia.

– Mieszkam tu już od dłuższego czasu, Toby – odrzekłam. – Myślę, że mój organizm już się przyzwyczaił.

– A zatem...

Mój instynkt samoobronny dał za wygraną. Musiałam z kimś o tym porozmawiać, a niewielu ludziom ufałam tak bardzo, jak Toby'emu.

On czekał, a ja czułam, jak słowa same cisną mi się na usta.

– Myślę, że może czułam się źle po czymś, co wzięłam.

– Po czymś, co wzięłaś? – powtórzył moje słowa głosem pełnym niedowierzania.

– Zachorował Jason – wyjaśniłam. – Wypił moją herbatę. Czyż to nie dziwne, że zaszkodziła mu herbata? Miał koszmary... i jestem przekonana, że wszystkie objawy były takie same, jak moje.

– Chcesz powiedzieć, że coś było w tej herbacie?

Spojrzałam na niego bez słowa.

– To się wydaje nieprawdopodobne – oświadczył. – Chyba że... Nie musiał mówić nic więcej.

– Zawsze czułam, że w Domu Tysiąca Latarni mogą się dziać dziwne rzeczy – ciągnęłam dalej. – Ten dom ma na mnie dziwny wpływ. Jest w nim tylu służących i nawet teraz z trudnością potrafię ich rozróżnić. Czasami wydaje mi się, że wzbudziłam czyjś gniew. Może Sylwester też kogoś obraził?

– Ale kogo miałby urazić?

Wzruszyłam ramionami.

– Pewnie nie potraktujesz mnie poważnie, jeżeli powiem, że dom, prawda?

– Nie – odrzekł, patrząc na mnie z powagą. – Jeżeli rzeczywiście było coś w tej herbacie, to jesteś w niebezpieczeństwie. Skoro jej już nie pijesz, może zagrożenie tkwi w czymś innym?

– Nie mogę do końca w to uwierzyć, Toby. Myślę, że jestem wyczerpana i wyobrażam sobie różne rzeczy.

– A Jason?

– Dzieci miewają takie nagłe dolegliwości.

– Rozmawiałaś o tym z Joliffe'em?

Pokręciłam głową. Widziałam, że Toby jest skonsternowany.

– To tylko moja wyobraźnia – powiedziałam szybko. – Wstydzę się tych podejrzeń. Nikomu nic nie mówiłam.

Wiedziałam, że w pewnej mierze przyznałam, iż mój związek z Joliffe'em nie jest do końca taki, jaki powinien łączyć męża i żonę. Jeżeli kobieta boi się, że coś jej zagraża, czyż pierwszą osobą, do której się zwróci, nie powinien być jej mąż?

– Nie traktuj tego zbyt lekko, Jane – ostrzegł mnie Toby.

– Nie, będę ostrożna. Ale jestem pewna, że istnieje jakieś logiczne wyjaśnienie. Naprawdę byłam ledwo żywa, jak to mówią. Miałam złe sny, nawet lunatykowałam. To zdarza się wielu ludziom. Potrzeba mi czegoś na wzmocnienie i wszystko wróci do normy.

– Jeżeli do twojej herbaty czegoś dosypano – powiedział z wolna Toby – to kto mógł to zrobić? Chyba nie sądzisz, że jakiś szalony służący doszedł do wniosku, iż jako kobieta nie powinnaś być właścicielką tego domu? Chociaż to możliwe, że któryś mógł wpaść na taki pomysł. Znam ich sposób myślenia. Kto skorzystałby na twojej śmierci, Jane? Musi być ktoś taki. To chore i nie mówiłbym o tym z nikim innym. Ale musisz być czujna, musisz się bronić. Gdybyś umarła, Adam, jako opiekun Jasona, przejąłby kontrolę nad firmą. Bardzo by tego chciał, jego interesy nie idą zbyt dobrze, wiem o tym. Myślę, że byłby to dla niego pomyślny zbieg okoliczności, gdyby mógł położyć rękę na twoim majątku, co, oczywiście, zrobiłby w wypadku...

Serce biło mi szybko, gdy powiedziałam:

– Nie wierzę w to. Nie wierzę w ani jedno twoje słowo.

– Oczywiście, że nie. Przepraszam, że o tym wspomniałem. Szukałem tylko powodu...

Urwał z nieszczęśliwą miną. Martwił się o mnie. Wiedziałam, że martwiłby się dużo bardziej, gdybym mu powiedziała, że zmieniłam testament i to Joliffe przejąłby firmę, Joliffe miał motyw.

Powiedział, że Elspeth ostatnio wspominała, iż dawno mnie nie widziała. Czy miałabym ochotę złożyć jej wizytę?

Powiedziałam, że chętnie pojadę od razu. Elspeth była surową i praktyczną kobietą, jej obecność nie pozwalała na uleganie niemądrej wyobraźni. Poczułam, że towarzystwo panny Grantham może mieć na mnie dobry wpływ.

– Och – powiedziała, gdy przybyliśmy na miejsce – a więc przyszła pani na filiżankę herbaty.

Powiedziałam, że z radością się napiję, więc zabrała się do przygotowywania podwieczorku.

Upiekła jęczmienne placuszki i szkockie bułeczki. Herbatę parzyła na spirytusowej maszynce, stojącej na stole.

Wypiłam napój ze smakiem.

– Nie pozwoliłabym, żeby robił to którykolwiek ze służących – powiedziała. – Istnieje tylko jeden dobry sposób parzenia herbaty i wydaje się, że nikt tutaj nie jest w stanie go pojąć.

– Jane mówiła to samo – dodał Toby. – Też lubi sama parzyć herbatę. Masz jeszcze tę spirytusową maszynkę, którą przywiozłaś z Edynburga? Mogłaby ją wziąć, żeby parzyć sobie herbatę, gdy tylko będzie miała na to ochotę.

– Bardzo proszę – odparła Elspeth. – Już jej nie używam. Oni nigdy nie poczekają, aż herbata się zaparzy. Wdaje się, że jedynie Szkoci i może Anglicy... – dodała niechętnie – potrafią przyrządzić przyzwoitą filiżankę herbaty.

Powiedziała, że słyszała o moim złym samopoczuciu. Wydęła usta w znanym mi grymasie. Oczywiście sugerowała, że powinnam była oczekiwać dolegliwości, skoro nie umiałam o siebie zadbać.

Gdy piliśmy herbatę, zjawił się jakiś gość. Ku memu przerażeniu i ledwie skrywanej irytacji Elspeth, była to Lilian Lang.

— Wiedziałam, że to pora podwieczorku! — zawołała od progu. — Prawdę mówiąc, nie mogłam oprzeć się pokusie. Te niebiańskie placuszki! I kruche ciasto. Cóż za kucharka z pani, panno Grantham, i czyż Toby nie jest najszczęśliwszym człowiekiem na świecie, że ma kto o niego tak dbać?

— Wątpię, żeby był tego samego zdania — odparła Elspeth, na co Toby zapewnił ją, że oczywiście jest.

Gospodyni potrząsnęła głową, nieco ułagodzona, ale wciąż niechętna nam obu — mnie miała za złe, że nie chciałam jej brata, Lilian zaś sam fakt, że przyszła.

Nalała herbaty, a Toby podał filiżankę Lilian.

— Przepyszna! — powiedziała. — Zupełnie taka, jak w domu. Cała ta ceremonia tutaj niezwykle mnie bawi. Jumbo zawsze mówi, że nie powinnam się śmiać, oni tego nie lubią. Te ceregiele z herbatą są naprawdę zabawne, skoro wszystko, co musisz zrobić, to zagrzać dzbanek i polać liście wrzątkiem. Ale Chińczycy uwielbiają ceremonie! Chociaż uważam, że tutejsze kobiety są dosyć ładne, prawda? Pan, panie Grantham na pewno nie może zaprzeczyć.

— Mają swój urok — przyznał Toby.

— Zna pan tajemnicę tego uroku, prawda? — Uśmiechnęła się do mnie figlarnie. — To niewolnicza uległość wobec mężczyzn. Żyją, by służyć mężczyźnie. W ich wychowaniu tylko ten jeden cel jest brany pod uwagę. Proszę spojrzeć na ich biedne stopy. Chociaż muszę przyznać, że tutejsze kobiety idąc, kołyszą się z gracją. Ale cóż za pomysł, okaleczać się tak, żeby sprawić przyjemność jakiemuś mężczyźnie!

— Ten zwyczaj pochodzi jeszcze ze starożytności — powiedziałam. — To znak pozycji społecznej.

— Oczywiście. Wszystko jest tutaj inne. No i ta tajemnicza Chan Cho Lan.

Elspeth wydęła wargi. Nie podobał jej się kierunek, w którym zmierzała konwersacja.

— Dam pani przepis na moje kruche ciasto, jeśli pani chce — zwróciła się do Lilian.

— Jest pani aniołem. Jumbo je uwielbia. Chociaż nie wiem, czy mu służy. Przybiera na wadze w zastraszającym tempie.

– Dobre szkockie ciasto jeszcze nigdy nikomu nie zaszkodziło – odparła ostro Elspeth.

– Ani dobry, stary haggis*, co? Na niego też musi mi pani dać przepis. O czym to ja mówiłam, zanim weszłyśmy na fascynujący temat jedzenia? Och, Chan Cho Lan. Poznała ją pani, pani Milner? Odrzekłam, że tak i że to naprawdę wyjątkowa kobieta.

– Piękna na swój sposób... jeżeli się lubi taką urodę – powiedziała Lilian z chytrym uśmieszkiem. – A wielu mężczyzn lubi... Mam na myśli nie tylko Chińczyków, ale i Europejczyków... Taka kobieca, pełna gracji... i z tym wpojonym od dziecka przekonaniem o wyższości mężczyzn nad kobietami.

– Gdy z nią rozmawiałam, odniosłam wrażenie, że ma bardzo wysokie mniemanie o przedstawicielkach swojej płci.

– Bez wątpienia o sobie – odpaliła Lilian. – Pewnie widzi siebie jako pośredniczkę między światem mężczyzn i kobiet.

– Dam pani przepis na haggis, jeśli pani chce – wtrąciła niezmordowana Elspeth.

– Jak to miło z pani strony, droga panno Grantham. Biedny Jumbo. Czeka go uczta. Zastanawiam się, co z tego zrobi mój chiński kucharz? W Anglii pewnie nazwalibyśmy ją rajfurką.

– W życiu nie słyszałam czegoś takiego! – zawołała Elspeth.

– To zależy, czy nazywa się rzeczy po imieniu – mówiła dalej niezrażona Lilian. – Wiecie, że ona prowadzi szkołę dla młodych panien. Bierze je, gdy są jeszcze małe. Przysyłają je rodzice... niechciane dzieci... dziewczynki... a Bóg jeden wie, że jeżeli tutaj rodzi się dziewczynka, na pewno nikt na jej widok nie będzie skakał z radości.

– Widziałam, jak beztrosko pozwala się dzieciom raczkować po dżonkach – zauważyłam.

– Możecie być państwo pewni, że jeżeli jakieś dziecko wypadnie przez burtę i utonie, na pewno będzie to dziewczynka – powiedziała Lilian. – Ta kobieta bierze do siebie dziewczęta, uczy je śpiewu i wyszywania, a niektóre także tańca, by dostarczały rozrywki jej gościom, chyba powinnam powiedzieć, klientom. Domyślam się, że to całkiem dochodowy interes.

– Przypuszczam, że zajmuje się tymi dziewczynkami od niemowlęctwa.

– Tak, ale niezbyt długo. Już dwunastolatki są gotowe, by pójść w obieg, jak to nazywają. To wszystko tutaj odbywa się z całym ce-

---

* haggis – szkocka potrawa narodowa z baranich podrobów

remoniałem, a ona jest znana jako swatka. Oczywiście wielu naszych dżentelmenów także odwiedza jej przybytek. – Nachyliła się w moją stronę i zniżyła poufale głos. – Musimy dać im trochę swobody, prawda?

– Swobody! – zawołała Elspeth. – A cóż to za rozmowa!

– Droga panno Grantham, pani serce zostało w szkockich górach, ale nie jesteśmy w uroczej Szkocji.

– Pochodzę z dolin – odrzekła Elspeth cierpko – i świetnie zdaję sobie sprawę, gdzie się znajdujemy.

– Tu panują inne zwyczaje. Na przykład ci mandaryni, z którymi nasi mężowie robią interesy. Mieszkają pod jednym dachem z żoną i konkubinami i to w jak najbardziej przyjaznej atmosferze. Żona jest szczęśliwa, że jest Najwyższą Panią, a konkubiny cieszą się, jeśli pan odwiedzi je od czasu do czasu...

Policzki Elspeth czerwieniały z minuty na minutę coraz bardziej. Ani trochę nie podobała jej się ta konwersacja. Mnie też nie, gdyż czułam, że była pełna aluzji i że Lilian próbuje mi coś dać do zrozumienia. Wiedziałam co.

Joliffe złożył wizytę w domu Chan Cho Lan. Pomyślałam: czy ludzie już o tym mówią? Ta kobieta nie przepuściłaby żadnej okazji do zrobienia złośliwej uwagi, gdyby zachodziło choć podejrzenie, że ktoś zrobił coś niewłaściwego.

– Nasi mężowie widzą, w jaki sposób żyją mandaryni – kontynuowała Lilian. – To naturalne, że sami chcą spróbować czegoś takiego, oczywiście w europejski sposób. Nie mogę sobie wyobrazić, by Jumbo przyprowadzał konkubiny do domu. A pani pozwoliłaby na to Joliffe'owi?

– Nie – odpowiedziałam. – Nigdy bym się na to nie zgodziła.

Wydawało mi się, że aż się zatrzęsła od tłumionego śmiechu.

– Ale nie wolno nam żałować im tych wizytek, prawda?

– Nie wiem – odrzekłam chłodno, bo patrzyła wprost na mnie. – Myślę, że to zależy od celu odwiedzin.

– Mężczyźni – podsumowała Lilian, machając ręką, jakby mówiła o wszystkich razem. – Oni zawsze wymyślą jakąś wygodną wymówkę, prawda?

– Chyba powinnam już wracać – uznałam.

– Czy mogę podwieźć panią moją rikszą? – zapytała Lilian.

– Dziękuję, mam własną.

– Pojadę z tobą – zaproponował Toby. – Musisz zabrać maszynkę Elspeth.

Gdy usiedliśmy w rikszy, powiedział:
– Co za złośliwa kobieta.
– Zawsze coś insynuuje. Wprawia wszystkich w zakłopotanie.
– Wydaje mi się – odparł Toby z namysłem – że o to właśnie jej chodzi. Elspeth szybko się z nią rozprawi.
Tego akurat byłam pewna.

Nie rozmawialiśmy już wiele, ale gdy zatrzymaliśmy się przed domem, by się pożegnać, Toby mocno schwycił mnie za rękę i powiedział:
– Gdybyś kiedykolwiek czegoś potrzebowała, posyłaj po mnie... Będę czekał.

Wchodząc do domu pomyślałam, jak wiele otuchy przyniosło mi to zapewnienie. „Będę czekał".

Czułam się lepiej. Udawałam, że mam ochotę na herbatę, jednak gdy zostawałam sama, nigdy jej nie piłam. Kosztowałam napoju tylko razem z gośćmi, bo wiedziałam, że wtedy nic w nim nie ma. Zamykałam się w swoim pokoju i przyrządzałam herbatę na maszynce Elspeth. Gdy kończyłam, zamykałam maszynkę w szafce. Ten mały fortel stymulował mnie w pewien sposób. A może po prostu wracała moja naturalna witalność. Próbowałam oczyścić umysł ze złych myśli. Nie chciałam nikogo podejrzewać, ale musiałam zrobić wszystko, by się dowiedzieć, co się dzieje i czy rzeczywiście ktoś czyha na moje życie.

Najdziwniejszy wydawał mi się wybór metody. Nie miałam umrzeć od razu, tylko słabnąć w oczach, a wszyscy powinni nabrać przekonania, że cierpię na halucynacje i rozstrój nerwowy. Była w tym jakaś logika, bo gdybym chorowała przez dłuższy czas, moja śmierć nikogo by nie zaskoczyła.

To samo musiało dziać się z Sylwestrem. Teraz już byłam tego pewna.

On nie miał o niczym pojęcia. Przyjął chorobę jako naturalny wynik trybu życia, jaki był zmuszony prowadzić.
– Sylwestrze – wyszeptałam – co się stało? Tak bardzo żałuję, że nie możesz wrócić i mi powiedzieć.

Gdziekolwiek jechałam, zawsze kierowałam rikszarza tak, by przejeżdżał obok domu Chan Cho Lan.

Czasami mówiłam:
– Zwolnij, jesteśmy już prawie na miejscu. – Rikszarze niczego nie podejrzewali, bo w czasie przejażdżek często prosiłam ich, by się zatrzymali lub zwolnili. Bardzo było mi żal tych biednych ludzi,

gdy tak biegali ze swymi pasażerami. Czasami spoglądałam na ich pomarszczone twarze, a w oczach widziałam zupełny brak nadziei, tak jak gdyby zaakceptowali fakt, że już nic więcej nie dostaną od życia. Byli potulni i nie narzekali, chociaż wyglądali na wyczerpanych. Słyszałam, że życie rikszarza nie trwa długo.

Myślę, że moja troska ich bawiła. Nie potrafiłam powiedzieć, czy byli za nią wdzięczni, czy nie. Uważali mnie za dziwną. Wydaje mi się, że w mniemaniu wielu służących troska o służbę oznaczała utratę twarzy, ale ja z takiej przyczyny z radością straciłabym nie tylko twarz.

To właśnie w czasie jednej z przejażdżek znowu zobaczyłam, jak Joliffe wchodzi do domu Chan Cho Lan.

Gdy dotarliśmy do Domu Tysiąca Latarni, zamknęłam się w swoim pokoju, bezustannie zadając sobie pytanie, po co mój mąż tam poszedł.

Chan Cho Lan i Joliffe. Od jak dawna?, zastanawiałam się. Lilian Lang wiedziała. Do tego robiła aluzje. Powiedziała mi tak otwarcie, jak tylko mogła, że Joliffe ma chińską kochankę, a ta kochanką równie dobrze mogła być sama tajemnicza i fascynująca Chan Cho Lan.

O tak wielu rzeczach nie miałam pojęcia. Wydawało się, że obcy ludzie dużo więcej wiedzieli o moich sprawach niż ja sama. Sekretne życie męża często pozostawało tajemnicą jedynie dla jego żony. Inni szybko się o wszystkim dowiadywali, szeptali i jeżeli byli życzliwi, zachowywali tę wiedzę dla siebie, a jeżeli podstępni – zdradzali ową tajemnicę najbardziej zainteresowanej.

Powoli w moim umyśle krystalizował się obraz sytuacji. Czy to możliwe, że Joliffe chciałby się ożenić z Chan Cho Lan? To nie może być prawda. Nie mógł wziąć ślubu z żadną kobietą, bo był moim mężem. Ale gdyby mnie zabrakło...

Próbowałam wyrzucić te myśli z głowy.

Przyszedł Joliffe.

– Jane, moja droga, zastanawiałem się, czy już jesteś.

Porwał mnie w objęcia. Pachniał mieszanką jaśminu i migdałów. Nie musiałam zadawać sobie pytania, gdzie wcześniej czułam ten zapach.

– Często odwiedzasz Chan Cho Lan, Joliffie? – spytałam.
– Dosyć.

– Byłeś tam niedawno?

– Tak, byłem.

– Prowadzicie wspólnie interesy? Jest zainteresowana jakimś rzadkim okazem?

– Ona zawsze jest zainteresowana unikatowymi przedmiotami.

– Czy to dlatego składałeś jej wizyty... ostatnio?

– Chodzi o coś jeszcze, Jane.

Serce zaczęło mi bić szybciej. Czy teraz powie? Czy zamierza przyznać się, że ma kochankę, tłumaczyć, że jeszcze wiele powinnam się dowiedzieć o życiu tutaj, dostosować swoje poglądy...

Nigdy się na to nie zgodzę, pomyślałam z pasją.

– Chodzi o Lottie – wyjaśnił.

– Lottie! A co ona ma z tym wszystkim wspólnego?

– Wszystko – odrzekł. – Chan Cho Lan zamierza znaleźć dla niej męża.

– Lottie coś mi o tym wspominała.

– Powinna wyjść za mąż. Jest już w odpowiednim wieku.

– Chodzi o małżeństwo... czy o układ?

– Małżeństwo.

– Lottie uważa, że ponieważ nie bandażowano jej stóp, małżeństwo nie wchodzi w grę.

– Pewnie nie byłoby to możliwe, gdyby chodziło o Chińczyka, ale kandydat, którego Chan Cho Lan ma na myśli, jest pół Anglikiem, pół Chińczykiem, tak, jak Lottie.

– Zatem bywasz u Chan Cho Lan, żeby zaaranżować małżeństwo Lottie?

– Tak.

– Czuję na twoich ubraniach zapach jej perfum.

– Ależ masz nos, moja droga.

– Mówisz tak, jakbym była złym wilkiem z bajki o Czerwonym Kapturku. Przynajmniej mogłabym powiedzieć, że wywąchałam twój sekret.

Pocałował mnie lekko w nos.

– Dzięki Bogu, że nie mam przed tobą żadnych tajemnic – powiedział.

– Spodziewałabym się, że małżeńskie sprawy Lottie powinny być raczej omawiane ze mną niż z tobą.

– Och, nie znasz Chińczyków. Tutaj mężczyźni zajmują się tymi sprawami.

Na wszystko miał dobrą odpowiedź. Gdy byłam z nim, wierzyłam w każde jego słowo. Jak kiedykolwiek mogłam przypuszczać, że chciałby mnie oszukać?

Zalewała mnie fala miłości i pożądania, a wszystko z powodu potężnej fizycznej więzi, która nas łączyła.

Teraz, gdy byliśmy razem, wierzyłam mu bez zastrzeżeń. Być może później, w nocy, gdy obudzę się gwałtownie i z lękiem będę patrzyła na drzwi w obawie, że ujrzę tam Maskę Śmierci, moje wątpliwości powrócą.

Ktoś w tym domu mi zagrażał.

Dowiem się, kto, a żeby mi się to udało, nie mogę pozwolić, by Joliffe uśpił moją czujność.

Zawsze wiedziałam, że Joliffe lubi Lottie, a ona jego, chociaż myślę, że była trochę rozczarowana, gdy za niego wyszłam. Może nie tyle rozczarowana, ile przestraszona. Wiedziała oczywiście, że Jason jest jego synem i w przeszłości coś poszło nie tak. Pewnie zrzucała to wszystko na karb nieprzeniknionych umysłów obcych diabłów.

Teraz zaczęłam dostrzegać, jak wymieniają między sobą ukradkowe spojrzenia. Joliffe zwracał się do niej niezwykle uprzejmie i z uśmiechem na twarzy, co do Lottie – nie mogłam być pewna. Te chichoty, które mogły oznaczać zarówno radość, jak i rozpacz, zaczęły mnie irytować.

Wiedziałam, że często bywała u Chan Cho Lan. Składała jej wizyty, odkąd do nas przyszła, więc nie widziałam w tym nic niezwykłego. Zapytałam ją, co myśli o związku, który dla niej aranżowano.

– Bardzo szczęśliwa – odrzekła płaczliwie.

– Nie wyglądasz na szczęśliwą, Lottie.

– Muszę poczekać i zobaczyć – powiedziała.

– Powinnaś tańczyć z radości – zauważyłam.

– Nie. – Potrząsnęła głową. – Nie wszystko dobrze.

– Widziałaś tego mężczyznę?

– Tak, widziałam.

– Czy jest młody... przystojny?

Skinęła głową.

– Czy to dlatego, że nie chcesz nas opuszczać? – Otoczyłam ją ramionami.

Oparła czoło o moje ramię w sposób, który bardzo mnie wzruszył.

– Będziemy często się spotykać, Lottie – powiedziałam. – Będę
zapraszała ciebie i twojego męża. Na herbatę...
Odwróciła się z chichotem.

II

Wreszcie czułam się tak silna, jak kiedyś. Wróciła mi energia,
tak fizyczna, jak i umysłowa. Odważnie patrzyłam w twarz moim
podejrzeniom. Działo się coś dziwnego. Ktoś albo próbował mnie
zabić, albo przynajmniej skrzywdzić i gdy myślałam o tym, co stało
się z Sylwestrem, byłam przekonana, że tego samego środka użyto
przeciwko mnie. Sylwester umarł – czy na skutek podawanej trucizny, czy nie, tego nie mogłam być do końca pewna – ale jeżeli był
podtruwany choćby w najdelikatniejszy sposób, na pewno nie po-
prawiło to jego stanu.
Miał koszmary. Widział Maskę Śmierci.
I ja też.
Potwór obudził mnie ze snu. Byłam teraz przekonana, że nie
spałam, gdy go zobaczyłam i jeżeli miałam słuszność, to znaczy, że
widziałam człowieka.
Musiałam się tego dowiedzieć.
Następnego dnia udałam zmęczenie i poszłam do swojego pokoju. Spędziłam dwie godziny, wpatrując się w drzwi, gotowa zesko-
czyć z łóżka, jeżeli tylko ten demon się pojawi. Nic się nie wydarzyło. Następnego dnia spróbowałam znowu.
Gdy już miałam porzucić wszelką nadzieję, wydało mi się, że słyszę cichy szelest. Byłam spięta, uważna, nie spuszczałam oczu
z drzwi. Wtedy ujrzałam, jak drzwi się uchylają... cicho, powoli.
A w szparze dostrzegłam okropną twarz, wpatrującą się we mnie
z mroku.
Wyskoczyłam z łóżka. Drzwi się zatrzasnęły, ale znalazłam się
przy nich w ułamku sekundy.
Otworzyłam drzwi. Korytarz był pusty. Podbiegłam do schodów
i zdążyłam jeszcze dostrzec błysk czerwieni znikający za załomem.
Zbiegłam na dół... lecz gdy dotarłam do zakrętu, nikogo tam nie
było.
Zeszłam niżej. Znalazłam się w holu, ale tu też nie było ani śladu demona.
Jednak udało mi się coś udowodnić. Zjawa nie rozwiała się w powietrzu, jak można było tego oczekiwać po duchu. Musiała biec, żeby uciec.

Gdzieś tu, na dole, musiał ukrywać się ktoś przebrany za potwora. Zamierzałam szukać tak długo, aż się czegoś dowiem.

Na korytarzu były cztery pary drzwi, za którymi ów ktoś mógł się ukryć. Zawahałam się, po czym otworzyłam pierwsze z nich. Pomieszczenie wydawało się puste. Zajrzałam do alkowy i za draperie. Nic.

Szybko przechodziłam z pokoju do pokoju. Wszystkie były puste i ciche.

Stanęłam w holu i po raz kolejny otoczyła mnie cisza domu. Ogarnął mnie lęk.

Wiedziałam, że teraz znajdę się w jeszcze większym niebezpieczeństwie. Ktoś mi zagrażał, być może dybał na moje życie. Ta osoba jest mordercą. Chciała uśmiercić mnie powoli, prawdopodobnie żeby odwrócić od siebie podejrzenia. Ale teraz zdradziłam, że coś podejrzewam. Leżałam i czekałam, ale nie byłam wystarczająco szybka, by pochwycić mego dręczyciela, zedrzeć kostium i zobaczyć, kto się pod nim kryje.

Pokazałam, że jestem gotowa, że czekam.

W kilku pokojach zapalono latarnie. Było już ciemno. O zmroku dom nabierał zupełnie innego charakteru. Wydawał się wtedy bardzo cichy i najlżejszy dźwięk mógł zabrzmieć jak wystrzał.

Obiecałam sobie, że za dnia dokładnie obejrzę wszystkie cztery pokoje. Do któregoś z nich musiała wejść osoba przebrana w kostium smoka.

Latarnie były zapalone, jak zawsze, wszędzie na dole, ale światło i tak było nikłe. Rozejrzałam się po pokoju. Gdzie mógł się schować mój dręczyciel? Czy ukrył się w jednym pokoju, podczas gdy ja szukałam go w innym? A jak się stąd wymknął? Musiał pozbyć się kostiumu.

Te pokoje miały ściany wykładane drewnem. Latarnie rzucały blade światło na panele, które zupełnie nie pasowały do chińskiego wystroju domu.

Obejrzałam dokładnie boazerię. Podobną mieliśmy w Zagrodzie Rolanda. I nagle, gdy tak stałam, serce zamarło mi w piersi, bo ze szpary między panelami wystawał maleńki kawałek czerwonego materiału.

Pochyliłam się i przyjrzałam mu uważnie. Próbowałam pociągnąć za skrawek, ale materiał ani drgnął. Wtedy zobaczyłam, że jest wciśnięty w ścianę.

Serce zaczęło walić mi jak młotem. Podbiegłam do drzwi i zamknęłam je.

Wróciłam do wystającego skrawka materiału.

Powinnam kogoś zawołać i powiedzieć o moim odkryciu. Ale kogo? Joliffe'a. Ale powiedzieć Joliffe'owi... Byłam przerażona, bo sama siebie nastawiałam przeciwko mężowi. Jeżeli naprawdę mam się dowiedzieć, co się dzieje, musiałam stanąć twarzą w twarz z faktami i przestać myśleć o mojej miłości do niego. Musiałam kierować się zdrowym rozsądkiem i zacząć myśleć logicznie.

Podeszłam do ściany i mocno chwyciłam materiał. Próbowałam go wyszarpnąć.

Wtedy szpara między panelami powiększyła się nagle.

Otwór zrobił się wystarczająco duży, bym mogła włożyć weń palce i pociągnąć.

Fragment boazerii odsunął się bardzo powoli, a ja spojrzałam prosto w diabelską twarz śmierci.

Cofnęłam się, głośno łapiąc powietrze. Zjawa jak gdyby pochyliła się w moją stronę.

I wtedy zobaczyłam, że jest to długa szata z kapturem, a na nim wymalowano demoniczną twarz, która tak bardzo mnie przeraziła, Maskę Śmierci, fluorescencyjną farbą, świecącą w ciemności. Potworny grymas, którego nie mogłam wyrzucić z pamięci.

– Ty idiotko! – powiedziałam głośno do siebie. – To szata, taka, jaką wkłada się na paradę. Nosił ją ktoś, kto wiedział o tym schowku.

Zmusiłam się, by podejść do ziejącej czernią czeluści i spojrzeć Masce Śmierci prosto w twarz. Dotknęłam czerwonego materiału. A więc to tylko kawałek tkaniny. Wisiał na gwoździu, malowidłem do przodu, dlatego wydawało mi się, że to żywa istota.

W schowku unosił się stęchły zapach. Z tego, co widziałam, otwór był wielkości dużego kredensu. Mogłam wejść do środka, ale nie zamierzałam tego robić.

Nic, pomyślałam, by mnie do tego nie skłoniło. Miałam okropne przeczucie, że gdybym tam weszła, drzwi zamknęłyby się za mną na zawsze.

Wybiegłam z pokoju, wołając:

– Joliffie!

Nie usłyszałam odpowiedzi. O tej godzinie dom był zupełnie cichy.

Wróciłam do pokoju z boazerią i czekałam. Nie zamierzałam z niego wychodzić, dopóki ktoś jeszcze nie zobaczy schowka. Obawiałam się, że gdy stąd wyjdę, zostanie zamknięty i nie będzie po nim śladu, a wszyscy pomyślą, że znowu miałam halucynacje.

Byłam zadowolona, gdy przyszedł Adam.

Zaprowadziłam go prosto do pokoju. Patrzył na otwór z niedowierzaniem.

– W jaki sposób go odkryłaś? Pomyśleć, że był tutaj przez cały czas!

Wszedł do środka, a ja za nim.

Schowek miał około dwóch metrów szerokości.

– Coś w rodzaju kredensu – powiedział Adam rozczarowany. – Spójrz na latarnię na suficie. – Wskazał mi ją. – Całkiem ładna.

– W takim razie mamy sześćset jeden – odrzekłam.

– Ach, tak, nigdy nie naliczyliśmy więcej. To niesamowite odkrycie, Jane.

– Nie miałeś pojęcia, że jest tu coś takiego?

– Gdybym miał, już dawno bym tego szukał.

– Myślę, że ktoś w domu wiedział.

– Dlaczego?

– Ponieważ zobaczyłam wystający stąd kawałek materiału, a parę dni temu go nie było. Tak właśnie odkryłam ten schowek. Ktoś musiał wejść tutaj w pośpiechu i wyjść równie szybko, zostawiając w szparze kawałek przebrania, który zdradził sekret.

– Kto? – zapytał Adam oszołomiony.

Przyglądałam mu się uważnie, ale w bladym świetle latarni jego twarz wydawała się zupełnie pozbawiona wyrazu.

– To ciekawe – powiedział. – W domu mogą być jeszcze inne takie schowki. Te wyłożone boazerią pokoje wydają się wprost stworzone do podobnych kryjówek. Zastanawiam się, gdzie ich szukać.

Mówił to z kamienną twarzą. Nigdy nie było wiadomo, co Adam naprawdę myśli. Patrzyłam na niego i w duchu zadawałam sobie pytania: Czy wiedział wcześniej? Czy to on wyjął stąd kostium smoka i użył go, żeby mnie przestraszyć? Czy to Adama widziałam, jak wybiegał z mojej sypialni?

– Będziemy musieli dokładnie sprawdzić wszystkie pokoje na dole – powiedział. – Chyba słyszę Joliffe'a.

To był on. Adam go wezwał.

– Zobacz, co odkryłam! – zawołałam.

– Dobry Boże! – wykrzyknął Joliffe. – Sekretny schowek! Co jest w środku? Nic!

Przyglądałam mu się uważnie, gdy wszedł do środka. Ależ stałam się podejrzliwa! Jak zareaguje? Ile z jego zaskoczenia jest prawdziwe, a ile udawane?

– Jeszcze jedna latarnia – powiedział wykrzywiając usta. – Co za znalezisko! I to ty je odkryłaś, moja mądra Jane!

A ja przenosiłam wzrok z jednego kuzyna na drugiego i myślałam: Być może któryś z was udaje. Być może któryś z was wiedział o istnieniu tego miejsca. Jeden z was wziął stąd tę szatę i przyszedł do mojego pokoju, bo chciał doprowadzić mnie do stanu, gdy uwierzyłabym, że jestem tak chora, iż widzę nieistniejące rzeczy. Halucynacje... wizje, nawiedzające ludzi, którzy są bardzo chorzy albo wariują.

Boję się, pomyślałam. Ktoś mi zagraża. Ale teraz jestem silniejsza niż przedtem, teraz wiem, że znalazłam się w niebezpieczeństwie. Wiem, że muszę być czujna, bo pod tym dachem jest ktoś, kto usiłuje się mnie pozbyć.

Miłość jest zdradziecka, a ja kochałam Joliffe'a. Być może to on próbował mnie zabić. Nie byłam tego pewna. Może chciał dzielić mój majątek z kimś innym. Mogłam żywić takie obawy, a jednocześnie nie przestawałam go kochać.

Powtarzałam sobie: muszę go obserwować. Muszę się dowiedzieć, jaki jest prawdziwy powód jego częstych wizyt u Chan Cho Lan. Muszę sprawdzić, czy próbuje mnie otruć.

Lecz gdy tylko był przy mnie, zapominałam o wszystkim poza bezbrzeżną radością z tego, że kocham i jestem kochana. Moja miłość i mój strach były jak dwa odrębne uczucia. Nie potrafiłam siebie zrozumieć, ale gdy zostawałam sama z Joliffe'em, ufałam mu bezgranicznie.

Leżeliśmy w naszym łóżku, był wczesny poranek, słońce jeszcze nie wzeszło. Obudziłam się gwałtownie, chyba dlatego, że on też nie spał.

– Jane – zapytał cicho. – Co się stało?

– Joliffie – szepnęłam i słowa same popłynęły mi z ust. – Miewam takie lęki... nachodzą mnie czasami...

– Powinnaś była mi powiedzieć. Zawsze powinnaś o wszystkim mi mówić.

– Sylwester... jak on umarł?

– Wiesz, że już od dłuższego czasu niedomagał. Ten wypadek był dla niego początkiem końca.

– W Anglii czuł się dobrze. Postrzelono go, jednak to nie była śmiertelna rana. A kiedy przyjechał tutaj... nagle jego stan zaczął się pogarszać.

– Czasami tak bywa.

– Był apatyczny, miewał halucynacje, lunatykował. To samo działo się ze mną.

– Ludziom zdarza się chodzić we śnie, gdy są wyczerpani.

– Mogą być chorzy, bo ktoś im coś podaje.

– Co masz na myśli?

– Czasami myślę, że ktoś w tym domu próbuje mnie otruć.

– Jane! Musiało ci się to przyśnić!

– Jeżeli tak, to był to długi sen, trwał przez kilka tygodni. Wiedziałam, gdy tylko zobaczyłam ten skrawek czerwonego materiału, wystający z boazerii. Wszystko stało się jasne. Ktoś próbował mnie wystraszyć, zrujnować mi zdrowie – w ten sam sposób, w jaki osłabiono Sylwestra – tak, bym po pewnym czasie mogła spokojnie odejść, a moja śmierć wydawałaby się naturalną konsekwencją wcześniejszych dolegliwości.

Przytulił mnie do siebie. Słyszałam przyspieszone bicie jego serca.

– Nie czułaś się dobrze. Doprowadziłaś się do stanu paniki, myśląc o czymś, co nie istnieje. Widziałaś tę maskę podczas pochodu. Podziałała na twoją wyobraźnię i dlatego o niej śniłaś.

– Śniła mi się, zanim ujrzałam ją na paradzie.

– Kochana Jane, ta maska jest na każdej paradzie. Musiałaś widzieć ją już podczas pierwszego święta.

– Ale ja widziałam kogoś przebranego w szatę, którą później znalazłam w sekretnym schowku. W ten sposób odkryłam to miejsce, materiał wystawał spomiędzy paneli.

– Och, Jane, kto mógłby zrobić coś takiego!

– Muszę się tego dowiedzieć za wszelką cenę. Tak wielu rzeczy jeszcze nie wiem!

– Jane, jestem tutaj. Nikt cię nie skrzywdzi, dopóki ja tu jestem. To niepodobne do ciebie. Zawsze byłaś taka śmiała, taka odważna. I masz mnie.

Było to dziwne, ale w tej chwili mu wierzyłam, ufałam mu bezgranicznie.

– Teraz jesteś blisko mnie – powiedziałam – czasami jednak wydajesz się taki odległy.

– Już od dawna miałaś pewne podejrzenia, prawda? Zaczęło się od Belli. Nie powiedziałem ci całej prawdy i przestałaś mi ufać. Nie chciałem ci mówić, że popełniła samobójstwo, wiedziałem, jak to na ciebie podziała. Jesteś bardzo wrażliwa, Jane. Rozmyślasz. Spoglądasz wstecz. Rozpamiętujesz.

– A ty nie rozpamiętujesz przeszłości, Joliffie?

– Pamiętam to, co jest dobre i staram się zapomnieć o złych wydarzeniach.

– To prawda.

– Pewnie to oznaka słabości, może egoizmu. Ale życiem trzeba się cieszyć, a nie nad nim dumać. Przeżyliśmy tragedię, przez te wszystkie lata byliśmy rozdzieleni. Straciłem ciebie i syna, a teraz was odzyskałem. Wiedziałem, jak zareagowałabyś w sprawie Belli, gdybyś znała całą niemiłą prawdę. Miałabyś poczucie winy i wyobrażałabyś sobie niestworzone rzeczy. Dlatego nie opowiedziałem ci o wszystkim, co się wydarzyło.

– Powiedziałeś, że zmarła na jakąś nieuleczalną chorobę.

– Ponieważ tak było. Zabiła się, bo wiedziała, że czeka ją nieunikniona, bolesna śmierć, spowodowana chorobą. To była jej decyzja, Jane, i tylko ona miała prawo ją podjąć. Domyślam się, że mogło przyjść ci do głowy, że to ja wypchnąłem ją z okna. A potem nastąpił ten koszmar. Słabo mi z przerażenia za każdym razem, gdy o tym pomyślę. Co mogłoby się wydarzyć tamtej nocy, gdybym cię nie znalazł?

– W jaki sposób mnie znalazłeś, Joliffie?

– Tak, jak ci powiedziałem, usłyszałem twoje kroki. Poszedłem na górę. Zobaczyłem cię przy oknie, obok stała Lottie. Też cię usłyszała...

– A więc gdybyś ty nie przyszedł, Lottie mogłaby mnie uratować?

– Ona jest taka drobna, a ty sprawiałaś wrażenie bardzo zdeterminowanej. Nie sądzę, żeby dała radę cię przytrzymać. Nigdy nie przestanę dziękować Bogu za to, że cię wtedy usłyszałem, Jane.

– Dużo o tym myślałam... Zatem wszedłeś na górę, a Lottie była tam już ze mną?

Pocałował mnie.

– Nie mówmy o tym, Jane. Jeszcze teraz mnie to przeraża.

Uwierzyłam mu – taka była magia łączącej nas bliskości.

– Opowiedz mi o Chan Cho Lan – poprosiłam.

– Chan Cho Lan! – Zawahał się przez chwilę, a ja mówiłam dalej:

– Odwiedzasz ją... często. Widziałam, jak wchodzisz i wychodzisz z jej domu. Obserwowałam cię.

- Jane!
- To było złe, prawda? Ktoś mógłby powiedzieć, że cię szpiegowałam, ale to brzydkie określenie. Musiałam, Joliffie. Musiałam się dowiedzieć, co się dzieje.
- Powinienem był ci powiedzieć. To ja postąpiłem niewłaściwie. Tak, bywam u niej w domu, ostatnio często. Chodzi o Lottie.
- Planujesz jej przyszłość?
- Mam ku temu ważny powód. Powinienem był powiedzieć ci wcześniej. To stara historia i nie dotyczy tylko mnie... ale powinienem był ci powiedzieć. Jak wiesz, Chan Cho Lan była jedną z konkubin na dworze.
- Wiem o tym – potwierdziłam.
- Mój ojciec był nią zafascynowany. Została jego kochanką. Urodziła dziecko. Tym dzieckiem jest Lottie.
- A więc Lottie to twoja przyrodnia siostra!
- Tak. Dlatego tak mi zależy, by znaleziono dla niej dobrego męża. Gdy Chan Cho Lan chciała wyrzucić córkę na ulicę, gdzie bez wątpienia podzieliłaby los innych nowo narodzonych dziewczynek, mój ojciec postanowił ją ocalić. Ponieważ obawiał się, że jego żona może się dowiedzieć o romansie, namówił Redmonda, by zabrał małą, a potem oddał ją na wychowanie Chan Cho Lan, sam zaś został opiekunem dziecka. Chan Cho Lan straciłaby twarz, gdyby wyszło na jaw, że ma córkę, która tylko w połowie jest Chinką, ale skoro dziewczynka została znaleziona na ulicy, a ją poproszono, i być może nawet opłacono, by zaopiekowała się dzieckiem – taka sytuacja była do przyjęcia. Po śmierci mojego ojca Redmond nadal troszczył się o dziewczynkę. To on nie pozwolił, by bandażowano jej stopy. Teraz znasz już całą historię. Nasza rodzina zawsze pozostawała w przyjaznych stosunkach z Chan Cho Lan. Oczywiście powinienem był powiedzieć ci wszystko od razu, ale to zamierzchłe dzieje i nie chciałam, żebyś źle myślała o naszej rodzinie. Sądziłem, że najlepiej o tym zapomnieć. Adam wie, oczywiście. Dlatego przyprowadził Lottie do ciebie.
- Biedne dziecko. Od razu bardzo ją polubiłam.
- W tym, co się stało, nie było żadnej winy Lottie. Chcę, żeby miała najlepsze małżeństwo, jakie tylko jest możliwe. Zapewnimy jej posag, a to oznacza, że stanie się dobrą partią.
- Bardzo żałuję, że nic mi nie powiedziałeś – odrzekłam. – Prześladowały mnie wizje, jak chodzisz na spotkania z piękną, chińską kochanką, która chce mi ciebie odebrać.

Roześmiał się i powiedział:

– Żadna kobieta nie zdołałaby tego zrobić, Jane. Kocham cię i znam wartość tej miłości. Nigdy nie waż się myśleć inaczej.

Jakże szczęśliwa wtedy byłam! Jak łatwo było osiągnąć ten upojny stan euforii.

Jakże śmiałam się z siebie, leżąc u boku Joliffe'a.

Ale wątpliwości powróciły wraz ze światłem dnia.

Lottie chowała moją bieliznę do szuflad, gdy powiedziałam do niej:

– Często myślę o tej nocy, gdy chodziłam we śnie.

Zamarła bez ruchu. Wyglądała jak posąg.

– Tak – mówiłam dalej. – Zastanawiam się, dlaczego poszłam do tego pokoju na górze i wyjrzałam przez okno.

– Ty chora – odrzekła. – Teraz lepiej.

– Masz lekki sen, Lottie.

Popatrzyła na mnie tępo, jak gdyby nie zrozumiała.

– Mam na myśli – tłumaczyłam – że mnie usłyszałaś.

– Słyszałam – odpowiedziała.

– Czy widziałaś, jak wychodziłam z pokoju?

Potrząsnęła przecząco głową.

– Zatem tylko słyszałaś.

– Tylko słyszałam – powtórzyła jak echo.

– A gdy weszłaś do pokoju, ja stałam już przy oknie?

– A pan Joliffe cię trzymał.

– Więc... więc był tam przed tobą?

Skinęła głową z chichotem.

– Zawsze chciałam to wiedzieć – wyjaśniłam cicho – ale wolałabym o tym nie myśleć, kiedy byłam chora. Teraz czuję się lepiej i jestem ciekawa. Zatem on znalazł się na górze przed tobą?

– On tam przedtem – potwierdziła.

Joliffe powiedział mi coś innego.

O Boże, pomyślałam, co to mogło oznaczać?

III

Pojechałam do magazynu, by zobaczyć się z Tobym. Zaprowadził mnie do swego kantorka i zamknął drzwi.

– Jane – powiedział, zanim zdążyłam się odezwać – bardzo się martwię o ciebie.

– Sama się o siebie martwię – odparłam.

– Przeglądałem książki o chińskich narkotykach i lekarstwach i znalazłem coś, co muszę ci pokazać.

– Proszę, pokaż.

– Mam tę książkę w domu, musisz przyjechać i ją zobaczyć. Krótko mówiąc, znalazłem tam wzmiankę o starej chińskiej truciźnie. Zawiera opium i sok z jakiejś rzadkiej rośliny. Używali jej setki lat temu najbardziej skuteczni truciciele. Zazwyczaj wywołuje pewne widoczne objawy.

– Tak? – spytałam słabym głosem.

– Ofiara jest najpierw apatyczna, ospała. Nękają ją sny i halucynacje. Ma przerażające wizje. Pod wpływem narkotyku chodzi we śnie. Stopniowo jej stan się pogarsza, jest coraz słabsza, aż w końcu umiera.

– Sylwester... – wyszeptałam.

– I... ty sama?

– Wydaje się, że ktoś chce mnie uśmiercić.

– Boję się o ciebie, Jane.

– Nie miałam halucynacji. Widziałam jakąś postać na schodach i znalazłam szatę, w którą ktoś się przebrał. – Opowiedziałam mu, co się stało.

– Ale w takim stanie byłaś gotowa uwierzyć, że masz halucynacje.

– Na początku tak. Potem chodziłam we śnie. Gdyby nie Joliffe...
Zamilkłam. Dlaczego Joliffe tam się znalazł? Po co miałby mówić, że Lottie była już na miejscu, gdy przyszedł, skoro ona twierdziła, że zastała go przy mnie? Co oznacza ta rozbieżność w ich relacjach? Broniłam się przed podejrzeniem, że to on podawał mi tę chińską truciznę, a potem, półprzytomną po narkotyku, poprowadził mnie po schodach i chciał wypchnąć przez okno, gdy pojawiła się Lottie. To absurdalne, przecież byłoby podejrzane, że obie jego żony wyskoczyły przez okno! Ale wszyscy wiedzieli, że choruję. Mógłby tłumaczyć, że śmierć jego pierwszej żony nie dawała mi spokoju i dlatego zabiłam się w ten sam sposób.

Nie mogłam przyjąć do wiadomości tak absurdalnych przypuszczeń. Nie mogłam nawet wspomnieć o nich Toby'emu.

– Słuchaj, Jane – powiedział – wydaje mi się, że to bardzo poważna sprawa.

– Kto mógł to zrobić, Toby?

– Zastanówmy się. Sylwester umarł i zostawił ci ogromny majątek.

– To by wskazywało na mnie.

– Nie, wszyscy byliśmy bardzo zaskoczeni, że właśnie tobie powierzył kontrolę nad interesami. Myśleliśmy, że wyznaczy ci stały dochód, a firmę przekaże w ręce kogoś z rodziny.

– Adama lub Joliffe'a... – powiedziałam.

– Joliffe nie wchodził w grę. – Toby przyjrzał mi się uważnie. – Ktoś chce cię usunąć z drogi, Jane. Wiem, że interesy Adama nie idą dobrze. Gdybyś umarła, to on kierowałby firmą w imieniu Jasona. Jason jest jeszcze dzieckiem... minie wiele lat, zanim sam będzie mógł zająć się interesami.

Wyrzuciłam z siebie:

– Adam nie przejmie firmy. Zmieniłam testament. W razie mojej śmierci Joliffe, mój mąż, będzie wszystkim zarządzał jako opiekun Jasona.

Zobaczyłam, jak w oczach Toby'ego pojawia się czyste przerażenie.

– Czy Joliffe o tym wie? – zapytał.

– Oczywiście, że wie – odwarknęłam. – Przedyskutowaliśmy to razem. Wydawało się naturalne, że Joliffe będzie opiekunem Jasona, w końcu jest jego ojcem.

– Jane, jesteś w niebezpieczeństwie. Musimy wziąć pod uwagę każdą możliwość... bez względu na to, jak przerażająca i nieprawdopodobna może się wydawać.

– Ale Joliffe'a nie było tutaj, gdy umierał Sylwester – odparłam z triumfem.

Wtedy potworne myśli jak podstępne chochliki zaczęły skakać mi po głowie. Przypomniałam sobie, jak Joliffe przekupił jednego z urzędników Sylwestra, by mu powiedział, kiedy przyjadę do biura w Cheapside. Usłyszałam głos pani Couch sprzed lat: „Służący... on potrafi znaleźć na nich sposób. Skoczyliby w morze, gdyby tak im rozkazał".

Toby milczał.

Broniłam Joliffe'a zupełnie tak, jakbym była jego adwokatem w sądzie. Mówiłam dalej:

– Sylwester umarł dokładnie w ten sposób i miał takie objawy, jakie opisałeś. Mnie też nękały identyczne dolegliwości. Mam pewność, że trucizna była w herbacie. Musiał wsypywać ją ktoś z domowników. Ktoś, kto był w domu także wtedy, gdy umierał Sylwester.

Toby wciąż nic nie odpowiadał, a ja czułam, jak ogarnia mnie furia. Wiedziałam, co oznacza jego milczenie. Podejrzewał Joliffe'a.

Reputacja mojego męża sprawiała, że był łatwym celem podejrzeń. Żona, która zmarła... w tak tajemniczych okolicznościach. Zarzuty koronera. Wizyty u Chan Cho Lan.

Mogłam sobie wyobrazić, jak Elspeth Grantham omawia punkt po punkcie z Tobym, stwierdzając z triumfem, że cierpię za własną głupotę.

Oświadczyłam:

– Joliffe ostatnio często odwiedzał Chan Cho Lan, bo zależy mu, by dobrze wydać za mąż Lottie. Powiedział mi prawdę o tej dziewczynie. Lottie jest jego przyrodnią siostrą. Dlatego tak bardzo się nią interesuje i pragnie, by miała zapewnioną przyszłość.

Toby nie przestawał patrzeć na mnie oczami pełnymi smutku.

– Co się dzieje? – zawołałam. – Dlaczego tak na mnie patrzysz?

– To nieprawda, Jane. Lottie jest córką Redmonda. Zawsze był po cichu z tego dumny. Chan Cho Lan była jego kochanką, o czym wiedziano w pewnych kręgach. Uratował Lottie i opiekował się nią aż do swojej śmierci. Potem Adam się nią zajął i to on planuje małżeństwo Lottie.

Poczułam się tak, jakby ziemia usunęła się spod moich stóp. Byłam ogłuszona, nie chciałam wierzyć w fakty, widoczne jak na dłoni.

Toby dotknął delikatnie mojego ramienia.

– Nie powinnaś tam wracać, Jane.

– Nie wracać! Opuścić Dom Tysiąca Latarni! Zostawić mojego syna!

– Moglibyście oboje zatrzymać się u Elspeth.

– Toby, oszalałeś.

– Po prostu spójrz prawdzie w oczy!

– To nieprawda! – wykrzyknęłam.

– Popatrz na to wszystko spokojnie, Jane.

Ale jak mogłam patrzeć na to spokojnie? Joliffe... próbujący mnie zabić! Nigdy w to nie uwierzę.

– Elspeth zaopiekuje się wami. Jedź do Elspeth. Zabierz Jasona i jedź.

– Wracam do domu – oświadczyłam. – Zamierzam pomówić z Joliffe'em.

Toby potrząsnął głową.

– To na nic się nie zda. Znajdzie tysiąc wymówek. Kiedy powiedziałaś mi, że zmieniłaś testament Sylwestra, wszystkie części układanki zaczęły do siebie pasować. Nie widzisz, Jane... ma motyw...

Ale ja kochałam Joliffe'a. Nie chciałam przyjąć logicznych argumentów Toby'ego. Widziałam jedynie mężczyznę, którego kochałam i wiedziałam, że nie przestanę go kochać aż do śmierci.

– Wracam – powtórzyłam stanowczo. – Mój syn został w domu. Muszę wrócić po niego.

– Pojadę z tobą.

– Nie, wolę być sama. Być może wezmę Jasona i przyjadę. Będę mogła o tym mówić... jaśniej o tym myśleć, gdy Jason będzie przy mnie.

Toby zrozumiał, że jestem zdeterminowana.

Wyszłam z biura i wsiadłam do rikszy.

Wróciłam. Przeszłam przez ogród, prawie nie słysząc dźwięku wietrznych dzwonków. Jaka cisza panowała w domu! Stanęłam w holu i od razu przyszła mi na myśl postać w masce, która musiała zbiec pędem po schodach i ukryć się w pokoju z boazerią. Ktoś, kto wiedział o istnieniu sekretnego schowka... ktoś, kto znał dom od dzieciństwa. Kto chciał mi wmówić, że mam halucynacje. Słyszałam głos Joliffe'a podczas Święta Smoka: „To Maska Śmierci".

Powolna, z pozoru naturalna śmierć. Bezpieczny sposób na pozbycie się kogoś niewygodnego. Ofiara słabnie stopniowo, więc nikt nie jest zaskoczony, gdy wybije jej ostatnia godzina.

Nigdy nie powinnam była przyjeżdżać do tego domu. Ostrzeżenie kryło się w jego ciszy, w obcej atmosferze, w dźwiękach dzwonków i tajemniczych latarniach. Sześćset i jedna – a gdzie są pozostałe, których brakuje do tysiąca?

Może powinnam odejść, zabrać Jasona i pojechać do Elspeth. Ale to byłaby ucieczka przed Joliffe'em. Już raz tak zrobiłam. Czyżby nieszczęście miało się powtórzyć?

Poczułam, że muszę natychmiast zobaczyć syna. Skoro ja jestem w niebezpieczeństwie, to może on też?

Nigdzie go nie było. Wyjrzałam przez okno, ale na niebie nie dostrzegłam ani śladu latawca. O tej porze Jason zwykle odrabiał w pokoju szkolnym lekcje, które mu zadałam, na ogół w towarzystwie Lottie. Poszłam tam, ale pokój był pusty.

I gdzie jest Lottie?

Weszła cicho i stanęła za mną. Twarz miała zupełnie pozbawioną wyrazu.

– Gdzie jest Jason? – zapytałam. – Spodziewałam się, że znajdę was oboje tutaj.

– Jason nie jest w domu.

– To gdzie jest?

Skłoniła głowę i milczała.

– No mów – ponagliłam ją zniecierpliwiona. – Chcę wiedzieć, gdzie on jest.

– W domu pani Chan Cho Lan.

– W domu Chan Cho Lan! A cóż on tam robi? Kto go zaprowadził?

– Ja zaprowadziłam.

– Bez mojego pozwolenia?

– Czcigodna Chan Cho Lan rozkazała: przyprowadź.

– To nie powód, abyś zabierała go tam bez pytania mnie o pozwolenie.

– Ciebie nie było.

– Co się stało? Powiedz mi.

– Pani Chan Cho Lan przysłała służącego. Chin-ky chce bawić się z Jasonem. Przysłać Jasona.

– Lottie – powiedziałam – natychmiast idziemy do Chan Cho Lan. Przyprowadzimy Jasona do domu. I nie waż się nigdy zabierać go tam, o ile ja nie powiem, że wolno mu iść.

Lottie skinęła głową.

Przeszłyśmy przez ogrody i trawnik, kierując się do domu Chan Cho Lan.

Serce waliło mi z wściekłości. Nienawidziłam tej kobiety. Jak śmiała wezwać mojego syna w tak arogancki sposób! Nienawidziłam jej, bo wydawała się piękna na swój dziwny, obcy sposób i wierzyłam, że jest kochanką Joliffe'a, a Chin-ky był ich synem. Nic dziwnego, że Joliffe tak często składał jej wizyty. Potworne podejrzenia wkradły się w moje myśli. Czy pragnął mojej śmierci, bo chciał ożenić się z Chan Cho Lan? Nie, to niemożliwe. A jednak...

Zazdrość i złość pokonały we mnie wszelki strach.

Uczesany w ogonek służący podbiegł, by otworzyć bramę i, z Lottie depczącą mi po piętach, weszłam do domu.

Zaprowadzono mnie prosto do Chan Cho Lan, która już czekała. Wyglądała oszałamiająco w bladoniebieskim jedwabiu, w jej czarnych włosach błyszczały ozdoby, twarz miała delikatnie upudrowaną. Czułam unoszący się wokół niej zapach perfum.

– Ty przyprowadzić – odezwała się do Lottie. – To dobrze.

– Przyszłam po syna – oświadczyłam. – Nie otrzymał mojego pozwolenia na wizytę w tym domu i jestem zaskoczona, że go tu przyprowadzono.

– Twój syn – powtórzyła, z uśmiechem kiwając głową.

Lottie przyglądała się nam z zapartym tchem.

– Chodź – powiedziała Chan Cho Lan. – Ja zabrać cię do syna.

Odrzekłam:

– Wiem, że Jason lubi bawić się z Chin-kym, ale muszę nauczyć syna, że nie wolno mu opuszczać domu bez mojego pozwolenia.

– Dobrze, że wielka pani zaszczycić mój nędzny dom – odparła Chan Cho Lan. – Dobrze, że bystry chłopiec bawić się latawcem z moim niegodnym, głupim synem.

Trudno było znaleźć odpowiedź na takie słowa. Wiedziałam, że to dobre wychowanie każe jej tak mówić, bo tak naprawdę uwielbiała swojego syna i uważała, że jest wspaniały. Ja ani przez sekundę nie potrafiłabym udawać, że mój Jason jest niegodny i głupi.

Więc tylko skinęłam głową.

Poszłam za nią do małego pomieszczenia, wyłożonego boazerią podobną do tej, którą mieliśmy w Domu Tysiąca Latarni w pokojach na parterze. Gospodyni rzuciła mi przez ramię uśmiech i podeszła do boazerii. Nie byłam zaskoczona, gdy dotknęła jakiejś sprężyny i jedna z płyt odsunęła się do tyłu.

– Ty patrzeć? – zapytała.

Ujrzałam schowek, bardzo podobny do tego, w którym znalazłam kostium, ale tutaj wiodło w dół kilka stopni. Gospodyni weszła z wdziękiem do środka i zaczęła schodzić. Lottie i ja ruszyłyśmy za nią.

Znalazłyśmy się w następnym pomieszczeniu, oświetlonym przez wiszące u sufitu latarnie. Było ich około piętnastu. Ich światło rzucało na ściany głębokie cienie i ukazywało wąskie przejście, z którego dochodził blask kolejnych lampionów.

Chan Cho Lan skinęła głowa na Lottie, która ruszyła w stronę przejścia.

– Pani Chan Cho Lan chce, żebym zaprowadziła cię do Jasona – powiedziała dziewczyna.

– Więc ty znasz to miejsce, Lottie? – zapytałam.

Przytaknęła.

– Czcigodna Chan Cho Lan mi pokazała.

Ruszyłam więc za nią i przez pewien czas szłyśmy w milczeniu.

– Co Jason robi tu na dole? – chciałam wiedzieć.

– Przyszedł bawić się z Chin-kym.

Rozejrzałam się dookoła. Nigdzie nie było śladu Chan Cho Lan.

Byłyśmy w przejściu z obu stron odgrodzonym murami. Zrobiło się zimno, a światło latarni stało się bardzo słabe.

- Dokąd idziemy? - zapytałam. - Jesteś pewna, że Jason jest tutaj?

- Pani Chan Cho Lan mówi, że jest.

- Gdzie my jesteśmy?

- Prawie pod Domem Tysiąca Latarni.

- A więc latarnie są tutaj, Lottie. Tu właśnie jest reszta tego tysiąca.

Skinęła głową.

- Chodź.

Dotarłyśmy do drzwi, w których była krata. Lottie otworzyła ją i weszła do środka. W pomieszczeniu płonęły niezliczone latarnie. Przypominało świątynię. Wtedy zobaczyłam posążek i domyśliłam się, że to wielka Kuan Yin. Jej łagodne oczy wpatrywały się we mnie z uwagą. Przepiękna, mieniąca się figurka wykonana była z nefrytu, złota i różowego kwarcu.

- To ta Kuan Yin! - zawołałam.

Przed boginią znajdował się grobowiec z marmuru i złota, z wyrzeźbioną na wierzchu leżącą postacią.

Powiedziałam sobie w duchu: oto tajemnica Domu Tysiąca Latarni. Podniosłam wzrok na ozdobny sufit, na którym namalowano rozkosze raju Fÿ. Było tam siedem drzew obwieszonych klejnotami, siedem perłowych mostów i postacie w białych szatach.

Nagle zapytałam:

- Ale gdzie jest Jason?

- Tam - odpowiedziała Lottie.

Nie widziałam nic poza długim pudłem stojącym na kozłach.

- Lottie - rozkazałam ostro - powiedz mi, co to wszystko znaczy.

- Tam - powtórzyła.

Ruszyłam w kierunku, który wskazywała.

Nie było śladu Jasona.

Odwróciłam się do dziewczyny, ale zniknęła. Drzwi się zamknęły, a ja zostałam sama.

- Gdzie jesteś, Lottie? - zapytałam. Mój głos zabrzmiał głucho.

Zaczęła mnie ogarniać panika. Miłosierna bogini patrzyła na mnie ze współczuciem i wiedziałam, że to właśnie przed tym ostrzegał mnie dom.

Podeszłam do zakratowanych drzwi, przez które tu weszłyśmy. Nie miały klamki. Pchnęłam je z całej siły.

Ani drgnęły.

Byłam zamknięta w tym dziwnym miejscu.

Wtedy zdałam sobie sprawę, że Lottie mnie tu zwabiła w jakimś celu. Ale po co?, pytałam samą siebie.

– Wypuśćcie mnie! – krzyknęłam. – Lottie, gdzie jesteś?

Żadnej odpowiedzi.

Odwróciłam się i rozejrzałam dookoła. To rzeczywiście była świątynia – zauważyłam piękną mozaikę na podłodze, wyłożone płytkami ściany – idealne miejsce spoczynku dla ukochanej osoby. A nad wszystkim czuwała litościwa bogini, która nigdy nie pozostawała głucha na ludzkie prośby.

W jakim celu zostałam tu zwabiona?

Podeszłam do grobowca, na którym widniały złote chińskie litery. Nie potrafiłam ich odczytać, udało mi się odcyfrować tylko jedno słowo: „miłość".

Nagle zdałam sobie sprawę, że ktoś mnie obserwuje. Odwróciłam się. Za kratą majaczył jakiś cień.

Stała tam Chan Cho Lan, a jej twarz wyrażała nieskończone zło.

– Ty nie znaleźć syna? – zapytała.

– Nie ma go tu. – Tak bardzo bałam się o Jasona, że zapomniałam o swoim strachu.

– Ty źle szukać – powiedziała. – Jest tutaj.

– O Boże! – zawołałam. – Pokaż mi, gdzie?

– Ty szukać i ty znaleźć.

– Jasonie! – krzyknęłam przeraźliwie. – Jasonie!

Mój głos odbił się echem po tej komnacie śmierci, ale nie było żadnej odpowiedzi.

Ogarnęło mnie obezwładniające przerażenie. Widziałam pudło na kozłach i pomyślałam, że to trumna. Nie mogłam znieść tej myśli. To niemożliwe.

Podeszłam do pudła. Myślę, że wtedy poznałam najgłębszą rozpacz, bo oto w wyściełanym wnętrzu, z twarzą białą jak otulający go jedwab, zupełnie niepodobny do siebie, leżał Jason.

Nie wiem, czy krzyknęłam. Poczułam, że mój świat wali się w gruzy. Nie potrafiłam wyobrazić sobie większego nieszczęścia. Stałam tam, chwiejąc się i patrzyłam na ukochaną twarzyczkę.

Jason, moje kochanie... mój syn... martwy.

Ale dlaczego poddano mnie tym bezsensownym torturom, za co spotyka mnie takie nieszczęście? Co to wszystko miało oznaczać?

– Jasonie – szlochałam. – Jasonie, odezwij się do mnie...

Pochyliłam się nad nim. Dotknęłam jego twarzy. Była ciepła.

- Jasonie! – krzyknęłam. – Mój synku!

Przyłożyłam usta do jego warg i, ku mej najgłębszej radości, dostrzegłam pulsującą żyłkę na skroni. A więc nie umarł!

Od drzwi dobiegł mnie głos:

- On nie martwy. Ja nie zabijać. Moja religia nie pozwalać.

Podbiegłam do kraty:

- Chan Cho Lan – błagałam – powiedz mi, o co tu chodzi? Co zrobiłaś mojemu synowi?

- Obudzi się. Za godzinę obudzi.

- Ty doprowadziłaś go do tego stanu...

- Tak musiało. On bardzo żywy. Musieć mieć go tutaj, żeby ty przyjść.

- Czego ode mnie chcesz?

- Chcę, żebyś ty umrzeć... i twój syn umrzeć, żeby stać się to, co powinno.

- Słuchaj, Chan Cho Lan, chcę się stąd wydostać. Dam ci wszystko, co mam, jeśli pozwolisz mi i mojemu synowi stąd wyjść.

- Nie mogę... za późno.

- Co masz na myśli? Wyjaśnij mi. Błagam cię, Chan Cho Lan, powiedz mi, czego chcesz.

- Ty widzieć ołtarzyk za boginią. Na nim dwa flakony. Ty wypić jeden, twój syn drugi. Wy umierać.

- Chcesz, żebym zabiła siebie i mojego syna?

- Tak najlepiej. Wy musicie umrzeć.

- A jaki ty będziesz miała z tego pożytek?

- To oddać twarz moim przodkom. Mój dziadek wielki mandaryn. Doktor ocalić jego żonę i syna i on dać mu dom, ale najpierw wybudować tu grobowiec dla ukochanej żony i dać jej wielką boginię, żeby strzegła. On żyć w moim domu i odwiedzać grobowiec ukochanej żony często. Ale ty próbować odkryć sekret i wszystkie obce diabły też. Jednego dnia mogą znaleźć. Dom powinien należeć słusznemu właścicielowi.

- A zatem chcesz domu. Dlaczego od razu mi tego nie wyjaśniłaś?

- Chin-ky będzie mieć dom. Jak ty martwa i chłopiec martwy, dom będzie Adama. Chin-ky syn Adama, więc mieć prawo go dostać. Chin-ky wyjść za chińską kobietę i oni żyć w Domu Tysiąca Latarni i przodkowie odpoczywać w pokoju.

- Adama! Nie wierzę w to!

- Nie. Ty wierzyć syn Joliffe'a. Adam bardzo sprytny. On ukrywać dużo.

– Dom nie będzie Adama – powiedziałam. – Jeśli umrę, będzie należał do Joliffe'a.

– Nieprawda. Sylwester zrobić testament. Adam wie.

– To zostało zmienione. Ja to zmieniłam. Adam nie odziedziczy domu.

– Nie? – powiedziała, przez chwilę zdezorientowana.

– To, co jest moje, będzie należało do mego męża – dodałam szybko.

Chan Cho Lan uniosła brwi.

– Jeżeli trzeba zrobić więcej, zostanie zrobione – oświadczyła.

Więc zamorduje także Joliffe'a!

– A Lottie? – zapytałam. – Jaką rolę ona odegrała w tym wszystkim?

– Lottie moja córka. Ojciec Adama jej ojciec.

– Oszukałaś mojego męża. Powiedziałaś mu, że to jego ojciec jest ojcem Lottie.

– Żeby go tu mieć. Tak. Chciałam, żeby ty wiedzieć, że on tu przychodzić. Myślałam najlepiej. Na przyszłość.

– I kazałaś Lottie otruć mojego pierwszego męża.

– Ja z tobą nie mówić, tylko kazać ci, ty musisz zabić siebie i swojego syna.

– Wydaje ci się, że nikt nas nie będzie szukał?

– Znajdą. W morzu. Zostaniecie tam wzięci i po czasie znaleźć was...

– Jesteś szatanem.

– Nie rozumieć. Weź napój. Bez bólu. Szybko się skończy.

Zniknęła, a ja zostałam sama.

Podeszłam do trumny i wzięłam Jasona na ręce.

Usiadłam z nim na marmurowych stopniach grobowca.

Cisza, tylko Jason i ja skąpani w świetle latarni – czterystu w tej świątyni i prowadzącym do niej korytarzu – czekający na cud, który nas ocali.

Poczułam pewną ulgę, że Joliffe nie jest mordercą.

Co on zrobi, gdy zobaczy, że nas nie ma, pomyślałam.

Podniosłam oczy. Wprost nade mną znajdował się Dom Tysiąca Latarni. Gdzieś nad moją głową może stać Joliffe, który właśnie pyta:

– Gdzie pani? Gdzie Jason?

Och, Joliffie, mówiłam do niego w duchu, wybacz mi wszystkie podejrzenia i, o Boże, pomóż mi się stąd wydostać.

Położyłam Jasona delikatnie na podłodze. Zapewne podano mu jakieś silne narkotyki i po części byłam zadowolona, że nie zdaje sobie sprawy z tego, co się dzieje.

Podeszłam do ołtarzyka, gdzie stały dwa śmiercionośne flakony. A więc kazała Lottie zamordować Sylwestra, by jej własne dłonie pozostały nieskalane. A ja miałam teraz zabić Jasona i siebie, aby ona nie była winna morderstwa. Gdy usłyszała, że testament został zmieniony i mój mąż wszystko odziedziczy, uznała to za jeszcze jedną przeszkodę, którą los umieścił na jej drodze, i zdecydowała, że usunie Joliffe'a.

Oczy bogini spoglądały prosto w moje. Kuan Yin, która podobno wysłuchuje próśb o pomoc. Nigdy nie słyszała tak błagalnego wołania, jak moje.

Nie umrę. Znajdę drogę wyjścia. Ale jak? Muszę ocalić nie tylko siebie i Jasona, ale jeszcze Joliffe'a. Podeszłam do drzwi i pchnęłam je z całej siły. To było głupie. W ten sposób nic nie zdziałam.

Och, Lottie, myślałam z rozpaczą, jak mogłaś okazać się taką zdrajczynią? To ona próbowała mnie przestraszyć Maską Śmierci. Lottie, córka Redmonda – nie Magnusa, jak myślał Joliffe – była przyrodnią siostrą Adama, którą ojciec ocalił od śmierci na ulicy. Teraz rozumiałam, że Lottie miała nadzieję, iż wyjdę za Adama, a wtedy, jak wierzyła Chan Cho Lan, to on zostałby właścicielem Domu Tysiąca Latarni. Jakie to dziwne, że Adam odgrywał w tym wszystkim tak istotną rolę – ten małomówny mężczyzna, ojciec Chin-ky'ego. A jak bardzo był w to wszystko zamieszany?

Biedna Lottie, wierzyła, że spłaca dług swoim przodkom.

Czy rzeczywiście za dwadzieścia lat mały Chin-ky zamieszkałby z żoną w Domu Tysiąca Latarni, jak, w co wierzyły Lottie i Chan Cho Lan, życzyli sobie bogowie?

Zostawię ten dom, obiecałam bogini. Nigdy w życiu o nic nie poproszę poza spokojnym życiem z moim dzieckiem i mężem... jeżeli tylko uda mi się stąd wydostać.

– Proszę, Boże, pomóż mi – modliłam się. – Kuan Yin, która wysłuchujesz próśb wszystkich bezbronnych, wysłuchaj mnie teraz.

Jason drgnął. Działanie narkotyku powoli mijało. Czułam ulgę, ale i strach. Nie chciałam, żeby się obudził w tym miejscu.

– Joliffie! – zawołałam.

Mój głos odbił się echem od ścian grobowca. Nigdy mnie nie usłyszą tam na górze.

Myślałam o ceremoniach, które odbywały się dokładnie pod naszymi stopami. Uroczystości ku czci zmarłych. Myślałam o mandarynie, który kochał swoją żonę i pochował ją tutaj, by móc przychodzić na jej grób i w samotności płakać.

Nie mogę tu umrzeć, postanowiłam. Mam tak wiele powodów, aby żyć. Chcę zobaczyć znowu Joliffe'a. Muszę opowiedzieć mu o moich koszmarnych podejrzeniach i prosić go o wybaczenie. Powiem mu, że go kocham... takiego, jaki jest. Cokolwiek zrobił w przeszłości i cokolwiek uczyni w przyszłości, nic tego nie zmieni. Zawsze będę go kochać.

Ale jak mogę mówić o miłości na zawsze, gdy śmierć zagląda mi w oczy!

Trudno było określić, ile czasu upłynęło. Jason poruszył się i coś wymamrotał.

Pochyliłam się nad nim:

– Wszystko w porządku, synku. Twój ojciec zaraz z nami będzie.

Próbowałam się uspokoić, przygotować na chwilę, gdy chłopiec obudzi się z narkotycznego snu. Nie może się przestraszyć.

– Joliffie – szeptałam – przyjdź po mnie. Chcę mieć szansę, by powiedzieć ci, o czym myślałam. Chcę ci powiedzieć, jak bardzo cię kocham i zawsze kochałam, nawet wtedy, gdy wydawało mi się, że pragniesz się mnie pozbyć. Czy może być większy dowód miłości?

Jaka cisza panowała w grobowcu! I jak bardzo mandaryn musiał kochać swoją żonę. Wyobraziłam go sobie, jak przychodzi tutaj, by ją opłakiwać.

I w tym miejscu, poświęconym miłości, miałam umrzeć!

Och, Joliffie, jesteś tuż nade mną. Szukaj mnie, może ktoś zauważył, jak tu szłam. Czy to prawda, że jeżeli ukochana osoba znajduje się w niebezpieczeństwie, mamy jakieś przeczucia? Twoi najbliżsi są w tym grobowcu, Joliffie – twój syn i twoja żona.

Coś, ktoś, musi cię do nas przyprowadzić. Kto? Jak?

Jason znowu się poruszył. Wzięłam go za rękę, a jego palce zacisnęły się wokół mojej dłoni.

A gdybyśmy wypili zawartość flakonów, co wtedy? Sen bez bólu. A w nocy służący Chan Cho Lan zabraliby nasze ciała. Włożyliby je do worków i wrzucili do morza. Nikt nigdy więcej by o nas nie usłyszał. Kolejny sekret tego tajemniczego kraju. Już słyszałam, jak Lilian Lang szepcze o tym podczas proszonych obiadów, wlepiając oczy w Joliffe'a. Jego pierwsza żona zmarła gwałtowną śmiercią, druga – zniknęła.

Och, Joliffie, pomyślałam, tobie też grozi niebezpieczeństwo.

W głowie miałam zupełny chaos, a minuty mijały. Jak dużo czasu jeszcze mi zostało?

W każdej chwili przy kracie mogła pojawić się twarz morderczyni.

Kroki! Podeszłam do kraty.

Nie mogłam w to uwierzyć. To musiał być sen. To niemożliwe. Jak on mógł mnie tu znaleźć?

Ale to nie sen. Przed oczami miałam twarz mojego męża – pełną napięcia i strachu, a potem nagle rozświetloną taką radością, że serce mi zatrzepotało ze szczęścia.

– Jane! – krzyknął.

– Joliffie! – zawołałam w odpowiedzi.

Szarpnął kratę i porwał mnie w ramiona.

Rozdział dziewiąty

Zagroda Rolanda

I

To Lottie nas uratowała. Załamała się i wyznała wszystko Joliffe'owi. Wypełniała instrukcje matki i doprowadziła Sylwestra do śmierci. Chan Cho Lan wierzyła, że po jego śmierci dom przejdzie w ręce Adama, który z czasem zostawi go Chin-ky'emu. Lottie wykonywała polecenia nie dlatego, że miała coś przez to zyskać, lecz dlatego, że wierzyła, iż przodkowie życzą sobie śmierci Sylwestra.

Kiedy okazało się, że wszystko należy do mnie, Chan Cho Lan pomyślała, że powinnam wyjść za Adama, który zgodzi się oddać dom prawowitemu właścicielowi, czyli jej synowi Chin-ky'emu. Gdy wzięłam ślub z Joliffe'em, podpisałam na siebie wyrok i Lottie miała usunąć mnie w ten sam sposób, w jaki pozbyła się Sylwestra. Jason byłby następny. Lecz dziewczyna miała skrupuły. Pokochała nas oboje, ale Adam był jej przyrodnim bratem, tak, jak Chin-ky, a ona, jako córka Chan Cho Lan, musiała wypełnić zobowiązania wobec rodziny. Chan Cho Lan narzekała, że Lottie opieszale wykonuje swoje zadanie, a ja wciąż żyłam. Może dzięki temu, że byłam młodsza i silniejsza od Sylwestra, okazałam się też bardziej odporna na działanie trucizny. Chan Cho Lan kazała Lottie sprokurować na mój użytek te same halucynacje, którymi dziewczyna straszyła mego męża. Chan Cho Lan wiedziała o schowku za boazerią i ukryła tam szatę, z dala od ciekawskich oczu.

I Lottie usłuchała. Biedna Lottie, uczuciowo rozdarta, powiesiła sztylet z monet nad moim łóżkiem, by mnie ostrzec, że muszę przygotować się na śmierć. Pół Angielka, pół Chinka, wychowana na chińską modłę i wrzucona wprost w angielskie środowisko, straciła orientację. Chciała mnie zabić i jednocześnie ocalić. Bała się wykonać instrukcje Chan Cho Lan, ale bała się też okazać matce nieposłuszeństwa. Ponieważ nie poddawałam się działaniu trucizny tak łatwo, jak Sylwester, postanowiła poszukać skuteczniejszej metody. Dlatego postanowiła wypchnąć mnie z okna. Słyszała o śmierci Belli i pomyślała, że sprawi przyjemność Chan Cho Lan, gdy ja zginę w ten sam sposób. Zdesperowana, nafaszerowała mnie narkotykami i zaprowadziła do pokoju na górze. Prawdopodobnie byłby to mój koniec, gdyby Joliffe nie pojawił się na czas. Pragnęłam myśleć, że to miłość do mnie obudziła go akurat w tamtej chwili. Byłam o tym przekonana.

Co do Lottie, nie mogłam mieć do niej żalu. Rozumiałam jej motywację, bo poznałam sposób myślenia i logikę ludzi tej kultury.

Na szczęście Jason obudził się z narkotycznego snu dopiero po powrocie do Domu Tysiąca Latarni. Był niepomiernie zdziwiony, gdy otworzył oczy i zobaczył, że leży we własnym łóżku.

– Gdzie jest Chin-ky? – zapytał. – Ona miała mnie do niego zabrać. Najpierw dała mi herbaty... a potem zasnąłem.

– Wszystko w porządku, jesteśmy już w domu. Przyszłam po ciebie i znalazłam cię śpiącego, więc przyniosłam cię z powrotem – wyjaśniłam mu.

Przyjął moje tłumaczenie bez zastrzeżeń i zapytał, kiedy będzie mógł znowu pobawić się z Chin-kym.

Joliffe i ja długo rozmawialiśmy o dziwnych sprawach, które toczyły się wokół nas i wtedy wyszły na jaw wszystkie moje lęki i podejrzenia. Nie chciał uwierzyć, że mogłam myśleć o nim w taki sposób.

Zresztą teraz, gdy znałam już prawdę, ja też nie mogłam w to uwierzyć.

– Jestem nieobliczalny – oświadczył. – Lekkomyślny. Nie zawsze mówiłem ci wszystko, co powinienem był powiedzieć. Nie mogłem się zmusić, by opowiedzieć ci o samobójstwie Belli... ale uwierz mi, Jane, zrobiła to dlatego, że widziała, iż nie ma już dla niej ratunku. Wiedziałem, że to cię zdenerwuje, przewidywałem, że możesz podejrzewać, iż ja ją do tego doprowadziłem, dlatego wybrałem najłatwiejsze wyjście. Powiedziałem ci, że zmarła na nieuleczalną chorobę i przekonałem siebie, że w pewien pokrętny sposób mówiłem prawdę. Naprawdę uwierzyłem Chan Cho Lan, że Lottie jest córką mego ojca. Posłuchaj, Jane, nie szukaj we mnie ideału. Nie znajdziesz. Jestem krętaczem, nie cierpię problemów i zrobię wszystko, by ich uniknąć. Możesz to nazwać tchórzostwem, jeśli chcesz. Jestem impulsywny, nigdy nie będziesz miała pewności, co zrobię.

Jest tylko jedna rzecz, której możesz być absolutnie pewna: tego, że cię kocham.

– To wystarczy – odrzekłam. – Mając tę pewność, jestem gotowa stawić czoło wszystkiemu, co nas spotka.

Chan Cho Lan odebrała sobie życie, wypiwszy truciznę, przeznaczoną dla mnie. Taką karę sama sobie wymierzyła za utratę twarzy. Nie udało jej się nas pozbyć i oddać domu tym, których uważała za prawowitych właścicieli. Urodziła córkę, która była pół- -Angielką – i już sam ten fakt wystarczył, by rozgniewać bogów. Jej córka zdradziła ją przed obcymi diabłami akurat w chwili, gdy grzech miłości do obcego diabła miał zostać odkupiony. Poniosła klęskę i wiedziała, iż nigdy nie uda jej się osiągnąć celu. Według Chan Cho Lan z tej sytuacji było tylko jedno wyjście. Właściwe rozwiązanie dla kogoś, kto stracił więcej godności, niż mógłby kiedykolwiek odzyskać. Chan Cho Lan mogła się oczyścić jedynie przez połączenie z przodkami.

Adam postanowił wyjechać z Hongkongu na pewien czas. Zawsze ukrywał swoje uczucia i teraz nie było inaczej. Trudno mi wydać o nim jednoznaczną opinię, zwiódł mnie w iście mistrzowski sposób. Kto by pomyślał, że ten uczciwy młody człowiek o surowych zasadach moralnych był przez cały czas kochankiem kobiety, która wcześniej miała romans z jego ojcem, a do tego urodziła Adamowi syna.

Zapewniał nas, że nic nie wiedział o knowaniach Chan Cho Lan. Na początku wierzył, że wyjdę za niego, a wtedy przejmie kontrolę nad firmą, dlatego przeżył ogromny wstrząs, gdy wzięłam ślub z Jo- liffe'em. Chan Cho Lan przed nim także miała sekrety, bo chociaż byli kochankami, Adam wciąż pozostawał obcym diabłem i wiedziała, że nie zrozumie jej sposobu myślenia.

Bez wątpienia był bardzo przygnębiony tym, co się wydarzyło, i bardzo mu zależało, by zapewnić opiekę Chin-ky'emu, zwłaszcza teraz, gdy matka chłopca nie żyła. Zanim wyjechał, powierzył małego opiece wuja, szanowanego mandaryna z Kantonu.

Pozostała jeszcze Lottie. Jak bardzo było mi jej żal! Często szlochała cicho, a jej widok, gdy tak siedziała bez ruchu, a łzy płynęły strumieniami po jej policzkach, rozdzierał mi serce.

Próbowałam jej wytłumaczyć, że nie obwiniam jej ani o śmierć Sylwestra, ani o usiłowanie zabicia mnie. Ktoś inny wszystko to zaplanował i wpoił jej fałszywe przekonanie, że taki spoczywa na niej obowiązek, ale powtarzała, że jest nędzną istotą, która nie wypełniła powinności wobec przodków. Zdradziła swoją matkę, bo nie mogła pozwolić, by mnie i kochanego, małego Jasona spotkała śmierć. Joliffe i ja robiliśmy wszystko, żeby ją pocieszyć. Wielokrotnie powtarzaliśmy, że nie powinna tak myśleć. Jeżeli nawet Sylwester zmarł z powodu trucizny, którą mu podała, to ja i Jason żyliśmy tylko dzięki Lottie. Czy nie widzi, że ocaliwszy dwa życia, odkupiła grzech odebrania jednego? Taka logika wydawała się pokrętna, ale przyniosła pewien efekt. Lottie zaczęła się wahać. Wyznała, że zamierzała wyskoczyć z okna, tego samego, z którego chciała wypchnąć mnie, i przez pewien czas obawialiśmy się, że zrealizuje swoje plany.

Adam, zanim wyjechał, przyłączył się do naszych perswazji i myślę, że jego słowa odniosły dużo większy skutek niż nasze tłumaczenia. Lottie była jego przyrodnią siostrą i po prostu kazał jej wysłuchać tego, co miał do powiedzenia. Wpojono jej tak wielki szacunek dla rodziny, że polecenia brata miały dla niej dużo większe znaczenie, niż prośby tych, których kochała.

W końcu dała się przekonać i zaczęła przygotowywać się do małżeństwa, które zaaranżował dla niej właśnie Adam. Chan Cho Lan udawała, że radzi się Joliffe'a w sprawie tego związku i wmówiła mu, że jego ojciec był również ojcem Lottie, bo chciała, by mój mąż często ją odwiedzał. Najwyraźniej uznała, że warto popsuć trochę stosunki między nami na wypadek, gdyby moją śmierć trzeba było upozorować na samobójstwo. Z tego samego powodu zaprosiła mnie, abym zobaczyła jej syna, Chin-ky'ego. Pomyślała, że powinna znaleźć powody, dla których mogłabym popełnić samobójstwo, na wypadek gdyby po mojej śmierci wszczęto jakieś śledztwo, a skoro pierwsza żona Joliffe'a odebrała sobie życie, to druga mogła równie dobrze zginąć w ten sam sposób.

Mąż Lottie był pół Anglikiem, pół Chińczykiem wykształconym w Anglii. Okazał się dobrym, inteligentnym młodym człowiekiem i wierzyłam, że Lottie będzie z nim szczęśliwa.

Pozostał jeszcze Dom Tysiąca Latarni. W jego podziemiach stary mandaryn wybudował piękną świątynię dla swojej żony. Do grobowca nie można było dotrzeć od naszej strony, jedyna droga prowadziła z domu Chan Cho Lan, gdzie zamieszkał mandaryn po tym, jak ofiarował dom pradziadkowi Joliffe'a.

Jego największym skarbem był grób ukochanej żony, której podarował najcenniejszą statuetkę Kuan Yin.

Przetłumaczyliśmy napis wyryty na grobowcu, który brzmiał:

Kochałem cię wśród burz losu.
W życiu byliśmy jak jedno i śmierć nas nie rozłączy,
bo nasza miłość trwa na wieki.

Zeszliśmy na dół, by obejrzeć grobowiec. Świątynia tonęła w ciszy. Wydawała się zupełnie innym miejscem niż to, w którym zostałam uwięziona.

Miałam wrażenie, że bogini skierowała na mnie swój łagodny wzrok i powodowana nagłym impulsem powiedziałam:

– To wszystko musi tu pozostać na zawsze. Tak, jak on tego chciał. Kuan Yin musi zostać tam, gdzie umieścił ją mandaryn.

– Figurka warta jest fortunę! – zaprotestował Adam.

– Ale nie należy do nas – odrzekłam szybko. – Jesteśmy tu obcy. Nie powinniśmy niczego stąd zabierać.

Miałam prawo podjąć taką decyzję. Dom Tysiąca Latarni należał do mnie, a podziemia stanowiły jego część.

I wtedy, tam, na dole, zrozumiałam jasno, co powinnam zrobić.

Zrezygnuję z domu. On nigdy tak naprawdę nie będzie do mnie należał. Właśnie to mi mówił od chwili, w której po raz pierwszy przekroczyłam jego próg.

Dom musi wrócić do tych, którzy by w nim mieszkali, gdyby nie impulsywny gest mandaryna.

Adam zadba o swego syna, a gdy Chin-ky dorośnie, zamieszka wraz z żoną i dziećmi w Domu Tysiąca Latarni.

Powietrze wydawało się lżejsze. Dom się zmienił.

II

Parę miesięcy później Joliffe, Jason i ja wyruszyliśmy do Anglii. Spodziewałam się dziecka i pragnęłam, by przyszło na świat w domu. Poza tym, trzeba było pomyśleć o szkole dla Jasona.

Dzień, w którym przyjechaliśmy do Zagrody Rolanda, był cudowny.

W drzwiach stała pani Couch, jeszcze grubsza, niż ją zapamiętałam, z rumieńcami na policzkach i mgiełką łez w oczach.

– Wreszcie w domu, moja Jane – powiedziała. – Chociaż teraz chyba muszę nazywać cię madame. – Jej wzrok powędrował od

Joliffe'a do Jasona i znowu powrócił do mnie... Popatrzyła na mnie znacząco, zauważywszy, że, jakby sama to określiła, „byłam przy nadziei".

– I już najwyższy czas – dodała. – Teraz ten dom będzie znowu domem.

Spis treści